LES ANCÊTRES D'AVALON

OUVRAGES DE MARION ZIMMER BRADLEY
AUX ÉDITIONS DU ROCHER

La Prêtresse d'Avalon (avec Diana L. Paxson), 2001.
La Princesse au dragon (avec Elisabeth Waters), 2002.
La Maison d'entre les mondes, 2002.

MARION ZIMMER BRADLEY
& DIANA L. PAXSON

LES ANCÊTRES
D'AVALON

*Traduit de l'anglais
par Pascale Renaud-Grosbras*

ÉDITIONS DU
ROCHER

Titre original : *Ancestors of Avalon*.

Première publication : Viking Penguin, 2004.

Ce texte est publié avec l'accord de Baror International, Inc., Armonk, New York, USA.

ISBN 2 268 05348 2

Dédié à David Bradley,
sans qui ce livre n'aurait pu être écrit.

LISTE DES PERSONNAGES

Les noms des personnages morts avant le début de l'histoire sont entre parenthèses.
Les noms en capitales sont ceux des personnages principaux.

Ceux qui meurent en Atlantis

Aldel : originaire d'Ahtarrath ; acolyte fiancé à Élis ; il meurt lors du sauvetage de l'Omphale.

Déoris [nom dans le Temple : Adsartha] : ancienne prêtresse de Caratra, mère de Tiriki, femme de Réio-ta.

(Domaris : gardienne, prêtresse de la Lumière, mère de Micail).

Grémos : prêtresse, responsable de la maison des acolytes.

Kalhan : originaire d'Atalan ; acolyte fiancé à Damisa.

Kanar : astrologue en chef du Temple d'Ahtarrath ; premier professeur de Lanath.

Lunrick : marchand d'Ahtarra.

Mésira : guérisseuse en chef, prêtresse du culte de Caratra.

(Micon : prince d'Ahtarrath, père de Micail).

(Mikantor : prince d'Ahtarrath, père de Micon et de Réio-ta).

Pégar : propriétaire terrien sur Ahtarrath.

(Rajasta : mage, prêtre de la Lumière et gardien du Temple sur la Terre des Ancêtres).

Réio-ta : régent d'Ahtarrath, gouverneur du temple de la Lumière d'Ahtarrath, prêtre, oncle de Micail et beau-père de Tiriki.

9

(Rivéda : père biologique de Tiriki, guérisseur, mage et chef de l'ordre des toges grises sur la Terre des Ancêtres, exécuté pour sorcellerie).

Les gens du Tor

Adeyna : femme du marchand Forolin.

Alyssa [nom dans le Temple : Néniath] : originaire de Caris, prêtresse de l'ordre des toges grises, prophétesse et adepte.

Arcor : originaire d'Ahtarrath, marin sur le *Serpent écarlate*.

Aven : originaire d'Alkonath, marin sur le *Serpent écarlate*.

Cadis : originaire d'Ahtarrath, marin sur le *Serpent écarlate*.

CHÉDAN ARADOS : originaire d'Alkonath, fils de Naduil ; acolyte de la Terre des Ancêtres avant sa chute, ancien gardien, à présent mage.

DAMISA : originaire d'Alkonath, la plus âgée des acolytes, cousine du prince Tjalan, fiancée à Kahlan.

Dannetrasa : originaire de Caris, prêtre de la Lumière, assistant d'Ardral à la bibliothèque ; parvenu au Tor sur le second bateau.

Domara : fille de Tiriki et de Micail, née au Tor.

Eilantha : nom de Tiriki dans le Temple.

Élis : originaire d'Ahtarrath, acolyte particulièrement douée pour faire pousser les végétaux.

Forolin : marchand d'Ahtarrath, arrivé au Tor sur le second bateau.

Fougère : femme des marécages.

Gamin : fils d'Ortie, femme des marécages.

Héron : chef des gens des marécages.

Iriel : originaire d'Arhaburath, la plus jeune des acolytes (elle a douze ans au moment du Cataclysme), fiancée à Aldel.

Jarata : marchand sur Ahtarrath.

Kalaran : acolyte, fiancé à Sélast.

Kestil : fille de Forolin et d'Adeyna, elle a cinq ans lorsqu'elle arrive au Tor.

Larin : marin sur le *Serpent écarlate*, puis invité à rejoindre la prêtrise.

Liala [nom dans le Temple : Atlialmaris] : originaire d'Ahtarrath, prêtresse en toge bleue et guérisseuse.

Linotte : fille d'Ortie.

Loutre : fils du chef Héron.

Malaéra : prêtresse de l'ordre des toges bleues.

Métia : la plus âgée des sajis, nurse de Domara.

Ortie : femme de Héron.

Reidel : originaire d'Ahtarrath, fils de Sarhedran ; capitaine du *Serpent écarlate* puis prêtre du sixième ordre.

Rendano : originaire d'Akil, jeune prêtre du Temple de la Lumière et voyant.

Sélast : originaire de Cosarrath, acolyte.

Taret : vieille femme vénérable du peuple des marécages.

Teiron : originaire d'Alkonath, marin sur le *Serpent écarlate.*

Téviri : saji, garde-malade d'Alyssa.

TIRIKI [nom dans le Temple : Eilantha] : originaire d'Ahtarrath, gardienne du Temple de la Lumière, femme de Micail. Elle deviendra la Morgane d'Avalon.

Virja : saji, autre garde-malade d'Alyssa.

Les gens de Belsairath et d'Azan

Adéranthis : originaire de Tapallan, prêtresse du Temple sur Ahtarrath.

Anet : fille de la grande prêtresse Ayo et du roi des Ai-Zir, Khattar.

Antar : garde du corps du prince Tjalan.

ARDRAL [nom dans le Temple : Ardravanant, qui signifie « familier de la Lumière »] : originaire d'Atalan, adepte, septième gardien du temple de la Lumière, conservateur de la bibliothèque sur Ahtarrath.

Ayo : sœur sacrée de la tribu des Ai-Zan, grande prêtresse à Carn Ava.

Baradel : fils aîné de Tjalan, âgé de sept ans au moment du Cataclysme.

Bennurajos : originaire de Cosarrath, chantre du temple de la Lumière sur Ahtarrath, spécialiste des plantes et des animaux.

Chaithala : princesse d'Alkonath, femme de Tjalan.

Cléta : originaire de Tarisseda Ruta, acolyte fiancée à Vialmar, spécialiste des plantes médicinales, elle a quinze ans au moment du Cataclysme.

Cyrena : princesse de Tarisseda, fiancée à Barabel, neuf ans au moment du Cataclysme.

Dan : un des trois lanciers connus sous le nom de « compagnons de Tjalan ».

Dantu : capitaine de l'*Émeraude royale*, le navire de Tjalan.

Délengirol : originaire de Tarisseda, chantre dans le temple d'Ahtarra.

Domazo : propriétaire de l'auberge de Belsairath, héritier du chef local.

Droshrad : chaman des Taureaux Rouges.

ÉLARA [nom dans le Temple : Larrnebiru] : originaire d'Ahtarrath, une des plus âgées parmi les acolytes, initiée du culte de Caratra, fiancée à Lanath.

Galara : demi-sœur de Tiriki, fille de Déoris et de Réio-ta, apprentie scribe.

Gréha : guerrier des Ai-Zir, garde du corps de Heshoth.

Haladris : originaire d'Atalan, premier gardien du temple de la Lumière sur Alkonath, ancien grand prêtre sur la Terre des Ancêtres.

Heshoth : commerçant indigène.

Jiritaren (surnom : Jiri) : originaire de Tapallan, prêtre de la Lumière et astronome.

Karagon : originaire de Mormallor, chéla de Valadur.

Khattar : chef de la tribu des Taureaux Rouges, grand roi des Ai-Zir.

Khayan-e-Durr : sœur de Khattar, reine de la tribu des Taureaux Rouges.

Khensu : neveu et héritier de Khattar.

Kyrrdis : originaire d'Ahtarrath, chantre et prêtresse de la Lumière.

Lanath : originaire de Tarisseda Ruta, acolyte, ancien apprenti de Kanar, fiancé à Élara.

Li'ija : originaire d'Alkonath, chéla, fille aînée d'Ocathrel, elle a dix-neuf ans au moment du Cataclysme.

Lirini : originaire d'Alkonath, chéla à l'école des scribes, fille d'Ocathrel, dix-sept ans au moment du Cataclysme.

Lodreimi : originaire d'Alkonath, prêtresse en toge bleue dans le temple de Timul.

Mahadalku : originaire de Tarisseda Ruta, premier gardien du temple de la Lumière sur Tarisseda.

Marona : originaire d'Ahtarrath, prêtresse en toge bleue et guérisseuse.

Métanor : originaire d'Ahtarrath, cinquième gardien du Temple de la Lumière.

MICAIL [nom dans le Temple : Osinarmen] : prince d'Ahtarrath, premier gardien du Temple de la Lumière.

Naranshada (surnom : Ansha) : originaire d'Ahtarrath, quatrième gardien du Temple de la Lumière, cousin de Micail, ingénieur.

Ocathrel : originaire d'Alkonath, cinquième gardien du Temple de la Lumière.

Osinarmen : nom de Micail dans le Temple.

Ot : un des trois lanciers «compagnons de Tjalan».

Reualen : originaire d'Alkonath, prêtre de la Lumière, mari de Sahurusartha.

Sadhisebo et Saiyano : prêtresses sajis dans le temple de Timul, spécialistes des plantes médicinales.

Sahurusartha : originaire d'Alkonath, prêtresse de la Lumière, chantre, femme de Reualen.

Stathalkha : originaire de Tarisseda Ruta, troisième gardienne du temple de Tarisseda, grande voyante.

Timul : originaire d'Alkonath, assistante de la grande prêtresse du temple de Ni-Terat sur Alkonath, chef des toges bleues à Belsairath.

TJALAN : prince d'Alkonath, dirigeant de la colonie de Belsairath, cousin de Micail.

Valadur : originaire de Mormallor, adepte parmi les toges grises.

Valorin : originaire de Tapallan, prêtre de la Lumière du temple d'Alkonath, spécialiste des plantes.

Vialmar : originaire d'Arhurabath, acolyte, fiancé de Cléta.

Les pouvoirs célestes

Banur : le dieu aux quatre visages, destructeur et sauveur, maître de l'hiver.

L'étoile de sang : Mars

Caratra : fille de Ni-Terat ou son aspect nourricier ; son astre est Vénus.

Dyaus : le Dormeur, on l'appelle aussi «l'Homme aux bras croisés» ou le Non-Révélé ; c'est la force du chaos qui amène le changement.

Manoah : le grand Créateur, seigneur du jour, identifié au soleil et à Orion (la constellation de la Destinée), maître de l'été.

Nar-Inabi : le créateur des étoiles, dieu de la nuit, des astres et de la mer, maître de la saison des récoltes.

Ni-Terat : sombre Mère de l'univers, aspect caché de la grande Mère, déesse de la terre, maîtresse de la saison des semis.

La Pacificatrice : constellation de la Vierge.

Le Sorcier : Saturne.

Le Souverain : Jupiter.

La Torche : constellation du Lion, on l'appelle aussi le Sceptre ou le Grand Feu.

La Roue : constellation de la Grande Ourse, appelée aussi les Sept Gardiens ou le Chariot.

Le Taureau ailé : constellation du Taureau.

Une note sur l'astrologie atlante

Il y a quatre millénaires, les cieux étaient différents. À cause de la précession des équinoxes, par exemple, les solstices tombaient début janvier et début juillet, et les équinoxes début avril et début octobre. Les signes du zodiaque étaient différents aussi : le solstice d'hiver commençait lorsque le soleil pénétrait dans la constellation du Verseau et l'équinoxe de printemps lorsqu'il entrait dans celle du Taureau. Les noms des constellations n'étaient pas les mêmes dans les royaumes de la Mer et dans les anciennes civilisations environnantes.

LISTE DES LIEUX

Ahtarra : capitale d'Ahtarrath.

Ahtarrath : dernière île des royaumes de la Mer à disparaître ; lieu de résidence des acolytes (dans la maison des Douze).

Ahurabath : île des royaumes de la Mer.

Alkona : capitale d'Alkonath.

Alkonath : une des îles les plus puissantes du royaume des Dix Îles, réputée pour ses marins.

Aman : rivière connue actuellement en Angleterre sous le nom d'Avon.

Atlantis : nom générique donné aux royaumes de la Mer.

Azan : « l'enclos du Taureau », territoire des cinq tribus des Ai-Zir, situé actuellement dans la zone qui s'étend au nord-est de Weymouth jusqu'à la plaine de Salisbury, dans le Wessex.

Azan-Ylir : capitale d'Azan, actuellement Amesbury.

Béléri-in [Bélérion] : ville connue actuellement sous le nom de Penzance, en Cornouailles.

Belsairath : comptoir commercial alkonien, où est située actuellement la ville de Dorchester. La forteresse de Belsairath est aujourd'hui Maiden Castle, dans le Dorset.

Carn Ava : aujourd'hui Avebury.

Les Cassitérides : les îles de Tin, nom donné à l'Angleterre.

La cité du Cercle du serpent : capitale de la Terre des Ancêtres.

La colline aux fantômes : Hambledon Hill, dans le Dorset.

Cosarrath : île du royaume des Dix Îles.

Côte d'Ambre : côte de la mer du Nord.

Le royaume des Dix Îles : alliance des royaumes de la Mer, qui a remplacé le Radieux Empire.

Hellas : la Grèce.

L'île des Braves, les îles de Tin, les Hespérides : les îles Britanniques.

Khem : l'Égypte.

Mormallor : une des îles du royaume des Dix Îles, « l'île sacrée ».

Olbairos : comptoir commercial ahtarréen sur le continent.

Orandéris : île des royaumes de la Mer.

Les royaumes de la Mer : les îles d'Atlantis.

Tapallan : île du royaume des Dix Îles.

Tarisseda : île du royaume des Dix Îles.

Terre des Ancêtres : royaume ancestral des Atlantes, situé près de l'actuelle mer Noire.

Le Tor : Glastonbury Tor, dans le Somerset.

Zaïadan : contrée située sur les rivages de la mer du Nord.

Mer d'Ambre

Île des Braves
env. 2000 av. J.-C.

Mer
des
Tempêtes

⊙ Carn Ava

Cercle de pierres levées
Le Tor ⊙ Azan-Ylir
⊙ **Azan**

Aman

Forteresse de Belsairath ⊙ Belsairath

Béléri'in

Mer des Hespérides

N

100 km

D'après Jeffrey L. Ward

Morgane se souvient…

Les gens d'Avalon confient à leur Dame tous leurs soucis, les grands comme les petits. Ce matin, les druides sont venus me voir et m'ont appris qu'une chute de rochers avait bloqué le passage entre leur temple et la salle qui abrite l'Omphale. Ils ne savent pas comment on pourrait le dégager. Ils ne sont plus très nombreux ici à présent et la plupart sont âgés. Beaucoup de ceux qui auraient pu renouveler leur ordre ont été tués dans les guerres saxonnes ou sont partis rejoindre les moines qui s'occupent de la chapelle chrétienne sur l'autre Avalon.

Alors ils viennent me voir, les druides comme les autres, ceux qui restent, pour que je leur dise quoi faire. Il m'a toujours semblé étrange que le chemin vers un mystère enfoui si profondément dans la terre parte du temple du Soleil, mais ils disent que les premiers adeptes qui ont amené l'antique sagesse sur ces îles, bien avant les druides, honoraient la Lumière par-dessus tout.

La vision ne me vient plus aussi facilement que dans ma jeunesse, lorsque nous nous battions pour que la Déesse revienne dans ce monde. Je sais maintenant qu'Elle était déjà là et qu'Elle y sera toujours, mais l'Omphale est l'œuf, le nombril du monde, le dernier vestige de la magie d'une nation immergée sous les océans depuis si longtemps que, même pour nous, elle n'est plus qu'une légende.

19

Lorsque j'étais petite fille, il y avait dans le temple des druides des tapisseries qui racontaient l'histoire de sa venue ici. Elles ne sont plus aujourd'hui que poussière et lambeaux, mais j'ai suivi moi-même autrefois le passage vers le centre de la montagne et j'ai touché la pierre sacrée. Les visions qui me vinrent alors sont plus précises à ma mémoire que nombre de mes propres souvenirs. Je peux encore voir la montagne de l'Étoile couronnée de feu, et le navire de Tiriki qui chancelle sur la crête de la vague tandis que l'île condamnée est engloutie par les flots.

Mais je ne crois pas avoir été sur ce navire. J'ai rêvé parfois que je me tenais main dans la main avec l'homme que j'aimais, observant mon monde en train de se déchirer et de disparaître, comme Britannia après la mort d'Arthur. Voilà peut-être pourquoi j'ai été renvoyée à cette époque, car Avalon est aussi perdu que l'était l'Atlantide, même si c'est la brume et non la fumée qui la dissimule aux yeux du monde.

Jadis, un passage menait de l'Omphale à la grotte d'où la source blanche jaillit hors du Tor, mais des tremblements dans la terre ont bloqué ce passage aussi, il y a longtemps. Peut-être ne sommes-nous plus destinés à y pénétrer. L'Omphale nous est retiré, comme tant d'autres Mystères.

Je connais tout de la fin ; ce sont les débuts qui m'échappent.

Comment sont-ils venus ici, ces valeureux prêtres et prêtresses qui ont survécu au Cataclysme ? Deux millénaires ont passé depuis que l'Omphale a été amené sur ces rives, puis encore cinq cents ans, et bien que nous ne connaissions guère que leurs noms, nous avons préservé leur héritage. Qui étaient-ils, ces ancêtres qui amenèrent ici l'antique sagesse et l'enfouirent comme une graine au cœur de cette montagne sacrée ?

Si je pouvais seulement comprendre comment ils ont survécu à cette épreuve... peut-être cela me rendrait-il l'espoir que l'ancienne sagesse si longtemps préservée pourra se perpétuer et qu'un peu de la magie d'Avalon survivra...

CHAPITRE 1

Tiriki s'éveilla en sursaut lorsque le lit vacilla. Elle tendit la main vers Micail, clignant des yeux pour chasser les images chaotiques et cruelles du feu, du sang, de murs en ruine et d'une silhouette acrimonieuse et sans visage qui se tordait dans ses chaînes. Mais elle était en sécurité dans son propre lit, son mari à ses côtés.

— Les dieux soient remerciés, murmura-t-elle. Ce n'était qu'un rêve !

— Pas vraiment, regarde.

Se dressant sur un coude, Micail montra du doigt la lampe qui pendait, ou plutôt se balançait, devant l'autel de la Mère, dans un coin, envoyant des ombres folles tout autour de la pièce.

— Mais je sais de quoi tu as rêvé. La vision m'est venue aussi.

Au même moment, la terre trembla à nouveau. Micail saisit Tiriki entre ses bras et la fit rouler vers le mur pour la protéger, alors que du plâtre dégringolait du plafond. Dans le lointain résonna un sourd grondement de maçonnerie en train de s'écrouler. Ils se serrèrent, respirant à peine, pendant que la vibration augmentait puis diminuait, secoués par un vertige de l'esprit plus profond que les forces qui agitaient le monde souterrain.

— La montagne s'éveille, dit-il d'un air sombre lorsque tout fut immobile. C'est la troisième secousse en deux jours.

Il la lâcha et sortit du lit.

— Elles sont de plus en plus fortes, répondit-elle.

21

Le palais de pierre était solidement bâti ; il avait supporté de nombreux séismes depuis des années, mais dans la pénombre elle devinait qu'une nouvelle fissure courait le long du plafond.

— Je dois y aller. Des rapports vont arriver. Puis-je te laisser seule ici ?

Micail mit ses sandales et s'enveloppa dans une cape. Il était grand et fort, et avec la lueur de la lampe qui allumait des flammes dans ses cheveux roux il semblait l'élément le plus stable de la chambre.

— Bien sûr, répondit-elle, se levant à son tour et nouant une tunique légère sur son corps mince. Tu es le prince de cette cité en plus d'être prêtre, et ils attendront des ordres de ta part. Mais ne t'épuise pas à un travail qui pourrait être fait par d'autres. Nous devons être prêts pour le rituel, tout à l'heure.

Elle tenta de dissimuler le frisson qui lui vint à l'idée de faire face à l'Omphale, mais ce rituel destiné à rétablir l'équilibre du monde n'avait jamais été aussi nécessaire que maintenant.

Il hocha la tête en baissant le regard vers elle.

— Je n'aurais pas dû douter de toi. Tu as l'air si fragile ; mais parfois je me dis que tu es la plus forte d'entre nous…

— Je suis forte parce que nous sommes ensemble, murmura Tiriki comme il la quittait.

Derrière les rideaux qui séparaient la chambre du balcon, une lueur rougeoyait. Ce jour marquait le milieu du printemps, mais cette lueur n'était pas celle de l'aube, pensa-t-elle amèrement. La cité d'Ahtarra était en feu.

Au-dessus, dans la ville, des hommes luttaient pour déblayer les décombres et éteindre les derniers brasiers. Dans le sanctuaire où l'Omphale était dissimulé, tout était calme. Tiriki leva sa torche et suivit les autres prêtres et prêtresses dans la cavité la plus profonde. Elle réprima un frisson lorsque la flamme devint une ombre, cependant qu'une fumée verdâtre tourbillonnait autour du flambeau enduit de poix.

L'Omphale miroitait comme un cristal trouble au milieu de la salle. En forme d'œuf, il était haut comme une moitié d'homme et semblait palpiter en absorbant la lumière. Des silhouettes encapuchonnées s'alignaient le long de la paroi concave. Leurs torches reposaient sur des supports fixés au mur et diffusaient bravement une lueur tremblotante; pourtant le sanctuaire semblait enveloppé de ténèbres. Ici, loin de la surface de l'île d'Ahtarrath, aucun feu ordinaire ne pouvait atténuer le froid. La fumée de l'encens qui brûlait lentement sur l'autel s'affaissait au lieu de s'élever dans l'air lourd.

Toute autre lumière s'effaçait devant le rayonnement de l'Omphale. Même sans leurs capuchons et leurs voiles, les visages des prêtres et des prêtresses auraient été difficiles à distinguer, mais comme elle tâtonnait le long du mur jusqu'à sa place, Tiriki n'eut pas besoin d'y voir pour reconnaître la silhouette encapuchonnée à ses côtés : c'était Micail. Elle sourit en silence, sachant qu'il le sentirait.

« Même si nous n'étions que deux esprits désincarnés, pensat-elle avec chaleur, je le reconnaîtrais… » Sur la poitrine de Micail, le médaillon sacré en forme de roue d'or à sept rayons luisait doucement, rappelant à Tiriki qu'ici il n'était pas son époux mais le grand prêtre Osinarmen, fils du Soleil, tout comme elle-même n'était plus Tiriki mais Eilantha, gardienne de la Lumière.

Micail se redressa et entonna l'invocation de l'équinoxe de printemps; sa voix vibrait étrangement.

> *Que le jour soit encadré par la nuit…*

D'autres voix plus douces se joignirent à l'incantation.

> *Que la nuit soit encadrée par la lumière.*
> *La terre, le ciel, le soleil, la mer,*
> *L'éternelle croix au centre du cercle.*

Une vie entière de pratique sacerdotale avait enseigné à Tiriki comment oublier les exigences de son corps, mais il était difficile d'ignorer l'air humide du souterrain. Seul un effort suprême lui permit de se concentrer à nouveau sur l'incantation qui s'élevait et s'amenuisait tour à tour, entrelaçant appels et répons, transmuant l'immobilité en harmonie.

Que la peine fasse place à la joie,
Que la jubilation se mêle à la détresse,
Pour que nous avancions pas à pas,
Et qu'enfin les ténèbres s'unissent au jour…

Pendant les luttes désespérées qui avaient précédé la destruction de la Terre des Ancêtres, une génération plus tôt, l'Omphale avait été, brièvement, le jouet de rituels de magie noire. Pendant quelque temps, on avait cru que la corruption était absolue, aussi les prêtres avaient-ils laissé penser que l'Omphale avait disparu comme le reste dans les eaux vengeresses.

En un sens, le mensonge disait vrai. Mais les profondeurs où l'Omphale reposait à présent étaient cette caverne qu'aucune main humaine n'avait creusée dans la pierre primitive, sous les temples et le sol d'Ahtarra. Avec l'arrivée de l'Omphale, cette île de taille moyenne au cœur du royaume de la Mer d'Atlantis était devenue le centre sacré du monde. Mais si l'Omphale était loin d'être perdu, il demeurait caché, comme il l'avait toujours été. Même les plus hauts placés dans la hiérarchie des prêtres pénétraient rarement dans ce sanctuaire. Ceux, peu nombreux, qui osaient consulter l'Omphale savaient que leurs actions pouvaient fausser l'équilibre du monde.

Le chant changea de rythme pour devenir plus pressant.

Chaque saison est liée à la suivante,
Unions et désunions s'enchaînent,
Le centre sacré est notre structure,
Là où tout change, et tout demeure le même.

Tiriki perdait à nouveau sa concentration. «Si vraiment tout demeurait le même, pensa-t-elle un instant révoltée, nous ne serions pas ici maintenant!»

Depuis des mois, les nouvelles des tremblements de terre et d'autres rumeurs encore plus graves s'étaient répandues comme une traînée de poudre dans le royaume de la Mer. Sur Ahtarrath, ces horreurs avaient d'abord semblé lointaines, mais ces dernières nuits ceux qui habitaient les temples, de même que les simples citoyens, avaient été tourmentés par des tremblements légers au cœur de la terre et par des rêves récurrents et horribles. Même maintenant, tandis que l'incantation continuait à se dérouler sans interruption, elle pouvait sentir un malaise chez les autres chantres.

« Est-il possible que le temps de la fin soit arrivé, comme il a été prophétisé ? se demandait Tiriki en silence. Après tant d'avertissements ? »

Elle joignit résolument sa voix à l'architecture de sons dont la manipulation était sans doute l'outil le plus puissant de la magie atlante.

> *Nous bougeons et nous sommes immobiles,*
> *Nous succombons aux passions, soumis à la volonté,*
> *Nous tournons perpétuellement,*
> *Et le temps devient éternité...*

Les ombres s'épaississaient ; les volutes d'encens se contorsionnaient avant de s'élever enfin dans les airs. Les voix se turent.

Une lumière puissante jaillit de l'Omphale et envahit le sanctuaire aussi complètement que les ténèbres auparavant. Le rayonnement était tel que Tiriki fut surprise de ne ressentir aucune chaleur. Les torches elles-mêmes brillaient plus vivement. Les chantres laissèrent échapper un soupir collectif. Ils pouvaient commencer à présent.

Le premier à repousser son capuchon et à s'avancer fut Réio-ta, le supérieur du Temple. Auprès de lui, Mésira, la supérieure de l'ordre des guérisseurs, vêtue de bleu, souleva son voile. Tiriki et Micail s'approchèrent pour leur faire face de l'autre côté de l'Omphale. Dans cette lumière, les cheveux roux de Micail brillaient comme une flamme et les tresses torsadées de Tiriki luisaient d'or et d'argent.

La voix de ténor de Réio-ta reprit l'invocation.

> *Dans ce sanctuaire de Ni-Terat, sombre reine de la terre,*
> *Illuminé par l'esprit de Lumière de Manoah,*
> *Nous confirmons le centre sacré,*
> *L'Omphale, le nombril du monde.*

La profondeur de son timbre de contralto démentait l'âge apparent de Mésira :

— Le centre n'est pas un lieu, mais un état. L'Omphale vient d'un autre royaume. Longtemps l'Omphale est resté dissimulé dans les sanctuaires de la Terre des Ancêtres, mais le centre n'était pas là-bas et il n'est pas non plus sur Ahtarrath.

Micail prononça le répons formel :

— Nous n'oublions pas que tous ici ont fait vœu de préserver ce qui est, et que nous y consacrons toute notre volonté et toute notre énergie…

Il sourit à Tiriki et saisit sa main. Ensemble, ils reprirent leur souffle pour prononcer les derniers mots.

— Nous venons ensemble au royaume de la vérité, qui jamais ne peut être détruit.

Les autres répondirent en chœur :

— Tant que nous avons la foi, la Lumière luit en nous !

L'illumination surnaturelle vibra lorsque Mésira parla :

— Nous invoquons l'équilibre de l'Omphale, pour que les hommes connaissent à nouveau la paix. Nous ne pouvons ignorer les présages que nous avons vus. Nous nous retrouvons en ce lieu de sagesse afin de trouver des réponses. Prophétesse, je t'appelle à présent.

Mésira tendit les bras vers la silhouette grise qui s'avança alors.

— Le moment est venu. Sois nos yeux et notre voix devant l'éternité.

La prophétesse rejeta son voile en arrière. Dans l'intense luminosité issue de l'Omphale, il n'était pas difficile de reconnaître Alyssa, ses cheveux noirs sur les épaules, les yeux déjà dilatés par la transe. Elle fit quelques pas hésitants et pénétra dans la radieuse lumière de l'autel.

Les chantres observaient nerveusement la prophétesse qui posa le bout des doigts sur l'Omphale. Des motifs translucides d'énergie pure s'étendirent et tournoyèrent à l'intérieur. Alyssa se raidit mais, plutôt que de lâcher prise, elle s'approcha encore.

— Voici… voici ce qui est, murmura-t-elle. Je suis une avec l'Omphale. Ce qu'il sait vous le saurez. Que le chant sacré nous mène aux portes du destin.

Pendant qu'elle parlait, les chantres commencèrent à fredonner doucement. La voix de Micail s'élança aux cadences de l'invocation, appelant la prophétesse par son nom dans le Temple.

> *Néniath, prophétesse, me reconnais-tu ?*
> *Moi, Osinarmen, je m'adresse à toi.*
> *Éveille-toi à l'esprit et interprète nos rêves,*
> *Donne-nous ta réponse.*

— Je vous entends.

La voix était différente de celle d'Alyssa à présent, plus claire et plus sonore.

— Je suis là. Que veux-tu savoir ?

— Parle si cela t'agrée, nous t'écouterons… (Micail chanta la formule en un souffle soutenu, mais Tiriki sentait l'effort dans sa voix.) Nous venons car l'Omphale nous a appelés, chuchotant secrètement dans la nuit.

Un instant passa.

— La réponse, tu la connais déjà, murmura la prophétesse. La question précède la vérité. Pourtant la porte qui a été ouverte ne peut être refermée. Pierre après pierre s'empilent, elles sont destinées à s'effondrer. Les forêts s'emplissent de bois mort. Le pouvoir qui attend au cœur du monde grossit et se contorsionne, et… *il a faim.*

Tiriki frémit, mais elle n'aurait pu dire si le tremblement venait de sous ses pieds ou de son propre cœur. Elle regarda Micail, mais il demeurait figé, le visage transformé en un masque grimaçant.

Réio-ta se força à prendre la parole.

— Les ténèbres se sont déjà échappées auparavant, dit-il, concentré et sévère, mais elles ont toujours été maîtrisées. Que devons-nous faire aujourd'hui pour les enchaîner ?

— Ne pouvez-vous rien faire d'autre que chanter à nouveau, alors que le silence s'étend ?

Avec ces mots, Alyssa fut secouée d'un rire inattendu et amer ; et cette fois il était certain que la terre tremblait avec elle.

Une vague de terreur parcourut les chantres. Ils s'écrièrent d'une seule voix :

— Nous sommes les serviteurs de la Lumière éternelle ! Les ténèbres ne peuvent pas l'emporter !

Mais le tremblement ne cessa pas. Les flammes des torches vibrèrent puis s'éteignirent. Des éclairs orangés fusèrent de l'Omphale et se reflétèrent comme de l'huile sur de l'eau, le long des murs et du sol qui frémissaient. Pendant un instant, Tiriki crut que le rocher autour d'eux grondait, mais c'était de la gorge d'Alyssa que jaillissaient ces terribles sons.

La prophétesse parlait, ou plutôt elle essayait, mais les mots sortaient incohérents et inintelligibles de sa bouche. Surmontant leur frayeur, les chantres s'approchèrent d'Alyssa pour tenter de comprendre, mais la prophétesse se déroba et ses bras frappèrent l'Omphale.

– *Il grandit !*

Ses hurlements résonnèrent au loin, bien plus loin que la salle circulaire.

– *La sinistre fleur ! Sang et feu ! IL EST TROP TARD !*

Lorsque l'écho diminua, la force quitta le corps tétanisé de la prophétesse. Seul le mouvement rapide de Micail l'empêcha de tomber.

– Emmène-la, haleta Réio-ta. Mésira, va avec eux ! Nous allons terminer ici.

Micail hocha la tête et porta la prophétesse hors du sanctuaire.

La niche où ils avaient allongé la prophétesse, près de l'entrée de la grotte, semblait étrangement silencieuse. La terre sous leurs pieds s'était immobilisée, mais l'esprit de Tiriki était encore ébranlé. Lorsqu'elle sortit, son acolyte Damisa, qui l'avait attendue là avec les serviteurs pendant la cérémonie, leva sur elle des yeux verts pleins d'anxiété.

Micail s'approcha rapidement d'elles, effleurant la main de Tiriki en une caresse rapide plus intime qu'une étreinte. Leurs regards se rencontrèrent, porteurs d'une muette assurance : «Je suis là… je suis là. Nous survivrons, même si les cieux s'écroulent.»

De l'intérieur du tunnel venait un brouhaha de voix.

– Comment vont-ils ? murmura Micail en faisant un signe de la tête vers le souterrain.

Tiriki haussa les épaules mais serra sa main.

– La moitié d'entre eux assurent que nous n'avons pas compris les paroles d'Alyssa et les autres sont convaincus qu'Ahtarrath est sur le point de sombrer dans la mer. Réio-ta s'occupera d'eux. (Elle regarda Alyssa étendue sur un banc, Mésira auprès d'elle.) Et elle, comment va-t-elle ?

Le visage de la prophétesse était pâle, et la longue chevelure qui le matin même était noire comme l'aile du corbeau était à présent parsemée de gris.

— Elle dort, répondit Mésira simplement. (Dans la douceur de la lumière qui passait par la porte, le visage de la guérisseuse trahissait le nombre de ses années.) Quant à se réveiller... Cela prendra du temps, je crois, avant que nous ne sachions si le travail d'aujourd'hui lui a fait du mal. Vous pouvez partir. Il semble que nous ayons reçu toutes les réponses que nous pouvons attendre. Mon chéla est parti chercher une litière pour que nous la ramenions à la maison des guérisseurs. S'il y a du changement, je vous le ferai savoir.

Micail avait déjà ôté ses vêtements de cérémonie et glissé l'emblème de son rang à l'intérieur du col de sa tunique sans manches. Tiriki plia son voile et sa robe de dessus et les tendit à Damisa.

— Veux-tu que nous appelions aussi des porteurs ? demanda-t-elle.

Micail secoua la tête.

— Te sens-tu de force à marcher ? J'ai besoin de sentir la saine chaleur du soleil sur ma peau.

La chaleur et la luminosité de l'air extérieur étaient une bénédiction qui réchauffait leurs os après le froid des salles souterraines. Tiriki sentit les raideurs quitter son cou et ses épaules et allongea le pas pour suivre les grandes enjambées de son mari. Derrière les colonnes de pierre blanches et rouges du temple, elle apercevait un chapelet de toits aux tuiles bleues. Plus bas sur la colline, des dômes nouvellement construits, rouges et crème, s'éparpillaient dans les jardins de la cité. Encore plus bas, la mer scintillante s'étendait à l'infini.

Lorsqu'ils franchirent le portique, les sons et les parfums de la cité s'élevèrent autour d'eux – des aboiements de chiens et des pleurs de bébés, l'appel des marchands vantant leur marchandise, l'odeur épicée du ragoût de fruits de mer qui était la spécialité locale, et d'autres senteurs moins agréables issues d'un égout tout proche. Les incendies provoqués par le tremblement de terre de la veille avaient été éteints et les dommages étaient en cours de réparation, des dommages moindres que ceux qu'ils avaient craints. En réalité, la peur était leur plus grand ennemi à présent. La puanteur témoignait de la vie quotidienne ordinaire ; elle était rassurante après leur confrontation avec le mystérieux pouvoir de l'Omphale.

Peut-être Micail ressentait-il la même chose ; en tout cas, il lui fit faire le grand tour, s'éloignant des hautes bâtisses du temple pour plonger dans les rues du marché plutôt que de passer par la voie des processions qui menait directement au palais. Les murs étincelants des trois tours disparurent à leur vue quand ils tournèrent dans une venelle en direction du port. Ils attiraient des regards d'admiration, mais personne ne les dévisageait ni ne les montrait du doigt. Sans leurs vêtements de cérémonie, elle et Micail n'étaient qu'un couple ordinaire vaquant à ses occupations dans les rues du marché, bien qu'ils aient été plus grands et plus blonds que la plupart des gens de la ville. Mais même si quelqu'un avait eu envie de les importuner, l'air résolu de Micail et l'énergie de son pas auraient été assez dissuasifs.

— As-tu faim ? demanda-t-elle.

Ils s'étaient astreints au jeûne pour le rituel et il était près de midi.

— Ce dont j'ai vraiment envie, c'est d'un verre, répondit-il avec un grand sourire. À une époque, il y avait une taverne près du port qui servait du bon vin, pas notre rouge local et râpeux, mais un cru respectable du pays des Hellènes. Ne t'inquiète pas, la nourriture non plus ne te décevra pas.

La taverne avait une terrasse couverte, abritée par des plantes grimpantes. Tout autour poussaient les lis écarlates d'Ahtarrath, dont l'odeur délicate parfumait l'air ambiant. Tiriki renversa la tête en arrière pour laisser la brise du port jouer dans ses cheveux. En tournant la tête, elle aurait pu voir les coteaux de la montagne de l'Étoile, le volcan éteint au cœur de l'île, qui tremblaient dans l'air brûlant. Sous la ceinture de forêt s'étendait un patchwork de champs, de vignes et de pâturages. Assis là, les événements de la matinée semblaient appartenir à un rêve lugubre. Les ancêtres de Micail régnaient ici depuis cent générations. Quel pouvoir serait en mesure de renverser une telle tradition de sagesse et de gloire ?

Micail prit une longue gorgée dans sa coupe de terre et soupira d'aise. Tiriki s'étonna de sentir le rire la chatouiller. Son mari le remarqua et leva un sourcil.

— Pendant un instant, tu m'as rappelé Rajasta, expliqua-t-elle.

Micail sourit.

— Notre vieux professeur était un sage, mais ça ne l'empêchait pas d'apprécier le bon vin ! J'ai pensé à lui aujourd'hui, moi aussi, mais pas à cause du vin, ajouta-t-il sérieusement.

Elle hocha la tête.

— J'ai tenté de me souvenir de ce qu'il nous disait de la malédiction qui a frappé la Terre des Ancêtres. Lorsque les terres ont commencé à sombrer, ils ont eu le temps d'envoyer les manuscrits sacrés ici, avec les adeptes capables de les lire. Mais si un désastre devait frapper tous les royaumes de la Mer… où trouver un refuge pour l'ancestrale sagesse d'Atlantis ?

Micail fit un geste de la main qui tenait sa coupe.

— N'est-ce pas pour cette raison que nous avons envoyé des émissaires vers les terres orientales de Hellas et de Khem, et vers le nord jusqu'à la côte d'Ambre et les îles de Tin ?

— Et la sagesse qui ne peut être préservée dans les manuscrits et les symboles ? dit-elle d'un air songeur. Ces choses qui doivent être vues et ressenties avant d'être comprises ? Et les pouvoirs qui ne peuvent être transmis que lorsqu'un maître estime que l'élève est prêt à les recevoir ? Et la sagesse qui ne se transmet que d'esprit à esprit ?

Micail fronça les sourcils, mais sa voix était calme.

— Notre vieux maître Rajasta disait souvent que, quel que soit le cataclysme, si la maison des Douze était préservée – pas les prêtres, mais les six couples, les jeunes hommes et femmes que sont les acolytes –, ils pourraient, à eux seuls, recréer la grandeur de notre civilisation. Puis il se mettait à rire…

— Il devait plaisanter, dit Tiriki, pensant à Damisa et Kalhan, Élis et Aldel, Kalaran et Sélast, Élara, Cléta et les autres.

Les acolytes avaient été élevés pour la tâche à laquelle ils étaient appelés, ils étaient le fruit d'unions prescrites par les étoiles. Leur potentiel était immense – mais ils étaient si jeunes… Tiriki secoua la tête.

– Je ne doute pas qu'ils nous surpassent tous un jour lorsqu'ils auront terminé leur éducation mais, sans supervision, je crains qu'il ne leur soit difficile de résister à la tentation d'utiliser leurs pouvoirs à mauvais escient. Mon père lui-même…

Elle s'interrompit brutalement, sa peau claire rougissant soudain. La plupart du temps, elle arrivait à oublier que son vrai père n'était pas Réio-ta, le mari de sa mère, mais Rivéda, qui avait dirigé l'ordre des mages en toge grise sur la Terre des Ancêtres – Rivéda qui s'était montré incapable de résister à la tentation de la magie prohibée et qui avait été exécuté pour sorcellerie.

– Même Rivéda faisait le bien comme le mal, dit Micail doucement en lui prenant la main. Son âme est aux mains des gardiens du destin à présent, et il accomplira sa pénitence pendant plusieurs vies. Mais ses écrits sur le traitement des maladies en ont sauvé beaucoup. Tu ne dois pas laisser son souvenir te hanter, mon amour. Ici, on se souvient de lui comme d'un guérisseur.

Un garçonnet aux yeux sombres apporta un plat de galettes et de petits poissons frits servis avec du fromage de chèvre émietté et des herbes aromatiques. Ses yeux s'écarquillèrent lorsqu'il remarqua les yeux bleus et les cheveux blonds de Tiriki, le seul héritage qu'elle tenait de Rivéda, qui ne venait pas de la Terre des Ancêtres mais d'un petit royaume septentrional peu connu, Zaïadan.

– Nous devons nous efforcer de ne pas céder à la peur, dit Micail quand le garçon se fut éloigné. Bien des prophéties parlent du temps de la fin, pas seulement celle de Rajasta. Si le moment est venu, nous courons un grand risque, mais il n'est suggéré nulle part que nous sommes totalement condamnés. La vision de Rajasta nous a même assuré que toi et moi fonderons un nouveau Temple dans une nouvelle contrée ! Je suis convaincu qu'il existe une destinée qui nous protégera. Nous devons simplement la comprendre et suivre son cours.

Tiriki hocha la tête et saisit la main qu'il lui tendait. «Mais cette vie lumineuse et magnifique doit s'évanouir avant que cette destinée ne soit accomplie», pensa-t-elle.

Toutefois, pour le moment, la journée était belle et les arômes qui montaient de son assiette lui offraient une agréable distraction à ce que le destin leur réservait. Elle se força à ne penser qu'à l'instant présent et à Micail ; elle chercha un sujet de conversation plus neutre.

— Savais-tu qu'Élara est très douée pour le tir à l'arc ?

Micail leva un sourcil.

— C'est un loisir plutôt étrange pour une guérisseuse. Elle est l'apprentie de Liala, n'est-ce pas ?

— Oui, mais tu sais bien que le travail du guérisseur nécessite à la fois de la précision et du sang-froid. Élara est devenue une sorte de meneuse parmi les acolytes.

— Je m'attendais plutôt à ce que la fille d'Alkonath – ton acolyte, Damisa – endosse ce rôle, répondit Micail. Elle est l'aînée. Et il y a un lien de parenté entre elle et Tjalan, je crois. Cette famille aime les responsabilités.

Il eut un sourire sarcastique et Tiriki se souvint qu'il avait passé plusieurs étés avec le prince d'Alkonath.

— Peut-être est-elle un peu trop consciente de son rang, c'est vrai. En tout cas, c'est la dernière à être arrivée ici et je crois qu'elle a de la difficulté à s'intégrer.

— Si c'est la chose la plus difficile qu'elle ait à envisager, elle peut s'estimer heureuse !

Micail finit sa coupe et se leva. Tiriki soupira, mais il était vraiment temps de rentrer.

Lorsque l'aubergiste réalisa que le couple qui occupait la meilleure table de sa terrasse depuis si longtemps était le prince et sa femme, il refusa d'être payé, mais Micail insista et imprima son sceau sur un morceau d'argile.

— Présentez ceci au palais, et mes serviteurs vous donneront ce que je vous dois.

— Le prince est trop bon, plaisanta Tiriki lorsque leur hôte les laissa enfin quitter la taverne. Cet homme était visiblement honoré de la visite du prince et souhaitait te faire un cadeau en retour. Pourquoi ne pas l'avoir laissé faire ?

— Mettons que c'est une affirmation, sourit Micail. Ce morceau d'argile représente mon espérance que quelqu'un sera bien là demain. Et si, comme tu le dis, il préfère l'honneur de notre visite, personne ne le force à réclamer son dû. La mémoire s'efface, mais il a mon sceau comme souvenir…

Ils marchèrent lentement jusqu'au palais en ne parlant que de choses ordinaires, mais Tiriki ne pouvait s'empêcher d'être hantée par les hurlements de la prophétesse résonnant dans la crypte. Leur écho continuait à retentir dans sa mémoire.

Lorsque Damisa rentra à la maison des Feuilles d'automne, les autres acolytes venaient de terminer une leçon sur les cinq restrictions du sage Amenalkha. Élara d'Ahtarrath fut la première à la voir entrer. La brune et potelée Élara était native de l'île, aussi la tâche lui avait-elle été dévolue d'accueillir les nouveaux arrivants des autres royaumes de la Mer.

Sur chaque île, le Temple éduquait des prêtres et des prêtresses. Mais parmi les plus talentueux des jeunes gens de chaque génération, douze étaient choisis pour être initiés aux plus grands des Mystères. Certains retourneraient sur leur île natale pour prendre leur place parmi les supérieurs du clergé, d'autres se spécialiseraient et deviendraient guérisseurs ou astrologues. Tous les adeptes qui servaient comme gardiens du Temple de la Lumière d'Atlantis venaient du groupe des Douze.

La maison était une structure basse et informe, constituée de couloirs bizarrement coudés et de suites gigantesques. On murmurait qu'elle avait été construite un siècle plus tôt pour un dignitaire étranger. Les acolytes s'amusaient souvent à inventer d'autres explications à la présence des sirènes sculptées qui folâtraient dans la fontaine érodée par le temps, au milieu de la cour centrale. Quelle que soit son origine, peu de temps auparavant l'étrange et vieille bâtisse servait encore de dortoir attaché au temple, pour les prêtres célibataires, les pèlerins et les réfugiés. À présent, c'était la maison des Douze.

Les acolytes acceptaient l'aide d'Élara ou lui résistaient, selon leur nature ; Damisa, qui était cousine du prince d'Alkonath, était la plus indépendante de tous. Mais pour l'instant, pensa Élara, elle avait très mauvaise mine.

— Damisa ? Que t'est-il arrivé ? Es-tu malade ?

Élara tressaillit lorsque la jeune fille se tourna vers elle, le regard vide.

– Quelque chose est arrivé à la cérémonie ? insista Élara, saisissant fermement le coude de Damisa pour la faire asseoir près de la fontaine. Lanath, va lui chercher de l'eau, ajouta-t-elle à voix basse pendant que les autres s'assemblaient autour d'elles.

Elle s'assit près de Damisa et repoussa les boucles noires qui lui tombaient dans les yeux.

– Taisez-vous tous ! (Elle leur lança un regard furieux jusqu'à ce qu'ils reculent.) Laissez-la respirer.

Elle savait que Damisa avait été appelée pour accompagner dame Tiriki tôt ce matin et elle l'avait enviée. Elle-même était la chéla d'une prêtresse en toge bleue nommée Liala au temple de Ni-Terat, une attribution agréable mais pas vraiment prestigieuse. On avait dit aux acolytes que les tâches qui leur étaient attribuées durant leur apprentissage étaient déterminées par la place des étoiles et la volonté des dieux. Il était logique que son propre fiancé, Lanath, soit le chéla de l'astrologue du Temple car il était doué pour les chiffres, mais Élara avait toujours soupçonné que les relations de sang royal de Damisa lui avaient permis d'obtenir la place auprès de Tiriki, qui était non seulement une prêtresse mais la princesse d'Ahtarrath. Elle ne l'enviait plus en cet instant.

– Dis-nous, Damisa, murmura-t-elle alors que l'autre fille buvait. Quelqu'un a été blessé ? Est-ce que quelque chose s'est mal passé ?

– Mal passé !

Damisa ferma les yeux un instant, puis elle se redressa et, du regard, fit le tour du cercle des jeunes gens.

– Vous n'avez pas entendu les rumeurs qui courent dans la cité ?

– Bien sûr que si. Mais où étais-tu ? demanda la petite Iriel.

– À un rituel d'équinoxe avec dame Tiriki, répondit Damisa.

– Mais ces rituels ont lieu au grand temple de Manoah, fit remarquer Élis, qui était née ici. Il ne t'aurait pas fallu autant de temps pour rentrer !

– Nous n'étions pas au temple de la Lumière, répondit Damisa d'un air tendu. Nous sommes allés ailleurs, dans un sanctuaire construit dans les falaises, à l'extrémité orientale de la cité. Le portique a l'air plutôt ordinaire, mais le temple lui-même est loin sous terre. Du moins je le suppose. On m'a dit de rester dans l'antichambre au début du tunnel.

35

– Par Banur! s'exclama Élara. C'est le temple de… Je ne sais pas ce que c'est… personne n'y va jamais !

– Je ne sais pas ce que c'est non plus, répondit Damisa avec un sursaut de son arrogance habituelle, mais il y a un réel pouvoir en bas. Je voyais des éclairs de lumière depuis l'entrée du passage.

– C'est le dernier cataclysme…, dit Kalaran d'une voix sourde. Mon île est déjà détruite et maintenant celle-ci va disparaître aussi. Mes parents se sont installés sur Alkonath, mais j'ai été choisi pour le Temple. Ils pensaient que c'était un honneur pour moi de venir ici…

Une douzaine de regards se consultèrent, interloqués.

– Nous ne savons pas encore si le rituel a vraiment été un échec, dit-elle courageusement. Il nous faut attendre. On nous dira…

– Ils ont dû porter la prophétesse hors du sanctuaire, interrompit Damisa. Elle avait l'air à moitié morte. Ils l'ont emmenée à la maison de Ni-Terat, chez les guérisseurs.

– Je devrais y aller, dit Élara. Liala aura peut-être besoin de moi.

– Pour quoi faire ? rugit Lanath. Nous allons tous mourir !

– Calme-toi ! le rembarra Élara, en se demandant ce qui pouvait bien être passé par la tête des astrologues lorsqu'ils l'avaient fiancée à un garçon qui aurait fui sa propre ombre si elle lui avait aboyé après. Vous tous, calmez-vous. Nous sommes les Douze, pas une bande de paysans. Croyez-vous que nos aînés n'ont pas envisagé ce désastre et prévu quelque chose ? Notre devoir est de les aider de notre mieux.

Elle repoussa à nouveau ses cheveux noirs, espérant que ce qu'elle venait de dire était la vérité.

– Et s'ils n'ont rien prévu ? demanda le fiancé de Damisa, un jeune homme maussade aux cheveux bruns qui s'appelait Kalhan.

– Alors nous mourrons.

Damisa s'était suffisamment rétablie pour lui jeter un regard furieux.

– Eh bien si nous mourons, dit Iriel avec son sourire irrésistible, j'aurai deux ou trois mots à dire aux dieux.

Lorsque Micail et Tiriki furent de retour au palais, une prêtresse en toge bleue les attendait à l'entrée avec des nouvelles de Mésira.

Alyssa s'était réveillée et on s'attendait à ce qu'elle se remette de son malaise.

«Si seulement, pensa Tiriki sombrement, si seulement nous pouvions aussi nous remettre de sa prophétie.»

Elle garda pourtant le sourire aux lèvres en suivant Micail en haut des escaliers jusqu'à la suite qu'ils partageaient à l'étage. Le voile devant l'alcôve qui abritait son image de la Mère et les rideaux du balcon voletaient dans le vent nocturne venu du large. Les murs blanchis à la chaux étaient ornés de fresques représentant des faucons dorés au-dessus d'un parterre de lis écarlates. Dans la lueur mouvante des lampes suspendues, les oiseaux semblaient voler et les fleurs ployer sous une brise invisible.

Des serviteurs au pas léger remplirent sa baignoire d'une eau tiède et parfumée, puis la séchèrent quand elle eut terminé son bain. Lorsqu'ils furent partis, elle alla sur le balcon et contempla la cité à ses pieds. À l'est, la montagne de l'Étoile se dessinait sur la nuit. Des bosquets de cyprès poussaient sur les pentes mais, plus haut, le cône se découpait nettement. La flamme perpétuelle entretenue dans le temple au sommet diffusait une lueur pâle, pyramidale. Quelques points lumineux ici et là marquaient la présence de fermes sur les coteaux. Ils s'éteignaient l'un après l'autre quand leurs habitants s'en allaient chercher le repos de leur couche, mais dans la cité les gens veillaient plus tard. Des torches dansaient le long des rues dans le quartier des divertissements.

Comme l'air se rafraîchissait, la terre libéra des senteurs d'herbe sèche et de terre retournée, aussi entêtantes qu'un lourd parfum. Elle contemplait la paix nocturne et, dans son cœur, les paroles de l'hymne du soir se transformèrent en prière :

> *Ô source de la splendeur des étoiles*
> *Qui scintillent dans la pénombre,*
> *Donne-nous cette nuit le repos d'un profond sommeil,*
> *Conscients de ta bénédiction...*

Comment une telle paix, une telle beauté, pourraient-elles être anéanties ?

Son lit était entouré de voiles de mousseline et couvert de draps de lin si fins qu'ils avaient le toucher de la soie. Aucun des luxes qu'Ahtarrath pouvait fournir ne lui était refusé, mais malgré sa prière, Tiriki ne trouvait pas le sommeil. Lorsque Micail vint se coucher, il était minuit. Elle pouvait sentir son regard sur elle et s'efforça de respirer lentement et profondément. Ce n'était pas parce qu'elle restait éveillée qu'elle devait le priver de sommeil lui aussi. Mais le lien qui les unissait était plus fort que les sens.

— Qu'y a-t-il, mon amour ?

La voix de Micail était douce dans la pénombre. Elle relâcha son souffle dans un long soupir.

— J'ai peur.

— À cause de ce matin ? Mais nous avons su dès notre naissance que cette menace pesait sur Ahtarrath.

— Oui… dans le futur. Mais l'avertissement d'Alyssa concerne le présent !

— Peut-être…

Le lit craqua lorsqu'il s'assit et avança la main pour lui caresser les cheveux.

— Tu sais pourtant combien il est difficile de connaître le moment précis que désigne une prophétie.

Tiriki se redressa et lui fit face.

— Crois-tu vraiment cela ?

— Mon amour, aucun de nous ne peut prédire ce que notre savoir peut changer. Tout ce que nous pouvons faire, c'est utiliser nos pouvoirs pour affronter l'avenir lorsqu'il se présentera.

Il soupira et Tiriki crut entendre l'écho d'un coup de tonnerre, bien que la nuit fût claire.

— Oui bien sûr, tes pouvoirs, murmura-t-elle amèrement – car à quoi servaient ces pouvoirs à présent ? Tu peux invoquer le vent et l'éclair du ciel, mais la terre ? Et comment tes pouvoirs seront-ils transmis si tout le reste s'effondre ? Réio-ta n'a qu'une fille et moi… moi, je suis incapable de…

Sentant ses larmes, il l'attira vers lui.

— Tu ne l'as pas encore fait, mais nous sommes jeunes !

Tiriki posa la tête sur son épaule, se calmant dans la force de ses bras, humant la douce odeur épicée qui montait de son corps, à peine couverte par les huiles de son bain.

– J'ai déposé deux nouveau-nés sur le bûcher funéraire, murmura-t-elle, et j'en ai perdu deux autres avant qu'ils ne viennent au monde. Les prêtresses de Caratra ne peuvent plus rien pour m'aider, Micail.

Le chagrin montait dans sa gorge ; les bras de l'homme se resserrèrent autour d'elle.

– Nos mères étaient sœurs, reprit-elle, peut-être nos liens de parenté sont-ils trop étroits. Tu dois prendre une autre femme, mon amour, une qui pourra te donner un enfant.

Elle le sentit secouer la tête dans l'obscurité.

– La loi d'Ahtarrath le permet, ajouta-t-elle.

– Et la loi de l'amour ? demanda-t-il.

Il la saisit par les épaules et la contempla. Elle sentit, plutôt qu'elle ne vit, l'intensité de son regard.

– Pour avoir un fils digne de recevoir mes pouvoirs, je dois donner mon âme aussi bien que ma semence. En vérité, mon amour, je ne crois tout simplement pas que j'en serais… capable avec une femme qui ne soit pas mon égale par l'esprit comme par le corps. Nous étions destinés l'un à l'autre, Tiriki, et il ne peut y avoir personne d'autre pour moi que toi.

Elle tendit la main pour caresser sa joue et son front.

– Mais ta lignée s'éteindra !

Il pencha la tête pour sécher ses larmes par un baiser.

– Si Ahtarrath elle-même doit disparaître, est-il si important que la magie de ses princes disparaisse aussi ? C'est la sagesse d'Atlantis que nous devons préserver, pas ses pouvoirs.

– Osinarmen… sais-tu combien je t'aime ?

Elle s'étendit avec un soupir tandis que les mains de Micail commençaient à se mouvoir sur elle, chaque caresse éveillant une sensation à laquelle son corps avait appris à répondre, comme son esprit répondait aux exercices spirituels du Temple.

Avec l'éveil de son corps, s'éveilla aussi la conscience de l'esprit qu'elle avait invoqué en l'appelant par son nom sacré.

– Eilantha… Eilantha ! répondit-il, ses bras se refermant sur elle.

À cet appel, leurs esprits et leurs corps s'épanouirent ensemble, submergés et transfigurés par l'union ultime.

CHAPITRE 2

Damisa jeta un œil au travers du feuillage dense qui entourait le jardin de la maison des Douze, se demandant si elle pouvait apercevoir d'ici les décombres dus au tremblement de terre. Depuis le rituel dans le temple souterrain, le sol était resté immobile et le prince Micail avait ordonné à ses gardes d'aider à la reconstruction. La capitale d'Ahtarrath avait été fondée sur les ruines d'une cité plus ancienne. Les trois tours couvertes d'or fin s'élevaient vers le ciel depuis mille ans. Les sept arches sur les colonnes érodées desquelles les étudiants s'efforçaient de déchiffrer des hiéroglyphes depuis longtemps effacés étaient presque aussi vénérables.

Le clergé d'Ahtarra avait fait tout ce qui était en son pouvoir pour rendre les vieilles salles de la maison des Feuilles d'automne confortables pour les douze acolytes, mais c'étaient les jardins qui rendaient cet endroit idéal, car ils séparaient la maison du reste de la ville et du temple. Damisa fit un pas en arrière et laissa retomber les branches de la haie de lauriers ; on ne pouvait rien voir d'ici.

Elle se retourna pour contempler le groupe sur la pelouse, un peu plus loin. Les unions au sein de la caste des prêtres et prêtresses pouvaient donner des fruits médiocres aussi bien que prometteurs. Elle se demandait souvent si elle-même avait été choisie comme acolyte à cause de l'influence de sa grand-mère plutôt que pour ses qualités personnelles, mais la moitié des autres acolytes se seraient enfuis en hurlant s'ils avaient vu ces lueurs s'échapper du couloir du temple souterrain. Il lui apparut soudain que les gardiens avaient peut-être voulu mêler le robuste sang d'Alkonath à la lignée des prêtres.

Mais pourquoi avoir décidé que le détestable Kalhan, avec ses traits mous et son sens de l'humour plus mou encore, était le compagnon adéquat pour elle ? Il aurait sans doute été plus assorti à Cléta, qui n'avait pas d'humour du tout. En tant que princesse, Damisa s'attendait évidemment à un mariage arrangé, mais au moins son mari devrait être un homme de pouvoir. Tiriki avait dit que Kalhan s'améliorerait avec l'âge, mais Damisa n'avait encore noté aucun signe de cette amélioration.

Il bondissait sur la pelouse, un groupe d'acolytes hurlant de joie à ses basques, cependant qu'Aldel, dont elle avait décidé qu'il était le plus sympathique des garçons, et Lanath, qui était plus doué pour user de sa tête que de ses mains, se livraient une lutte féroce. Même Élara, d'habitude la plus sensée parmi les filles, les observait avec un sourire. Sélast, pour sa part, avait l'air de mourir d'envie de se joindre à la bataille. Elle pourrait sans doute la gagner, pensa Damisa en considérant le physique maigre et nerveux de la jeune fille. Elle se détourna. Elle était incapable de dire si le combat était amical ou sérieux, et pour le moment peu lui importait.

« Ils semblent tous avoir oublié de s'inquiéter pour la fin du monde, pensait-elle d'un air morose. Comme j'aimerais être à la maison ! C'est un honneur d'être choisie et tout ça, mais il fait tellement chaud ici, et la nourriture est bizarre. Pourtant, serais-je plus en sécurité là-bas ? Avons-nous seulement le droit de partir, ou sommes-nous supposés attendre noblement ici que le monde s'écroule autour de nous ? »

Luttant contre les larmes, elle laissa ses pas l'entraîner vers le haut du jardin. Elle arriva rapidement à la terrasse la plus retirée du domaine, un large mur de rétention avec une vue majestueuse sur la cité et sur la mer.

Damisa avait découvert ce coin deux jours plus tôt ; elle était sûre qu'il était invisible, même depuis le toit de la maison des Douze. Avec un peu de chance, les autres ne le connaissaient pas encore.

Comme toujours, le vent marin dissipa sa mauvaise humeur. Chaque rafale chargée de sel lui semblait une lettre d'amour secrète venue de sa lointaine patrie. Plusieurs minutes passèrent avant qu'elle ne remarque qu'il y avait plus de bateaux sur l'eau qu'à l'accoutumée

– non, pas des bateaux, remarqua-t-elle soudain, mais des navires, et pas n'importe lesquels : une flotte de navires de guerre à trois mâts, la fierté d'Atlantis. Très hauts sur l'eau, leurs proues menaçantes gainées de bronze poli, ils pouvaient éperonner n'importe quel bâtiment à la force des rames, ou utiliser leur voilure pour voler avec le vent. L'escadre contourna le promontoire en formation serrée.

Un petit port se nichait juste sous le point d'observation de Damisa. Rarement utilisé, il était d'ordinaire si calme qu'on pouvait tomber en transe rien qu'en fixant ses clairs flots bleus. Mais à présent, un par un, les grands navires y jetaient l'ancre. Leurs bannières colorées battirent dans le vent avant de s'affaler dans le calme de la baie. Le plus grand était déjà à quai, ses voiles pourpres en train d'être ferlées.

Damisa se frotta les yeux. « Comment est-ce possible ? » se demanda-t-elle, mais sa vue ne la trahissait pas. En haut de chacun des trois mâts flottait le cercle de faucons, l'étendard de sa patrie. Une bouffée de nostalgie lui fit monter les larmes aux yeux.

« Alkonath », soupira-t-elle, puis, sans y réfléchir à deux fois, elle retroussa sa robe et se mit à courir, ses longs cheveux fauves flottant au vent comme elle passait devant les lutteurs et filait hors du jardin par l'escalier qui menait au port.

Le plus grand des navires avait jeté l'ancre au quai principal, mais il n'avait pas encore abaissé sa passerelle. Les marchands et les notables de la cité s'étaient déjà rassemblés sur la jetée et bavardaient avec animation en attendant de voir ce qui allait se passer. Même entourés de leurs serviteurs, ils étaient à peine plus nombreux que les hommes et les femmes en blanc de la caste des prêtres.

Tiriki se tenait au premier rang de la foule, drapée dans plusieurs épaisseurs de tissu d'une extrême finesse, des fleurs dorées dans les cheveux. Ses deux compagnons portaient une cape pourpre, insigne royal d'Ahtarrath. Les rubis de leurs diadèmes brillaient comme des flammes sous le soleil. Il fallut un moment à Damisa pour reconnaître Réio-ta et Micail.

« Les navires étaient donc attendus, se dit l'acolyte, sachant combien il était long de revêtir ces habits de cérémonie. La flotte a dû être aperçue depuis la montagne, et un messager a couru les prévenir que des visiteurs arrivaient. » Elle se fraya un chemin parmi la cohue pour rejoindre Tiriki. Celle-ci inclina légèrement la tête en signe de bienvenue.

– Damisa, tu arrives au bon moment !

Mais avant que Damisa ait eu le temps de se demander si Tiriki se moquait d'elle, des acclamations annoncèrent que les arrivants avaient commencé à débarquer.

Les soldats vêtus de vert émergèrent en premier, armés de piques et de sabres. Ils escortaient deux hommes en costume de voyage, accompagnés par un prêtre dont les vêtements étaient d'une coupe étrange. Réio-ta s'avança, levant son bâton de cérémonie pour tracer le cercle de la bénédiction. Tiriki et Micail s'étaient approchés l'un de l'autre. Damisa devait se tordre le cou pour voir.

– Au nom de Manoah, le créateur de l'univers, dont la lumière emplit nos cœurs comme il illumine le ciel, dit Réio-ta, je vous souhaite la bienvenue.

– Nous rendons grâces à Nar-Inabi, le créateur des étoiles, qui vous a conduits en sécurité par-delà les mers, ajouta Micail.

Lorsqu'il leva les bras pour le salut cérémoniel, Damisa aperçut les bracelets étincelants représentant des serpents, que seul un prince de la lignée impériale pouvait porter.

Tiriki s'avança à son tour pour offrir un panier de fleurs et de fruits. Sa voix avait la douceur du chant :

– Ni-Terat, la grande Mère, qu'on appelle aussi Caratra, accueille tous ses enfants, jeunes ou vieux.

Le plus grand des voyageurs rejeta son capuchon en arrière, et l'acclamation de Damisa se changea en cri de joie. *Tjalan !* Elle n'aurait su dire si elle se réjouissait surtout parce qu'il était le prince d'Alkonath ou parce qu'il était son cousin et qu'il avait toujours été chaleureux envers elle. Elle put à peine se retenir de courir vers lui pour jeter ses bras autour de ses genoux, comme elle le faisait lorsqu'elle était enfant. Mais elle se contrôla ; ce fut heureux car pour l'instant Tjalan était tout entier à son rôle de seigneur de l'empire, avec les émeraudes qui scintillaient sur son diadème et les bracelets royaux enroulés autour de ses avant-bras.

Mince et bronzé, il avait la contenance d'un homme qui n'a jamais douté de son droit à gouverner. Il y avait quelques reflets argent sur ses tempes, voilà qui était nouveau, mais Damisa pensa que cela ne faisait qu'ajouter de la distinction aux cheveux sombres de son cousin. Les yeux perçants de Tjalan n'avaient pas changé, ils étaient aussi verts que l'émeraude symbole d'Alkona ; mais elle savait qu'ils pouvaient parfois prendre toutes les teintes de la mer.

Quand le prêtre s'avança, Tiriki posa sa main sur son cœur puis sur son front, pour le salut réservé aux plus gradés des initiés.

— Maître Chédan Arados, murmura-t-elle, puisses-tu marcher dans la Lumière.

Damisa examina le prêtre avec intérêt. Partout en Atlantis, du moins dans la caste des prêtres, le nom de Chédan Arados était bien connu. Il avait été un acolyte sur la Terre des Ancêtres, éduqué en même temps que la mère de Tiriki, Déoris, puis il avait poursuivi ses études pour devenir mage. Après la destruction de la cité du Cercle du serpent, il avait beaucoup voyagé. Pourtant, en dépit de ses nombreuses visites sur Alkonath, Damisa ne l'avait jamais rencontré.

Le mage était grand, ses yeux étaient petits mais perçants et il avait la barbe abondante d'un homme mûr. Il avait un soupçon d'embonpoint mais on n'aurait pu le qualifier de corpulent. Sa toge, taillée dans le lin blanc très fin porté par les prêtres de la Lumière, était d'une coupe inhabituelle, avec des boucles et des boutons sur une épaule, et descendait jusqu'aux chevilles. Sur sa poitrine pendait un disque de cristal, une lentille qui dardait de petites étincelles bleu pâle, scintillant comme des poissons dans un bassin.

— Je marche dans la Lumière, dit le mage à Tiriki, mais trop souvent je ne vois que les ténèbres. Il en va ainsi aujourd'hui.

Le sourire de Tiriki se figea.

— Nous voyons ce que vous voyez, dit-elle tout bas, mais nous ne devrions pas en parler ici.

Micail et Tjalan, ayant terminé les salutations formelles de rigueur entre deux princes, se saisirent par les poignets. Lorsque leurs bracelets s'entrechoquèrent, les traits sévères et si semblables de leurs visages laissèrent place à un éclat de rire chaleureux.

— As-tu fait bon voyage ? demanda Micail comme les deux hommes faisaient demi-tour bras dessus bras dessous pour remonter le quai.

— La *mer* était calme, fit Tjalan avec ironie.

— Ta dame ne souhaitait pas quitter Alkonath ?

Tjalan étouffa un rire.

— Elle est déjà partie. Chaithala est convaincue que les îles de Tin sont couvertes d'une jungle sauvage infestée de monstres, mais nos commerçants ont installé un refuge à Belsairath il y a des années, elle n'y sera pas si mal. Savoir qu'elle et les enfants sont en sécurité me libère l'esprit pour la tâche qui s'annonce ici.

— Et si nous nous sommes trompés et qu'il n'arrive rien ? demanda Micail.

— Alors elle aura eu des vacances originales et ne me pardonnera sans doute jamais. Mais j'ai beaucoup parlé avec maître Chédan durant le voyage et je crains que vos pressentiments ne soient que trop fondés…

Damisa réprima un frisson. Les tremblements de terre et les cauchemars avaient cessé, aussi avait-elle cru que le rituel dans le temple souterrain avait réussi malgré le malaise d'Alyssa. Maintenant, elle en doutait. Des tremblements avaient-ils été ressentis sur Alkonath aussi ? Il devenait difficile de croire que l'arrivée de Tjalan n'était qu'une visite ordinaire.

— Mais qui est-ce donc ? Cette grande jeune femme peut-elle être la petite Damisa ?

Au son de cette voix, Damisa tourna la tête. Le troisième voyageur se tenait devant elle, sa cape rejetée sur les épaules laissant voir une tunique sans manches et un kilt si richement brodé qu'elle cligna des yeux lorsque les brillants ornements rencontrèrent la lumière du soleil. Elle savait cependant que ce vêtement clinquant dissimulait un corps musculeux et que le long poignard pendu à sa ceinture, même s'il était richement orné, n'avait rien d'un colifichet d'aristocrate. C'était Antar, le garde du corps de Tjalan depuis leur prime jeunesse.

— Mais si, c'est bien Damisa, fit Antar, ses yeux sombres à l'affût comme toujours du moindre danger qui menacerait son prince.

Damisa rougit en réalisant que les autres la regardaient aussi.

— Ça te ressemble bien de la remarquer le premier, Antar, dit Micail en souriant largement.

— Antar remarque tout le premier, commenta Tjalan avec un sourire plus radieux encore. Damisa, quel plaisir, ma chère cousine, de découvrir une fleur d'Alkona parmi tous ces lis.

Son attitude était chaleureuse, mais Damisa se dit en allant vers lui que l'époque des embrassades enfantines était à jamais révolue. Elle lui tendit la main, et le prince s'inclina respectueusement – avec juste une étincelle au fond de ses yeux couleur de mer.

– Damisa, te voilà devenue une femme, dit Tjalan avec joie.

Mais il lâcha sa main et se tourna vers Tiriki.

– Vous avez pris grand soin de notre petite fleur, à ce que je vois.

– Nous faisons ce que nous pouvons, noble seigneur. À présent (Tiriki tendit le panier de fleurs et de fruits à Damisa), que les magistrats de la ville accueillent le prince d'Alkonath comme il se doit.

Elle montra de la main la place au bout du quai où, comme par magie, des chapiteaux cramoisis étaient sortis de terre pour abriter des tables couvertes de mets et de boissons.

Tjalan fronça les sourcils.

– Je ne suis pas sûr que nous ayons le temps…

Tiriki le prit délicatement par le bras.

– Nous devons retarder la discussion tant que les seigneurs de l'île ne sont pas arrivés. Si le peuple nous voit boire et manger ensemble, cela redonnera du cœur à la cité. Laissez-vous faire, noble seigneur, je vous en prie.

Comme toujours, les paroles de Tiriki résonnaient comme un chant. « Seul un homme de pierre, pensa Damisa, pourrait résister à la douceur de cette prière. »

Micail jeta un coup d'œil autour de la grande salle pour s'assurer que les serviteurs avaient fini d'installer les pichets d'eau citronnée et les gobelets d'argent, puis il leur indiqua d'un signe de tête qu'ils pouvaient se retirer. Les derniers rayons du soleil s'insinuaient par les fenêtres étroites sous le dôme de la salle du conseil, illuminant la table ronde et les visages inquiets des commerçants, des propriétaires terriens et des magistrats qui y avaient pris place. La puissance d'Atlantis présenterait-elle jamais à nouveau un tel tableau d'ordre et de dignité ?

Micail se leva et attendit que les conversations s'éteignent. Pour l'occasion, il avait conservé les insignes qui témoignaient de son rang princier, alors que Tiriki avait revêtu à nouveau la toge blanche et le voile d'une simple prêtresse et s'était assise un peu à l'écart. Réio-ta, qui portait la toge de supérieur du Temple, avait pris place à gauche parmi les autres dirigeants.

Une fois de plus, Micail sentit intensément qu'il se tenait à la limite entre deux royaumes, le temporel et le spirituel. Au cours des années, il avait souvent pensé que ses deux identités, celle de gardien du Temple et celle de prince d'Ahtarrath, étaient en conflit, mais ce soir sa royauté lui donnait probablement l'autorité nécessaire pour imposer la sagesse du prêtre.

«Si cela peut suffire.» En cet instant, Micail ressentait surtout de la peur. Mais les dés étaient jetés. Son ami Jiritaren lui fit un signe de la tête pour l'encourager. Le silence régnait. Tous les regards étaient posés sur lui, tendus et attentifs.

— Mes amis, héritiers de Manoah, citoyens d'Atlantis, nous avons tous ressenti les secousses qui ont bousculé nos îles. Oui, *nos îles*, répéta-t-il brusquement en voyant les yeux de quelques propriétaires terriens s'écarquiller. Car les mêmes prémices de désastre ont ébranlé Alkonath, Tarisseda et d'autres royaumes encore. Voilà pourquoi nous nous réunissons pour discuter de la menace qui pèse sur nous tous.

Micail s'interrompit et fit longuement, du regard, le tour de la table.

— Nous pouvons encore faire beaucoup, dit-il d'une voix encourageante, car vous le savez certainement, l'Empire a déjà dû faire face à des circonstances qui n'étaient pas moins difficiles, et il a survécu jusqu'à aujourd'hui. Maître Chédan Arados... (Micail fit une pause pour laisser un frisson d'agitation et de chuchotis parcourir la salle), maître Chédan, vous étiez de ceux qui ont échappé à la destruction de la Terre des Ancêtres. Voulez-vous nous parler des prophéties?

— Je le veux bien, fit le mage solennellement en se levant et en parcourant l'assemblée d'un œil sombre. Il est temps de lever le voile. Certains secrets qui n'avaient été annoncés que sous le sceau de l'initiation doivent à présent être révélés. Le secret était nécessaire afin de préserver la vérité, pour qu'elle puisse être annoncée au moment propice, mais taire ces choses à présent serait le vrai sacrilège. La menace à laquelle nous sommes confrontés aujourd'hui prend racine dans un sacrilège commis il y a presque trente ans sur la Terre des Ancêtres.

Lorsque Chédan reprit son souffle, le rayon de soleil qui avait entouré sa tête d'un halo disparut, le laissant soudain dans l'ombre. Micail savait que ce n'était dû qu'au coucher du soleil, mais l'effet était sinistre.

– Ce ne sont pas des hommes ordinaires, mais des prêtres, reprit Chédan, qui dans leur quête pour la connaissance défendue ont déstabilisé le champ magnétique qui maintient l'équilibre entre les forces en conflit à l'intérieur de la terre. Toute notre sagesse et tous nos pouvoirs ont juste réussi à retarder le moment où la faille a cédé ; et lorsque enfin la cité du Cercle du serpent a sombré dans la mer intérieure, beaucoup ont dit que ce n'était que justice. La cité qui avait laissé s'accomplir la profanation devait payer, disaient-ils. Puis, quand la Terre des Ancêtres tout entière a commencé à s'enfoncer dans les flots, et bien que les prophètes nous aient prévenus que les répercussions se propageraient et que la Terre continuerait à sombrer le long de la faille jusqu'à ouvrir, peut-être, le monde comme un œuf, nous avons pourtant espéré que les pires événements étaient passés.

Les prêtres avaient l'air sombre, ils savaient où Chédan allait en venir. Sur les autres visages, Micail pouvait lire une appréhension grandissante à mesure que le mage parlait.

– Les secousses récentes, sur Alkonath comme ici, sont un avertissement final, annonçant que le retour de Dyaus – le temps de la fin, comme l'appellent certains – est proche.

Maintenant, la plus grande partie de la salle était dans la pénombre. Micail fit signe à un serviteur d'allumer les lampes qui pendaient du plafond, mais leur lueur semblait trop faible pour la taille de la pièce.

– Pourquoi ne nous a-t-on rien dit ? cria un commerçant. Aviez-vous l'intention de garder tout cela secret pour que les prêtres seuls puissent être sauvés ?

– N'avez-vous donc pas écouté ? le coupa Micail. Les seuls *faits* que nous avions, nous les avons révélés au fur et à mesure. Aurions-nous dû laisser libre court à la panique en annonçant qu'il existait les prédictions d'un désastre qui aurait pu n'advenir que dans un siècle ?

— Non, bien entendu, reprit Chédan. C'est l'erreur que nous avions faite sur la Terre des Ancêtres. Tant que l'inconnu n'est pas connu, les signes ne peuvent pas être déchiffrés. Voilà pourquoi les plus grands parmi les prophètes ne peuvent rien contre la véritable destinée. Lorsque les hommes rassemblent leur courage pendant trop longtemps devant un danger qui ne vient pas, ils s'assoupissent peu à peu et sont incapables de réagir lorsque le moment est venu.

— Si vraiment il est venu, ricana un important propriétaire terrien. Je suis un homme simple et je ne connais rien à la signification de la lumière des étoiles. Mais je sais qu'Ahtarrath est une île volcanique. Il est normal qu'elle tremble de temps en temps. Une nouvelle couche de cendres et de lave ne fera qu'enrichir la terre.

Micail soupira en entendant les murmures d'assentiment parmi les seigneurs villageois.

— Tout ce que les prêtres peuvent faire, c'est prévenir du danger, lança-t-il en s'efforçant de ne pas laisser paraître son irritation croissante. Ce que vous faites ensuite ne regarde que vous. Je ne forcerai pas même mes propres serviteurs à abandonner leur maison. Je ne peux que vous annoncer à tous que la majorité des gardiens du Temple a décidé de prendre la mer et de ne revenir que lorsque le cataclysme sera terminé. Voilà la parole d'un prince du sang, et je vous affirme que nous nous efforcerons d'emmener autant de volontaires que nous le pourrons.

Réio-ta se leva ; il hochait la tête.

— Nous ne devons pas laisser… mourir la vérité que protège le Temple. Nous enverrons nos douze acolytes et… trouverons autant de navires que possible pour les autres, en espérant que certains d'entre eux au moins arriveront… dans des contrées où de nouveaux temples pourront être construits.

— Quelles contrées ? s'écria quelqu'un. Des rochers stériles où ne survivent que les sauvages et les animaux ? Seuls des fous se livreraient à la mer et au vent !

Chédan étendit les bras.

— Vous oubliez notre propre histoire, répondit-il sévèrement. Même si nous nous tenons à l'écart du monde depuis la guerre avec les Hellènes, nous n'ignorons pas tout des autres pays. Partout où il y a des marchandises à acheter ou à vendre, les navires d'Atlantis s'y sont rendus – et depuis la disparition de la Terre des Ancêtres, bien des prêtres sont partis avec eux. Dans les comptoirs commerciaux, de Khem à Hellade, des Hespérides à Zahédan, ils ont vécu un long exil, ils ont appris les usages des peuples locaux et étudié leurs dieux pour découvrir les croyances que nous avons en commun, ils ont enseigné et soigné ; ils ont préparé le chemin. Je crois que lorsque nos vagabonds des mers arriveront, ils trouveront bon accueil.

– Ceux qui choisissent de rester ne doivent pas craindre que nous baissions les bras, intervint la prêtresse Mésira subitement. Les gens du Temple ne croient pas tous que le désastre est inévitable. Nous continuerons à travailler de toutes nos forces pour maintenir l'équilibre ici.

– Je suis heureux de l'apprendre, la coupa une voix sardonique. (Micail reconnut Sarhedran, un riche armateur, son fils Reidel à ses côtés.) Il fut un temps où Atlantis régnait sur les mers, mais comme mon noble seigneur l'a rappelé, notre regard s'est ensuite porté sur la terre. Même si on pouvait persuader les gens de partir pour ces contrées lointaines, nous n'avons pas les navires nécessaires pour les y emmener.

– C'est pourquoi nous sommes venus avec la moitié de la flotte de la vaillante Alkonath, pour offrir notre aide.

Celui qui venait de parler s'appelait Dantu ; c'était le capitaine du navire sur lequel Tjalan était arrivé. Son sourire était plus triomphant que diplomatique, car les marins d'Alkonath et d'Ahtarrath s'étaient livrés par le passé une lutte sans merci. Tjalan prit la parole à son tour :

– Face à cette épreuve, nous n'oublions pas que nous sommes tous des enfants d'Atlantis. Mes frères sont restés sur Alkonath pour superviser son évacuation. Je suis honoré autant qu'heureux, à titre personnel, de mettre quatre-vingts de mes meilleurs navires au service de la sauvegarde du peuple et de la culture de *votre* vaillante patrie.

Certains autour de la table avaient encore l'air revêche, mais sur la plupart des visages, un sourire commençait d'apparaître. Micail ne put s'empêcher d'adresser un sourire lui aussi à son pair, même si quatre-vingts navires ne pourraient jamais sauver qu'une infime partie de la population.

— Nous allons donc adopter cette résolution, dit Micail en reprenant le contrôle de la situation. Vous allez tous retourner à vos districts et à vos administrés, et vous leur apprendrez la nouvelle de la façon qui vous semblera la meilleure. Si nécessaire, la trésorerie d'Ahtarrath sera mise à contribution pour acheter des provisions pour le voyage. Allez-y et préparez-vous. Ne paniquez pas, mais il ne faut pas tarder inutilement non plus. Nous allons prier les dieux pour qu'il nous reste du temps.

— Serez-vous sur un de ces navires, mon prince ? Le sang royal d'Ahtarrath va-t-il abandonner la patrie ? Dans ce cas, nous sommes vraiment perdus.

Une femme venait de s'exprimer ainsi, une de ceux qui possédaient le plus de terres. Micail s'efforça de retrouver son nom, mais avant qu'il y parvienne Réio-ta s'était levé.

— Les dieux ont décrété que Micail devait… partir en exil, fit le vieil homme en prenant de profondes inspirations pour contrôler le bégaiement qui lui revenait parfois. Mais je suis, moi aussi, un enfant du Soleil, lié par le sang à Ahtarrath. Quel que soit le sort réservé à ceux qui resteront, je resterai et le partagerai.

Micail ne put que dévisager son oncle, et le choc de Tiriki amplifia le sien. Réio-ta ne leur en avait rien dit ! Ils entendirent à peine la conclusion de Chédan :

— Il ne revient pas aux prêtres de décider qui doit vivre et qui doit mourir. Personne ne peut dire si ceux qui partent s'en sortiront mieux que ceux qui restent. Nos destins dépendent de nos propres choix, dans cette vie comme dans les autres. Je vous supplie seulement de ne pas l'oublier, et choisissez en conscience, selon la sagesse qui vous habite. Que les pouvoirs de la Lumière et de la Vie vous bénissent et vous protègent tous !

Chédan ôta sa coiffe et la mit sous son bras lorsqu'il quitta la salle du conseil pour émerger sur la place. Le vent venu du port était délicieusement rafraîchissant.

— Ça s'est mieux… passé que je ne m'y attendais, dit Réio-ta qui contemplait le flot des auditeurs descendant l'escalier. Chédan, je te remercie pour… tes paroles et tes efforts.

51

– Je n'ai pas encore fait grand-chose, dit Chédan avec un geste envers Tjalan qui était venu les rejoindre, mais cela même aurait été impossible sans la générosité de mon royal cousin.

Le prince Tjalan porta ses poings à son cœur et s'inclina avant de répondre.

– Ma plus grande récompense est la certitude que j'ai servi la cause de la Lumière, dit-il en souriant au mage. Vous avez été mon professeur et mon ami, et vous ne m'avez jamais laissé m'égarer.

La porte s'ouvrit à nouveau et Micail, qui avait apaisé les craintes immédiates des plus anxieux des conseillers, se joignit à eux.

– Nous vous remercions, mes seigneurs, dit Micail. Je sais que, pour ma part, je n'aimerais pas assister à un conseil après un voyage en mer. Vous devez être épuisés. L'hospitalité d'Ahtarra peut encore offrir un peu de nourriture et un abri... (Il sourit, fatigué.) Suivez-moi, je vous en prie.

« J'ai l'impression que tu as plus besoin de repos que moi, mon garçon », pensa Chédan, mais il était trop avisé pour laisser voir sa pitié.

L'appartement qui avait été attribué au mage était spacieux et agréable, ses longues fenêtres ouvertes sur la brise fraîche venue de la mer. Il sentit que Micail aurait eu envie de s'attarder, mais Chédan prétendit être épuisé et il se trouva bientôt seul.

Pendant que les pas s'éloignaient, le mage ouvrit son sac et y fouilla un moment à la recherche d'une paire de chaussures marron et d'une toge grise que n'importe quel voyageur aurait pu porter. Il les enfila et descendit rapidement dans la rue, prenant garde à n'être pas remarqué, puis avança dans la pénombre du crépuscule avec une telle assurance qu'un spectateur éventuel l'aurait pris pour un citoyen habitué depuis toujours aux allées et aux rues enchevêtrées de l'enceinte du temple.

En réalité, Chédan n'était pas venu à Ahtarra depuis de nombreuses années, mais les rues avaient peu changé. Chacun de ses pas réveillait le souvenir de sa jeunesse perdue, d'un amour perdu, de vies perdues... Chédan s'arrêta un instant au pied du mur septentrional du nouveau temple. Espérant se trouver au bon endroit, il repoussa une branche de vigne vierge qui poussait là en abondance et découvrit une porte dérobée. Elle s'ouvrit facilement. Il fut plus difficile de la refermer.

Tout était sombre à l'intérieur, excepté une ligne de cailloux luminescents au sol qui indiquaient le chemin dans un couloir étroit bordé de seuils indistincts. Chédan avança rapidement avant de heurter une arche de pierre au bout du couloir.

« Je commence à être trop vieux pour ce genre de choses, se dit le mage d'un air contrit en se frottant la tête. J'aurais pu arriver plus rapidement en passant par la porte principale. »

Derrière l'arche se trouvait une minuscule pièce voûtée vaguement éclairée par les pierres luisantes d'un escalier en spirale. Chédan escalada prudemment deux volées de marches et émergea par une autre arche dans la salle de lecture, une vaste pièce pyramidale au sommet du bâtiment. Elle avait été construite pour capter le maximum de luminosité, mais à cette heure-ci elle était presque entièrement dans l'ombre. Seules quelques lampes de lecture brûlaient ici et là.

Près d'une de ces sources de lumière, le gardien du Temple, Ardral, était assis seul devant une grande table, en train d'examiner le contenu d'une caisse en bois. Chédan distinguait à peine le plateau de la table sous le fouillis qui la couvrait : des rouleaux déchirés, des fragments de tablettes de pierre gravées, et ce qui ressemblait à des colliers de perles colorées. L'attention d'Ardral était fixée sur le clou de la collection, une sorte de livre étroit et long fait de languettes de bambou cousues ensemble avec du fil de soie.

– Je ne savais pas que tu avais le *Codex Vimana* ici, commenta Chédan, mais Ardral ignora cette tentative polie pour l'interrompre.

Avec une grimace, le mage traîna un petit banc près d'Ardral et s'assit.

– Je peux attendre, déclara-t-il.

Ardral leva les yeux avec un grand sourire.

– Chédan, dit-il doucement, je ne t'attendais pas avant…

– Je sais, fit Chédan en détournant le regard. Je suppose que j'aurais pu attendre, mais je viens de sortir de la réunion du conseil.

– Mes condoléances, l'interrompit Ardral. J'espère que j'avais réussi à fournir les informations dont ils avaient besoin.

– Il me semblait bien avoir remarqué une trace de ton travail, dit Chédan.

– Mais je me sentais incapable d'assister à la répétition incessante des mêmes inévitables platitudes.

– Oui, il y en a eu beaucoup. Ils ont peur.

Ardral leva les yeux au ciel.

– Peur de se souvenir pourquoi ils ne sont pas encore prêts ? Il y a longtemps que les choses sont annoncées, mon neveu. C'est exactement ce que Rajasta avait prévu – même s'il s'est un peu trompé sur la date. Avec la meilleure volonté du monde, que ce soit dans le Temple ou dans une ferme, la plupart des gens sont incapables de continuer, année après année, à chercher la solution à un problème insoluble qui n'arrive même pas quand on l'attend ! L'instinct qui pousse à continuer la vie quotidienne… (Il s'interrompit.) Tu vois, moi aussi je m'y mets. Mais puisqu'on parle de ça, j'ai mis de côté quelque chose que tu appréciais beaucoup. Nous pourrions peut-être aller résoudre les problèmes du monde en privé, qu'en penses-tu ?

– Je…, fit Chédan, puis il cligna des yeux et contempla la pièce dans la pénombre ; en cet instant, face à son oncle, il se sentait jeune à nouveau. Oui, continua-t-il avec un gloussement puis un vrai sourire. Merci, mon oncle.

– Voilà qui est mieux, approuva Ardral, puis il se leva et reposa l'étrange livre dans la caisse. Ce n'est pas parce que l'éternité nous marche sur les pieds que nous devons renoncer à vivre un peu avant…

Il referma la caisse et fit un clin d'œil à Chédan :

– Il suffit de suivre la danse !

Lors de la dernière visite de Chédan, Ardral occupait un dortoir plutôt décrépit à quelque distance du temple. À présent, en tant que conservateur de la bibliothèque, il avait une vaste suite à sa disposition dans les lieux mêmes.

Un feu s'éleva dans la cheminée lorsqu'ils entrèrent, ou peut-être y brûlait-il déjà. Chédan considéra l'ameublement spartiate mais de bon goût, pendant qu'Ardral allait chercher deux coupes d'argent filigrané puis ouvrait une jarre noire et jaune de vin de miel.

– Du teli'ir ? s'exclama le mage, et Ardral hocha la tête.

– Je suis sûr qu'il n'en reste pas plus d'une douzaine de bouteilles.

– Tu m'honores, mon oncle. Mais j'ai peur que l'occasion ne mérite pas un tel sacrifice.

Avec un soupir, Chédan s'installa sur une couche moelleuse. En compagnie de son oncle, à boire du teli'ir, c'était presque comme si le Radieux Empire régnait encore sur les deux horizons. Le temps avait à peine passé. Il n'était plus le savant Chédan Arados, le plus grand des initiés, celui à qui on demandait des réponses, des solutions, de l'espoir. Il pouvait être lui-même.

Bien que tous deux n'aient pas été particulièrement proches avant la chute de la Terre des Ancêtres, Chédan avait connu Ardral toute sa vie et, bien des années avant qu'il ne devienne un acolyte, son oncle était déjà son professeur. Les années avaient passé depuis lors, mais Ardral ne semblait pas plus vieux. Bien sûr, il y avait de nouvelles rides sur ce visage mobile et expressif, et sa chevelure s'était ternie et raréfiée. Si Chédan l'examinait soigneusement, il voyait ces marques de l'âge, mais ces petits détails ne changeaient rien à son identité, qui semblait immuable.

— Ça fait du bien de te revoir, mon oncle, dit-il.

Ardral sourit et remplit à nouveau leurs coupes.

— Je suis heureux que tu sois venu, répondit-il. Les étoiles n'ont pas été rassurantes pour les voyageurs dernièrement.

— C'est vrai, admit Chédan, et le temps ne vaut guère mieux, même si Tjalan me dit de ne pas m'inquiéter. Mais puisque tu as abordé le sujet, laisse-moi te demander… Tu as toujours les idées si claires…

— Plus pour très longtemps, plaisanta Ardral en levant sa coupe.

— Ha, ha! s'esclaffa Chédan. Mais tu sais ce que je veux dire. Tu ne t'es jamais laissé influencer par les préjugés ou les légendes. Tu ne vois que ce qu'il y a devant toi, à l'inverse de certains… mais peu importe. Une fois, il y a des années, tu as évoqué les *autres* prophéties de Rajasta et les raisons pour lesquelles tu les pensais correctes. Ces raisons ont-elles changé?

Il se pencha vers son oncle et répéta:

— Ont-elles changé? Personne ne connaît l'œuvre de Rajasta aussi bien que toi.

— Je suppose, fit Ardral vaguement puis il se mit à grignoter un morceau de fromage.

Chédan ne se laissa pas décourager.

— Tous les autres ont insisté sur l'aspect tragique de la prophétie: la destruction d'Atlantis, les pertes inévitables en vies humaines, la faible chance de survie. Mais toi, tu comprends toutes les complexités de la prophétie: ce qui fut, ce qui est, et ce qui…

– Tu as vraiment l'intention de m'enquiquiner avec ça, n'est-ce pas ? grogna Ardral sans son sourire accoutumé. Entendu. *Juste pour cette fois*, je vais répondre à la question que tu ne parviens pas à poser. Puis nous abandonnerons ce sujet, au moins pour ce soir !

– Comme tu voudras, mon oncle, répondit Chédan aussi sagement qu'un petit enfant.

Ardral soupira et passa ses doigts dans ses cheveux, qu'il acheva d'ébouriffer.

– Pour le dire vite, la réponse est oui. C'est bien ce que Rajasta craignait. L'inévitable est en train d'arriver, et pire encore, il arrive exactement dans les conditions qui provoquent une attaque du cœur chez les astrologues les plus médiocres. Bah, ils se laissent distraire bien trop facilement et ne voient plus les nombreuses influences positives ; on dirait presque qu'ils *veulent* croire au pire. Mais oui, en effet, il est impossible de le nier : Adsar, l'étoile du combattant, a dirigé sa course vers la corne du Ram. C'est précisément l'alignement que les textes antiques appellent la guerre des dieux. Mais les anciens ne disent absolument pas que cette configuration signifie quoi que ce soit pour le monde des *mortels* ! C'est bien là la vanité humaine. Tellement prévisible.

Pendant quelques instants, le silence régna, puis Ardral remplit leurs coupes et Chédan tenta de trouver quoi dire.

– Tu vois ? fit Ardral doucement. Ça ne sert à rien de penser à ces choses-là. Nous ne voyons que la lisière de la forêt, comme on dit. Alors oublie ça. Les choses seront assez agitées comme ça dans les prochains jours. On n'aura pas beaucoup de temps pour s'asseoir et ne rien faire. Et pourtant !

Il leva sa coupe avec une solennité ironique :

– À une époque comme celle-là…

Riant malgré lui, Chédan se joignit à lui pour le refrain :

– … rien ne vaut rien pour apaiser l'esprit !

CHAPITRE 3

« Comment mettre toute une vie en bagages ? » Micail contemplait le méli-mélo d'objets divers empilés sur sa couche et secouait la tête. C'était un triste assortiment à la lumière du petit matin. « Trois quarts d'objets utiles pour un quart de nostalgie ? »

Chaque navire, bien sûr, prendrait à bord tout ce qui était nécessaire en fait de couchage, de grain et de médicaments. Pendant ce temps, les acolytes et quelques chélas de confiance avaient été chargés d'empaqueter les manuscrits et les vêtements de cérémonie dont le Temple avait dressé la liste depuis longtemps ; mais tout cela était destiné à un usage collectif. Il revenait à chacun des passagers de choisir les affaires personnelles qui tiendraient dans un sac et l'accompagneraient au-delà des mers.

Il l'avait déjà fait, à l'âge de douze ans, lorsqu'il avait quitté la Terre des Ancêtres où il était né pour venir sur cette île, qui était devenue son héritage. Il avait alors laissé son enfance derrière lui.

« En tout cas, je n'aurai plus à conduire de procession en haut de la montagne de l'Étoile. » Il prit un instant pour examiner la cape de cérémonie richement brodée de motifs de spirales et de comètes... Il la reposa avec un pincement de regret et se mit à plier des tuniques de lin toutes simples. La seule cape de cérémonie qu'il joignit à son bagage était en soie blanche si fine qu'elle en était lumineuse ; il prit aussi la cape bleue qui allait avec. En y ajoutant les insignes de la prêtrise, elles devraient suffire pour le travail rituel. « De toute façon, sans patrie, je ne serai plus prince.» Il se demanda si cela serait un soulagement ou s'il aurait la nostalgie du respect que lui conférait son titre.

«Le symbole n'est rien, se força-t-il à penser, la réalité est tout.» Un véritable adepte n'a pas besoin de tout cet attirail.

– L'outil le plus important que possède le mage est ici, disait souvent Rajasta avec un sourire en tapotant son front.

Pendant un instant, Micail eut l'impression d'être de retour dans la maison des Douze sur la Terre des Ancêtres. «Rajasta me manque tellement…, pensa Micail, mais je suis heureux qu'il n'ait pas vécu assez longtemps pour voir ça.»

Son regard glissa vers le petit arbre en pot sur le bord de la fenêtre, dont le gracile feuillage plumeux scintillait dans la lumière matinale. Sa mère, Domaris, le lui avait offert peu après son arrivée sur Ahtarrath et il l'avait entretenu avec amour : il l'avait arrosé, soigneusement taillé et protégé… Lorsqu'il le souleva, il entendit le pas léger de Tiriki approcher dans le couloir.

– Mon amour, as-tu vraiment l'intention d'emmener ce petit arbre ?

– Je ne sais pas…

Micail reposa le pot sur l'appui de la fenêtre et se tourna vers Tiriki avec un sourire.

– C'est tellement dommage de l'abandonner après l'avoir soigné si longtemps.

– Il ne survivra pas dans ton sac, fit-elle observer en venant se blottir dans ses bras.

– C'est vrai, mais on pourrait peut-être lui trouver un petit coin quelque part. Si seulement la décision d'emporter ou non un petit arbre était la plus difficile que j'aie à prendre…

Les mots moururent sur ses lèvres. Tiriki leva la tête, son regard cherchant le sien et le suivant jusqu'à la fenêtre. Les feuilles délicates du petit arbre frissonnaient comme si elles palpitaient, alors qu'il n'y avait pas de vent.

Ils sentirent plus qu'ils n'entendirent un grondement venu de partout et de nulle part, qui se communiqua à la semelle de leurs sandales, bien plus puissant que la secousse de la veille.

– Oh non ! supplia Micail. Pas encore, pas maintenant…

Une volute de fumée jaillit du sommet de la montagne et vint ternir le pâle ciel immaculé.

Le sol se mit à tanguer. Micail saisit Tiriki et la tira vers la porte. Arc-boutés sous le chambranle, ils seraient partiellement protégés si le plafond s'effondrait. Leurs regards se rencontrèrent à nouveau et, sans avoir besoin de parler, ils synchronisèrent leur respiration et entrèrent en transe, où l'esprit est à la fois détaché et concentré. Chaque souffle les menait plus loin. Liés l'un à l'autre, ils étaient plus conscients des forces en conflit à l'intérieur de la terre, et moins vulnérables à leur influence.

— Pouvoirs de la Terre, apaisez-vous ! cria Micail, faisant appel à toute l'autorité de sa lignée. Moi, fils d'Ahtarrath, chasseur royal, héritier du Mot du Tonnerre, je vous l'ordonne ! Soyez en paix !

Le tonnerre éclata dans le ciel vide, puis un grondement qui semblait lointain lui répondit comme un écho. Tiriki et Micail entendaient le tumulte et la panique se répandre dans le palais, ainsi que le fracas des objets et des murs qui se brisaient et s'écroulaient partout.

La vibration s'apaisa enfin, mais pas la tension. Par la fenêtre, Micail remarqua que le sommet de la montagne avait disparu – non, pas disparu : il s'était *déplacé*. De la fumée ou de la poussière s'élevait tout autour de la petite pyramide encore reconnaissable qui, toujours en feu, glissait lentement vers la cité.

Micail ferma les yeux, serra très fort les paupières et tendit toute sa volonté pour puiser à nouveau des forces au-delà de lui-même, alors que des énergies tournoyantes se ruaient en lui. Il s'efforça de visualiser les couches de roc qui constituaient l'île, mais la vision qui aurait pu les contenir vacilla et s'éteignit pour laisser place à l'image des bras croisés d'un homme sans visage, enchaîné mais luttant contre ses liens – celui qui avait hanté leurs rêves. Ses muscles se bandèrent et quelques anneaux de ses chaînes se rompirent lorsque l'homme se mit à lutter contre elles.

— Qui êtes-vous ? Qu'est-ce que ça veut dire ?

Micail ne réalisa avoir crié que lorsqu'il sentit les pensées de Tiriki se mêler aux siennes.

— *C'est le… le Non-Révélé !* hurla-t-elle en pensée. *C'est Dyaus ! Ne regarde pas ses yeux !*

Sur ce, la vision s'éleva avec un grondement féroce. Le sol trembla à nouveau, plus brutalement, et n'arrêta plus de trembler. Micail avait entendu pendant toute son enfance les légendes chuchotées à propos du dieu Dyaus, que les mages en toge grise de la Terre des Ancêtres invoquaient pour faire advenir le changement. Mais il avait plutôt amené le chaos, un chaos dont les réverbérations avaient finalement détruit sa patrie et semblait sur le point d'anéantir Atlantis à son tour. Micail, cependant, n'était jamais descendu dans la crypte de la Terre des Ancêtres où l'image du dieu était enchaînée.

– *Je ne peux pas le retenir ! Aide-moi !*

Micail sentit aussitôt la compassion indéfectible de Tiriki se ruer à son secours.

– *Que la lumière fasse pendant à l'obscurité…*

Sa pensée prenait le rythme d'un chant. Micail la suivit :

– *Que la paix succède à l'action…*

– *Que l'amour fasse pendant à la haine…*

La chaleur montait entre leurs mains jointes.

– *Le masculin face au féminin…*

Une lumière grandit entre eux, générant un courant de puissance pour transformer les tensions entre les forces opposées.

> *Il y a la lumière, il y a la forme,*
> *Il y a l'ombre et l'illusion,*
> *Et la proportion…*

Ils eurent l'impression de vivre une éternité, cependant que les rugissements stériles du dieu enchaîné s'atténuaient graduellement, à contrecœur.

Lorsque le tremblement finit par s'apaiser tout à fait, Micail poussa un long soupir de soulagement, bien que sa sensibilité exacerbée perçût encore les grondements étouffés sous l'équilibre qu'ils avaient réussi à imposer à l'île.

– C'est fini, dit Tiriki en ouvrant les yeux.

– Non, fit Micail lentement, nous ne l'avons que contenu, pour l'instant. Mon amour… (Les mots lui manquèrent et il la serra plus fort contre lui.) Je n'aurais jamais pu contenir cette force sans toi.

– Reste-t-il du temps ?

– Demande aux dieux, répondit Micail. Mais au moins, plus personne ne pourra douter de notre mise en garde à présent.

Il regarda derrière Tiriki et ses épaules s'affaissèrent lorsqu'il vit sur le sol, sous la fenêtre, le pot en mille morceaux, de la terre éparpillée et les racines nues de son petit arbre.

«Des gens sont morts dans ce tremblement de terre, se dit-il. La cité est en feu. Ce n'est pas le moment de se lamenter sur un arbre.»

Mais comme il jetait une paire de sandales dans son sac, ses yeux brûlaient de larmes.

L'humeur de la cité avait changé, c'était certain, se disait Damisa en contournant un tas de gravats avant de continuer son chemin vers le port. Après la terreur qui avait régné au petit matin, la belle lumière du soleil semblait grotesque. La fumée qui s'échappait encore de la douzaine de bâtiments incendiés emplissait l'air d'une lueur étrange et dorée. De temps à autre, une vibration du sol lui rappelait que, même si la poussière de son sommet s'était dissipée, la montagne de l'Étoile était encore en éveil.

Les tavernes étaient débordées car elles vendaient du vin à ceux qui préféraient noyer leur frayeur plutôt que de prendre des mesures afin de se sauver des eaux, mais sinon le marché était désert. Quelques-uns affirmaient que le tremblement de terre de la matinée serait le dernier, mais la plupart des gens étaient chez eux, en train d'empaqueter leurs possessions les plus précieuses pour les emmener avec eux sur un navire ou à la campagne. Depuis le toit de la maison des Douze, Damisa avait vu les routes encombrées de chariots. Tout le monde se dirigeait peu à peu vers les ports ou les collines de l'intérieur, en n'importe quel lieu distant de la montagne de l'Étoile, dont la pyramide supérieure s'était arrêtée au milieu de la pente. Du sommet, désormais horizontal, s'élevait encore un panache de fumée, comme la promesse d'autres violences à venir.

Elle revoyait avec remords les moments où elle avait résisté à la sérénité bien ordonnée du Temple, aux contraintes permanentes que représentaient la patience et la discipline. Si cette matinée augurait vraiment de ce qui allait arriver, elle soupçonnait qu'elle allait bientôt se souvenir de sa vie ici comme d'un paradis.

Dans ces circonstances, les douze acolytes eux-mêmes avaient été réquisitionnés pour servir de messagers. Damisa avait réclamé la lettre destinée au prince Tjalan et elle avait bien l'intention de la lui amener. Sur la pointe des pieds, elle fit le tour d'une mare de liquide nauséabond dans le marché et s'engagea dans une ruelle empuantie qui descendait jusqu'à la mer.

Les quais du port étaient aussi encombrés et bruyants qu'à l'ordinaire, mais aujourd'hui il s'y ajoutait une hystérie à peine contenue. Elle remit son voile en place d'un coup sec et se hâta parmi la foule. Elle entendait l'accent traînant d'Alkonath tout autour d'elle. Ce dut être une sorte d'instinct qui lui permit de reconnaître la voix de Tjalan, résonnant par-dessus le brouhaha des hommes qui s'échinaient à charger à bord tout un matériel hétéroclite.

En s'approchant, elle entendit le marin à qui s'adressait le prince.

— Quelle importance si les grains sont par-dessus ou par-dessous les ballots de tissu ?

— Est-ce que tu manges du tissu ? demanda Tjalan sèchement. Du lin mouillé pourra sécher, mais de l'orge saturée d'eau de mer pourrira au lieu de germer. Alors retourne dans cette cale et fais ça correctement, cette fois !

Damisa fut soulagée de voir l'expression du prince s'éclaircir lorsqu'il la reconnut.

— Ma chère cousine, comment vont les choses là-haut ? demanda-t-il en agitant la main en direction des temples et du palais sur la colline.

— Comment vont les choses, où que ce soit, je me le demande… fit Damisa en s'efforçant de conserver une voix égale. Oh ! il y a une bonne nouvelle, pourtant ! Les prêtres qui servent en haut de la montagne de l'Étoile ont survécu. Ils sont tous descendus il y a une heure, tous sauf leur supérieur. Il a fait dire qu'il vivait sur ce pic depuis son enfance et que si la montagne veut se débarrasser de la pyramide, il retournera au sommet sans elle !

Tjalan se mit à rire.

— J'ai connu des hommes comme lui, « confiant en la miséricorde des dieux », comme on dit ! Il pourrait bien nous survivre à tous.

– Certains prétendent, se surprit-elle à dire, que lorsque la terre s'est mise à trembler, nous aurions dû faire une… offrande… spéciale.

Tjalan cligna des yeux et ses sourcils se froncèrent.

– Ma chère petite, ne pense même pas à ces choses-là! (Son visage bronzé s'était tendu, sa peau avait pâli.) Nous ne sommes pas des barbares qui sacrifient des enfants! Les dieux auraient raison de nous exterminer si c'était le cas.

– Mais c'est bien ce qu'ils font, murmura Damisa, incapable d'arracher son regard du sommet décapité et fumant de la montagne.

– Ils sont en train de détruire les îles, c'est certain, la corrigea Tjalan doucement. Mais ils nous ont accordé des mises en garde auparavant, n'est-ce pas? D'abord par les prophéties, ensuite par les tremblements de terre. Nous avons eu du temps pour préparer notre fuite, ajouta-t-il en embrassant du geste les navires, les hommes, les malles, les sacs et les tonneaux de provisions. Même les dieux ne peuvent pas tout faire à notre place!

«Il est aussi sage que n'importe quel prêtre», se dit Damisa en admirant son profil énergique quand il se tourna pour répondre à une question du capitaine, un homme du nom de Dantu. «J'ai de quoi être fière de faire partie de la même famille que lui», songea-t-elle, et ce n'était pas la première fois qu'elle le pensait. Elle n'avait pas été destinée au Temple, c'est sa grand-mère qui avait proposé sa candidature pour faire partie des Douze. Lorsqu'elle rêvait de mariage royal étant petite, c'était l'image de Tjalan qui s'imposait à elle comme le modèle d'un époux parfait. Il était réconfortant de constater qu'un jugement plus mature confirmait son opinion originale. Et Tjalan faisait paraître Kalhan, en comparaison, comme le petit garçon qu'il était!

– Surveillez vos manières! s'exclama le prince avec un regard furieux en direction d'un groupe de marins qui s'étaient arrêtés de travailler pour contempler avec des yeux ronds deux jeunes filles aux formes généreuses, des sajis en robe couleur safran, en train de tirer une charrette pleine de paquets venus du temple de Caratra.

Un des hommes se lécha les babines et envoya un baiser aux deux filles qui se mirent à glousser derrière leur voile.

– Je vous mettrais bien dans mon paquetage!

— Toi, là-bas ! reprit Tjalan, retourne au travail. Elles ne sont pas destinées à des hommes comme toi.

À *quoi* étaient destinées les sajis, les acolytes s'étaient souvent posé la question. Il se murmurait que, dans l'ancien temps, les sajis avaient été entraînées afin de participer à certaines formes de magie qui mettaient en jeu les énergies sexuelles. Damisa frissonna et se réjouit de n'avoir pas suffisamment d'expérience pour deviner de quoi il pouvait s'agir précisément. Les acolytes étaient libres de prendre des amants avant leur mariage, mais elle avait été trop scrupuleuse pour ce faire ; et puis Kalhan, qui avait été sélectionné par quelque obscur calcul astrologique pour être son fiancé, ne l'avait guère tentée pour se livrer à des expériences précoces.

— J'allais presque oublier ! s'exclama-t-elle. J'ai là une liste des candidats destinés à voguer sur le navire royal, avec… avec toi.

Le prince se tourna à nouveau vers Damisa qui lui tendait le parchemin.

— Je vois…, murmura-t-il en suivant les noms du doigt. Oui… je ne suis pas sûr que ce soit vraiment un soulagement. J'ai l'impression de voir en filigrane la liste de ceux qui ne pourront pas fuir, soit qu'ils préfèrent rester, soit parce qu'il n'y a pas assez de place. J'avais espéré que les seules décisions que j'aurais à prendre se limiteraient à trouver l'espace nécessaire pour stocker leurs affaires.

Damisa perçut de l'amertume dans sa voix et dut réprimer l'envie de le prendre dans ses bras.

— Le seigneur Micail et dame Tiriki seront sur le navire du capitaine Reidel, mais je suis sur ta liste, dit-elle doucement.

— Je le vois, petite fleur, et j'en suis heureux ! fit Tjalan en tournant les yeux vers le visage de la jeune fille, et son expression s'adoucit. Qui aurait pu croire que ma petite cousine maigrichonne deviendrait si…

Un appel de Dantu le coupa, mais Damisa chérirait longtemps ces quelques mots. Il avait remarqué qu'elle avait grandi. Il l'avait vraiment *remarquée*. Le mot qu'il n'avait pas eu le temps de prononcer était probablement « jolie », « mignonne » – ou même « belle ».

La demeure où Réio-ta vivait avec Déoris était située sur une colline proche du temple qui dominait la mer. Petite, Tiriki avait vécu dans la maison des prêtresses avec sa tante Domaris. Elle avait été amenée tout bébé sur Ahtarrath pour la sauver des périls qui pesaient sur elle en tant que fille du mage en toge grise dont les pratiques avaient éveillé Dyaus. Déoris avait cru sa fille morte jusqu'à ce qu'elle la rejoigne sur Ahtarrath, mais alors Tiriki s'était attachée à Domaris comme à une mère, et ce n'est qu'après la mort de celle-ci qu'elle était venue vivre avec Déoris.

En cet instant, en gravissant les marches de la maison au bras de Micail, elle ne put s'empêcher de laisser échapper un soupir d'admiration pour l'harmonie du bâtiment et des jardins qui l'entouraient. Enfant, après la mort de Domaris, elle avait été trop désorientée et trop triste pour remarquer ce qui l'entourait ; ensuite, elle s'était si bien habituée à parcourir le domaine qu'elle n'y prêtait plus attention.

– C'est si beau, fit Chédan qui montait derrière eux, comme en écho à ses pensées. Il est triste de se dire que, trop souvent, nous ne commençons à aimer les choses que lorsque nous sommes sur le point de les quitter.

Tiriki hocha la tête et essuya discrètement une larme.

«Quand tout cela aura disparu, combien de fois regretterai-je tous les moments où je suis passée par ici sans m'arrêter pour regarder vraiment ce qui m'entoure?» se demanda-t-elle.

Tous trois s'arrêtèrent pour contempler la vue en direction de l'ouest. La plus grande partie de la cité détruite était cachée par les toits étincelants du quartier du temple. Au-delà, il n'y avait que le bleu ambigu de la mer.

– Tout a l'air tellement paisible, dit Chédan.

– Ce n'est qu'une illusion, fit Micail, les dents serrées, en les précédant sous le portique.

Tiriki frissonna lorsqu'ils franchirent le petit pont décoratif qui, dans son souvenir, avait toujours tangué doucement sous le plus léger des pas. Depuis le tremblement de terre de la matinée, elle était maladivement consciente des moindres tensions souterraines. Dès que quelque chose tremblait, elle se crispait et se demandait si l'horreur était sur le point de recommencer.

Ici, remarqua-t-elle, il n'y avait pas d'empilement précaire de souvenirs et de rebuts, pas trace non plus de l'agitation frénétique qui s'étendait dans le reste de la cité – juste un serviteur à la voix douce qui les attendait pour les escorter auprès de Réio-ta et Déoris. Tiriki eut un pincement au cœur ; elle avait le pressentiment que leur visite ici allait être un échec. Il était clair que ses parents n'avaient pas l'intention de partir.

Chédan l'avait précédée dans le grand salon ouvert sur les jardins ; il se tenait devant Déoris qu'il venait de saluer. Il sembla à Tiriki que sa voix tremblait en prononçant la formule conventionnelle. Qu'avait été Chédan pour sa mère, se demanda-t-elle, quand ils étaient jeunes, sur la Terre des Ancêtres ? Voyait-il à présent la prêtresse aux tresses fauves mêlées de blanc ramenées en couronne sur le haut de sa tête, ou le fantôme d'une jeune fille rebelle aux yeux sombres et à la crinière brune – cette jeune fille que Domaris lui avait décrite quand elle évoquait la mère de Tiriki, avant l'arrivée de Déoris sur Ahtarrath ?

— Avez-vous… terminé vos bagages ? demandait Réio-ta. Le temple est-il prêt à être évacué, et les acolytes prêts à… partir ?

Les mots du conseiller n'étaient pas plus heurtés que d'habitude. D'après sa voix, on aurait pu croire que c'était une journée ordinaire.

— Oui, tout se passe bien, répondit Micail, ou du moins aussi bien qu'on pouvait l'espérer. Certains des navires ont déjà pris le large. Nous pensons partir avec la marée, demain dans la matinée.

— Il reste largement assez de place sur le navire de Reidel pour vous deux, ajouta Tiriki. Vous devez venir ! Mère, père… dit-elle en leur tendant les mains. Nous avons besoin de votre sagesse. Nous aurons besoin de vous !

— Je t'aime aussi, ma chérie, mais ne t'égare pas, dit Déoris d'une voix basse et vibrante. Je n'ai qu'à vous regarder tous les deux pour constater que nous vous avons déjà donné tout ce qui vous sera nécessaire.

Réio-ta hocha la tête, un sourire chaleureux dans les yeux.

— Avez-vous oublié que j'ai donné ma… parole au conseil ? Tant que des gens de mon peuple resteront ici… je resterai aussi.

Tiriki et Micail échangèrent un regard. « Il est temps d'essayer l'autre plan. »

— Alors, mon cher oncle, dit Micail raisonnablement, nous devons boire à la fontaine de ta sagesse tant que nous le pouvons.

— Avec… joie, répondit Réio-ta avec une modeste inclinaison de la tête. Peut-être, maître Chédan, voudrais-tu… boire quelque chose de plus goûteux? J'ai plusieurs bons crus à t'offrir. Nous avons eu de… bonnes années en ton absence.

— Tu me connais trop bien, répliqua doucement le mage.

Micail se mit à rire.

— Si Réio-ta ne l'avait pas proposé, fit-il ironiquement, Chédan l'aurait sans doute réclamé!

Il croisa le regard de Tiriki et pencha la tête imperceptiblement en direction du jardin, comme pour dire: «vous deux pouvez parler tranquillement dehors».

— Viens, mère, s'exclama Tiriki joyeusement, laissons les hommes à leur petite cérémonie. Et si nous faisions un tour dans ton jardin? Je crois que c'est ce qui me manquera le plus.

Déoris leva un sourcil et regarda Tiriki puis Micail, mais elle laissa sa fille lui prendre le bras sans faire de commentaire. Lorsqu'elles franchirent la porte ouverte sur l'extérieur, elles entendirent Chédan proposer le premier toast.

Le jardin intérieur que Réio-ta avait construit pour sa dame était unique sur Ahtarrath, et depuis la chute de la Terre des Ancêtres, probablement aussi dans le monde entier. Il avait été conçu comme un espace de méditation, une recréation du paradis primitif. Même à présent, l'air était plein du doux babillage des oiseaux et l'odeur mielleuse des plantes se mêlait à celle, plus acide, des rocailles. À l'ombre des saules, la menthe proliférait et les plantes aquatiques se couvraient de bourgeons luxuriants; la sauge, l'armoise et les herbes aromatiques s'étalaient dans des plates-bandes surélevées pour profiter du soleil. Les espaces laissés libres entre les dalles de pierre étaient envahis par les petites feuilles et les fleurs bleu pâle du thym rampant.

Le chemin s'enroulait en une spirale si gracieuse qu'il semblait être l'œuvre de la nature plutôt que d'une main humaine; il menait à une grotte où l'image de la Déesse était enchâssée, à moitié dissimulée par des branches de jasmin dont les blanches fleurs cireuses exhalaient leur propre encens dans l'air tiède.

Tiriki se retourna et vit les grands yeux de Déoris pleins de larmes.

– Qu'y a-t-il? J'espère, je dois t'avouer, que tu es enfin prête à craindre ce qui va se passer, si cela peut te persuader de...

Déoris secoua la tête avec un sourire étrange.

– Alors je suis désolée de te décevoir, ma chérie, mais honnêtement, l'avenir n'a jamais pu me faire vraiment peur. Non, Tiriki, j'étais perdue dans mes souvenirs. J'ai du mal à croire qu'il y a dix-sept ans, toi et moi nous tenions ici – non, ce n'était pas ici, mais sur la terrasse. Ce jardin n'était pas encore planté à l'époque. Regarde-le aujourd'hui! Il est plein de fleurs dont je ne connais même pas le nom. Je ne comprends pas comment on peut aimer le vin: quant à moi, je suis souvent presque soûle rien qu'à respirer leur parfum...

– Dix-sept ans? demanda Tiriki, un peu trop brusquement.

– Toi et Micail n'étiez guère que des enfants, expliqua Déoris avec un sourire, lorsque Rajasta est venu ici. T'en souviens-tu?

– Oui, répondit Tiriki. C'était juste avant la mort de Domaris. (L'espace d'un instant, elle vit un écho de son propre chagrin envahir les yeux de sa mère.) Elle me manque toujours.

– Elle m'a élevée aussi, tu sais, avec Rajasta, qui était un père pour moi, plus que le mien, dit Déoris gravement. Après la mort de ma mère, mon père était trop occupé par les affaires du Temple pour faire attention à nous. Rajasta s'est occupé de moi et Domaris est la seule mère que j'aie connue.

Tiriki avait entendu ces paroles des centaines de fois, mais elle tendit la main vers Déoris dans un geste de compassion.

– J'ai de la chance, alors, d'avoir eu deux mères!

Déoris hocha la tête.

– Et j'ai eu de la chance de t'avoir, ma fille, même si je t'ai connue bien tard. Galara aussi, bien sûr, ajouta-t-elle comme avec remords.

Leur différence d'âge n'avait pas permis à Tiriki et à Galara, la fille que Déoris avait eue avec Réio-ta, de bien se connaître. Elle connaissait beaucoup mieux Nari, le fils que Déoris avait eu pour remplir son obligation de porter un enfant de la caste des prêtres; il était devenu prêtre sur la petite île de Tarisseda.

– Galara, fit Tiriki d'un air songeur, elle a treize ans maintenant, n'est-ce pas?

– Oui, l'âge que tu avais quand Rajasta m'a amenée ici. C'était un prêtre illustre sur la Terre des Ancêtres, sans doute le plus grand expert des mouvements stellaires et de leur signification. Il avait lu que nous avions encore sept ans devant nous – mais c'était la date de sa propre mort qu'il avait lue… Nous pensions alors qu'il s'était peut-être trompé complètement, nous espérions…

Elle cueillit un brin de lavande et le tourna entre ses doigts en marchant. L'odeur douce et forte à la fois envahit l'air.

– Mais je n'ai pas à me plaindre, continua-t-elle. J'ai eu dix belles années pour t'aimer et pour apprécier cet endroit merveilleux. J'aurais pu mourir aux côtés de ton père, il y a bien des années !

Elles avaient fait le tour du chemin en spirale et se tenaient à nouveau devant l'autel de la Déesse. Tiriki s'arrêta, réalisant tout à coup que sa mère ne parlait pas de Réio-ta, qui avait été un beau-père affectueux, mais de son vrai père.

– Rivéda, murmura-t-elle, et dans sa bouche ce nom résonnait comme une malédiction. Mais tu étais innocente. Il t'a utilisée !

– Pas vraiment, dit Déoris simplement. Je l'aimais…

Elle reporta son regard sur sa fille, un regard tempétueux dont la couleur pouvait passer en un instant du gris au bleu, et continua :

– Que sais-tu de Rivéda, ou plutôt, que crois-tu savoir de lui ?

Tiriki dissimula sa grimace derrière la corolle d'une fleur.

– C'était un guérisseur, dont les traités sur la médecine sont devenus la base de notre enseignement jusqu'à aujourd'hui – même s'il a été exécuté pour avoir fait de la magie noire ! Qu'ai-je besoin de savoir sinon ça ? demanda-t-elle en baissant la voix et se forçant à sourire. Pour toutes les choses qui ont vraiment compté, c'est Réio-ta mon père.

– Oh, Tiriki, Tiriki…, fit Déoris en secouant la tête, les yeux pleins de pensées secrètes. Il est vrai que Réio-ta était né pour être père, et pour être un bon père. Mais il y a un devoir du sang, différent de l'honneur que tu dois à l'homme qui t'a élevé. Tu dois comprendre ce que Rivéda recherchait, parce ce que c'est ça qui l'a perdu.

Elles étaient revenues au centre de la spirale. La Déesse leur souriait sereinement à travers son rideau de fleurs. Déoris fit une pause et baissa la tête avec respect. Il y avait un banc sculpté dans la pierre et incrusté d'un motif de tortues dorées derrière elle ; elle s'y laissa tomber, comme si ses jambes ne pouvaient plus porter le poids de ses souvenirs.

Tiriki salua le pouvoir que représentait l'image puis s'adossa à un olivier, croisa les bras sur sa poitrine et attendit. Ce n'était pas la Déesse Mère, mais la femme qui lui avait donné la vie, qui l'intéressait pour le moment.

— Ton père était l'homme le plus brillant que j'aie jamais connu. Il avait aussi une volonté de fer, plus que n'importe qui, sauf peut-être Micon, le père de Micail. Nous ne sommes jamais tombées amoureuses d'hommes ordinaires, Domaris et moi, ajouta Déoris avec un sourire contrit. Mais tu dois bien comprendre avant tout que Rivéda n'était pas un destructeur. Le blanc et le noir sont mélangés dans les toges grises que portait son ordre. Il savait, pour l'avoir étudié et par les enseignements tirés de la pratique de la médecine, que tout organisme vivant qui ne pousse pas et ne change pas est condamné à mourir. Rivéda a mis à l'épreuve les lois du Temple parce qu'il voulait renforcer celui-ci, et finalement il les a rompues pour la même raison. Il en était venu à croire fermement que la prêtrise s'était tellement sclérosée dans ses dogmes anciens qu'elle ne pourrait plus s'adapter, quelle que soit l'étendue du désastre qui pourrait arriver.

— C'est faux ! s'exclama Tiriki, indignée, défendant instinctivement les traditions et l'enseignement qui avaient façonné toute sa vie.

— J'espère sincèrement que c'est faux, répondit Déoris avec un sourire indulgent. Mais c'est à toi et à Micail de prouver qu'il avait tort. Vous n'aurez jamais une meilleure opportunité de le faire que maintenant. Vous perdrez beaucoup de bonnes choses dans cet exil, mais vous échapperez également à nos anciens péchés.

— Toi aussi, mère ! Tu dois venir avec nous…

— Chut, fit Déoris, je ne le peux pas. Je ne le ferai pas. Rivéda a été jugé et exécuté, non seulement pour ses actes, mais aussi pour ceux commis par beaucoup d'autres : les toges noires, qui n'ont été arrêtés et punis que bien plus tard. C'est leur travail qui a détruit les chaînes que Rivéda avait desserrées. Ils recherchaient le pouvoir, alors que Rivéda ne désirait que la connaissance. C'est pour ça que je l'ai aidé. Si Rivéda méritait son sort, ma propre culpabilité n'en est pas amoindrie.

— Mère…, commença Tiriki, car elle n'avait pas encore compris.

— Donne ma place à ta sœur, dit Déoris, changeant de sujet délibérément. Je me suis déjà arrangée pour qu'une escorte amène Galara et ses affaires au palais, demain à la première heure, aussi il te sera difficile de la renvoyer.

— Je me doutais bien que tu me l'enverrais, s'exclama Tiriki, exaspérée.

— Alors, c'est d'accord. Maintenant, reprit Déoris en se mettant debout, je crois qu'il est temps de rejoindre les hommes. Je doute que Chédan et Micail aient eu plus de succès à convaincre Réio-ta que tu n'en as eu avec moi. Mais ils sont deux contre un, et mon mari a peut-être besoin de soutien à présent.

Vaincue, Tiriki suivit sa mère jusqu'à la terrasse où les hommes étaient assis en compagnie de deux jarres de vin ; Micail était blême de rage et Chédan fixait son gobelet d'un air furieux. Seul Réio-ta avait l'air serein.

Tiriki jeta un coup d'œil à Micail, comme pour dire : « Je suppose que lui aussi est décidé à rester ? »

Micail lui fit un imperceptible signe d'assentiment et Tiriki se tourna vers son beau-père avec l'intention de le supplier de se joindre à eux. Mais elle désigna Déoris et s'exclama plutôt :

— Tu serais prêt à partir immédiatement si *elle* le décidait ! Vous vous sacrifiez mutuellement sans raison. Vous *devez* venir avec nous !

Déoris et Réio-ta échangèrent un regard fatigué et Tiriki frissonna, comme une prêtresse novice qui se serait trouvée soudain face à un mystère interdit.

— Votre destinée est de conduire la vérité des gardiens dans une nouvelle contrée, dit Déoris doucement, et notre karma est de rester. Ce n'est pas un sacrifice mais une expiation que nous nous devons d'accomplir depuis…

— Depuis la… chute de la Terre des Ancêtres, compléta Réio-ta.

Chédan avait fermé les yeux de douleur. Micail les contemplait l'un après l'autre, comme s'il venait de comprendre quelque chose.

— Une expiation, fit-il d'une voix sourde. Dis-moi, mon oncle : que sais-tu de l'Homme aux bras croisés ?

Sa voix avait tremblé sur ces derniers mots et Tiriki sentit un frémissement sous ses pieds, comme si quelque chose d'autre avait entendu…

— Quoi ? cria Réio-ta, qui avait blêmi. Il se montre à vous ?

— Oui, murmura Tiriki, ce matin, quand la terre a tremblé ; il essayait de briser ses chaînes. Et je… je *connaissais son nom* ! Comment est-ce possible ?

Une nouvelle fois, un regard passa entre Déoris et son mari, qui lui prit la main.

— Tu viens de nous donner sans t'en douter la meilleure preuve, dit-elle calmement, que votre destin est de partir et le nôtre de rester. Assieds-toi, ordonna-t-elle. Tiriki, je vois à présent que nous devons te raconter, ainsi qu'à Micail, le reste de l'histoire, et même à toi, Chédan, mon vieil ami. Tu es un grand mage, mais tes maîtres ne pouvaient pas t'expliquer ce qu'ils ne savaient pas, aussi tu l'ignores aussi.

Réio-ta respira profondément, puis commença.

— J'aimais… mon frère, dit-il avec un regard contraint vers Micail, comme pour réclamer son indulgence. Au sein même du Temple de la Lumière, certains… servaient les ténèbres. Nous avons été… enlevés par les toges noires qui… voulaient le pouvoir d'Ahtarrath pour eux-mêmes. J'ai accepté qu'ils m'utilisent… à condition qu'ils l'épargnent. Ils m'ont trahi… et ont tenté de le tuer. Mais Micon… s'est forcé à vivre… assez longtemps pour t'engendrer et te transmettre son pouvoir.

Il regarda Micail à nouveau en cherchant ses mots. Tiriki les considéra avec commisération, comprenant tout à coup pourquoi c'était Micail, et non Réio-ta, qui avait reçu l'héritage magique de la lignée royale. Si Micon était mort avant la naissance de son fils Micail, les pouvoirs d'Ahtarrath auraient été transmis à Réio-ta, et donc aux adeptes de la magie noire qui le tenaient en esclavage.

— Ils ont… détruit… son corps. Et… mon esprit. Je n'ai retrouvé mes facultés que… bien plus tard. Rivéda m'a recueilli et je… l'ai aidé.

Tiriki se tourna vers sa mère. Quel rapport cela avait-il avec l'Homme aux bras croisés ?

— Réio-ta a servi Rivéda, comme un chien obéit à celui qui le nourrit, dit Déoris sur la défensive, sans comprendre ce qu'il faisait.

J'ai aidé Rivéda parce que j'aimais l'esprit qui l'animait, qui s'efforçait de ramener de la vie dans ce monde. Dans la crypte, sous le temple de la Lumière, il y avait une… image, dont la forme était différente pour chacun de ceux qui la contemplaient. Elle m'est toujours apparue comme un dieu enchaîné, les bras croisés, luttant contre ses liens. Mais elle représentait la prison qui contenait les forces du chaos. Ensemble, nous avons procédé au rituel qui libérerait ce pouvoir. Rivéda pensait qu'il pourrait alors dompter les énergies qui animent le monde. Mais ma sœur m'a obligée à lui révéler ce que nous avions fait. Les salles commençaient à s'écrouler lorsque Domaris est descendue dans cette crypte ténébreuse, seule, au péril de sa vie, pour les rétablir…

— Je savais tout cela, dit Chédan doucement. Le pouvoir de l'Omphale ne peut que ralentir les forces de destruction libérées par ces rites il y a des années. La désintégration a été progressive, mais elle est toujours en marche. Il nous reste à espérer que, lorsque Atlantis chutera, ce sera la fin de cette horreur.

— Je croyais que Rajasta disait : « Se résigner plutôt que combattre la mort, c'est de la lâcheté », intervint Micail, acerbe.

— Mais il disait aussi, le coupa Déoris avec une dangereuse douceur : « Quand tu casses quelque chose, il est de ton devoir de le réparer, ou du moins de ramasser les débris. » Nous ne voulions de mal à personne, mais nous avons fait les choix qui ont provoqué le mal ; nous avons déclenché des événements qui ont condamné notre mode de vie.

Un long moment de silence passa. Tous les cinq restaient assis, aussi immobiles que les frises sculptées qui encadraient la porte.

— Nous devons rester, parce qu'il reste un dernier rituel à accomplir, dit Réio-ta, et chacun comprit à la fermeté de sa voix qu'il était profondément ému. Quand l'Homme aux bras croisés rompra ses chaînes, nous qui le connaissons si bien devrons l'affronter.

— Nous lui ferons face, d'esprit à esprit, ajouta Déoris, les yeux brillants. Il n'y a pas de pouvoir en ce monde qui n'ait un objet. Le chaos apporté par Dyaus sera comme un grand vent qui dénude les arbres et répand les graines au loin. Vous êtes nés pour préserver ces graines, mes enfants. Vous serez de magnifiques pousses de l'arbre immémorial d'Atlantis, libérées de sa pourriture et libres de prendre racine dans de nouvelles contrées. Peut-être le Créateur le comprendra-t-il et apaisera-t-il son courroux.

Serait-ce possible ? En cet instant, Tiriki n'était sûre que d'une chose : cette journée était la dernière où elle verrait sa mère. Elle s'avança en sanglotant et prit la vieille femme dans ses bras.

CHAPITRE 4

Cette interminable journée avait été douce pour la saison, mais le coucher du soleil amena des vents brûlants, puis une nuit étouffante qui ne présageait rien de bon. La plupart de ceux qui tentèrent de trouver le sommeil se tournèrent et retournèrent sur leur couche, accablés par la chaleur. La cité, si calme durant la journée, se réveilla une fois la nuit tombée. Les citoyens erraient sans but dans les rues et les parcs ; curieusement, bien peu se livrèrent au pillage dans les maisons et les échoppes désertées. Les autres semblaient chercher quelque chose, mais quoi, personne ne semblait le savoir – peut-être juste un peu de fraîcheur. Sans doute ces déambulations étaient-elles simplement destinées à leur offrir l'accablement physique, seul à même d'apporter la paix aux âmes tourmentées.

Dans leur chambre, tout en haut du palais, Tiriki contemplait son mari endormi. Minuit était passé depuis plusieurs heures, mais le repos lui échappait. Ils étaient restés debout très tard pour terminer les préparations nécessaires avant de prendre le bateau le lendemain matin, puis elle avait chanté pour endormir Micail qui était enfin tombé dans un sommeil agité ; mais il n'y avait personne pour l'endormir, elle. Elle se demanda si sa mère, qui aurait pu le faire, était éveillée elle aussi, attendant l'inévitable.

« Cela n'a pas d'importance, se disait-elle en observant la chambre qui l'entourait et où elle avait connu tant de joies, j'aurai toute la vie pour dormir… et pour pleurer. »

Par-delà les portes ouvertes sur la terrasse, le ciel nocturne était cuivré. Dans cette lumière blafarde, elle distinguait le petit arbre de Micail qu'elle avait ramassé et rempoté. Il était idiot, elle le savait, de voir dans cette plante le symbole de toutes les choses merveilleuses et si fragiles qu'il leur fallait abandonner. Prise d'une impulsion soudaine, elle se leva, trouva un châle qu'elle enroula autour du pot et des branches graciles, et enfouit le tout dans son sac, par-dessus le reste. C'était un acte de foi : si elle parvenait à préserver cette petite vie, alors, peut-être, les dieux seraient également miséricordieux envers elle et ceux qu'elle aimait.

À part la flamme qui brûlait devant l'autel de la Mère dans un coin de la chambre, toutes les lampes étaient éteintes, mais elle pouvait encore voir le désordre qui régnait dans la pièce. Les sacs qu'ils avaient préparés étaient debout près de la porte et attendaient le moment du dernier et désespéré au revoir.

La danse capricieuse de la lueur derrière le voile de l'autel attira son regard. Ahtarra comptait bien des temples et des ordres religieux, mais seule la maison de Caratra avait un maître-autel et un sanctuaire consacrés au nom de la Mère. Pourtant, se dit Tiriki avec un sourire, la Déesse était adorée plus que n'importe quel autre dieu. On trouvait une niche avec son icône jusque dans la hutte du plus humble des bergers et dans la cabane du plus pauvre pêcheur ; s'ils n'avaient pas de quoi acheter de l'huile à brûler, il y avait toujours au moins quelques fleurs déposées en offrande.

Elle se leva et poussa la gaze qui voilait l'autel. La lampe était d'albâtre et ne consommait que l'huile la plus raffinée, mais l'effigie d'ivoire, de la hauteur d'une main, était jaunie et usée par le temps. Sa tante Domaris l'avait amenée avec elle de la Terre des Ancêtres ; elle avait appartenu auparavant à sa mère. C'était l'héritage d'une longue lignée de femmes dont les origines remontaient bien au-delà des premiers registres du Temple.

Elle enflamma une écorce de pin et la posa sur le charbon de bois préparé sur un lit de sable dans une soucoupe près de la lampe.

– Éloignez-vous de moi, toutes choses profanes…

Au moment où elle commençait à murmurer les paroles immémoriales, elle retrouva le sentiment familier que sa conscience se modifiait.

– Éloignez-vous de moi, toutes choses qui vivent pour le mal. Éloignez-vous des pas de la Déesse et de l'ombre de son voile. Je trouve refuge sous les rideaux de la nuit et le cercle de ses étoiles.

Elle prit une profonde inspiration et la relâcha lentement. Elle répandit une pincée d'encens sur les braises qui rougeoyaient, sentant sa conscience s'approfondir encore comme l'âcre fumée odorante montait en spirale.

Baissant la tête, elle posa le bout de ses doigts sur son front, ses lèvres et son cœur. Puis ses mains se levèrent en un geste d'adoration si coutumier qu'il en était devenu presque un réflexe.

– Dame…, murmura-t-elle, mais les mots moururent sur ses lèvres; il était temps de demander quel serait son destin. Mère…, essaya-t-elle à nouveau, et les paroles qui se bousculaient refluèrent, emportées par une vague d'émotion.

Elle se rendit compte alors qu'elle n'était plus seule.

– *Je suis la terre sous tes pieds*…, chuchotait la Déesse en elle.

– Mais l'île va être détruite! gémit la part de l'âme de Tiriki qui cédait à la panique.

– *Je suis la flamme qui brûle*…

– La flamme sera éteinte par les vagues!

– *Je suis la mer et la houle*…

– Alors tu es le chaos et la destruction! protesta l'âme de Tiriki.

– *Je suis la nuit et les étoiles*…, fut la calme réponse, et l'âme de Tiriki s'accrocha à cette certitude.

– *Je suis ce qui est, ce qui a été, ce qui sera, et aucun pouvoir ne pourra te séparer de moi*…

L'espace d'un instant, hors du temps, Tiriki sut que c'était vrai.

Lorsqu'elle retrouva la conscience de ce qui l'entourait, l'encens s'était éteint et les braises étaient grises. Mais la flamme de la lampe vacilla et il lui sembla que l'image de la Mère lui souriait.

Tiriki respira profondément et saisit l'icône sur son socle.

– Je sais que le symbole n'est rien et que la réalité est tout, chuchota-t-elle, mais je vais t'emmener avec moi. Que la flamme continue à brûler jusqu'à ce qu'elle ne fasse qu'un avec le feu de la montagne.

Elle venait d'envelopper l'image et l'avait déposée dans son sac lorsque le carillon de la porte se mit à résonner faiblement. Elle courut dans l'entrée, de peur que Micail ne s'éveille. Quelques pas la menèrent à la porte, où elle fit signe au messager de reculer dans le couloir, le doigt sur les lèvres.

— Je vous demande pardon, dame Tiriki, fit-il en rougissant.

— Ce n'est rien, soupira-t-elle en rajustant sa ceinture et se rappelant les ordres qu'elle avait donnés. Je sais que tu ne serais pas venu sans nécessité absolue. Qu'y a-t-il?

— Il faut que vous veniez à la maison des Douze, dame Tiriki. Il y a de l'agitation là-bas, mais ils vous écouteront!

— Comment? demanda-t-elle en clignant des yeux. Est-ce que quelque chose est arrivé à Grémos, leur gardienne? C'est son devoir de…

— Je vous demande pardon, dame Tiriki, mais il semble que la gardienne des Douze ait… disparu.

— Très bien. Attends un instant que je me sois habillée, et je te suis.

— Taisez-vous!

La voix de Tiriki porta au-dessus du tumulte où s'entrecroisaient plaintes et accusations.

— Vous êtes l'espoir d'Atlantis! Pensez à ce que vous avez appris! Vous devez avoir la discipline de me dire clairement ce qui se passe!

Elle posa un œil furieux sur les visages rouges qui l'entouraient dans l'entrée de la maison des Feuilles d'automne et laissa glisser son châle de ses épaules en s'asseyant. Elle fixa son regard sur Damisa. La jeune fille rougit encore plus et s'approcha.

— Très bien, continua Tiriki. Tu dis que Kalaran et Vialmar ont trouvé du vin. Comment est-ce arrivé, et qu'ont-ils fait?

— Kalaran a dit que du vin l'aiderait à dormir, dit Damisa avant de s'interrompre, les yeux fermés, pour ordonner sa pensée. Lui et les autres garçons sont allés à la taverne au bout de la rue pour en trouver. Il n'y avait personne, alors ils ont ramené deux amphores pleines et ont tout bu, pour autant que je sache.

Tiriki tourna les yeux vers les trois jeunes hommes assis sur un banc près de la porte. Le beau visage de Kalaran était griffé sur une joue et de l'eau gouttait le long des cheveux de ses compagnons jusque dans leur cou, comme si quelqu'un avait essayé de les dégriser en leur plongeant la tête dans la fontaine.

— Et ça vous a fait dormir ?

— Pour un moment…, répondit Vialmar, de mauvaise grâce.

— Il a été malade et il a vomi, dit Iriel joyeusement avant de se taire sous le regard noir de Damisa ; à douze ans, la blonde Iriel était la plus jeune, toujours espiègle, même en cet instant.

— Il y a une heure, ils se sont réveillés en hurlant, continua Damisa, ils disaient qu'ils étaient poursuivis par des monstres à demi humains avec des cornes de taureau. Ça a réveillé Sélast qui était déjà en colère parce qu'ils n'étaient revenus dans la chambre qu'après avoir bu tout le vin. Ils ont commencé à crier et tout le monde s'en est mêlé. Quelqu'un a jeté les jarres par terre et ils sont tous devenus fous.

— Vous êtes tous d'accord pour dire que c'est ce qui s'est passé ?

— Tous sauf Cléta, ricana Iriel. Elle a dormi tout le temps, comme d'habitude.

— J'aurais pu les calmer, dit Élara. Il n'était pas nécessaire de faire venir dame Tiriki.

Damisa renifla :

— Nous aurions dû lui en parler de toute façon, parce que Grémos est partie.

Tiriki soupira. La disparition de la gardienne des Douze à n'importe quel autre moment aurait mis en branle une recherche dans toute la cité, mais maintenant… Si elle ne prenait pas sa place dans le navire, celle-ci reviendrait à quelqu'un de plus méritant ou de plus chanceux. Tiriki suspectait que les événements des jours à venir seraient leur initiation à la prêtrise et mettraient leur caractère à l'épreuve, d'une façon que personne n'aurait pu imaginer.

— Tant pis pour Grémos, dit-elle, acerbe. Elle devra se débrouiller seule. Il n'est pas nécessaire non plus de trouver des coupables à ce qui s'est passé. Ce qui importe à présent, c'est la façon dont vous vous comporterez dans les heures qui viennent, pas celle dont vous avez passé cette nuit.

Elle regarda par la fenêtre, où l'arrivée de l'aube donnait une délicate pâleur trompeuse au ciel empourpré.

– Je vous ai dit que vous étiez l'espoir d'Atlantis, et c'est vrai, continua-t-elle en les regardant tranquillement jusqu'à ce qu'ils reprennent une couleur normale et puissent la regarder dans les yeux. Puisque vous êtes tous debout, autant commencer les tâches du jour. Vous savez tous ce que vous avez à faire. Ce que je veux…

La chaise sur laquelle elle était assise eut un brusque sursaut. Elle lança ses mains en avant, frôla la robe de Damisa et s'y accrocha instinctivement tandis que le sol recommençait à tanguer.

– Tous à l'abri ! hurla Élara.

Les acolytes plongeaient déjà sous la longue et lourde table pour se protéger. Damisa aida Tiriki à se redresser et elles vacillèrent jusqu'à la porte en baissant la tête pour échapper aux moulures en stuc qui tombaient du haut des murs et explosaient par terre.

« Micail ! » Tiriki perçut dans sa chair son réveil brutal. Toutes les fibres de son être souhaitaient retrouver la force de ses bras, mais il était loin, de l'autre côté de la cité. La terre vibra de nouveau et elle sentit que même leurs forces unies n'auraient pas suffi à stopper la destruction une deuxième fois.

Elle s'agrippa au montant de la porte et contempla l'extérieur, où les arbres s'agitaient follement dans le jardin ; une immense colonne de fumée s'élevait au-dessus de la montagne qui ressemblait à un gigantesque sapin de cendres, dont la cime laissait échapper un baldaquin de nuées sombres et bouillonnantes qui s'étendait dans le ciel. Le sol tremblait encore et encore sous ses pieds. Le nuage de fumée sur la montagne était parsemé d'étincelles et des scories commencèrent à s'abattre.

Chédan leur avait raconté comment d'autres terres avaient sombré dans la mer, ne laissant que quelques pics émergés pour indiquer l'endroit. Il était clair qu'Ahtarrath ne disparaîtrait qu'après une bataille titanesque. Sur le moment, elle ne parvint pas à décider si cette idée était exaltante ou effroyable.

Un mouvement à quelque distance attira son regard – par-dessus les arbres qui entouraient la maison des Douze, elle vit une des tours étincelantes frissonner puis basculer. Quand elle eut disparu, une convulsion qui ressemblait à un nouveau tremblement de terre ébranla le sol. Elle grimaça de douleur en imaginant les ruines. Une seconde plus tard, un fracas semblable, de l'autre côté de la cité, atteignit leurs oreilles.

— La deuxième tour…, murmura Damisa.

— La cité est déjà à moitié déserte. Espérons qu'il n'y avait pas trop de monde là-bas…

— Ce sont peut-être eux les plus chanceux, répliqua Damisa et Tiriki ne sut pas comment la rabrouer.

Pour l'instant du moins, il semblait que tout ce qui risquait de s'écrouler était déjà par terre.

— Il faut un balai, marmotta Aldel, il faut enlever ces gravats.

— Et qui enlèvera les gravats dans les rues de la cité ? demanda Iriel, au bord de l'hystérie. La fin est arrivée ! Personne ne vivra plus jamais ici !

— Maîtrisez-vous ! s'exclama Tiriki en se ressaisissant avec effort. On vous a dit quoi faire lorsque ce moment arriverait. Habillez-vous et enfilez vos chaussures les plus solides. Mettez des capes épaisses, même s'il commence à faire chaud : elles vous protégeront de la cendre et des scories. Prenez vos sacs et descendez aux navires.

— Mais tout n'est pas encore chargé, protesta Kalaran qui essayait de contrôler sa peur. Nous n'avons pas encore embarqué la moitié de ce qui était prévu. Le tremblement s'est arrêté, il doit rester un peu de temps…

Tiriki sentait encore des vibrations au travers du plancher, mais il était vrai que pour l'instant la violence avait cessé.

— Peut-être… mais soyez prudents. Certains d'entre vous sont chargés de porter des messages aux prêtres. N'entrez pas dans un bâtiment qui a l'air endommagé, une autre secousse pourrait le faire tomber. Et ne soyez pas trop longs. Dans deux heures, vous devrez tous être à bord. Rappelez-vous que ce que les hommes ont construit peut être reconstruit : vos vies sont plus précieuses que tout ce pour quoi vous pourriez les risquer ! Répétez-moi ce que vous avez à faire.

L'un après l'autre, ils lui exposèrent leurs tâches, qu'elle approuvait ou remplaçait par d'autres instructions. Les acolytes étaient plus calmes à présent ; ils s'éparpillèrent pour aller chercher leurs affaires. Les architectes de la maison des Feuilles d'automne avaient dessiné une construction plus solide qu'ils n'avaient dû le penser :

des ornements s'étaient écrasés au sol, mais la structure était encore robuste.

– Je dois retourner au palais. Damisa, prends tes affaires et suis-moi.

Tiriki attendit près de la porte jusqu'à ce que son acolyte revienne, en contemplant les scories qui tombaient dans le jardin. De temps en temps, une braise encore incandescente enflammait une plante. De nouvelles nappes de fumée s'élevaient au-dessus de la cité. Hébétée, elle se demanda combien de temps il restait avant que tout soit en feu.

– Je croyais que le soleil s'était levé, dit Damisa près d'elle, mais le ciel est encore sombre.

– Le soleil s'est levé, mais je crois que nous ne le verrons pas, répondit Tiriki en examinant le manteau lugubre qui couvrait le ciel. Ce sera une journée sans aurore.

Les cendres continuaient à tomber quand Tiriki et Damisa quittèrent la maison des Feuilles d'automne ; s'ajoutaient au danger venu du ciel les périls des rues dont les pavés avaient été soulevés par le séisme et qui étaient couverts de décombres. Quand un fragment de lave particulièrement imposant manqua de peu Tiriki, Damisa se précipita dans une auberge abandonnée et en ressortit avec deux énormes oreillers.

– Mettez-le sur votre tête, dit-elle en tendant l'un d'eux à Tiriki. Ça aura l'air un peu étrange, mais ça vous protégera si quelque chose de plus gros vous tombe dessus.

Tiriki sentit un début d'hystérie dans le rire par lequel elle répondit à Damisa ; elle se reprit, mais à l'idée de l'image qu'elles devaient offrir, parcourant les rues sombres comme des champignons munis d'une paire de jambes, un étrange sourire flottait sur ses lèvres tandis qu'elles se faufilaient en direction du palais.

Ce fut la seule chose qui l'amusa durant tout le trajet. Les dommages de la veille avaient été terribles, néanmoins elle avait encore reconnu la ville. Aujourd'hui par contre, les tremblements avaient transformé le paysage en un endroit inconnu. Elle se dit que la secousse de ce matin n'avait été qu'une réplique qui avait fait tomber des bâtiments déjà fragilisés, mais elle savait que cette fois la terre avait été déformée dans une autre direction. À chaque pas, elle percevait plus nettement que ce qu'elle sentait sous ses pieds n'était plus une stabilité immuable, mais un équilibre fragile qui pouvait se rompre n'importe quand.

«Les chaînes qui retiennent l'Homme aux bras croisés sont en train de se briser, pensa-t-elle en frissonnant malgré la douceur de l'air. Encore un effort et les dernières tomberont, et il sera libre…»

Le palais était désert. Quand elles arrivèrent dans sa chambre, elle constata que Micail et son sac avaient disparu. «Il m'attendra sur les quais», se dit-elle. Elle attrapa son propre bagage et suivit Damisa dans la rue. Elles descendirent la colline.

La maison des guérisseurs s'était écroulée et bloquait la voie. Tiriki s'arrêta, tendant l'oreille, mais elle n'entendit rien. Elle espéra que tout le monde en était sorti indemne. Elle remarqua tout à coup qu'elle n'avait encore vu personne. Il était évident, se dit-elle, que les prêtres et les fonctionnaires de la cité qui vivaient et travaillaient là avaient pris l'avertissement au sérieux et qu'ils s'étaient mis en sécurité sur les quais ou dans les collines, mais elle ne pouvait tout à fait réprimer la peur qui la prenait à l'idée qu'ils étaient tous morts. Quand elle et Micail arriveraient enfin au navire du capitaine Reidel, ils trouveraient le port vide et n'auraient que des fantômes pour compagnons lorsque l'île sombrerait.

Guidée par Damisa, qui comme messagère connaissait tous les raccourcis de la cité, elle fit demi-tour et se dirigea vers la maison des prêtres, en haut de la colline.

En grimpant la voie des processions, encombrée de statues brisées et des ruines des portiques, Tiriki aperçut une silhouette vêtue de bottes et d'un manteau de voyage brun qui s'avançait rapidement au milieu des gravats.

— Chédan! s'exclama-t-elle. Que fais-tu ici? Les prêtres sont-ils…

— Ces idiots! Ils disent commander aux esprits, mais ils sont incapables de se contrôler eux-mêmes. Ton mari est là-haut, en train d'essayer de raisonner ceux qui sont encore là. Certains sont déjà descendus aux navires comme prévu, d'autres se sont enfuis, les dieux savent où. Ils sont à moitié fous, je crois bien, et ils essayent de le convaincre d'utiliser ses pouvoirs pour arrêter tout ça…

Il secoua la tête, dégoûté.

– Mais Micail est allé jusqu'au bout de ses forces hier, et même plus. Il ne peut pas faire davantage. Ne peuvent-ils pas comprendre ?

– Ils ne peuvent pas, ou ils ne veulent pas, dit Chédan en haussant les épaules. Des hommes effrayés n'entendent plus raison, mais ton mari les convaincra. En attendant, ceux d'entre nous qui sommes encore capables de réfléchir avons du travail – ceux qui sont encore vivants… L'homme qui devait diriger l'équipe pour embarquer l'Omphale a été tué par un mur qui s'est écroulé. J'ai dit à Micail que je m'en occupais, mais il n'y a plus personne par ici, en tout cas personne qui soit en état d'aider.

– Il y a nous, fit Damisa vaillamment, et les autres acolytes ne s'en porteront que mieux s'ils ont quelque chose à faire.

Pour la première fois, Chédan sourit.

– Alors montre-nous le chemin, si tu le trouves encore dans ce chaos, et allons les chercher !

Ils rencontrèrent Aldel qui contemplait la maison des guérisseurs d'un air incrédule, n'ayant trouvé personne à qui transmettre son message, et Kalaran à ses côtés, qui portait un sac vide. Tiriki et Damisa retournèrent à la maison des Feuilles d'automne en silence. Élis et Sélast étaient à l'intérieur, occupés à emballer quelques effets. Des flocons de cendre poudraient leurs cheveux sombres.

– Êtes-vous seuls ici ? demanda Tiriki.

Élis hocha la tête :

– Oui, j'espère que les autres sont en sécurité près des navires.

– Aldel attend dehors, ainsi que Kalaran, alors toi et ton fiancé serez ensemble, dit Tiriki bravement. Et Kalhan est solide, ajouta-t-elle pour Damisa, je suis sûre que lorsque nous atteindrons les quais il sera en train de t'y attendre.

«Tout comme Micail sera en train de m'attendre», ajouta-t-elle en son for intérieur.

– Kalhan ? Oh, j'en suis sûre, répondit Damisa, impassible.

Tiriki l'observa, surprise. Elle avait déjà constaté que les sentiments de Damisa envers le garçon que les astrologues du Temple lui avaient choisi étaient tièdes, tout au plus. Une fois encore, elle réalisa quelle chance Micail et elle avaient eue de pouvoir choisir pour eux-mêmes.

– Suffiront-ils pour cette tâche ? demanda Chédan à Tiriki qui poussait les acolytes vers la porte.

– Il le faudra, répondit-elle alors qu'une secousse plus forte ébranlait la cité. Il faut partir, tout de suite !

En descendant la rue, deux autres secousses les firent vaciller et ils entendirent derrière eux un bruit énorme lorsque la maison des Feuilles d'automne s'effondra.

– C'était une très grosse feuille, ça, fit Kalaran avec un pâle sourire.

– C'était l'arbre tout entier, le corrigea Damisa ; mais il y avait des larmes dans ses yeux et elle ne se retourna pas.

Élis pleurait doucement. Sélast, qui méprisait ces faiblesses toutes féminines, la regardait avec dédain. Ils continuèrent à avancer en contournant les débris, ralentissant à peine pour un signe de bénédiction lorsqu'ils croisaient un corps sur la chaussée. Heureusement sans doute, ils ne rencontrèrent personne ayant besoin d'aide : cela aurait mis à l'épreuve leur discipline déjà très sollicitée. Même Tiriki se fit la réflexion que s'ils avaient croisé un enfant blessé, elle-même n'aurait pas été très sûre de son sang-froid.

« Ce que nous cherchons à sauver sauvera bien des générations à naître », se disait-elle, mais les vieilles formules semblaient ineptes face à la catastrophe à laquelle ils étaient confrontés à présent. Des scories avaient recommencé à pleuvoir. Elle tressaillit et ramena sa cape sur sa tête (elle avait jeté l'oreiller), prenant une grande inspiration, puis une autre, cherchant à réveiller les réflexes qui lui apporteraient le calme de l'esprit. « Il n'y a ni pensée, ni peur, il n'y a que le bon moment et la bonne action… »

Avec soulagement, elle aperçut l'entrée du temple. Alors seulement, elle s'autorisa à regarder au loin vers la montagne. La pyramide du sommet et le prêtre qui y vivait avaient été engloutis depuis longtemps. La fumée qui s'échappait s'étendait à présent en un nuage difforme, mais la paroi de la montagne s'était ouverte et de la lave y inscrivait son message mortel en lettres de feu.

Un instant, elle s'autorisa à croire que la libération de la lave allégerait la pression à l'intérieur, comme le fait le perçage d'un furoncle. Mais la vibration sous ses pieds indiquait des tensions souterraines encore plus importantes.

– Vite, fit Chédan en montrant le portique.

Sa structure semblait encore solide, même si des fragments de décorations en marbre jonchaient le sol. À l'intérieur, les murs avaient l'air moins rassurants, mais il n'était plus temps de s'interroger sur la profondeur des fissures. La malle construite pour accueillir l'Omphale était posée dans l'alcôve et la lampe se balançait encore au bout de sa chaîne. Dès qu'ils eurent allumé leurs torches, Chédan et Tiriki saisirent les longs manches qui dépassaient de la malle à l'avant et à l'arrière et poussèrent les acolytes devant eux en direction du couloir.

Descendre ce passage en procession avec les prêtres et les prêtresses d'Ahtarrath avait été une expérience propre à ébranler l'esprit ; se hâter dans ces ténèbres en compagnie d'un groupe d'acolytes à moitié hystériques était presque insupportable. Eux, ils avaient peur de l'inconnu, mais c'était le souvenir de ce qui s'était passé en bas quelques jours auparavant qui lui faisait peur à *elle*. La voyant hésiter, Chédan lui saisit le bras et elle tira de la force de ce contact rassurant.

– Est-ce de la lave ? chuchota Élis terrifiée quand ils passèrent le dernier coude.

– Non. C'est l'Omphale, répondit Damisa, la voix tremblante.

« On tremblerait à moins », se dit Tiriki en la suivant dans la salle. Des lueurs vivantes semblables à celles que le rituel avait éveillées dans l'Omphale battaient déjà dans les profondeurs de la pierre. Une lumière sinistre poursuivait les ombres tout autour de la pièce et, à chaque secousse, des éclairs se répercutaient de mur en mur.

– Comment pouvons-nous le toucher sans être foudroyés ? souffla Kalaran.

– C'est pour ça que nous avons ces protections, répondit Chédan, soulevant une brassée de tissu dans la malle et la laissant tomber par terre. C'est de la soie, cela isolera les énergies de l'Omphale.

« J'espère », ajouta Tiriki en silence. Mais l'Omphale avait été transporté depuis la Terre des Ancêtres, donc il devait être possible de le déplacer.

Le cœur battant, elle et Chédan saisirent les draps et les amenèrent près de l'Omphale. De près, son pouvoir irradiait comme du feu, pourtant elle ne ressentait aucune chaleur ; c'était une sensation totalement inconnue. Puis la soie tomba sur la pierre et atténua la pression, et Tiriki laissa échapper un soupir inconscient. Ils ajoutèrent une couche de tissu et elle sentit sa peur la quitter.

— Apportez la malle, dit Chédan d'une voix râpeuse.

Blêmes de peur, Kalaran et Aldel approchèrent le coffre jusqu'à ce qu'il touche presque l'Omphale et soulevèrent le panneau de côté. Chédan prit une large inspiration et posa ses mains sur l'Omphale qu'il fit basculer à l'intérieur.

La lumière explosa autour d'eux avec une telle violence que Tiriki fut projetée sur le sol. Damisa attrapa d'autres draps et les lança dans la malle autour de l'Omphale.

— Couvrez-la, couvrez-la complètement, haleta Tiriki en se remettant sur ses pieds.

Chédan tendit le reste de soie à Damisa ; elle en fit un rouleau qu'elle tassa dans les coins, jusqu'à ce que la lueur mouvante de l'Omphale ne soit plus visible. On pouvait encore la sentir, mais la douleur était supportable. Malheureusement, sans la distraction qu'apportait la pierre, il n'y avait plus rien pour divertir leur esprit des grincements de la pierre tout autour d'eux.

— Soulevez-la ! Aldel et Kalaran, vous êtes les plus forts, prenez les manches devant. Damisa et moi, nous prendrons l'arrière. Vous autres, assurez-vous que la voie est libre et portez les torches. Quand nous serons sortis, vous pourrez prendre votre tour pour porter, mais il faut sortir, *tout de suite* !

Lorsqu'il eut parlé, le sol de la cavité trembla – on aurait dit une menace. Tiriki attrapa sa torche et se hâta derrière eux, réalisant que seule la présence de l'Omphale avait maintenu la stabilité du souterrain jusqu'à présent.

Les porteurs chancelèrent et grognèrent, comme si leur fardeau était non seulement lourd, mais également instable. Les voyant en difficulté, Élis et Sélast glissèrent leurs mains sous la malle et les aidèrent à la soulever. Mais lorsqu'ils se furent éloignés de la cavité secrète, il leur sembla que le poids diminuait, ce qui était heureux, car à chaque pas il devenait de plus en plus difficile de s'assurer une prise sur le sol.

La dernière secousse fit se gondoler le sol du passage en plusieurs endroits. Des fissures énormes apparaissaient dans les murs, et ici et là le plafond commençait à dégringoler. En luttant pour remonter à la surface, ils entendirent la voûte s'affaler dans leur dos : on aurait dit une mélopée funèbre qui résonnait tout autour d'eux.

— Mon esprit est l'esprit de la vie, il ne peut être détruit…, entonna Tiriki pour tenter de concentrer leurs pensées sur autre chose que l'affreux chant des rochers. Je suis l'enfant de la Lumière, qui transcende l'obscurité…

Les autres se joignirent à elle, mais leur voix était fluette et insignifiante face à ce tourbillon d'énergies primitives.

— Vite ! cria Damisa, dont la voix semblait lointaine. Je sens une nouvelle secousse se préparer !

Ils voyaient la pâle lueur de la sortie à présent. Soudain la terre se souleva sous leurs pieds. Avec un fracas qui dépassait tout ce qu'ils avaient déjà connu, le mur de gauche s'effondra. Les échos de la chute et les hurlements qui s'ensuivirent s'apaisèrent quand la poussière se déposa enfin. La torche de Tiriki avait été soufflée ; elle toussa et se protégea les yeux de la main. Lorsqu'elle put à nouveau distinguer quelque chose, la faible lueur du jour lui laissa voir le coffre renversé sur un côté et les acolytes qui se remettaient debout péniblement.

— Est-ce que tout le monde va bien ?

Une à une, des voix lui répondirent. La dernière fut celle de Kalaran.

— Un peu éraflé, mais entier. J'étais de l'autre côté du coffre et sa masse m'a protégé. Aldel…

Il y eut un silence choqué. Puis une des filles se mit à sangloter.

— Aidez-moi à enlever les gravats qui le recouvrent, demanda Chédan qui se laissa tomber à genoux et se mit à creuser frénétiquement l'amoncellement de roche et de plâtre.

— Damisa, Sélast, Élis ! Remettez la malle à l'endroit et enlevez-la d'ici, ordonna Tiriki qui saisit un manche et tira ; elle sentit les autres soulever et commencer à avancer.

— Mais, Aldel…, chuchota Élis.

— Les autres le sortiront de là, dit Tiriki fermement. Il faut sortir la malle.

Le roc grognait encore et un peu de poussière flottait dans l'air. Ils tirèrent l'Omphale hors du tunnel jusqu'au portique. Tiriki regarda derrière avec appréhension mais, un instant plus tard, elle vit Chédan et Kalaran émerger de l'obscurité, portant le corps d'Aldel.

– Il est assommé, n'est-ce pas? balbutia Élis, regardant de l'un à l'autre. Laissez-moi le tenir dans mes bras jusqu'à ce qu'il se réveille.

– Non, Élis, il n'est plus parmi nous…, fit Chédan avec compassion en posant le corps sur le sol; sous la poussière on pouvait voir la déformation du crâne, là où la roche l'avait écrasé. Il n'a pas souffert, ajouta le mage.

Élis secoua la tête sans comprendre, puis s'agenouilla et caressa le front de son fiancé, regardant au fond de ses yeux vides.

– Aldel… reviens, mon amour. Nous allons nous sauver ensemble, nous serons toujours ensemble. Tu me l'as promis.

– Il est parti avant nous, Élis, dit Damisa avec une compassion que Tiriki n'attendait pas d'elle. Viens, maintenant. Viens avec moi.

Elle mit son bras autour des épaules de la jeune fille et la tira en arrière.

Chédan se pencha sur le corps immobile et ferma les yeux d'Aldel, puis traça le sceau de la délivrance sur son front.

– Va en paix, mon fils, murmura-t-il. Que ton sacrifice soit récompensé dans une autre vie.

Il se releva et prit le bras d'Élis.

– Mais nous ne pouvons quand même pas le… laisser ici, fit Sélast d'un ton hésitant.

– Il le faut, répondit Tiriki. Mais l'autel sera une tombe majestueuse.

Elle parlait encore quand le sol se souleva à nouveau et les projeta hors de l'abri du portique. Ils étaient étendus sur le chemin lorsqu'une colonne de feu explosa à la verticale de la montagne, et l'autel de l'Omphale se disloqua avec un rugissement qui déchira l'air.

Ses muscles et son sens de l'équilibre disaient à Tiriki qu'ils descendaient la colline, mais c'était la seule certitude qu'elle avait. Elle sursauta et lâcha presque le manche de la malle qui contenait l'Omphale lorsqu'une façade s'abattit soudain dans la rue. Derrière elle, un autre bâtiment s'affaissait lentement, comme s'il s'endormait. Une silhouette émergea d'une des maisons, hésita, puis se précipita à nouveau, sans un cri, à l'intérieur de la construction qui sombrait.

– Je sens l'eau du port, haleta Damisa, on y est presque !

Un souffle d'air humide caressa le front et les joues de Tiriki. Par-dessus le craquement des flammes et les gémissements des bâtisses, elle entendait à présent des hurlements humains ; c'était presque rassurant. Elle avait commencé à craindre qu'ils ne soient les derniers survivants de l'île.

Maintenant, elle voyait l'eau et les mâts qui se balançaient dans le port. Des bateaux bondissaient sur les flots sombres en direction de la pleine mer. Deux navires étaient entrés en collision et coulaient lentement en une masse indistincte ; des formes plus foncées que l'eau nageaient vers la rive. Le groupe qui portait l'Omphale se hâtait vers les quais ; le sol se contorsionnait sous leurs pas comme pour les pousser en avant. Des rochers se détachaient des falaises et tombaient à grand bruit dans la mer.

– Voilà le *Serpent écarlate* ! s'écria Sélast.

Les filins qui le retenaient aux bittes d'amarrage étaient encore en place et le jeune capitaine Reidel se dressait à la poupe, la main en visière sur les yeux.

« Micail, où es-tu ? » Tiriki fit s'envoler son esprit.

– Dame Tiriki, que les dieux soient remerciés ! s'écria Reidel qui bondit sur le quai et la reçut dans ses bras lorsqu'elle se laissa glisser.

Avant qu'elle puisse protester, ses bras puissants l'avaient jetée sur le pont.

– Vous tous, montez à bord, vite !

– Que quelqu'un embarque la malle, ordonna Chédan.

– Oui, oui, mais dépêchez-vous, fit Reidel en tendant la main pour aider Damisa, mais la jeune fille se dégagea.

– Je suis supposée partir avec Tjalan !

– On dirait que non, répondit Reidel. La flotte d'Alkonath était à l'ancre dans l'autre port, et tout est en flammes entre ici et là-bas.

Il fit un geste et un des marins saisit Damisa d'autorité pour la lancer dans les bras tendus du capitaine. Tiriki se remit debout et se força à s'orienter dans l'enchevêtrement de corps, de sacs et de malles qui l'entouraient. Elle reconnut la prophétesse Alyssa, blottie dans les bras de la guérisseuse Liala, et Iriel un peu plus loin.

— Où est Micail ?

— Je ne l'ai pas vu, répondit Reidel, et Galara non plus. On ne peut plus les attendre, dame Tiriki. Si le cap s'effondre, nous serons bloqués ici !

Il se retourna et commença à crier des ordres. Les marins se mirent à détacher les filins qui retenaient le navire au quai.

— Attendez ! hurla Tiriki. Vous ne pouvez pas encore partir, il va arriver !

Elle avait eu la certitude qu'il l'attendrait, paniqué par son retard, et maintenant c'était elle qui avait peur.

— Il y a quarante âmes sur ce navire et j'en suis responsable ! s'exclama Reidel. Nous n'avons déjà que trop tardé !

Il attrapa une perche et les poussa loin du quai au moment où le dernier marin sautait à bord.

La troisième grande tour, celle qui avait surplombé le palais, s'effondrait lentement, comme si le temps lui-même renâclait à la laisser choir. Puis, avec un mugissement qui couvrit tout, elle disparut. Des débris explosèrent dans le ciel et prirent feu.

Le navire de Reidel tangua et roula quand la vague de fond passa. Un autre bateau, encore attaché, explosa contre le quai. Les rameurs luttèrent pour faire sortir le navire des débris qui flottaient à la surface de l'eau.

Par-dessus leurs têtes, le ciel n'était plus qu'un tourbillon de flamme et d'ombre ; le feu s'abattit sur la cité déjà embrasée comme un orage, semant une désolation indescriptible sur son passage. Damisa pleurait. Un des marins jurait dans sa barbe sans reprendre souffle. Ils étaient suffisamment loin du rivage pour que les silhouettes qui se détachaient sur l'eau ne puissent avoir ni nom ni visage. Micail n'était pas parmi elles – Tiriki l'aurait su s'il avait été si proche.

Ils passaient sous les falaises du promontoire à présent. Un énorme rocher se détacha de la paroi et heurta l'eau juste devant la proue ; le pont s'inclina, envoyant Tiriki s'affaler contre Chédan. Il passa un bras autour d'elle et l'autre autour du mât, puis le navire se stabilisa et fonça en avant.

— Micail sera sur un des autres navires, murmura Chédan. Il survivra… cela aussi fait partie de la prophétie.

Les yeux brouillés de larmes, Tiriki contemplait le bûcher funéraire qui avait été sa patrie. La vitesse du navire augmenta, les voiles
se gonflèrent et les menèrent vers la pleine mer.

Un nuage noir s'éleva quand le volcan parla à nouveau ; il effaça
le ciel. À l'instant où tout s'assombrissait, Tiriki vit l'image
effroyable de l'Homme aux bras croisés s'étaler dans les cieux.

*Puis Dyaus éclata de rire et étendit les bras pour engloutir le
monde.*

CHAPITRE 5

Tiriki émergea péniblement du cauchemar dans lequel elle s'empêtrait. Pour se rassurer, elle tendit la main dans le noir en direction de Micail et ses doigts se refermèrent sur une étoffe glacée. Alors le sol se déroba et elle se crispa de nouveau, prête pour un nouveau tremblement de terre ; mais non, la secousse était trop faible, le tangage trop régulier pour justifier sa peur. Épuisée, elle se laissa aller sur le lit dur, appréciant les lourdes couvertures d'hiver qui la couvraient, et ses paupières s'alourdirent.

« Ce n'est qu'un rêve, se dit-elle, un rêve provoqué par la brise fraîche venue de la terrasse… » Sans savoir pourquoi, elle croyait que le printemps était là et que le désastre était arrivé – et que Micail et elle n'étaient pas sur le même bateau. « Mais non, nous sommes côte à côte comme il se doit. »

Souriant de l'ineptie des rêves, elle changea de position pour tenter d'échapper à une nausée naissante et au froid persistant. Il y avait quelque chose de dur sous les couvertures… Puis, tout près, quelqu'un se mit à sangloter.

Elle pouvait ignorer son propre inconfort, mais pas la douleur d'autrui. Tiriki se força à ouvrir les yeux et à se redresser, clignant des paupières pour apercevoir les formes incertaines allongées autour d'elle. Plus loin, elle distinguait une rampe étroite, et la houle d'une mer ténébreuse.

Elle était bien sur un bateau. Ce n'était pas un rêve.

Elle regardait autour d'elle quand quelqu'un qu'elle ne pouvait pas voir, à l'avant du navire, se mit à chanter :

> *Nar-Inabi, créateur des étoiles,*
> *Accorde-nous ce soir tes bienfaits...*

D'autres voix se joignirent au chant :

> *Illumine nos voiles*
> *Quand nous volons sur les eaux.*
> *Les vents ici sont tous des étrangers,*
> *Mais nous sommes des marins.*
> *Nar-Inabi, créateur des étoiles,*
> *Révèle-nous ce soir toute ta gloire...*

La beauté de l'hymne réconfortait Tiriki. Les étoiles étaient cachées, mais quoi qu'il arrive ici-bas, elles restaient dans les cieux, flottant dans l'espace infini comme leur embarcation flottait sur la mer. « Père des étoiles, seigneur de la mer, protège-nous ! » hurla son esprit, tentant de trouver dans le tangage inconfortable le réconfort de bras puissants.

Que le dieu l'ait entendue ou non, Tiriki entendait toujours des pleurs. Elle plia avec précaution le bord supérieur des couvertures de laine qui dissimulaient la forme recroquevillée auprès d'elle et découvrit le visage d'Élis, profondément endormie, ses cheveux noirs tout emmêlés et les yeux humides.

« Pauvre enfant... nous avons toutes les deux perdu notre partenaire... », se dit Tiriki, ravalant son chagrin pour ne pas se laisser submerger par lui. « Non, ajouta-t-elle avec sévérité, il est vrai que nous ne verrons sans doute jamais plus Aldel, mais Micail, lui, est vivant ! Je le sais. »

Elle berça tendrement Élis pour l'endormir plus profondément puis se glissa délicatement hors des couvertures. Frissonnant dans l'air glacé et s'efforçant de ne pas laisser le roulis continuel augmenter sa nausée, Tiriki tenta de chasser la raideur de ses membres ; elle plissa les yeux en direction de la mer. Le sillage du navire scintillait, rougeâtre, sous la lueur sanglante qui palpitait au-dessus de l'horizon et illuminait un gigantesque nuage de fumée ; celui-ci bouillonnait dans les cieux et dissimulait les étoiles.

Elle réalisa brutalement que ce n'était pas la lumière de l'aurore. Cette lueur venait d'Ahtarrath, qui même à l'agonie refusait de se laisser engloutir.

Quand le jour grisâtre se leva enfin, elle reconnut Damisa, accoudée au bastingage, qui fixait l'incendie. Tiriki s'approcha d'elle, mais la jeune fille se détourna en rentrant la tête dans les épaules. Elle se demanda si Damisa était de ces personnes qui préfèrent souffrir seules ; mais souhaitait-elle vraiment la consoler ou cherchait-elle sa compagnie pour se consoler elle-même ?

La plupart des gens blottis les uns contre les autres sur le pont lui étaient étrangers, mais elle distinguait Sélast et Iriel un peu plus loin, pelotonnés l'une contre l'autre comme des chatons ; Kalaran ronflait près d'elles.

Au milieu du navire, une voix calme donnait des ordres. Reidel apparut, portant une lanterne, ses pieds nus silencieux sur le pont de bois. Elle lui fit un signe de tête machinal. Depuis la veille, il semblait avoir vieilli de dix ans. «Je me demande de combien j'ai vieilli, moi ?»

Reidel répondit à son salut avec un air anxieux, mais avant qu'ils puissent se parler il fut assailli par deux marchands rougeauds qui réclamaient à manger.

Un homme en qui elle reconnut un des marins du capitaine rôdait près d'elle. Lorsqu'elle se tourna vers lui, il lui dit :

– Dame Tiriki, nous ne voulions pas vous déranger dans votre sommeil, mais le capitaine vous fait dire qu'il y a des lits confortables pour vous et les jeunes gens en bas. Les vénérables, l'adepte Alyssa et la prêtresse Liala, s'y reposent en ce moment.

Tiriki secoua la tête.

– Non, mais je te remercie…, dit-elle en le regardant d'un air interrogateur et il murmura son nom en se touchant le front respectueusement – elle se demanda, songeuse, si les distinctions de classe résisteraient longtemps à l'intimité imposée par ce voyage. Je te remercie, Arcor, répéta-t-elle plus plaisamment, mais tant qu'il y aura quelque chose à voir ici…

Sa voix lui fit défaut ; elle prit congé précipitamment et se dirigea vers le milieu du bateau, où elle avait remarqué Chédan, seul, qui contemplait les vagues et le ciel tourmenté.

— Je suis désolée, j'avais l'intention d'aider à veiller sur l'Omphale, dit-elle.

Elle aurait voulu en dire plus, mais elle se mit à tousser et une douleur aiguë dans la poitrine lui rappela que l'air qu'ils respiraient était empoisonné par les cendres d'Ahtarrath. Chédan lui sourit gentiment.

— Tu avais besoin de repos, dit-il, il ne faut pas te sentir coupable. En vérité, il n'y avait rien à surveiller. L'Omphale est en paix, même si nous ne le sommes pas.

Il la prit dans ses bras et elle se laissa aller dans cette étreinte solide, mais les yeux pétillants du mage et sa barbe neigeuse ne pouvaient pas dissimuler son inquiétude.

— Aucun autre navire? murmura-t-elle.

— Un peu plus tôt, j'ai aperçu quelques voiles qui prenaient une autre direction, mais avec cette obscurité…, fit-il avec un geste vers la fumée et le brouillard environnants. Cent navires pourraient passer près de nous sans être vus. Mais nous pouvons être sûrs que Micail fera diriger le navire sur lequel il se trouve vers la même destination que nous…

— Alors, tu penses aussi qu'il est en vie? questionna Tiriki, le regard suppliant. Que mon espoir n'est pas juste… une illusion de l'amour?

L'expression du mage était solennelle mais chaleureuse.

— Étant qui tu es et ce que tu es, Tiriki, liée à Micail par le karma et par beaucoup d'autres choses, tu l'aurais senti passer.

Chédan se tut, puis il grimaça et laissa échapper un juron étouffé. Tiriki suivit son regard et aperçut la lueur lointaine de l'île mourante qui se muait en un gigantesque tourbillon de flammes.

— Accrochez-vous! jeta précipitamment Reidel derrière eux. Tout le monde! Agrippez-vous et ne lâchez plus!

Il avait déjà passé un bras autour du mât mais Chédan et lui eurent juste le temps d'attraper Tiriki avant que la poupe du bateau ne se soulève, envoyant des bagages mal arrimés et des dormeurs bouler au fond du bateau. Avec un hurlement, quelqu'un passa par-dessus bord. Les mâts gémirent, les voiles se mirent à battre désespérément et le navire continua à monter jusqu'à se retrouver posé délicatement sur la crête de la gigantesque vague. Derrière eux, une longue plaine d'eau luisante s'étendait vers les flammes d'Ahtarrath, à dix milles au moins. Puis la lame les dépassa, la poupe pointa vers le bas et le navire entama une longue descente. Ils plongèrent dans une chute sans fin; Tiriki crut que la mer vorace voulait les avaler. Le navire se rebiffa, cherchant son équilibre sur les eaux, mais le mât principal, trop sollicité, rompit et s'abattit sur le pont. Le *Serpent écarlate* vibra, les vagues fouettèrent ses flancs.

Une éternité sembla passer avant que le navire ne se stabilise et se mette à tanguer doucement avec la marée. La lanterne de Reidel avait disparu. La seule lumière venait de la douce phosphorescence qui dansait à la crête des vagues. Il n'y avait pas d'étoiles. Les feux d'Ahtarrath avaient sombré à jamais sous la surface des eaux.

Le lendemain matin, Chédan se dressa brusquement avec un grognement et réalisa que, contre toute attente, il s'était profondément endormi. Il faisait jour; cela aussi, pensa-t-il, était une véritable surprise après la violence de la nuit précédente. Pourtant c'était une clarté qui ne laissait pas distinguer grand-chose. Il entendait nettement les craquements omniprésents du bois comme le navire roulait doucement sur la houle, le gargouillis de l'eau sous la carène et les cris des mouettes qui flottaient comme des bouchons tout autour de la coque. Un brouillard humide reposait sur la mer. On aurait dit qu'ils voguaient dans un autre monde.

Bien que Chédan ait connu maints dangers dans ses pérégrinations, il ne se souvenait pas d'avoir vécu dans des conditions aussi inconfortables. Son dos le faisait souffrir à cause de la mauvaise posture dans laquelle il avait dormi et il remarqua qu'il avait une écharde au niveau du coude. « Voilà ma punition pour n'être pas descendu dans la cale », se morigéna-t-il en l'extirpant de sa chair. Il aurait aimé que les expériences de toute une vie puissent lui servir à présent à rentrer chez lui.

Avec un soupir et un bâillement, il ramena ses pieds sous lui; quatre marins en sueur malgré la fraîcheur de l'aube passaient devant lui en portant le mât principal. Ils avaient sorti la base du mât de son logement et avaient arasé l'extrémité brisée des deux morceaux pour pouvoir les remettre en place l'un sur l'autre. Une fois aboutés et épissés à l'aide d'une corde, le mât reconstitué pourrait peut-être supporter le poids de sa voilure.

« Si le vent ne grossit pas. Si aucune catastrophe naturelle ne vient terminer le travail commencé par la magie des hommes morts…, soupira Chédan. Enfin ! Ce ne sont que les sombres pensées d'une sombre journée. Au moins, Reidel a le bon sens d'occuper ses marins à quelque chose. »

Il se leva péniblement et alla s'asseoir sur une rangée de coffres boulonnés au pont. Il massait son coude douloureux lorsqu'il vit Iriel avancer avec d'infinies précautions entre les caisses fracassées et les débris divers qui jonchaient le pont. Les cernes sous ses yeux témoignaient de son épuisement, mais elle faisait bonne figure. Son expression décidée le réchauffait déjà, pensa-t-il, plus encore que le bol de liquide fumant qu'elle portait si prudemment et qu'elle lui tendit en disant :

— Ils ont fait un feu dans la coquerie, et j'ai pensé que vous aimeriez du thé.

— Ma chère enfant, c'est me sauver la vie ! s'exclama Chédan, mais il regretta aussitôt ces paroles maladroites en la voyant pâlir.

— Sommes-nous perdus ? demanda-t-elle, les mains tremblantes sous l'effort qu'elle s'imposait pour rester calme. Vous pouvez me dire la vérité. Allons-nous tous mourir ici ?

— Ma chère enfant…, commença Chédan en secouant la tête.

— Je ne suis pas une enfant, l'interrompit Iriel sèchement, vous pouvez me dire la vérité.

— Ma chère enfant, tous ici sont des enfants pour moi, lui rappela Chédan gentiment en sirotant son thé avec gratitude. Mais plus sérieusement, Iriel, tu poses la mauvaise question. Nous allons tous mourir, finalement. C'est la signification du statut de mortel. Mais avant ça, nous devons apprendre à vivre ! Alors ne nous affligeons pas. Tu m'as aidé, c'est un bon début.

Il regarda autour de lui et vit un sac de grain déchiré, qui menaçait de laisser échapper ce qui restait de son contenu.

— Vois si tu peux rassembler les acolytes. Nous allons faire du porridge avec ce grain et éviter à un marin d'avoir à nettoyer tout ça.

— Quelle bonne idée ! fit une nouvelle voix.

Ils se retournèrent et virent Tiriki soulever le tas de couvertures sous lequel elle avait passé la nuit. Elle se leva et s'approcha de Chédan, le pas incertain sur le sol glissant.

– Bonjour, maître Chédan. Bonjour, Iriel.

– Dame Tiriki, fit Iriel en s'inclinant pour le salut coutumier vers Tiriki puis vers Chédan, avant de courir à la recherche des autres acolytes.

– Je ne sais pas comment elle y arrive, commenta Tiriki en la regardant partir. J'arrive à peine à empêcher mes genoux de s'entrechoquer.

– Assieds-toi près de moi, l'invita Chédan. Tu as l'air malade. Aimerais-tu un peu de thé ?

– Merci, dit-elle en s'asseyant précautionneusement sur le coffre près de lui. Mais je ne suis pas sûre de pouvoir boire quelque chose pour l'instant. J'ai l'estomac plutôt barbouillé, ce matin. Ce n'est pas très surprenant, je n'ai jamais particulièrement... apprécié la navigation.

– Il faut éviter de fixer l'horizon, lui conseilla Chédan. Regarde plus loin que l'horizon, tu finiras par t'y habituer. Mais absorber quelque chose te fera du bien, crois-le ou non.

Elle avait l'air d'en douter, mais elle accepta le bol de thé et prit une gorgée.

– Je t'ai entendu parler à Iriel, dit-elle sobrement. Combien d'entre nous nous ont-ils quittés ?

– Nous avons eu de la chance, tout bien considéré. Deux ou trois personnes sont passées par-dessus bord quand la vague nous a heurtés, mais seul Alammos n'a pas pu être repêché. C'était un bibliothécaire. Je ne le connaissais pas bien, mais... (Chédan prit un instant pour raffermir sa voix.) Cinq des acolytes sont sur le bateau, il nous faut espérer que les autres sont avec Micail. Et il y a quelques membres de la caste des prêtres, Liala les a installés aussi bien que possible. L'équipage est plus problématique ; la plupart d'entre eux viennent d'Alkonath et ils en sont fiers. Reidel a dû mettre fin à une bagarre, il y a un moment.

Chédan jeta un coup d'œil à son visage et, constatant qu'elle avait l'air troublé, il continua tout en l'observant étroitement :

– Vu les difficultés causées par la chute du mât, nous devons être reconnaissants de ce que le *Serpent écarlate* ait un équipage bien entraîné. Une expérience minime de la navigation, voilà ce que partagent les citadins et les prêtres : nous sommes tous des marins d'eau douce, même si la majorité d'entre nous est relativement jeune et solide. Non, en vérité les choses pourraient être pires.

Tiriki hocha la tête en signe d'assentiment, l'air presque aussi rasséréné que celui que Chédan espérait afficher lui-même. Chacun d'eux pouvait verser des larmes de sang en leur for intérieur, mais par égard pour ceux qui dépendaient d'eux, ils se devaient de montrer le visage de l'espoir.

Chédan avisa Reidel qui se frayait un chemin parmi les débris encombrant le pont du navire.

— Pourquoi est-ce que tout ça n'est pas encore nettoyé ? marmonnait-il d'un air terrible. Dès que le mât sera remis en place… je suis navré.

— Ce n'est pas nécessaire, fit Tiriki. Votre premier devoir est envers la navigabilité du navire. Nous sommes installés assez confortablement.

Il lui décocha un regard interloqué et elle remarqua à nouveau qu'il avait l'air terriblement sévère pour un homme de son âge.

— Avec tout le respect que je vous dois, dame Tiriki, je n'étais pas navré pour vous. Voir mon navire si désordonné… mon père aurait dit que ça porte malheur.

Honteuse, Tiriki rougit ; quand Reidel s'en aperçut, il secoua la tête et se mit à rire.

— Je vois que je vous ai encore offensée, même si je n'en ai jamais eu l'intention. Il semble que nous ayons encore du chemin à faire avant de travailler ensemble sans nous vexer mutuellement !

— À ce propos, intervint Chédan pour distraire les deux autres de leur embarras, pouvez-vous nous dire où nous sommes ?

— Oui et non, répondit Reidel en fouillant dans un petit sac qu'il portait à la ceinture pour en tirer une baguette de cristal de l'épaisseur de son doigt. Cet objet peut capter la lumière du soleil même dans le brouillard, aussi nous pouvons savoir où il se trouve approximativement quand il est au-dessus de nous, ce qui nous permet de déterminer quelle distance nous avons parcouru vers le nord ou vers le sud. Mais quant à l'est et l'ouest… pour ça, il faut attendre le bon vouloir du créateur des étoiles, mais il nous boude encore. (Il remit la baguette dans le petit sac.) Nous sommes partis avec assez de provisions pour une lune et ça devrait être suffisant, mais tout de même, si nous avons la chance d'aborder quelque part, ça ne ferait pas de mal de pouvoir ramener des réserves fraîches. Si du moins le mât…

Les mots se tarirent sur ses lèvres quand il se retourna pour regarder ses hommes en train de travailler.

– Sommes-nous en train de nous diriger vers les Hespérides ? laissa échapper Tiriki avant de continuer plus calmement. Je sais que beaucoup de réfugiés des îles de Tarisseda et de Mormallor sont allés à Khem, où la sagesse antique est depuis longtemps la bienvenue. D'autres, je crois, avaient l'intention de rejoindre pour les îles occidentales au-delà de la grande mer. Mais… Micail et moi voulions aller au nord…

– Oui, dame Tiriki, je le sais. La veille du jour où… du jour où nous sommes partis, j'ai parlé quelques minutes avec le prince. Avec les deux princes, même. Le prince Tjalan m'a dit que… (Il s'arrêta et se mordit les lèvres.) Si tout va bien, continua-t-il, mais un marin vint l'interrompre, un doigt touchant brièvement le front en guise de salut. Qu'y a-t-il, Cadis ?

– Les hommes ont fini d'épisser le mât, ils n'attendent plus que ton ordre.

– J'arrive ; excusez-moi, fit Reidel en saluant respectueusement Chédan et Tiriki, bien que son regard et son attention fussent déjà accaparés par son navire et son équipage.

La brise ne quitta jamais leurs voiles, aussi le *Serpent écarlate* avança-t-il vite, et bien que le mât craquât de façon alarmante, il tint bon. Le vent jouait aussi avec le ciel couvert, façonnant d'étranges créatures nuageuses avec les lambeaux de brouillard. Ahtarrath gisait, détruite, au fond des mers, mais la fumée de sa destruction restait suspendue dans le ciel, obscurcissant le soleil le jour et cachant les étoiles la nuit.

Comme prévu, Reidel maintenait le cap au nord, cependant bien des jours passèrent sans qu'ils vissent la terre. Ils ne rencontrèrent pas d'autre navire non plus, mais avec le brouillard continuel c'était sans doute préférable. Une collision aurait été le désastre de trop.

Tiriki se faisait un devoir de passer un moment chaque jour avec les acolytes, en particulier avec Damisa, qui broyait encore du noir pour n'avoir pas réussi à rejoindre le vaisseau placé sous le commandement du prince Tjalan, et avec Élis, dont le chagrin pour Aldel rappelait à Tiriki qu'elle-même était au moins en droit d'espérer que son bien-aimé avait survécu. Elle ne pouvait qu'exhorter ceux qui étaient encore prostrés par l'accablement à suivre l'exemple de Kalaran et de Sélast, qui s'efforçaient de se rendre utiles – une suggestion qui n'était reçue, bien souvent, que par des larmes. Tiriki insistait pourtant pour qu'ils continuent leur pratique du chant et leurs études habituelles, même s'ils ne se sentaient pas assez bien pour aider aux corvées.

Elle avait espéré qu'Alyssa, en tant que prêtresse – et la prêtresse de plus haut rang après Tiriki – serait une aide précieuse, mais la prophétesse profitait pleinement du confort de sa cabine quasi privée pour soigner sa jambe malade et pour méditer. Tiriki avait commencé à la suspecter de feindre la maladie, mais Liala lui assura qu'elle s'était vraiment fait une vilaine foulure dans la mêlée qui avait précédé leur fuite.

Un après-midi, alors que Tiriki était assise sur le pont avant en train de se demander s'il serait judicieux de faire quelque chose à propos des récriminations permanentes et idiotes du sous-prêtre Rendano envers une jeune et enjouée saji nommée Métia, le ciel maussade s'assombrit et une tempête s'abattit sur eux. Tiriki avait déjà trouvé terrible la première nuit qu'ils avaient vécue à bord, mais cette fois-ci, avant même que la fureur des éléments n'ait oblitéré jusqu'au spectacle des vagues, elle regretta de n'être pas restée au palais. Là-bas, du moins, elle aurait pu couler en conservant sa dignité.

Elle fut au supplice pendant une éternité, s'agrippant à sa couchette sous le pont, tandis que le navire ruait et plongeait. Sélast, qui avait au moins hérité du pied marin de la lignée royale de Cosarrath, remplissait périodiquement sa flasque d'eau fraîche. Se souvenant du conseil de Chédan, Tiriki en prenait une gorgée de temps en temps, lorsque la mer s'apaisait un peu, et évitait de regarder les autres engloutir du pain, du fromage et les derniers fruits frais.

Parfois, entre les sanglots continus de la vieille prêtresse Malaéra et les plaintes des acolytes, il y avait un répit suffisamment long pour lui permettre d'entendre les marins crier sur le pont et la voix claire et forte de Reidel qui leur répondait ; mais quand elle commençait à croire que le pire était passé, le vent se levait et noyait toutes les voix, le navire se mettait à balancer, et elle finissait par se dire qu'il allait plonger définitivement. Sa raison lui disait qu'aucun bateau ne pouvait survivre à un tel assaut perpétuel. Elle ne savait pas si elle devait prier pour que le navire de Micail s'en sorte mieux, ou s'il était déjà mort et l'attendait de l'autre côté.

Ses souffrances se muèrent en stupeur ; alors son âme se retira dans un jeûne intérieur si profond qu'elle ne remarqua pas que les bourrasques s'adoucissaient et que le tangage et le roulis du navire redevenaient presque normaux. L'épuisement fit place à un sommeil sans rêve ; elle ne s'éveilla pas avant le matin.

Le mât de fortune n'avait pas survécu à la tempête, mais les deux autres étaient intacts, même s'ils ne pouvaient porter que de petites voiles. Toutefois, comme le beau temps se maintenait et que la brise continuait de souffler régulièrement, ils purent progresser même lentement. À chaque fois que la lumière baissait, pourtant, Tiriki se tendait, s'attendant au désastre.

« Qu'est devenue ma discipline ? se réprimandait-elle. J'ai été entraînée à tout supporter, même l'obscurité par-delà le domaine des dieux, mais je suis là, pétrifiée de terreur alors que ces enfants se chamaillent, jacassent et se pendent au bastingage. »

Le grincement de la membrure du navire, un brusque mouvement du pont, et même l'odeur du charbon qui brûlait dans la coquerie, tout lui faisait battre le cœur. Mais c'était aussi une distraction à l'angoisse qui l'avait habitée dès l'instant où la tempête s'était éloignée et qu'ils s'étaient trouvés seuls sur la grande mer calme. Chédan avait dit que les autres navires, partis plus tôt, avaient dû utiliser leur voilure pour précéder la tempête. Le croyait-il vraiment ? Certes, les acolytes n'en seraient que plus effrayés si leurs aînés laissaient voir leur peur, mais elle ne trouvait aucun soutien dans cette pensée. La peur était bien là, et elle en avait honte.

Tiriki respira une grande goulée d'air et se dirigea vers l'arrière, où Chédan et le capitaine lisaient le ciel nocturne. Elle n'était pas seule, s'obligea-t-elle à penser en s'approchant des deux hommes. Reidel était un marin expérimenté, et Chédan avait beaucoup voyagé. Ils sauraient trouver la bonne direction.

– Mais c'est justement ce que je viens de dire, disait Reidel en montrant le ciel. Pendant le mois du Taureau, la constellation de la changeuse, Denebola, se serait levée juste après le coucher du soleil. Et à cette heure-ci, l'étoile Polaire devrait être haute.

– Vous oubliez que nous sommes bien plus au nord que vous n'êtes jamais venus, répondit Chédan en soulevant le rouleau de parchemin pour le présenter à la lumière. L'horizon est différent, par maints petits détails. Mais il n'est pas étonnant que vous ne la trouviez pas, ce n'est pas le bon parchemin. Ardral avait préparé des cartes plus récentes pour nous.

– C'est ce que m'a dit le prince Tjalan, mais elles ne sont jamais arrivées.

– Et les parchemins destinés à l'enseignement? demanda Tiriki en les rejoignant. J'ai dit à Kalaran de les retirer des coffres.

– Oui, et je te remercie d'y avoir pensé, dit Chédan. Mais le problème est qu'ils sont très anciens. Regarde.

Elle se pencha sur le document qui décrivait les mouvements du zodiaque. Malheureusement, il ne lui semblait plus aussi détaillé que lorsqu'elle était élève et qu'elle s'appliquait à l'apprendre par cœur – et c'était la dernière fois qu'elle s'était inquiétée de connaître la position des astres.

«Ce n'est pas juste, se dit-elle avec colère comme son estomac se rebellait à nouveau contre le tangage. De nous tous, c'était Réio-ta le marin! Lui et Déoris sont allés à Oranderis seuls, il y a cinq ans. L'un comme l'autre auraient été bien plus à même de s'en sortir que moi!»

Chédan prit une profonde inspiration.

– L'étoile principale du pôle, c'est Eltanin, évidemment, comme le montrent toutes nos cartes. Mais depuis bien des générations, la configuration des constellations a changé…

– Quoi? s'exclama Reidel, choqué. Je sais que la terre et la mer peuvent changer de contours, mais les cieux?

Le mage hocha la tête solennellement.

– Je l'ai vérifié bien souvent avec une longue-vue. C'était plus visible d'heure en heure. Les cieux changent comme nous – plus lentement, c'est tout. Mais au bout de quelques siècles, les différences sont évidentes. Vous devez connaître les étoiles vagabondes…

— Je sais qu'elles se déplacent selon une trajectoire prévisible.

— Seulement parce qu'on les observe depuis très longtemps. Lorsque l'étoile Polaire, sur laquelle tant de nos calculs sont basés, se déplace… eh bien, un tel changement radical est considéré comme annonciateur de quelque changement, tout aussi radical, dans les affaires des hommes.

— Oui. Un désastre. Nous l'avons vu, fit observer Reidel.

Tiriki abrita ses yeux de la lueur des lanternes et regarda le ciel. Une brume légère voilait l'horizon, mais la lune était nouvelle et s'était déjà levée. Juste au-dessus de sa tête, l'obscurité était piquée d'étoiles si nombreuses qu'il lui aurait été difficile d'y distinguer la moindre constellation.

— Vous avez peut-être entendu les vieilles gens, continua Chédan, dire que l'arrivée du printemps et de l'hiver n'était plus la même. Ce n'est pas de la sénilité : ils ont raison. De vieux documents du Temple le prouvent. L'époque des semis, la venue des pluies… tout le cosmos est entraîné dans une évolution insondable. Nous aussi, nous devons nous adapter ou périr.

Tiriki s'arracha à la contemplation du firmament pour tenter de comprendre ces paroles.

— Que veux-tu dire ?

— Depuis la chute de la Terre des Ancêtres, les princes ont régné sans contrainte, oubliant leur devoir de serviteurs dans leur soif de pouvoir. Nous avons peut-être été sauvés pour rendre sa vitalité à l'antique sagesse sur une nouvelle terre. Je ne parle pas de Micail, bien sûr, ni de Réio-ta. Et Tjalan, lui aussi, est… était un grand homme. Ou il aurait pu l'être…

Tiriki sentit le désespoir de Chédan et s'approcha de lui.

— Vous avez sans doute raison, dit Reidel brusquement, mais pour le moment, mon devoir est de nous amener jusqu'à cette nouvelle terre, justement.

— Les étoiles sont peut-être changeantes, dit Tiriki, mais rien n'est arrivé au soleil et à la lune, n'est-ce pas ? Nous pouvons nous diriger grâce à eux, et voguer vers l'est jusqu'à ce que nous trouvions une terre. Si nous n'en trouvons pas… alors nous aviserons.

Chédan lui sourit et Reidel hocha la tête, voyant le bon sens de ce qu'elle avait dit. Elle se rassit et laissa son regard revenir aux étoiles. Froides et lointaines, elles semblaient se moquer d'elle et de tous les êtres humains. «N'aie confiance en rien, semblaient-elles lui dire, car tes connaissances si chèrement acquises ne te seront pas d'une grande utilité là où tu vas.»

Tiriki s'éveilla avec la sensation familière de l'oscillation de son hamac et gémit en reconnaissant la nausée tout aussi familière. C'était le troisième jour après la tempête.

— Tenez, dit une voix douce. Utilisez la cuvette.

Tiriki ouvrit les yeux et vit Damisa lui tendre une bassine de cuivre ; la vue de l'objet intensifia son dégoût. Après quelques instants pénibles, elle se laissa aller à nouveau et s'essuya le visage avec le linge humide que Damisa lui offrit.

— Merci. Je n'ai jamais eu le pied marin, mais j'aurais tout de même cru que je m'habituerais à ce balancement au bout d'un moment, dit-elle sans savoir si Damisa lui proposait son aide par devoir ou par affection ; mais elle en avait trop besoin pour s'en soucier. Comment va le navire ?

La jeune fille haussa les épaules.

— Le vent s'est levé, et à chaque fois que les mâts craquent, quelqu'un se demande s'ils vont tomber, mais sans vent on avance à peine. S'il est contraire, ils gémissent que nous sommes perdus, et s'il tombe, ils disent que nous allons tous mourir de faim. Élis et moi avons préparé une marmite de gruau, vous vous sentirez mieux avec un peu d'air frais et un petit déjeuner.

Tiriki frissonna.

— Pas tout de suite pour le petit déjeuner, mais je vais monter sur le pont. J'ai promis à Chédan de l'aider à travailler sur les cartes stellaires, même si je me sens si mal que je ne suis pas sûre de pouvoir faire mieux que l'encourager et lui tenir la main.

— Il n'est pas le seul à avoir besoin qu'on lui tienne la main, répondit Damisa. J'ai fait de mon mieux pour occuper les autres et éviter qu'ils ne fassent des bêtises, mais le pont bouge trop pour les positions de méditation, et on ne peut pas discuter des paroles des sages éternellement. Ils sont peut-être jeunes, ajouta-t-elle du haut de ses dix-neuf ans, mais ils ont été sélectionnés pour leur intelligence, et ils comprennent bien quel est le danger.

— Je suppose, oui, soupira Tiriki. Très bien. Je vais monter.

— Si vous passez la matinée avec les autres, je peux faire un inventaire complet des provisions. Avec votre permission, bien sûr, ajouta la jeune fille à contrecœur.

Tiriki réalisa que cette dernière requête n'était qu'une pensée après coup et réprima un sourire. Elle se souvenait avoir ressenti le même dédain pour l'ignorance des plus jeunes et la faiblesse des aînés quand elle avait son âge.

— Bien sûr, acquiesça-t-elle platement. Et, Damisa, je te suis reconnaissante de prendre ces responsabilités pendant que je suis malade.

Dans la pénombre, elle ne put voir si la jeune fille rougissait, mais quand elle répondit sa voix était calme.

— J'étais une princesse d'Alkonath avant de devenir acolyte. Prendre des responsabilités, c'est pour ça que j'ai été élevée.

Damisa avait parlé avec assurance, mais avant même d'avoir terminé son inventaire des provisions du *Serpent écarlate*, elle commença à regretter de s'être chargée d'un tel travail. Pourtant, affronter les vérités déplaisantes faisait partie de sa tâche. Elle ne pouvait qu'espérer que le capitaine Reidel, même s'il n'était qu'un roturier, serait capable de faire de même.

Comme elle s'y attendait, elle le trouva avec Chédan à la proue du navire, en train de calculer leur position d'après celle du soleil.

— Damisa, ma chère, dit le vieil homme. Tu as l'air grave. Que se passe-t-il ?

— J'ai de graves nouvelles, répondit-elle en portant le regard sur le capitaine. Notre stock de farine s'épuise vite. À l'allure où nous la consommons, le sac déjà ouvert sera vide après le repas de ce soir, et il n'en reste qu'un seul autre. Je peux faire une bouillie plus délayée, mais ce n'est pas une alimentation suffisante pour des hommes qui travaillent.

Reidel fronça les sourcils.

– Cela me fait regretter à nouveau que le cuisinier ait manqué notre départ. Mais je suis sûr que vous faites de votre mieux. Je suis prêt à écouter toutes les suggestions constructives. Êtes-vous en train de me dire que vous ne pouvez nous nourrir que pendant les deux jours à venir ?

– À cette allure, plutôt un seul jour. J'ai remarqué que certaines personnes, et pas seulement des citadins…

Damisa se sentit devenir écarlate sous l'intensité des yeux sombres du capitaine. Il était solidement bâti et avait la peau mate et les cheveux noirs, comme la plupart des Atlantes de la classe moyenne à laquelle il appartenait, mais elle réalisa soudain qu'il était beaucoup plus jeune qu'il ne lui avait paru de loin, et que sa bouche était plus faite pour le sourire que pour la crispation qu'elle montrait en ce moment.

– Certaines personnes, répéta-t-elle résolument, ont mis des vivres de côté. Je sais où une partie est cachée, et si vos hommes m'aidaient à la récupérer nous pourrions la distribuer équitablement et en faire un repas supplémentaire pour tout le monde. Peut-être plus.

– Bien, soupira Reidel.

Chédan marmotta quelque chose, les yeux toujours fixés sur l'étrange et délicat assemblage de tiges de cristal reliées à des cônes avec lequel il calculait l'angle entre le soleil et l'horizon.

– J'en ai déjà discuté avec les autres acolytes, continua Damisa en rompant le silence. Nous sommes habitués à jeûner, expliqua-t-elle et elle se remit à rougir quand le capitaine et le mage se tournèrent pour la regarder en face. Et puis nous ne faisons pas de travail physique. Cela ne nous ferait pas de mal de nous contenter de la méditation pendant un moment.

Reidel la toisa comme s'il la remarquait pour la première fois en tant qu'individu à part entière, distinct de la caste des prêtres. Damisa rougit encore, mais cette fois elle ne baissa pas les yeux et finalement c'est lui qui détourna le regard.

– Nous allons bientôt arriver en vue d'une terre, murmura-t-il en fixant l'horizon. Il le faut. Lorsque vous parlerez à vos amis, dites-leur… merci.

– Je le ferai, répondit-elle, puis elle se tourna vers Chédan. Venez avec moi, maître. Les acolytes vous attendent à l'arrière du navire.

Nous pouvons supporter ce que nous devons supporter, mais nous le ferons avec plus de cœur si vous nous amenez des paroles d'espoir.

Le mage leva un sourcil ironique.

— Ma chère, il me semble que tu as déjà bien des paroles à ta disposition. Non, non, ce n'est pas un reproche, se hâta-t-il d'ajouter pour la rassurer. Vraiment, tu me donnes de l'espoir, grâce à la force que tu as clairement acquise dans ces épreuves. C'est nous qui te sommes redevables.

Au milieu du pont, des marins épissaient des cordages rompus lors du dernier grand vent; d'autres raccommodaient une voile de rechange. Chédan sentit leurs regards dans son dos en suivant Damisa vers la poupe, mais les lois de caste interdisaient à quiconque de le questionner. Les acolytes et une ou deux personnes de la caste des prêtres étaient assis en cercle sous un store de fortune, improvisé avec les restes d'une voile trop déchirée pour être réparée. Leurs conversations s'arrêtèrent net quand ils reconnurent le célèbre mage Chédan Arados; de son côté, il les considéra avec intérêt.

Il avait rencontré Damisa pour la première fois quand elle était encore enfant, sur Alkonath. Elle avait un réel franc-parler à l'époque, et si elle le présentait maintenant à ses camarades comme si elle l'avait capturé, il ne pouvait pas vraiment lui en vouloir. Il avait été trop absorbé par ses cartes du zodiaque pour leur accorder beaucoup d'attention mais, Tiriki étant malade, il supposait qu'il était de son devoir de leur parler.

Damisa s'assit avec une certaine ostentation parmi ses camarades et le mage installa ses membres douloureux sur un rouleau de cordage, étudiant chacun des jeunes visages l'un après l'autre avec ce qu'il espérait être un sourire rassurant.

— Je regrette d'avoir été trop occupé jusqu'à présent pour vous rendre visite, commença-t-il, mais tout ce que j'ai entendu à votre sujet ces derniers jours m'indique que, dans ces circonstances difficiles, vous vous êtes montrés particulièrement utiles. Lorsque des conseils sont inutiles, je me garde toujours de les imposer. Mais on m'a laissé entendre que certains d'entre vous pensent que notre situation est désespérée. Certes, il est raisonnable de s'inquiéter, c'est même tout à fait sage dans notre position, mais il serait mal de se décourager.

La petite Iriel laissa échapper un son qui pouvait être un rire aussi bien qu'un sanglot étouffé :

— Mal ? Maître, notre éducation nous a appris à décrypter les signes. Quand le soleil se couche, nous savons que la nuit va tomber. Si les étoiles ne brillent pas, il y aura sûrement de la pluie. Les signes que je vois à présent indiquent que nous allons mourir ici, car nous n'avons vu ni navire, ni terre.

Une ombre ailée traversa le pont et le regard de Chédan la suivit des yeux jusqu'à apercevoir l'oiseau qui se découpait en blanc sur l'azur du ciel.

— Je ne mets pas en doute ce que vous avez observé, reprit-il en se tournant vers Iriel. J'ai beaucoup voyagé, et pourtant moi non plus je ne saurais vous donner notre position exacte. Mais vous tirez des conclusions avant d'avoir tous les éléments en main. Ne tombez pas dans les travers de ceux qui interprètent le changement comme une décadence et qui disent qu'à la fin des fins il n'y aura que des ténèbres. À la fin, il y a aussi de la lumière, une lumière qui nous montrera enfin le cosmos et notre véritable place dans ce cosmos, la raison d'être de nos espoirs et de nos pleurs, nos amours, nos rêves…

— Oui, maître, nous ne doutons pas que nos âmes survivront, interrompit Kalaran d'un air sarcastique. Mais si nous sommes si importants, pourquoi les dieux nous laissent-ils en équilibre au bord de la fin du monde ?

— Kalaran, Kalaran, fit Chédan en fermant les yeux. Tu échappes au feu et à la destruction pratiquement indemne, et tu te plains d'être dans l'incertitude ? Il n'est pas étonnant que les dieux interviennent si rarement ! Grâce à leur miséricorde, nous avons trouvé le moyen d'échapper à la dévastation, et ce n'est pas encore suffisant ? Il est normal que nous devions faire face à des difficultés !

Chédan joua l'affolement et s'exclama « tout est perdu ! » d'une voix de fausset. Il attendit que les rires nerveux s'apaisent.

— Enfants de feue Atlantis, reprit-il avec douceur, nous avons tout perdu, à l'exception de ce que nous sommes les uns pour les autres. Mais lorsque je dis que nous devrions être reconnaissants de nos épreuves, je ne répète pas simplement une philosophie usée jusqu'à la corde. Nous n'aurions jamais connu ces épreuves si nous n'avions pas survécu ! Vous ne devez pas penser que c'est une erreur d'avoir survécu, seulement parce que les choses ont changé.

— Mais nous *sommes* perdus ! objecta Kalaran, et un murmure d'assentiment s'éleva comme en écho à ses paroles.

— C'est même pire que ça ! s'exclama la jeune Sélast, assise à côté de Damisa, le visage vibrant de nervosité. Les marins disent que nous avons dépassé le bord du monde !

— D'après mon expérience, fit Chédan avec un coup d'œil vers le milieu du navire, les marins racontent beaucoup de choses extravagantes aux jeunes gens innocents. Je vous conseille de ne pas croire tout ce qu'on vous dit. Mais faisons comme si ces rumeurs étaient vraies pour un instant, et que nous ayons vraiment dépassé le bord du monde. Comment savez-vous qu'il est impossible d'y retourner tout aussi facilement ? La mer est vaste et sauvage, mais elle n'est pas infinie. Nous allons voir la terre, tôt ou tard, et sans doute tôt plutôt que tard. Mais laissez-moi vous prévenir, jeunes gens, que lorsque nous toucherons terre, vous n'y trouverez sans doute pas de maisons bien chauffées ni de serviteurs chargés de plateaux de nourritures exquises et de boissons délicieuses.

Juste à cet instant, comme si les paroles du prêtre avaient été une véritable prophétie, on entendit un braillement puis un appel venant du sommet du mât avant, où Reidel avait posté un de ses hommes.

— Terre ! Mon capitaine, c'est pas un nuage sur l'horizon ! C'est la terre !

Dans leur euphorie, ils oublièrent qu'apercevoir la terre n'était pas encore y aborder. Lorsqu'ils s'en approchèrent, ceux qui avaient de bons yeux décrivirent aux autres de hautes falaises d'une pierre tirant sur le brun, sculptée par le vent et l'eau en colonnes et en tours, aux pieds desquelles les vagues tourbillonnaient, l'air vicieux.

— Je crois que ce sont les Cassitérides, l'île de Tin, dont la pointe méridionale a été baptisée Béléri'in par les commerçants, souffla Chédan. Ce doit être les falaises du bout de la péninsule. Sur la côte sud-ouest, il y a une baie avec une île où les commerçants mouillent habituellement.

Reidel pesa de tout son poids sur la barre et les marins firent de leur mieux, mais le vent venait de l'est et tout ce qu'ils purent faire en l'absence du mât principal fut d'envoyer le *Serpent écarlate* ballotter, le flanc en avant, tout droit vers les falaises dentées. Avec une bordée de jurons, Reidel opta pour la sécurité et tourna la proue en direction de la pleine mer.

– Y a-t-il d'autres ports sur la côte nord ? demanda Tiriki doucement, incapable d'arracher son regard des contours imprécis de la côte, jusqu'à ce qu'ils aient pratiquement disparu dans le brouillard.

– Il y en a beaucoup par ici, la rassura Chédan. C'est une île assez importante. Il y a des années, un de nos navires a mouillé dans un port, plus haut sur la côte. C'était à l'embouchure d'un cours d'eau qu'ils ont appelé Naradek, d'après une rivière de la Terre des Ancêtres. Il y avait un tertre en forme de pyramide, où ils ont construit un temple dédié au soleil. Mais la Terre des Ancêtres a disparu, et tout contact a été perdu avec eux. Je doute qu'il reste qui que ce soit aujourd'hui.

Reidel se força à sourire.

– Au moins, nous savons où nous sommes. Demain, c'est sûr, nous atteindrons la côte.

Mais le vent n'avait pas l'intention de les laisser faire. Pendant trois jours entiers, ils bataillèrent le long du rivage escarpé contre des courants hostiles et des vents contraires, et chaque jour ils avaient plus de mal à se nourrir avec les quelques rares poissons qu'ils parvenaient à arracher aux vagues.

Le quatrième jour, le vent mourut. L'aube leur fit voir un demi-cercle de montagnes qui abritait un large estuaire, où la terre et l'eau se mêlaient en de multiples ruisseaux. De petites îles couvertes de végétation s'alignaient dans les marécages comme les ondulations d'un serpent titanesque se déroulant en direction d'une terre encore voilée par les brumes.

Un par un, les réfugiés se rassemblèrent sur le pont pour contempler cette terre inconnue, encore incapables de croire qu'ils avaient finalement atteint une destination. Tiriki se tenait seule à la proue du navire, luttant contre les larmes ; elle s'était toujours imaginé que Micail serait là, en train de l'attendre, à la fin du voyage.

Ils étaient à quelques lieues à l'ouest du comptoir de commerce sur le Nadarek dont Chédan leur avait parlé. Une jungle impénétrable n'était pas la destination qu'ils avaient espérée. Mais la marée les poussait vers la terre et l'état de leur navire ne leur aurait pas permis de reprendre la mer. Avec un soupir de soulagement et de résignation mêlés, Reidel pesa sur la barre et les fit entrer dans l'estuaire.

– Voici, enfin, la terre nouvelle, fit la voix de Chédan, curieusement sonore ; Tiriki se retourna et le vit s'adresser à la foule. À partir de maintenant, nous n'allons plus avoir le temps de pleurer sur le passé, parce que nous aurons besoin de toute notre énergie pour survivre. Aussi, disons adieu à présent à Ahtarrath la merveilleuse et à Alkonath la valeureuse, au Radieux Empire qui a été et qui n'est plus.

Alors, en un bouleversant instant, leur chagrin pour les dix royaumes d'Atlantis, dont les navires majestueux avaient parcouru le monde, s'apaisa en silence. Les souvenirs de tout ce qu'ils avaient perdu les éblouirent ; aveuglante aussi fut la vision de la montagne de l'Étoile explosant dans le feu et le tonnerre, et le dernier bastion de l'invincible Atlantis disparut fièrement dans les flots.

CHAPITRE 6

Ô toi, si radieux sur l'horizon oriental,
Change ta lumière en jour, ô astre de l'est,
Astre du jour, éveille-toi, lève-toi !
Seigneur qui octroies la vie, éveille-toi,
Allégresse qui octroies la lumière, lève-toi,
Ô toi, si radieux sur l'horizon oriental,
Astre du jour, éveille-toi, lève-toi !

Micail revint lentement à la conscience au rythme des vers qui avaient salué son lever toute sa vie, aussi loin qu'il put se souvenir. Les voix avaient la pureté de la jeunesse. Étaient-ce les acolytes ? Il ne parvenait pas à se rappeler pourquoi ils étaient avec lui, mais leur présence, et la cadence vive du chant, le protégeaient des cauchemars qu'il commençait déjà à oublier.

Il tenta d'ouvrir les yeux, mais un tissu humide et froid les couvrait. « Ai-je été malade ? » Il sentait une douleur dans sa poitrine et derrière ses yeux… Il aurait voulu lever la main pour enlever l'étoffe, mais ses bras étaient faibles et fiévreux.

— Tiriki, eut-il juste la force de murmurer, puis il essaya à nouveau. Tiriki ?

— N'essaie pas de parler.

Une main habile retira doucement le tissu de son front et lui souleva la tête.

— Il faut que tu essaies de boire ça. Doucement…

Le bord d'une tasse effleura ses lèvres. Il avala instinctivement et le liquide, une bouillie dont le miel dissimulait presque la saveur acidulée, descendit dans sa gorge. Quelque chose s'apaisa dans sa poitrine, mais son mal de tête persista.

— Voilà, fit la voix à nouveau tandis que les mains robustes reposaient délicatement la tête de Micail sur son oreiller. Ça devrait te calmer…

Il tenta d'apercevoir celui qui avait parlé, mais ses yeux refusaient de rester ouverts. La voix était douloureusement familière et avait l'accent de son pays natal, mais elle était trop basse pour être celle de Tiriki. «Pourquoi n'est-elle pas ici, si je suis si malade?» Il tenta de trouver la force de l'appeler à nouveau, mais ce qu'il avait bu l'entraînait dans une pénombre tiède. Il plissa le front et respira l'odeur de pluie et d'herbe, puis sa conscience confuse du présent fut submergée par les souvenirs.

— L'équilibre est rompu!
— Les ténèbres s'élèvent! Dyaus est libre!
— C'est le Cataclysme! Sauve-nous, Micail!
— Sauve-nous!

— Micail, m'entends-tu? Réveille-toi, mon garçon. Tu as paressé assez longtemps!

Des mains nerveuses à la peau desséchée par le grand âge saisirent les siennes et la décharge d'énergie qui passa entre elles le ramena brutalement à la réalité. Ses yeux s'entrouvrirent. L'homme qui se penchait sur lui était grand, il avait un visage expressif et des cheveux grisonnants qui tombaient comme des plumes désordonnées sur son large front.

— Ardral!

Ce n'était guère qu'un croassement, mais Micail était trop surpris pour s'en soucier.

— Seigneur Ardravanant, corrigea-t-il, employant cette fois le titre officiel du septième gardien du Temple de la Lumière sur Ahtarrath;

en théorie, Micail et lui avaient le même rang, mais le vieil adepte était une légende depuis que Micail était enfant, et utiliser son surnom lui semblait présomptueux.

— J'ai préféré la première version, sourit le septième gardien. Ces temps-ci, je n'ai vraiment pas l'impression d'être un « familier de la Lumière » ; un titre ne résout rien. C'est bien assez lourd à porter lors des cérémonies. Non, appelle-moi Ardral. Est-ce que je t'appelle Osinarmen, moi ?

— C'est vrai. Mais…, fit Micail en secouant la tête, puis il se mit à tousser. Mais que fais-tu ici ? Et d'ailleurs, où sommes-nous ?

Les yeux gris d'Ardral se plissèrent.

— Tu ne te souviens pas ?

« Je ne me souviens de rien », se dit Micail, mais une seconde plus tard il se souvint.

— Nous étions dans la bibliothèque, murmura-t-il. Nous essayions de faire passer une lourde malle par l'escalier. Mon ami Jiri et moi étions en train de t'aider, mais tu es parti en courant à l'intérieur, et…

Son esprit fut submergé par une multitude d'images indistinctes : les prêtres qui se disputaient, des colonnes qui s'écrasaient au sol, des murs qui s'écroulaient, des manuscrits éparpillés comme des feuilles dans le vent, et le grognement perpétuel de la terre qui résonnait dans les pierres et dans les os…

— Tu m'as sauvé la vie, fit l'adepte doucement en resserrant ses doigts sur ceux de Micail. Quoique sur le moment, je ne t'aie pas été très reconnaissant.

— Tu m'as pratiquement cassé le nez.

— Oui… je suis désolé. Je ne sais pas ce qui m'a pris. C'est pourtant bien moi qui faisais tous ces beaux discours sur l'acceptation de l'inévitable. Et évidemment, c'est moi encore qui n'ai pas pu résister à la tentation de sauver une dernière chose, même lorsque des bouts de lave s'abattaient sur la cité en feu ! Je suis heureux que *toi*, tu aies compris qu'il était temps de sortir de là.

— Comment sommes-nous arrivés au port ? demanda Micail, le cœur serré. Je me souviens d'avoir vu des tours tomber et… nous couper la route…

Sa mémoire s'emplit d'images : des gens titubant sur la place Darokha qui se soulevait et se mettait à pencher, les dalles antiques ondulant comme sous l'effet d'une gigantesque vague, et une vieille femme qui tombait, piétinée par la foule, laissée pour morte au milieu de la rue comme une poupée cassée.

Les poings de Micail se serrèrent malgré lui lorsqu'il revit la lueur rougeâtre sur les eaux bouillonnantes de la baie et entendit les armures cliquetantes des soldats d'élite que le prince Tjalan avait envoyés à sa recherche. Il s'efforça de ne plus voir, mais la vision s'imposa à lui, insupportable de netteté : les falaises effondrées là où le port aurait dû se trouver – et là où le *Serpent écarlate* aurait dû être amarré.

Pendant tout ce temps, la cendre n'avait cessé de tomber et de couvrir la terre et la mer d'une immonde poudre grise, comme si toute vie avait disparu et qu'il n'était plus qu'un fantôme revenu hanter une tombe brisée, la tombe de…

– Tiriki ! hurla-t-il, puis sa voix se brisa et il lutta pour retrouver sa respiration. Où est-elle ?

Une toux violente lui arracha les poumons, mais il arqua le dos pour se relever.

– Je dois la trouver, avant que…

Il sentit alors l'étonnante force des mains d'Ardral et le vieil adepte murmura un mot magique qui le renvoya, tournoyant, au sein de rêves sans fond.

Quand il reprenait brièvement conscience, il constatait que des mains différentes s'occupaient de lui. Parfois, le contact le plus léger lui était insupportable. D'autres fois, son ami Jiritaren était près de lui, ou quelqu'un d'autre, en train de chuchoter quelque chose d'un ton insistant à propos de crise et de fièvre pulmonaire… Peu à peu, Micail comprit qu'il était en danger ; mais cela n'avait pas d'importance. Tiriki seule comptait. Micail ne parvenait pas à se souvenir comment il l'avait perdue, mais son absence était une blessure par laquelle sa vie s'échappait.

Puis il vint un moment où il sentit ses bras autour de lui. « Je meurs, se dit-il, et Tiriki est venue me chercher. » Mais elle le secouait, hurlant quelque chose à propos d'une tâche qu'il n'avait pas encore accomplie. Il se sentit submerger par une vague immense…

Il s'éveilla au son d'une pluie battante. C'était étrange, car la saison des orages était passée. Il inspira profondément et nota que si ses poumons étaient toujours encombrés, au moins il n'avait plus mal.

Il ne reconnaissait pas ce lit, moins ferme qu'il ne l'aimait. Il souleva sa tête de l'oreiller de duvet et observa la chambre qui l'entourait, baignée d'une lumière chaleureuse, les murs blanchis à la chaux et pourvue d'une fenêtre étroite. Son cœur se mit à battre la chamade lorsqu'il remarqua une femme près de la fenêtre en train de contempler la mer et l'orage, mais ce n'était pas Tiriki. Cette femme avait des boucles brunes où jouaient des reflets cuivrés.

– Déoris ? murmura-t-il.

Lorsqu'elle se tourna vers lui, il constata qu'elle avait le teint doré, d'immenses yeux noirs et un bouton d'adolescence sur le nez… Ce n'était pas Déoris ; c'était sa fille cadette, la demi-sœur de Tiriki.

– Galara ! s'exclama-t-il. Au moins *tu* es vivante !

– Et toi aussi ! fit-elle en se penchant sur lui avec excitation, et tu es toi-même à nouveau ! Que le Créateur soit remercié ! Je ferais mieux d'aller prévenir le prince, il voudra savoir…

Micail commença à comprendre la signification de ses souvenirs. Si le prince Tjalan était là, alors c'est qu'il avait dû l'embarquer à bord de l'*Émeraude royale* après avoir trouvé le chemin vers le port principal bloqué, puis il l'avait amené ici… où que cela puisse être. Il s'apprêtait à poser la question, mais il n'eut pas le temps de parler, Galara était déjà partie en courant. Il tenta de s'asseoir, mais l'effort nécessaire était trop important et il se laissa aller sur le moelleux matelas puis s'efforça de respirer profondément.

La porte heurta le mur lorsque le prince Tjalan en personne entra à grandes enjambées. Il avait quelques cheveux gris de plus sur les tempes et une ou deux rides autour des yeux, mais son kilt de lin vert était mieux repassé que jamais et, en voyant Micail, son visage se mit à rayonner.

– Tu es réveillé !

Tjalan laissa tomber sa courte cape et s'assit sur le tabouret à côté du lit, serrant brièvement les mains de Micail entre les siennes.

– Oui… et je suis heureux de te voir. J'imagine que c'est toi qui m'a amené ici en un seul morceau ?

Micail avait du mal à ressentir de la gratitude, mais il avait toujours eu de l'affection pour Tjalan et cela, du moins, n'avait pas changé.

— Je vais m'accorder une médaille ! fit Tjalan en riant. J'ai d'abord dû te faire monter de force dans le navire, parce que personne d'autre n'osait le faire ! Ensuite, arrivés au beau milieu du port, tu as cru voir Tiriki. (Il s'interrompit brusquement avant de reprendre, plus sobrement.) Tu as sauté par-dessus bord, et bien évidemment tu as nagé tout droit dans une vergue qui flottait à la surface et tu t'es assommé. Tu as eu de la chance de ne pas couler en entraînant ton sauveteur. C'était encore moi, soit dit en passant. Mais ils ont réussi à nous remonter sur le bateau. Et depuis, entre la commotion cérébrale due à ta blessure à la tête et la fièvre pulmonaire que tu as attrapée en avalant cette eau viciée, tu as été le plus grand des raseurs, tout le temps inconscient ou délirant. Enfin, ces petites contrariétés étaient le prix à payer pour te garder en vie.

— Où sommes-nous ? demanda Micail.

— Dans les Hespérides, sur l'île de Tin, comme nous en avions l'intention, répondit Tjalan avec un large sourire. Nous avons accosté ici, à Béléri'in, pour renouveler nos provisions et vérifier la voilure, mais dès que tu seras à nouveau capable de voyager, nous continuerons jusqu'à Belsairath. Ce n'est pas le grand luxe, c'est juste un comptoir commercial alkonien qui date de l'époque de mon arrière-grand-père, mais avec tous ces réfugiés ce sera bientôt une ville florissante !

— Des réfugiés, dit Micail en frissonnant malgré les couvertures et les fourrures. Alors d'autres navires sont arrivés ?

— Oui, et pas seulement d'Ahtarrath, mais aussi d'autres îles. Nous avons sauvé plus de prêtres que je n'avais osé l'espérer dans ces derniers instants, alors que le monde entier semblait sur le point d'exploser. Quand le chemin vers le port a été bloqué, plusieurs de vos acolytes ont réussi à rejoindre la crique. L'*Émeraude royale* était pleine à ras bord, mais c'est un bon navire, et une fois sortis du port nous avons bien vogué.

— Mais il n'y a pas de nouvelles de…, s'étrangla Micail.

— Calme-toi, mon ami, lui intima le prince. Non, nous n'avons pas de nouvelles de Tiriki. Mais des navires continuent à arriver tous les jours, et certains continuent en direction de Belsairath. Elle peut encore nous rejoindre. Mais à quoi bon, si tu t'effondres ainsi ?

Les jours suivants, Micail retrouva peu à peu ses souvenirs. La maison de Béléri'in où ils étaient logés appartenait à un marchand local devenu riche grâce au commerce de l'étain. Il recouvrait ses forces et parcourait les vastes jardins en respirant profondément le vent marin qui érodait les vertes collines perdues dans la brume par-delà le mur du jardin. Le ciel semblait immense, qu'il soit plein de nuages informes ou d'un bleu éclatant.

« Voici donc le nouveau monde, méditait-il, et pendant un instant sa mélancolie l'abandonnait presque. Il est beau… mais il fait froid, tellement froid. Père soleil, nous chantons ta gloire comme nous l'avons toujours fait, pourquoi ne viens-tu pas réchauffer cette terre ? Même les vents marins ne me disent rien de toi. Me faudra-t-il te construire un temple pour ressentir à nouveau ta chaleur ? »

Il surveillait sans cesse l'arrivée des nouveaux navires, mais il fut incapable de voir la beauté de la mer jusqu'à leur départ pour Belsairath. Le port était du même bleu intense que le ciel. Au milieu se trouvait une petite île autour de laquelle se regroupait un essaim de navires qui dansaient sur l'eau. Le plus grand était celui de Tjalan, l'*Émeraude royale*, dont les voiles vertes se détachaient sur la côte sombre comme de jeunes feuilles.

– Le sommet de cet îlot est si pointu qu'il a l'air façonné de main d'homme, fit remarquer Micail à Galara pour tenter de la distraire du roulis du petit canot à l'odeur de poisson qui les emmenait jus-qu'au navire.

– C'est possible, fit le petit garçon indigène en tirant habilement sur les rames qui les propulsèrent en avant. Il y a fanal là-haut. Allumé quand bateaux de commerce arrivent. Mais plus de commerce maintenant, ajouta-t-il tristement.

– Il ne faut jurer de rien, lui répondit Micail en pensant aux grands projets de Tjalan pour cette nouvelle patrie.

Mais cela avait-il vraiment la moindre importance ? Comment construire un nouvel Atlantis sans Tiriki ? Il s'agrippa au bord du canot car la mer s'agitait, abasourdi de ce que le garçon arrive à diriger une embarcation aussi invraisemblable. Mais à l'approche de l'île étrangement conique, Micail prit conscience d'une nouvelle sen-sation, une sorte de bourdonnement presque inaudible qu'il associait instinctivement à un courant d'énergie. Il toucha l'épaule de Galara :

— Sens-tu cela ?

— Je me sens malade.

Elle avait l'air pâle et nauséeuse. Il se souvint l'avoir entendue dire qu'elle n'aimait pas la mer. Ce devait être pourquoi elle n'entendait pas ce ronflement sourd dans l'eau.

« Tiriki l'aurait senti, se dit-il en tapotant maladroitement le bras de Galara avant de fermer les yeux, submergé par une nouvelle vague de chagrin. Sans elle, je suis infirme. Les dieux ne voudront pas de moi. »

Lorsqu'ils parvinrent enfin à bord de l'*Émeraude royale*, ils trouvèrent le pont du navire grouillant de soldats. Micail n'avait pas réalisé que Tjalan avait emmené non seulement sa garde personnelle, mais aussi un contingent de l'armée régulière.

Les soldats restèrent sur le pont pendant le voyage de trois jours qui les mena le long de la côte, en direction du nord-est, jusqu'à Belsairath. Les cabines sous le pont étaient réservées aux nobles et aux prêtres tels que lui. Cette première nuit, cependant, il ne rencontra que l'acolyte Élara. On lui avait dit qu'elle s'était retrouvée sur le navire du prince Tjalan, mais il ne l'avait pas vue auparavant. Micail, heureux de la laisser en compagnie de Galara, se mit en quête de sa couchette où il s'endormit profondément.

Le deuxième jour était déjà bien entamé quand il se réveilla et découvrit qu'il partageait sa cabine avec Ardral, lequel avait laissé entrer son ami Jiritaren. Celui-ci n'était pas prêt à laisser Micail se morfondre sur sa couchette par une si belle journée.

— Il faut bien admettre que les Alkoniens construisent de beaux navires, commenta Jiritaren en arrivant sur le pont, caressant de la main le bois poli de la lisse.

Le vent donnait de la couleur à ses joues creuses et faisait voleter des boucles de cheveux noirs sur son front.

— Oui, sans doute, répondit Micail, perdu dans la contemplation du fier pavillon vert qui voletait dans la brise et sur lequel les faucons semblaient battre de leurs ailes dorées. Après tout, celui-ci nous a amené jusqu'ici.

Jiritaren lui jeta un regard troublé. Ils étaient amis depuis si longtemps qu'ils n'avaient pas besoin de mots pour se comprendre. Après un instant, il mit son bras sur les épaules de Micail et montra du doigt les navires qui les suivaient, un en particulier, plus long et plus fin que le leur, qui portait un pavillon orange.

— C'est le *Martinet orange* de Tarisseda. Ils sont arrivés avec quelques cabines vides, alors certains des nôtres voyagent dessus. C'est une bonne chose, d'ailleurs, sinon ils seraient obligés de dormir sur le pont avec les lanciers.

Micail s'arracha une grimace qui ressemblait à un sourire.

— Et celui-là ? demanda-t-il.

— Ah, c'est le *Dauphin bleu*. Un vieux navire, mais il est solide. Il est plein de passagers, certains viennent de notre temple.

— Ma camarade Cléta est sur le *Dauphin bleu*, mes seigneurs, dit Élara en se joignant à eux. Ainsi que son frère Lanath et Vialmar.

Elle leva les yeux sur Micail avec un sourire qui lui parut un peu trop chaleureux, car s'il connaissait bien Damisa pour l'avoir souvent vue en compagnie de Tiriki, il connaissait à peine les autres acolytes.

Mais ils étaient si peu nombreux que, étrangers ou pas, ils représenteraient la fondation du nouveau Temple et ils étaient désormais sous la responsabilité de Micail. Il réussit à rendre son sourire à Élara. Elle était jolie, et assez âgée pour ne pas se troubler de l'attention que lui portaient deux prêtres de grade important. Elle n'était pas très grande, mais ses traits étaient réguliers et ses tresses ondulées, à peine retenues contre le vent par une barrette en filigrane, avaient le luisant d'une aile de corbeau.

— Tu es promise à Lanath, n'est-ce pas ? murmura-t-il. Je suis désolé… il doit être difficile d'être séparé de lui. Au moins, Cléta et Vialmar sont ensemble.

Elle baissa les yeux.

— Le mariage doit attendre, seigneur Micail, répondit-elle. Nous sommes loin d'avoir terminé nos études. Je… je voulais vous dire que c'est un grand honneur pour moi que d'être ici, où je puis espérer recevoir votre enseignement.

Atteindre le port de Belsairath leur prit deux jours. Il était situé sur la côte sud de la terre que les indigènes appelaient «l'île du Tout-Puissant». Il avait été établi lorsque Alkonath avait décidé de régner sur les routes maritimes commerciales du royaume de la Mer, mais depuis il était retombé dans l'oubli.

Comme à Béléri'in, il y avait un îlot au large du port, entouré non pas par des navires à l'ancre, mais par des bancs de sable qui protégeaient la rive des tempêtes. L'*Émeraude royale* le dépassa et les soldats se précipitèrent à tribord pour apercevoir leur destination. Micail lui-même ressentit un frémissement de curiosité.

Il frissonna et s'enveloppa dans sa nouvelle cape verte, du vert d'Alkonath. Elle était chaudement doublée, mais il lui semblait étrange de remplacer l'écarlate, couleur cérémonielle de sa famille, par cette autre teinte.

«Mais quelle importance? se demanda-t-il. Il n'y a plus d'Ahtarra ni d'Alkona. Les dieux eux-mêmes semblent si lointains.»

Les nuages s'amoncelaient à nouveau et annonçaient la pluie; la scène qui s'offrait à eux était une fresque de gris et de bruns. Le delta au bout de la baie était parsemé de mares et de roseaux, comme si la terre n'avait pas entièrement gagné sa bataille avec l'océan. Micail pensa que les tempêtes devaient parfois entièrement bouleverser ce paysage. Il espéra que les Alkoniens avaient construit leur port en dur.

L'annonce de leur arrivée s'était répandue comme une traînée de poudre. Il jeta un coup d'œil autour de lui et vit que la plupart des passagers étaient montés sur le pont. Élara et Galara se tenaient à proximité, leur attention apparemment accaparée par les soldats plutôt que par le panorama.

Une plume flotta en direction de la terre à côté d'eux, et Micail réalisa que la marée montait. Il plissa les yeux et regarda au loin, à l'intérieur des terres, en direction d'un groupe de collines couvertes de végétation, à moitié perdues dans la brume. Au milieu, il distinguait une mince colonne de fumée qui s'élevait en spirale dans le vent.

«C'est peut-être le port, se dit-il. Comment l'appellent-ils, déjà? Belsairath? "Le port de la pointe"…»

La voix du capitaine Dantu résonna par-dessus le brouhaha des passagers, hurlant des ordres. Les soldats passèrent à bâbord pour équilibrer le navire et le timonier dirigea la proue effilée vers une crique qui s'ouvrait sur une anse tranquille et brumeuse, où la rivière se séparait enfin de la mer. Des quais solides avaient été construits dans le port, mais Micail devina que, à marée basse, les plus grands des navires devaient être échoués.

« Voici donc la fin du voyage, pensa-t-il. Un bel endroit pour mourir. »

Tout près des quais, à terre, il y avait un enclos entouré d'une palissade. Derrière, une chaîne de bâtiments gris et indistincts s'étendait le long de la rivière. Un agglomérat de bois dégradé par les intempéries, de peinture écaillée et de toits de chaume décatis apparut soudain ; Micail réalisa que chacune des constructions comportait un détail qui rappelait l'architecture atlante classique : ici une arche, là des balcons et même, plus haut sur la colline, une structure plus récente qui ressemblait à une esquisse de cour à sept murs. Les environs de la vieille cité étaient envahis par des villas neuves construites dans le style aristocratique alkonien, la plus grande partie de leur structure enfouie sous le niveau du sol. Comme ailleurs, le bois semblait le matériau le plus utilisé, mais les terrasses et les fondations, du moins, étaient en pierres sculptées et décorées de stuc, comme le voulait la tradition. Les brumes locales rendaient la vue vaguement sinistre, mais Micail sourit malgré lui.

Son sourire ne dura pas longtemps. Rajasta le Grand avait dit que le nouveau Temple serait construit sur une terre nouvelle, alors que Belsairath semblait décrépite, presque négligée.

Le prince Tjalan s'était arrangé pour que Micail loge dans une vieille auberge près du port d'où il pourrait observer les navires et attendre des nouvelles de Tiriki. Mais avant qu'il ne puisse aller se reposer, Micail fut convoqué à une réception que Tjalan donnait dans sa villa. Debout au milieu d'une foule richement vêtue, il se dit qu'il aurait mieux fait de rester dans son lit à l'auberge.

– Prince Micail, vous êtes le bienvenu ! fit une voix féminine derrière lui. Je vous ai rencontré une fois, pendant l'année que vous avez passée avec Tjalan sur Alkonath, mais vous ne devez pas vous en souvenir. Je n'étais guère qu'une gamine à l'époque…

La femme avait cette voix de gorge que beaucoup trouvent séduisante, et son parfum, que Micail perçut avant de se tourner vers elle, était tiré du nard le plus précieux. Ces sensations lui suffisaient pour reconnaître la femme de Tjalan, la princesse Chaithala. Tjalan lui avait dit qu'elle était arrivée d'Alkonath bien avant le Cataclysme avec ses trois enfants ; mais il aurait pu le deviner en voyant ses yeux noisette savamment soulignés de khôl, car ils n'étaient pas habités par les terribles souvenirs qui hantaient tous ceux qui avaient vu le vieux monde s'abîmer dans les flots.

L'éducation princière de Micail lui avait inculqué tous les réflexes nécessaires. Il se courba légèrement et évoqua doucement l'impossibilité d'oublier une telle beauté, mais son esprit et son cœur étaient loin.

— Vous êtes trop bon, répondit Chaithala avec le même sang-froid. Je fais ce que je peux. Mon mari me dit qu'il nous faut maintenir à tout prix notre culture et nos exigences envers nous-mêmes…

Elle fit le tour de la pièce du regard, pour s'assurer que les serviteurs ne laissaient pas les tasses, les coupes et les assiettes se vider.

— Vous y êtes merveilleusement parvenue, répondit-il automatiquement.

Le bruit des conversations lui résonnait dans la tête. Pire, il avait poliment trinqué avec la majorité des gens présents et il soupçonnait qu'il aurait oublié leur nom le lendemain matin.

— Il y a beaucoup à faire, continuait la princesse. Nous voulions vous parler, parce que, d'une certaine façon, nous avons les mêmes tâches à accomplir.

Elle lui fit signe de la suivre dans une longue galerie qui donnait sur une élégante cour ouverte sur la nuit.

— Merci, répondit-il avec reconnaissance. J'ai bien peur de trouver plutôt étouffantes ces pièces souterraines, malgré les puits de lumière et les cheminées de ventilation…

— Cette architecture, qui a protégé la belle Alkonath de la férocité du soleil, sera efficace ici pour conserver la chaleur, fit observer la princesse doucement.

— Sans doute, vous avez raison, répondit Micail lentement.

Il est vrai que les larges tubes de bronze poli qui laissaient entrer la lumière du soleil seraient sans doute à même d'empêcher l'irruption des vents qui fouettaient ces rivages froids et gris.

— Mais, reprit-il avec un grand geste du bras, je suis un fils du soleil et je peine à vivre là où sa présence n'est bien souvent que suggérée par l'ombre.

— Peut-être, mais vous ne trouverez pas plus de soleil dans le quartier du port qu'ici, sourit Chaithala. Mon mari m'a dit que vous désiriez rester à l'auberge de Domazo plutôt que de loger ici avec nous. C'est votre choix, bien entendu, mais j'espère cependant que vous viendrez souvent nous rendre visite. Moi aussi, j'ai besoin de vos conseils.

— C'est ce que vous m'avez laissé entendre, répondit Micail en s'efforçant de prendre l'air intéressé.

— C'est à propos de l'éducation de mes enfants. Mon mari a tant de responsabilités que... leur éducation repose sur mes épaules.

— Ma dame, pardonnez-moi, mais je ne connais rien à l'éducation des enfants, balbutia Micail en réprimant une bouffée de chagrin à l'idée des enfants que Tiriki avait perdus.

«Mon foyer est mort, pensa-t-il, que pourrais-je enseigner aux vivants?»

— Vous ne comprenez pas, seigneur Micail. Ils ont déjà un précepteur tout à fait satisfaisant, compétent et patient. Non, c'est à propos du contenu de leur éducation que je souhaitais vous consulter, car les acolytes vous sont confiés, n'est-ce pas?

— Je..., fit Micail, puis il la considéra avec attention. C'est tout à fait correct, ma dame, mais je n'ai pas encore eu l'occasion de remplir mon devoir envers eux. La maison des Douze a déménagé sur Ahtarrath il y a seulement un an. Et seuls quatre d'entre eux sont avec nous à présent...

Un instant, la douleur pour tous ceux qui n'étaient plus là lui serra la gorge.

— Oui, répondit Chaithala d'un air enjoué. Mais au moins ces quatre-là sont ici. Pensez-vous qu'ils pourraient nous rendre visite de temps à autre? Les dieux savent que nous aurons suffisamment de prêtres! continua-t-elle avec un geste vers le grand salon et un sourire contrit. Mais il me semble que la plupart d'entre eux sont devenus trop sages pour savoir encore parler à des enfants. Avec leur seul exemple, je crains que mes trois petits ne grandissent sans comprendre réellement la signification de notre religion.

– Je leur demanderai avec joie s'ils sont prêts à le faire, dit Micail lentement. Il est vrai que je ne leur ai pas donné grand-chose à faire moi-même.

Son esprit se perdit dans un tourbillon de culpabilité et de spéculation. La princesse avait dit plus tôt qu'ils étaient confrontés aux mêmes tâches, et il voyait maintenant que c'était vrai. Comment les acolytes pourraient-ils préserver l'héritage d'Atlantis s'il ne les instruisait pas ? Mais sans Tiriki, tout ce qu'il se sentait capable de leur enseigner, c'était l'échec et le désespoir.

– C'est tout ce que je vous demande, mon prince, répondit Chaithala avec un autre de ses charmants sourires.

Elle posa la main sur son bras et le poussa doucement vers la foule. Un instant plus tard, elle le lâcha pour lui présenter Timul, qui avait été la grande prêtresse du temple de Ni-Terat à Alkonath et qui dirigeait à présent l'ordre des toges bleues à Belsairath. Comme la princesse, Timul était arrivée dans cette nouvelle contrée un peu plus d'un an auparavant et elle semblait s'y être parfaitement accoutumée.

« Tiriki l'aurait appréciée », pensa Micail tristement.

Sans savoir comment, il parvint à garder les yeux ouverts et à saluer tout le monde. Certains venaient d'Ahtarrath, et parmi eux son cousin Naranshada, plus âgé que lui, le quatrième gardien du Temple. Il y avait aussi le vieux Métanor, qui avait été le cinquième gardien, et bien sûr Ardral, dont le rang de septième gardien disait bien peu sur son prestige actuel.

Fils d'une maison royale, Micail avait été formé à se mouvoir avec aisance dans ce genre de rassemblements. Il savait qu'il était censé passer de groupe en groupe, faire connaissance, distinguer les puissants des influents – mais il n'en avait pas l'énergie. Il n'avait jamais réalisé combien il s'appuyait sur Tiriki dans ce genre de situation. Ils avaient travaillé en équipe, s'épaulant mutuellement.

Un serviteur s'approcha de lui avec un plateau de liqueur, de l'ila'anaat, dans des coupes de céramique fines comme de la nacre ; Micail en saisit deux et vida la première d'une seule gorgée. C'était amer et doux à la fois, et le liquide laissa une traînée de feu entre sa bouche et son estomac.

– Tu fais bien d'en profiter tant qu'il y en a, fit une voix ironique. Les baies d'ila ne poussent pas sous cette latitude.

Les yeux pleins de larmes, Micail reconnut pourtant le visage bronzé et moustachu de Bennurajos, un prêtre musclé d'âge moyen. Il était né sur Cosarrath, mais il avait longtemps officié sur Ahtarrath ; Micail se souvenait qu'il était un excellent chantre et spécialiste de la culture des plantes.

Micail prit une petite gorgée de la deuxième coupe et laissa le feu se répandre dans ses membres.

– Dommage. Mais j'imagine que tu sais de quoi tu parles.

Bennurajos branla du chef :

– Il y a des ceps qui ont l'air prometteur, mais je ne pourrai pas dire s'ils sont bons tant qu'ils n'auront pas donné de fruits.

– Je ne sais même pas en quelle saison nous sommes, murmura Micail.

– Oui, le problème est intéressant. Chez nous, le soleil était constamment présent et nous priions pour avoir de la pluie. Ici, ce doit être de soleil que rêvent les hommes, les dieux savent qu'il y a sur cette île toute la pluie qu'ils peuvent désirer !

Micail hocha la tête : jusqu'ici, il avait plu tous les jours.

– Si c'est le printemps, je crains le pire cet hiver.

Il cligna des yeux, nauséeux tout à coup, et secoua la tête brusquement, mais l'étrange sensation ne le quitta pas. « Est-ce la chaleur de la pièce, les bruits, les odeurs, l'alcool… ? »

Bennurajos recula ; il avait senti que Micail avait perdu tout intérêt pour la conversation. Micail tenta de dire quelque chose de courtois et d'amical – il avait toujours apprécié Bennurajos –, mais il perdait le contrôle de lui-même. Il secoua la tête à nouveau, les larmes aux yeux.

– Tu dois lui pardonner, fit une voix, celle de Jiritaren, qui avait surgi de nulle part. Le seigneur Micail a souffert d'une forte fièvre durant le voyage, et il n'est pas encore entièrement remis.

– Où étais-tu ? Est-ce que tu étais en train de m'espionner ? accusa Micail.

– Viens, Micail, dit Jiri doucement. Il y a trop de monde ici. Il fera plus frais dans le jardin. Viens dehors avec moi.

Ils frôlèrent un groupe de prêtres d'Alkonath. Il aurait dû les reconnaître, mais sa mémoire ne retrouva que le nom du premier gardien, Haladris, un homme fier et assez prétentieux, et celui du célèbre chantre Ocathrel, qui avait le grade de cinquième gardien. Il y avait aussi des survivants du temple de Tarisseda, dont la prêtresse Mahadalku et Stathalkha, la voyante. Un troupeau de prêtres et de prêtresses moins importants se pressait autour d'eux. Plusieurs lui semblaient familiers, mais il se dit que c'était simplement parce qu'ils étaient visiblement tous des serviteurs de la Lumière. Aucun d'entre eux n'intéressait Micail. Il n'y aurait jamais de foule assez dense, jusqu'au jour où elle contiendrait la seule personne qu'il désirait si désespérément voir.

CHAPITRE 7

— Comment pourrais-je savoir si j'aime cet endroit? s'exclama Damisa avec une grimace, écrasant d'une claque un moucheron sur son bras. Demande-le moi demain!

— Est-ce que ton opinion aura changé demain?

La voix d'Iriel était étouffée par les voiles dont elle s'était entouré le visage et la gorge pour se protéger des moucherons et des insectes divers qui semblaient grouiller partout le long de la rivière. Des roseaux poussaient le long des rives et des saules pendaient au-dessus des eaux brunes du canal que suivait le *Serpent écarlate*. Hier, ils avaient vu le soleil et l'air avait presque tiédi; mais aujourd'hui, le ciel était aussi sombre que leur humeur et des brumes ensevelissaient les collines qu'ils avaient aperçues de la mer.

— Certainement pas, répliqua Damisa avec un regard envieux vers les voiles d'Iriel, mais je ne peux pas m'empêcher de penser que si tu m'avais demandé hier si nous n'aurions pas mieux fait de retourner en mer, je t'aurais traitée d'idiote…

— Idiote toi-même, répondit Iriel distraitement, les yeux fixés sur la végétation luxuriante qui passait lentement le long des flancs du navire.

Damisa secoua la tête. Elle se doutait qu'elle ne pourrait même pas voir ce que la jeune fille était en train de contempler avec une telle curiosité. Pour Damisa, un marécage ressemblait à un autre marécage sans qu'elle parvienne à les distinguer: quand ce n'étaient pas des saules enchevêtrés, c'étaient de grands roseaux hérissés ou des buissons épineux et rachitiques, mais on ne voyait jamais la terre ferme.

« L'intérieur des terres n'est sans doute couvert que de broussailles et de brumes, de toute façon », pensa-t-elle.

Pendant trois jours, ils s'étaient perdus dans le labyrinthe des rivières qui débouchaient sur l'estuaire ; chacune d'entre elles avait l'air navigable à l'entrée, mais au bout d'un moment elle s'étranglait dans un fouillis impénétrable de chênes à moitié submergés, de saules et de plantes rampantes, et le navire devait battre en retraite. Elle espéra que quelqu'un tenait une carte à jour.

— Regarde ! s'exclama Iriel, tandis qu'un vol d'oiseaux s'élevait bruyamment parmi les roseaux et s'éparpillait comme une poignée de gravillons jetés vers le ciel pâle.

— C'est enchanteur, ronchonna Damisa qui se refusait à sortir de sa morosité.

Elle commençait à soupçonner que les collines qu'ils avaient vues de la côte n'étaient qu'une vision envoyée par des lutins malfaisants pour les attirer dans cette étendue sauvage, où le *Serpent écarlate* serait condamné à errer jusqu'à ce qu'ils sombrent tous dans la boue et la fange.

« Ou bien est-ce que cette odeur pestilentielle qu'on a respirée toute la journée vient d'un truc à moitié mangé par un machin qui attend de nous dévorer ? »

La rivière était en fait beaucoup plus saumâtre depuis qu'ils étaient rentrés dans les terres, mais son niveau dépendait toujours de celui de la mer. Hier, les hommes que le capitaine Reidel avait envoyés à terre pour explorer s'étaient attardés et ils étaient restés en rade jusqu'au jusant. Quand ils avaient pu remonter à bord, ils étaient couverts jusqu'au cou d'une boue pleine de sangsues et de… Damisa frissonna et chassa un autre prédateur minuscule de son sourcil avec un juron ; Iriel s'étouffa de rire derrière ses voiles.

— Oh, la ferme, prévint Damisa qui observait Arcor, le vieux marin ahtarréen grisonnant, qui faisait des sondages à la proue du navire.

Elle se demanda comment il pouvait supporter tout ça. Ses muscles noueux se contractaient sous les manches courtes de sa tunique tandis qu'il lançait la ligne dans l'eau avec un geste répétitif. Des moucherons bourdonnaient autour de sa tête, mais il ne s'arrêtait pas pour les chasser. Un seul instant d'inattention pouvait les envoyer s'échouer sur un banc de vase jusqu'à la marée du soir. Damisa tendit toute sa volonté pour ignorer le petit insecte qui marchait sur son coude.

«Je ne devrais pas me plaindre», se réprimanda-t-elle, pensant que même Arcor avait une tâche plus facile que celle des hommes peinant aux rames du canot qui tirait le navire.

Elle espérait que Reidel savait ce qu'il faisait. Une seule chose pourrait être pire que d'être dévorés vivants dans cette jungle : ce serait d'être embourbés ici sans plus pouvoir bouger.

Soudain, Arcor se redressa, le regard fixé devant lui.

– Qu'y a-t-il ? fit la voix calme de Reidel. Qu'as-tu vu ?

– Désolé, capitaine, j'ai cru que c'était un casque, mais c'était juste le crâne chauve de Teiron, qui chasse les pies avec Cadis !

Les épaules larges du capitaine se relâchèrent légèrement tandis qu'il riait et Damisa, qui les avait observés, se détendit aussi. Reidel n'était qu'un capitaine de navire, qui plus est beaucoup plus jeune qu'il ne le paraissait, mais durant les dernières semaines, tout le monde s'était reposé sur son esprit d'initiative et sur sa force. Même maître Chédan et Tiriki semblaient s'en remettre à lui, ce qui semblait vaguement déplacé à Damisa. Soudain, elle réalisa qu'elle avait toujours cru que leurs tribulations les mèneraient vers une civilisation nouvelle et un nouveau Temple dans une contrée d'adoption. Elle et les autres acolytes avaient beaucoup spéculé sur l'aspect des autochtones et, à un degré moindre, sur leur façon de vivre et leur habitat ; mais il semblait jusqu'ici qu'il n'y eût tout simplement *pas* d'habitants.

«Ce qui est peut-être préférable», se dit-elle en fronçant les sourcils.

Pour l'instant, ils étaient tout simplement des naufragés. Reidel s'était bien débrouillé en mer – remarquablement bien, sans doute –, mais comment réagirait-il face à des sauvages sanguinaires ? Perdue dans ses pensées, Damisa sursauta lorsque les broussailles tremblèrent et que deux hommes surgirent soudain, en sueur, de la boue jusqu'aux cuisses. Mais elle vit leurs dents luire dans de larges sourires et reconnut Teiron et Cadis, qui étaient partis en exploration. Arcor leur lança une corde et ils grimpèrent à bord sous les acclamations et les rires de leurs camarades.

Tiriki et Chédan apparurent, accompagnés de Sélast et de Kalaran. Damisa remarqua qu'elle n'avait pas vu Élis depuis la matinée. Était-elle toujours coincée en bas, chargée de réconforter la prêtresse Malaéra qui pleurait encore ce qu'ils avaient perdu? Damisa frissonna…

«Non, bien sûr, c'est elle qui est de garde près de l'Omphale aujourd'hui. Beurk. Même dans sa boîte, quand je suis assise devant la porte de la cabine, l'Omphale me fait une drôle d'impression. Je préfère encore les rats des marécages, ou même m'occuper de Malaéra perpétuellement en pleurs!… »

— Bonnes nouvelles! disait Teiron, le marin au crâne rasé. Il y a des habitants par ici. Je ne sais pas où ils vivent, mais quelqu'un a dégagé un passage dans ce marécage.

— Un passage? répéta Chédan. Que voulez-vous dire?

Teiron esquissa un geste de la main.

— Ça ressemble à une passerelle posée sur la boue. C'est trop fragile pour supporter un attelage, je crois, mais c'est quand même solide. C'est construit avec des planches posées sur des rondins, le tout tenu par des piquets et des chevilles. Certaines planches sont vieilles, d'autres sont neuves, alors quelqu'un doit les entretenir.

— Mais où va le passage? se demanda Iriel tout haut. Vous ne l'avez pas suivi? Y a-t-il des lions?

— Non, non, pas de lions, jeune dame, répondit l'Alkonien doucement. En tout cas, je n'en ai pas vu. Mais on avait des ordres pour rentrer dès que possible.

— À mon avis, ce passage mène par là-bas, dit Cadis en montrant du doigt les arbres qui bordaient la rive.

La brume avait commencé à se lever. Devant eux, ils pouvaient voir les eaux claires du lac alimenté par la rivière. Plus loin, un clair soleil de printemps scintillait sur la pointe verdoyante d'une haute colline en forme de tor, à quelques kilomètres à l'intérieur des terres.

Tiriki s'agrippa au bras de Chédan pour le suivre sur le passage boueux. Les planches soigneusement aplanies à la hache semblaient se balancer de façon alarmante sous leurs pas, mais après tant de jours passés à bord, elle pensait qu'elle se serait sentie mal à l'aise même sur les solides dalles de granit de la voie des processions sur Ahtarrah. Elle avala sa salive, luttant contre la nausée devenue familière. Elle ne se sentait plus aussi malade qu'en mer, mais elle était loin d'être en forme et elle se sentait bouffie ; pourtant, elle voyait bien que ses poignets étaient très amaigris.

Sur un plateau herbeux, juste devant eux, un groupe d'habitants des marécages les attendait, l'expression impassible mais pas menaçante – du moins elle l'espérait. Ils étaient plutôt petits, mais secs et musclés, et leur peau était pâle là où le soleil ne l'avait pas tannée. Leurs cheveux noirs avaient des reflets de rouille sous les rayons du soleil.

Tiriki se concentra sur ses pieds. Il siérait mal à une prêtresse de la Lumière de se présenter avec le dos plein de boue, même si les bords de sa robe étaient déjà tachés.

« Si je glisse maintenant, je risque d'entraîner Chédan avec moi, et peut-être Damisa et Liala. »

Elle respira profondément et marcha aussi solennellement qu'elle le pouvait, comme si elle était à la tête d'une procession sur la montagne de l'Étoile plutôt qu'au milieu d'un groupe hétéroclite de marins et de réfugiés.

« J'aurais dû mettre ma cape », se dit-elle, car la sueur commençait à sécher sur son front.

Le soleil brillait enfin, mais le ciel était encore couvert et l'air restait froid et humide. Elle ne savait pas pourquoi cela la surprenait. Chédan avait souvent dit que le climat était étrange ici.

« Mais je n'ai pas eu chaud un seul instant depuis que Micail m'a tenue dans ses bras pour la dernière fois... »

Elle repoussa sans pitié cette pensée.

Seuls les cris étouffés des oiseaux brisaient le silence ; les indigènes continuaient à fixer les nouveaux venus. Leurs regards noirs les examinaient dans le moindre détail : les costumes sacerdotaux raffinés, le métal scintillant du poignard de cérémonie de Chédan et le court sabre de Reidel, en passant par les piques des marins.

Certains des indigènes portaient un gourdin ou une lance, mais la plupart étaient armés d'un arc en bois d'if finement travaillé et poli et de flèches à pointes de silex. Les marins remarquèrent que les gens des marécages ne semblaient pas connaître le bronze et se rassérénèrent, marchant d'un air plus assuré.

Tiriki respira à nouveau profondément et s'arrêta à quelques mètres des indigènes. Chédan stoppa juste derrière elle, puis Reidel. Les marins prirent position le long de la passerelle de bois, prêts à couvrir une retraite en toute hâte. Le silence était absolu.

Tiriki leva les paumes vers le ciel et entonna la phrase rituelle :

– Ô dieux, considérez avec bienveillance cette rencontre !

Elle réalisa alors que ces gens ne comprenaient sans doute pas la langue atlante. Elle essaya de sourire et se demanda si s'incliner à nouveau pourrait aider… mais ils avaient détourné le regard. Ils fixaient la forme étrange qui les avait amenés ici : le navire à la proue imposante qu'on distinguait à peine à travers les saules qui cachaient la rivière.

– Oui, fit Tiriki nerveusement en souriant toujours, c'est notre navire.

En réponse à ses paroles ou à ses gestes, un homme trapu dont la coiffe était ornée de plumes de héron se détacha du groupe, montra la paume de ses mains et émit une série de sons gutturaux. Tiriki, ne sachant quoi faire, se tourna vers Chédan ; après un instant, le mage répondit lentement avec la même voix. Tiriki bénit en silence le destin qui avait amené Chédan dans ces îles par le passé. Elle sentait qu'il allait être difficile de s'entendre avec ces gens, même en pouvant leur parler.

La mine renfrognée de l'homme s'effaça et il parla à nouveau. Les yeux de Chédan s'écarquillèrent de surprise.

– Dis-moi ce qui se passe, murmura Tiriki.

– Oh oui, pardon. Cet homme est le chef. Son nom est Héron. Il dit que notre arrivée est bienvenue, ou même qu'elle était attendue. Si je comprends bien, ces gens passent l'hiver dans les collines et ils viennent seulement de revenir pour la saison de la chasse, et pour célébrer un genre de fête.

Tiriki hocha la tête, pensive ; Chédan se tourna à nouveau vers Héron et entama un autre échange compliqué. Tiriki se mordit les lèvres et s'efforça de prendre un air plein de patience et de sagesse.

– Il dit, traduisit enfin Chédan, que leur prêtresse – une vénérable de leur tribu – t'invite à lui rendre visite. Il semble qu'elle ait rêvé de l'arrivée de notre navire. Il dit que nous pouvons tous venir pour recevoir sa bénédiction, mais que les hommes doivent attendre à l'écart pendant qu'elle te parlera…

– Quoi ? Dame Tiriki, vous ne pouvez pas y aller seule ! interrompit Reidel d'un air protecteur qui était surtout destiné, pensa Tiriki, à Damisa ; elle avait souvent observé ce genre de regard dernièrement et s'était demandée si la jeune fille les avait remarqués.

– Dis-lui que nous allons venir, dit Tiriki soudain, avec un signe de tête et un sourire pour Héron dont elle venait de rencontrer le regard. Je crois que Liala, Damisa et moi sommes à même de nous confronter à une vieille femme, aussi vénérable puisse-t-elle être.

Reidel marmonna quelque chose d'un air sombre, mais Chédan se tourna vers le chef et lui fit signe de montrer le chemin. Il ajouta doucement pour Tiriki :

– Ne sous-estime pas ces gens. Certains, dans ces contrées, ont un grand pouvoir. Je ne sais pas si c'est le cas de cette femme, mais… (Il haussa les épaules et répéta :) Ne la sous-estime pas.

Suivies de Reidel et de Cadis pour les protéger, Tiriki, Damisa et Liala suivirent la passerelle de bois au milieu du marécage puis au travers d'un bosquet dense de hêtres et d'aulnes jusqu'à une large passerelle surélevée, construite en planches. Au milieu s'élevait un groupe de huttes et de bâtiments bas, certains ouverts aux quatre vents ou même dépourvus de toit, mais la plupart avaient été recouverts d'argile et de roseaux fraîchement coupés.

Les habitants, jeunes et vieux, sortirent pour les accueillir. Les femmes étaient à peine plus grandes qu'un enfant atlante, pourtant plusieurs tenaient contre elles des bambins encore plus petits qui fixaient les nouveaux venus de leurs grands yeux noirs. Tiriki avait envie de s'arrêter ici un instant, mais le chef les conduisit à nouveau au milieu d'un marécage, le long d'un autre passage de planches, jusqu'à ce qu'ils arrivent sur une île. La pointe de la colline qu'ils avaient remarquée plus tôt se dressait devant eux au milieu des arbres et des nuages.

Jusqu'à présent, les gens des marécages s'étaient conduits avec désinvolture, riant et parlant entre eux avec de longs regards de côté en direction des étrangers. Soudain, ils se turent et se mirent à avancer avec un soin exagéré, comme si l'endroit leur était aussi peu familier qu'aux Atlantes. Les planches n'allaient pas plus loin, mais ils prirent un chemin qui avait l'air ancien et fréquenté, bordé de petites pierres arrondies.

Tiriki sut immédiatement que c'était un lieu sacré ; le bruissement des feuilles d'arbres et la légère pression de l'air le lui indiquaient. Elle se redressa et marcha plus facilement, et ce n'était pas simplement parce que le chemin était plus aisé à parcourir. Elle commençait à tirer des forces de la terre et de l'air. Plus que du soulagement, elle ressentit une soudaine bouffée d'espoir ; un coup d'œil lui indiqua que Liala, elle aussi, ressentait le même émerveillement face à l'énergie inhabituelle qui habitait ces lieux.

Le chemin montait lentement le long d'une pente boisée, contournant ici ou là un arbre particulièrement vénérable. De temps en temps, les coteaux verts et lisses de l'éminence conique apparaissaient parmi les feuilles ; elle réalisa que c'était parce que les arbres se raréfiaient.

Apparut enfin une petite clairière. À gauche, une haie d'aubépines formait un enclos. Sous une ouverture voûtée dans les buissons, un petit ruisseau émergeait, bordé de pierres d'une profonde couleur de rouille. À droite, plus haut sur la colline, des pierres blanches se dressaient, à moitié dissimulées par des arbres. En leur milieu, un deuxième ruisseau courait rejoindre le premier. Sur un petit tertre, juste au-dessus de l'endroit où les ruisseaux se rejoignaient, était nichée une petite hutte ronde, son chaume épais et décoloré descendant presque jusqu'au sol. Au contraire des simples abris du village, il était visible que cette construction était là depuis longtemps.

Ils étaient presque arrivés au bord des ruisseaux lorsqu'une silhouette émergea de la hutte, appuyée sur un bâton. Pour les Atlantes, elle n'était pas plus grande qu'une fillette de dix ans, mais lorsqu'elle leva la tête pour les considérer, Tiriki vit un visage couvert d'un fin réseau de rides et elle sut que c'était la plus vieille personne qu'elle ait jamais rencontrée.

Héron tendit les mains vers elle et salua la femme dans son langage guttural, puis il se tourna vers Chédan et parla à nouveau.

– Voici leur prêtresse. Son nom est Taret, traduisit Chédan.

Tiriki hocha la tête, incapable de détourner le regard. La femme était vieille, sans aucun doute, mais elle n'avait jamais vu un regard aussi vif et aussi pénétrant.

Les Atlantes s'inclinèrent et Taret s'avança d'un pas.

– Bienvenue, dit-elle dans la langue des royaumes de la Mer. Je vous attendais.

Ses paroles étaient empreintes d'un fort accent mais elles étaient parfaitement compréhensibles. Elle remarqua leur surprise et sourit gaiement.

– Venez, maintenant.

Les prêtresses s'avancèrent pour passer sur les quatre grandes dalles qui surplombaient les eaux turbulentes. Mais lorsque Reidel chercha à les suivre, le chef s'interposa. Immédiatement, les marins se rassemblèrent autour de leur capitaine et la tension monta, mais Chédan mit la main sur l'épaule de Reidel et le tira doucement en arrière.

Taret, qui se tenait au bord de l'eau, fixa le mage longuement ; mais la seule réponse du vieil homme fut un salut un peu étrange en direction du soleil.

– Ah! vous, oui, dit Taret (et chacun comprit à qui elle s'adressait), venez aussi.

Chédan eut l'air surpris, mais Héron était encore plus interloqué que lui. Il regarda Taret et Chédan l'un après l'autre plusieurs fois avant de reculer, l'air troublé, pour laisser le mage franchir les dalles.

La vieille femme, riant doucement, s'installa sur un tabouret à trois pieds à l'entrée de la hutte et fit signe aux autres de se mettre à l'aise sur un banc taillé dans le tronc d'un arbre tombé.

Les yeux noirs et brillants de Taret examinaient chacun l'un après l'autre ; ils se posèrent finalement sur la coiffe de Tiriki et sur les boucles dorées qui s'en échappaient. Elle sourit à nouveau, avec douceur.

– Enfants du soleil, fit-elle avec une évidente satisfaction. Oui. Enfants du serpent rouge que j'ai vu dans mes rêves.

– Nous sommes infiniment reconnaissants d'avoir trouvé cette contrée, répondit Tiriki, dont les paroles formelles étaient animées par une réelle émotion. Je suis Tiriki, gardienne de la Lumière. Voici Chédan, gardien et mage…

– Oui. Homme de pouvoir, dit Taret. La plupart des hommes ne viennent pas ici.

Chédan rougit sous le compliment et s'inclina, mais le regard de la femme s'était déjà tourné vers les autres.

– Liala est une prêtresse des guérisseurs, elle est de ma famille, dit Tiriki sans vraiment s'apercevoir qu'elle parlait avec lenteur et une grande précaution. Damisa est ma chéla.

Taret inclina la tête.

– Bienvenue. Mais il y a encore quelqu'un. (Ses yeux sans âge les sondèrent à nouveau.) Avec vous, dans mon rêve… Elle voit ce qui est caché. Peut-être… (Elle considéra Liala avec curiosité, puis secoua la tête.) Non. Mais une amie de vous?

Tiriki et Chédan échangèrent un regard et Liala répondit nerveusement:

– Nous avons une prophétesse, il est vrai. Elle s'appelle Alyssa. Elle s'est blessée à la jambe pendant le voyage et je l'ai soignée, mais elle… n'est pas encore capable de quitter le navire.

– Si vous le souhaitez, offrit Tiriki, nous vous l'amènerons lorsqu'elle le pourra.

– Bien. Je veux lui demander: a-t-elle vu ce qui est ici? M'a-t-elle vue, *moi*?

La vieille femme rit à nouveau.

– Nous ne sommes pas ici par notre volonté, intervint Chédan sérieusement, mais par un caprice du destin. Nous désirons être vos amis et ceux de votre peuple. Notre patrie a été détruite et il nous faut trouver refuge ici.

Taret secoua la tête.

– Vous avez perdu plus qu'une ancienne patrie. Et vous venez ici parce que les rayonnants veulent de vous. Vous sentez leur puissance.

– Oui, répondit Tiriki avec ferveur. Mais nous ne savions pas…

– Les dieux savaient! fit Chédan. Je l'avais vu, moi aussi, dans les étoiles. Mais je n'avais pas compris jusqu'à maintenant. Nous pensions avoir été envoyés ici pour construire un temple, mais il est possible que le sanctuaire soit déjà ici.

Taret sourit largement.

– Pas un temple comme construisent les rois des Mers, mais un lieu saint où règne la sérénité, c'est vrai.

– Nous ne voulons pas perturber votre lieu sacré…, dit Chédan rapidement.

Cette fois, les épaules frêles de Taret tremblèrent sous l'effet, non pas d'une grande douleur comme ils crurent d'abord, mais d'une hilarité incontrôlable.

– N'ayez pas peur ! haleta-t-elle enfin. Les rayonnants ne sont pas dérangés ! (Son visage ridé contenait mal ses larges sourires.) Dans mes rêves, j'ai vu. Je sais que vous appartenez à cet endroit. Et les rêves sont vrais, ou vous ne seriez pas ici. Et puis le lieu sacré ne m'appartient pas. (Elle montra le Tor du doigt.) Je montre certaines choses. Puis, si les rayonnants désirent, *ils* montrent plus.

– Les rayonnants, répéta Chédan comme s'il n'était pas sûr de l'avoir comprise. Vous nous les présenterez ?

– Quoi ? (Taret hocha la tête et se mit presque à rire à nouveau.) Non, non. Je dis seulement : vous vivez ici. Nouveau foyer. Les rayonnants, ils vous trouvent.

Chédan, pensif, ajouta :

– Vénérable, votre générosité dépasse tout ce que nous pouvions espérer. Nous sommes venus ici parce que cette terre surplombe la ligne des marées. Mais je commençais à croire que nous ne serions pas autorisés à construire ici.

– *Mon* peuple pas autorisé, non, répondit Taret. Cette vallée est endroit des esprits, mais le Tor… particulier. Une porte. Seuls vénérables vivent ici. (Elle s'adossa à la porte de la hutte et sembla se perdre dans ses pensées, puis elle pointa un doigt maigre sur le mage.) Alors vous savez. Vous partez maintenant, oui ? (Elle sourit d'un air presque coquin.) Dites aux autres tout va bien. Mais prêtresse et prêtresse doivent parler, d'autres choses.

Chédan joignit les mains et inclina la tête.

– Je crois que je comprends. Merci encore, vénérable Taret. Vous m'honorez grandement.

Le mage se leva et lui fit le salut qu'un adepte accorde à un autre adepte très instruit dans les Mystères. Puis il retourna auprès de Reidel et des marins, qui semblèrent soulagés de retrouver au moins un de ceux qu'ils devaient protéger.

— Tiriki, dit la vieille femme quand il fut parti, petite chanteuse… Vous servez le soleil mais, en vérité, vous êtes prêtresse de la Mère.

Ses doigts formèrent un signe que Tiriki avait cru ignoré de quiconque sauf des initiées de Ni-Terat et de Caratra. Ses doigts formèrent à leur tour, instinctivement, le signe de réponse et, en un éclair, elle se souvint brutalement du vœu que sa mère Déoris avait fait avant sa naissance. Le travail de Tiriki dans le Temple avait suivi d'autres voies, mais cette première allégeance avait toujours été présente, c'était le fondement de son âme.

— Vous pensez nous sommes sauvages, dit Taret en riant à nouveau comme une enfant. Mais nous connaissons les Mystères. Dans cette contrée, neuf femmes vénérables la servent… Parfois, nous rencontrons prêtresses venues d'ailleurs. Alors, j'ai appris votre langue, il y a longtemps.

— Vous la parlez très bien, la complimenta Damisa.

— Ne soyez pas si aimable, lui répondit Taret avec un sourire. Mais je sais assez pour enseigner aux jeunes filles les mystères du rouge et du blanc.

Devant le froncement de sourcils de Damisa, Taret continua.

— Bientôt vous verrez. Rochers blancs là où un ruisseau arrive ; rochers blancs, grotte blanche. Autre source laisse couleur rouge, comme sang de lune. Vous irez.

— Vous nous offrez de nous initier à vos Mystères ? demanda Tiriki, d'un ton sceptique. C'est un grand honneur, mais aucune de nous ne peut se soumettre à un rite qui pourrait être en conflit avec les vœux que nous avons déjà faits…

— Nous t'invoquons, ô Mère, femme éternelle. (Taret pencha la tête comme un oiseau aux yeux brillants.) Pas de conflit ce vœu-là… Eilantha.

En entendant son nom sacré, Tiriki sentit le sang quitter son visage. Ce que la vieille femme venait de prononcer, c'était le vœu que la tante et la mère de Tiriki avaient fait pour elles-mêmes et pour leur descendance avant sa naissance. Un instant, sa voix la trahit. Elle était venue dans ce nouveau pays pour y préserver la magie d'Atlantis, mais ceci était beaucoup plus profond. Sur Ahtarrath, l'adoration de Ni-Terat était un culte mineur quoique honoré ; et pourtant, Taret accueillait Tiriki, non pas en tant que gardienne de la Lumière, mais en tant que prêtresse de la Mère, comme si c'était une distinction supérieure.

— Comment savez-vous ? !

Taret se contenta d'un sourire.

— Mystères, mystères. Partout les mêmes. Me croyez-vous, maintenant ? La Mère vous accueille… vous et votre enfant…

Tiriki eut un étourdissement. Damisa la rattrapa, les yeux écarquillés de surprise.

— Quoi ? fit Taret, avec son air d'oiseau. Vous ne savez pas ?

— Je croyais que j'avais le mal de mer, répondit Tiriki dans un murmure.

Son esprit revint en tournoyant à ses symptômes. Elle ne s'en était pas doutée. À cause de son chagrin pour les enfants qu'elle avait perdus, elle avait refoulé le souvenir de ce à quoi ressemblait une grossesse. Sans le vouloir, ses mains se posèrent sur son ventre comme pour le protéger – il n'était plus vide, si ce que la vénérable femme venait de dire était vrai. Tiriki secoua la tête.

— Comment puis-je porter un enfant, après tout ce que nous avons vécu ? Tous les guérisseurs d'Atlantis ont été impuissants à sauver mes bébés !

— Comment êtes-vous venus sur l'île cachée ? demanda Taret. *Elle* vous veut ici, vous et votre famille !

Tiriki se pencha en avant, les mains toujours posées sur son ventre, pensant à la dernière nuit qu'elle avait partagée avec Micail. Sa semence avait-elle pris racine dans ce moment d'extase ? Et si c'était le cas, était-ce cette partie de lui qu'elle sentait quand elle était si sûre qu'il avait survécu ? Elle cligna des yeux et s'effondra en pleurs dans les bras de Damisa, ne sachant pas si c'étaient des larmes de joie ou de douleur.

La nouvelle de la grossesse de Tiriki se répandit comme une traînée de poudre. C'était une lueur d'espoir dans une situation qui semblait plutôt morose, malgré le bon vouloir des habitants des marécages. Pour commencer, les Atlantes avaient besoin d'un toit ; dans les jours qui suivirent, Tiriki ne fut pas la seule à faire un travail pour lequel elle n'avait jamais été formée. Même si la vie à bord ne les avait pas écœurés, ils n'auraient pas pu rester sur le *Serpent écarlate* beaucoup plus longtemps. Le navire, lui aussi, avait besoin d'être abrité pendant qu'il subissait quelques réparations.

Chédan avait déjà dirigé la construction de plusieurs temples dans sa vie – et tous n'étaient pas en pierre –, mais ses compétences se limitaient à la connaissance des calculs ésotériques de l'espace sacré et à celle des lignes esthétiques. Bien qu'il eût maîtrisé la magie qui permettait d'utiliser le chant pour faire bouger la pierre, sans des voix de basse et de baryton bien entraînées qui puissent constituer ne serait-ce qu'une seule chorale, ils ne pouvaient pas faire grand-chose. Quant à la taille des pierres elles-mêmes, c'était le domaine réservé de la corporation des tailleurs de pierres, et aucun de ses membres ne se trouvait sur le *Serpent écarlate*.

Les habitants des marécages utilisaient comme matériau principal le bois, un art de construction dont les prêtres n'étaient pas familiers. Cependant, dans les communautés rurales des royaumes des Mers dont la majorité des marins était originaire, les paysans vivaient dans des huttes semblables à celles qu'ils voyaient ici. De plus, la construction navale nécessitait des talents de menuisier et Reidel, qui était le fils d'un armateur, connaissait bien ce domaine.

«Encore une fois, marmottait Damisa, notre vaillant capitaine prend les choses en main.»

Elle était bien obligée d'admettre qu'il faisait du bon travail. En un rien de temps, il avait assigné à ses marins la construction des huttes, mais Damisa se demandait comment ils s'habitueraient à cette occupation. Les marins d'Ahtarrath ou d'ailleurs n'en seraient peut-être pas gênés mais, sur Alkonath, les marins étaient une caste privilégiée. Damisa avait grandi près du port et ne se souvenait que trop bien de leur mépris pour les activités des terriens.

Elle fit une pause à l'orée des bois, les bras chargés de branches de saule, et entendit des voix s'élever non loin de là ; elle contourna un buisson d'aubépines pour voir ce qui se passait.

– Pas question que je soulève encore un seul rondin, et je vous défie de me donner une seule bonne raison !

À l'accent alkonien, Damisa reconnut le marin Aven qui était en train de menacer Chédan, les poings en avant et l'air féroce.

— Vous aurez besoin d'un toit où dormir, n'est-ce pas? Ce devrait être une raison suffisante, répondit Chédan d'un ton égal.

«Comment peut-on le nier?» se dit Damisa en remontant son voile.

Le ciel bleu qui avait accueilli le matin avait déjà disparu derrière des nuages épais qui semblaient prêts à se dissoudre sous forme de pluie.

— Nos tentes font très bien l'affaire! répliqua Aven. Si on se met tous au travail sur le *Serpent écarlate*… (L'Alkonien avait baissé les poings et s'apaisait lentement.) Dans une semaine, on pourrait être loin de ces marécages immondes! Ce n'est pas un endroit pour les gens comme nous, vénérable! Trouvons plutôt une terre civilisée!

— Je vous ai dit que cet endroit était notre destinée, répondit Chédan sévèrement. Doutez-vous de la sagesse de la caste des prêtres?

— Sûrement pas, reprit Aven avec un sourire narquois. Tout ce que je sais de la destinée, c'est que je ne suis pas fait pour le travail du bois. Et sauf votre respect, je ne suis pas votre esclave non plus!

— Dans ce cas, mon brave, répondit Chédan sans se troubler, si vraiment votre destinée n'est pas celle-là, nous ne vous retenons pas. Pouvons-nous présumer alors que vous ne revendiquerez pas votre part de *notre* nourriture?

— Quoi?

L'attitude d'Aven redevenait menaçante, et c'en fut trop pour Damisa. Elle laissa tomber son fardeau et se mit à courir sur le chemin qui menait à la rivière.

Comme elle l'avait espéré, le capitaine était près du navire, en train d'équarrir un rondin destiné à remplacer une planche qui s'était brisée sur un rocher immergé. Il faisait froid, mais le travail manuel l'avait échauffé et il était nu jusqu'à la taille. Sur Ahtarrath, cela n'aurait surpris personne, mais ici le froid forçait la plupart des exilés à porter plusieurs épaisseurs de vêtements, voire la totalité de ceux qu'ils possédaient. Voir le corps musculeux couleur de bronze de Reidel se pencher souplement pour suivre le rabot était… surprenant.

Elle n'eut pas le temps d'analyser sa réaction, car Reidel avait entendu sa course et levé les yeux, l'air inquiet.

– Que se passe-t-il? Êtes-vous… Non, vous n'êtes pas blessée. Que s'est-il passé?

– Disons plutôt, que *va-t-il* se passer! répondit-elle. Aven est à deux doigts de la mutinerie. Il dit qu'il devrait être en train de travailler sur le navire plutôt que…

– L'idiot!

Une lueur féroce s'alluma dans les yeux de Reidel. Il saisit sa tunique au vol et s'éloigna à si grandes enjambées que Damisa dut courir pour le rattraper.

En un instant, ils parvinrent à la clairière. Elle n'était pas partie longtemps et Aven, semblait-il, n'en était encore qu'aux insultes et aux gestes menaçants, mais l'air était chargé d'une tension que Damisa n'aimait guère. Chédan était aussi immobile qu'une statue mais ses cheveux étaient hérissés et ses pupilles dilatées par la force qui l'habitait. L'air devenait très chaud. Tout le monde le sentait, surtout Aven, qui tentait encore de prendre un air indifférent bien que la sueur lui coulât dans les yeux.

– Ah! enfin un vent tiède! fit-il d'une voix rauque et lourde de provocation. Les dieux du vent viennent confirmer mes paroles!

Avec une rare impudence, il s'approcha de Chédan la main en avant, mais son courage le quitta lorsque sa manche prit feu et il recula en toute hâte.

– Maître, non! hurla Damisa. Ce n'est qu'un homme ignorant…

– Non, n'arrêtez pas! fit la voix de Reidel qui claqua comme un coup de fouet.

– Mais, capitaine, pleurnicha Aven comme un gamin, ce n'est pas un boulot pour un honnête marin! Laissez-moi retourner au navire. Je ne me plaindrai pas du travail, si seulement nous pouvons quitter ces marécages et retourner là où nous sommes à notre place!

– Oh? fit Reidel doucement. Et où est-ce donc?

– Sur Al… sur…

– En vérité, répondit Reidel, c'est bien là que tu serais sans maître Chédan: sur Alkonath ou sur Ahtarrath… au fond des océans!

Damisa relâcha son souffle en un long soupir; toute résistance avait disparu chez son compatriote.

– C'est vrai, je l'admets, dit Aven désespéré. Mais… pourquoi *ici*?

Le regard de Reidel se posa sur Chédan, qui avait l'air parfaitement détendu bien que sa voix fût fatiguée :

– C'est de ma faute. Cet endroit est bien le havre qui nous était destiné par les dieux, mais j'oublie parfois que vous n'avez pas tous prononcé les vœux d'un serviteur de la Lumière. Pourquoi avons-*nous* été sauvés alors que tant d'autres sont morts ? Précisément pour que nous puissions arriver ici. Vous ne le voyez pas, mais il y a assez de puissance enracinée dans cette terre pour éclairer et guider le monde entier. Dans cette vie et les suivantes, je suis tenu de faire tout ce qui est en mon pouvoir pour le faire advenir. Ne pouvez-vous pas au moins considérer que vous êtes arrivé ici pour servir un objectif supérieur, et nous aider au mieux de vos capacités ?

Aven contemplait le sol avec la moue boudeuse d'un petit garçon. Chédan bailla et annonça qu'il allait boire à la source blanche. Reidel, lui, les mains sur les hanches, secouait la tête.

– Maître Chédan est trop bon avec toi, fit-il observer. Lorsque cette communauté sera en sécurité, Aven, tu pourras aller où bon te semble. Mais en attendant, nous allons tous travailler ensemble – et tu vas obéir à maître Chédan comme tu obéirais à un prince du sang !

Après cette pénible scène, il n'y eut plus aucun mouvement de révolte et étonnamment peu de récriminations. Une semaine de dur labeur leur fournit à tous un toit sous lequel s'abriter. Les constructions étaient rudimentaires : ils avaient suivi l'exemple des villageois et monté des murs en entrelaçant des branches de saule entre des rondins fichés dans la terre, puis couvert le toit avec des bottes de roseaux.

Alyssa avait été transportée dans une grande hutte qu'elle partageait avec Liala, Malaéra et les prêtresses de l'ordre des toges bleues. Tout près, un enclos avait été érigé et on y avait installé l'Omphale, toujours enveloppé de soieries dans sa malle. Deux petites huttes avaient été construites pour Tiriki et pour Chédan. Autour de celles-ci se dressaient trois bâtiments plus grands. Les filles acolytes étaient logées dans l'un d'eux, la saji Métia et ses sœurs en occupaient un second, et Kalaran partageait le troisième avec un prêtre en toge blanche nommé Rendano. Reidel et l'équipage, ainsi que le marchand Jarata et quelques autres citoyens d'Ahtarrath, avaient bâti un autre groupe d'abris près de l'endroit où le navire s'était échoué.

C'était presque une communauté. Pourtant, bien que le résultat de leur travail leur permît de rester au sec, aucun Atlante n'aurait pu envisager d'appeler ces gîtes leur «foyer», et ils étaient loin d'avoir chaud. Penchée sur un feu de tourbe dans sa hutte pleine de courants d'air, Tiriki tremblait, reniflait et se demandait si ces symptômes étaient la prémonition d'un désastre à venir ou les signes annonciateurs d'un rhume. Elle lança un regard suppliant vers l'image de la Mère qu'elle avait installée dans une petite niche en pierres, mais à la lueur tremblotante du feu, la Déesse elle-même semblait frissonner. Ses seins tendus et douloureux confirmaient le diagnostic de la mystérieuse Taret, mais comment pouvait-elle espérer mener une grossesse à son terme dans ces conditions? Les réfugiés n'avaientils survécu à la chute d'Atlantis et à leur long périple que pour être terrassés par le climat de cette nouvelle contrée?

Même si elle tenait compte du fait que Damisa avait pu exagérer, son récit de la confrontation entre Aven et Chédan avait tordu les entrailles de Tiriki d'une douleur autre que les nausées qui commençaient à passer. Elle avait compris d'autre part – ce qui n'était pas le cas de la jeune fille – qu'Aven avait défié non seulement l'autorité du mage, mais celle de la caste des prêtres tout entière. Et puis, Chédan appartenait à l'ancienne génération du Temple. Il n'avait pas d'autre choix que de défendre sa caste.

– Il ne fait pas tout cela pour s'assurer la gloire, avait-elle rappelé à Damisa. Il le fait pour nous tous. Et nous ne pouvons pas imaginer ce qui se serait passé si tu n'étais pas intervenue.

Damisa était repartie avec une certaine humilité, mais cette histoire continuait à hanter Tiriki et flottait dans la hutte comme l'odeur d'un bol de lait tourné. Elle savait qu'il en était capable, mais elle avait du mal à imaginer le doux et raisonnable Chédan en train de réduire un marin alkonien en cendres. Cela ne l'empêchait pas de rendre grâces aux dieux et aux déesses de ce que Reidel avait interrompu la dispute. Pourtant, le fond du problème, s'il avait été dissipé sur le moment, n'était pas résolu. Aven lui-même n'était pas vraiment en cause: il n'avait fait que dire tout haut ce

147

qu'elle avait entendu murmurer par d'autres, quand ils croyaient être seuls.

– Ô Micail, murmura-t-elle, pourquoi avons-nous essayé? Il aurait été préférable d'accepter notre destin parmi notre peuple, main dans la main. À présent, la douleur serait passée et nous serions en paix.

«Tu sais pourquoi, lui répondit son esprit. Tu as fait vœu de servir la Lumière et la prophétie.»

Un soudain coup de vent lui envoya la fumée dans les yeux. Lorsqu'elle eut fini de tousser, elle se rendit compte qu'elle pleurait pour de bon.

– Peu m'importe la prophétie!

Elle repoussa brutalement la porte de cuir et émergea au-dehors. L'air était frais et plein de senteurs végétales; cela lui rappela le jardin de sa mère et Galara, qui aurait dû être à ses côtés, elle aussi. Elle refoula ses larmes et remarqua tout à coup que les nuages s'étaient dissipés. Le soleil brillait de toute sa splendeur; elle leva les mains et entonna, exaltée, l'immémorial chant de bienvenue:

> *Change ta lumière en jour, ô astre de l'est,*
> *Allégresse qui octroies la Lumière, lève-toi!*

Elle laissa lentement retomber ses bras, les yeux mi-clos, s'abandonnant au doux rayonnement qui scintillait par toute la terre. En quel mois était-on? La lune s'était montrée pleine et les sœurs de la nuit s'affaiblissaient depuis l'équinoxe.

«Même dans ces collines embrumées, l'été aurait déjà dû arriver…», songea-t-elle.

La théorie de Chédan sur le ralentissement du rythme des saisons lui revint à l'esprit.

«Taret nous a appelés les enfants du soleil… évidemment! Les Atlantes n'aiment pas se blottir dans la pénombre! Il n'est pas étonnant que tout nous semble si triste et si désespéré. Il faut que je quitte cet endroit.»

Consciente qu'on pouvait la voir, elle se faufila rapidement parmi les arbres. Sans savoir où elle allait, ses pieds trouvèrent un chemin. En quelques instants, elle se retrouva seule, loin des bruits du hameau.

Instinctivement, ses pas la portaient vers le haut. Le chemin disparut; l'ascension n'était même plus marquée par les traces des biches et des lapins. Elle sentait simplement qu'il lui fallait quitter le camp et les marécages pour répondre aux murmures de la brise et à l'appel claironnant du soleil. Depuis leur arrivée, elle s'était souvent demandé ce qu'il y avait au sommet du Tor, aussi ne fut-elle pas surprise lorsqu'elle réalisa que chacun de ses pas l'en rapprochait. Les broussailles, toutefois, l'obligeaient sans cesse à revenir en arrière pour trouver un passage et elle passa un long moment à faire le tour de la pointe du cône.

Bientôt en sueur, elle ôta sa cape et regarda autour d'elle. Elle avait déjà atteint une belle hauteur et les arbres faisaient place à des buissons et à des fougères au milieu desquels s'étendait une pelouse rase, luisante sous le soleil, d'un vert profond et brillant comme elle n'en avait jamais connu. Les larmes lui montèrent aux yeux, mais cette fois c'étaient des larmes de joie.

«Idiote, se dit-elle, croyais-tu donc que cette terre serait sans beauté?»

Un dernier effort la mena au sommet, une aire ovale doucement arrondie, couverte de la même herbe d'un vert profond. En ce premier instant, à moitié aveuglée par le merveilleux éclat du soleil, elle perçut cette incroyable couleur; c'était comme une autre source de lumière...

Ses yeux s'accoutumèrent vite à la clarté. D'ici, bien au-dessus de la forêt primitive qui encerclait le Tor, les marécages eux-mêmes semblaient posséder une sauvage et étrange beauté, car les grands champs de roseaux d'un vert tendre se pailletaient et se veinaient de bleu pâle, là où le soleil se reflétait à la surface de l'eau.

«C'est magnifique», se dit-elle.

Mais son soupir de contentement fit place à une nostalgie lancinante. Sur Ahtarrath, elle et Micail avaient souvent accueilli le jour depuis le sommet de la montagne de l'Étoile; le soleil éclatant au-dessus de la mer étincelante révélait, avec une précision à couper le souffle, les moindres détails du paysage et se reflétait sur des centaines de toits émaillés. Ici, même par temps clair, la vue se limitait à l'ombre embrumée d'une chaîne de collines, sur l'arrière-plan d'une mer inconnue.

Sur Ahtarrath, elle avait toujours su qui elle était et où elle se trouvait. Ici elle n'avait plus ces certitudes. Ce qu'elle voyait plutôt dans le paysage subtilement voilé qui s'étendait sous ses yeux, c'étaient... des potentialités.

Elle tourna lentement sur elle-même et nota la façon dont la grande arête rocheuse au sud et les collines plus élevées au nord abritaient les terres qui s'étendaient au milieu. À l'est, la brume se transformait en nuée brune, mais Tiriki le remarqua à peine. Juste devant elle, au sommet du Tor, se dressait un cercle de pierres levées.

Comparé aux édifices gigantesques d'Atlantis, il n'était pas particulièrement impressionnant. Les pierres avaient conservé la forme que les dieux de la terre leur avaient donnée et la plus grande atteignait à peine sa poitrine. Mais le seul fait qu'une telle chose existât ici l'obligea à reconsidérer ce qu'elle savait des talents, ou peut-être de la volonté, du peuple qui l'avait érigée.

«La véritable question, pensa-t-elle alors, c'est *pourquoi*?»

Elle se redressa et inspira profondément, se souvenant qu'elle aussi possédait un savoir-faire. Près du centre de l'édifice, elle remarqua une zone plus foncée et les restes d'un feu. Elle fit le tour du cercle en suivant la trajectoire du soleil et pénétra là où deux pierres un peu plus espacées ménageaient un passage, du côté oriental. Dès le premier pas, elle sut qu'elle ne s'était pas trompée, à propos du pouvoir qui se trouvait là; en continuant d'avancer, elle prit conscience que l'énergie dans la terre augmentait encore, puis plus encore lorsqu'elle atteignit le centre du cercle. Son entraînement seul lui permettait de rester debout.

Elle ferma les yeux et laissa ses sens pénétrer le sol sous ses pieds, l'ancrant plus profondément dans la terre, à l'écoute des tourbillons de puissance qui rayonnaient dans toutes les directions, mais plus puissamment encore vers le sud-ouest et le nord-est. Plus que tout, elle ressentait la vitalité qui pulsait dans le sol et montait dans son corps jusqu'à ce que ses bras se soulèvent d'eux-mêmes et se dressent vers les cieux; elle était devenue un intermédiaire vivant entre la terre et le ciel.

Tiriki avait espéré profiter de ce moment pour affirmer sa domination sur cette nouvelle contrée, mais elle se surprit à s'abandonner plutôt tout entière.

– Me voici… Me voici ! cria-t-elle. Que voulez-vous de moi ?

Vive comme le vent, rayonnante comme le soleil, solide comme la terre entière sous ses pieds, la réponse surgit en elle.

– Vis, aime… ris… et sache que tu es la bienvenue ici…

Les yeux de Tiriki se rouvrirent sous le choc, car cette voix n'était pas celle de son esprit. Elle l'entendait de ses oreilles. Pendant un bref et douloureux instant, elle crut que quelqu'un l'avait suivie depuis le camp, mais la femme qui se tenait devant elle, vêtue de soleil et de voiles arachnéens, lui était inconnue.

Elle remarqua sa sveltesse et la masse de ses cheveux noirs, et se dit que ce devait être une femme des marécages. Mais quelque chose dans ses joues et son front, et plus encore dans la façon qu'avait la lumière de jouer sur sa silhouette – l'éclairant et la traversant tour à tour – révélait que ce n'était pas une créature du monde des mortels.

Tiriki pencha la tête, instinctivement respectueuse.

– C'est très bien, fit la femme avec un sourire ironique et doux, mais je ne suis pas un de tes dieux. Je suis… ce que je suis.

– C'est-à-dire… (L'esprit de Tiriki s'emballait et son cœur battait si fort qu'elle pouvait à peine parler. Dans le Temple, on appelait ces êtres des *devas*, mais il lui semblait plus naturel d'utiliser le vocable de Taret.) Vous êtes… une des rayonnantes ?

Les yeux étranges de la femme s'agrandirent et elle sembla danser légèrement au-dessus du sol.

– Certains le disent, admit-elle d'un air toujours amusé.

– Mais comment dois-je vous appeler ?

Il y eut un instant de silence et Tiriki sentit un picotement, comme la caresse d'une main légère sur son âme.

– Si un nom est si important, tu peux m'appeler… la Reine.

Elle leva une main vers ses cheveux et Tiriki remarqua que sa tête était couronnée d'une guirlande d'aubépine blanche.

– Oui, ajouta-t-elle avec l'écho d'un rire argentin, ainsi je suis sûre que tu me respecteras !

– Sans aucun doute, murmura Tiriki en s'agenouillant, car la femme, tout esprit qu'elle fût, avait la taille des gens des marécages et il lui semblait discourtois de la regarder de haut. Mais que puis-je vous offrir ?

151

— Une offrande ? fit la Reine en fronçant les sourcils, et l'espace d'un instant Tiriki sentit à nouveau la caresse sur son âme. Crois-tu que je sois un de tes… marchands, et que j'exige d'être payée pour les dons que je te fais ? Tu t'es déjà offerte à cette contrée, ajouta-t-elle plus gentiment. Que pourrais-je demander de plus ? Et toi, que désires-tu ?

Tiriki se sentit rougir.

— Votre bénédiction…, dit-elle, la main sur son ventre ; la meilleure sauvegarde qu'elle pût espérer était sans doute la faveur de la puissance qui régnait ici. Je vous demande votre bénédiction pour mon enfant.

— Je te la donne…, fut la réponse, plus douce qu'un parfum de fleurs. Et aussi longtemps qu'ils demeureront fidèles aux sacrements de cette terre, je te promets aussi que les membres de ta descendance ne connaîtront jamais l'échec.

— Et cette colline ? demanda Tiriki.

— Le Tor n'est qu'une apparence extérieure, tout comme ton ventre est l'abri de ton enfant. Quand le temps sera venu, tu connaîtras les Mystères qui y sont enfouis : la source rouge, la source blanche et la caverne de cristal.

— Comment apprendrai-je toutes ces choses ? demanda Tiriki, stupéfaite.

La Reine leva un sourcil sombre.

— Tu as rencontré la vénérable vieille femme. Elle t'enseignera tout cela. Tu as été une servante du soleil, à présent tu dois apprendre les secrets de la lune. Toi… et tes filles… et celles qui viendront…

Elle sourit et l'éclat qui l'auréolait s'intensifia, jusqu'à ce que Tiriki ne puisse plus voir qu'une pure lumière.

CHAPITRE 8

Les jours, puis les semaines passèrent, et Tiriki n'arrivait toujours pas. Micail avait longtemps cru qu'il était le plus solide des deux, mais il commençait à réaliser qu'en dépit de l'apparente fragilité de Tiriki, le brillant esprit de sa femme avait toujours soutenu le sien. Dans la journée, il participait aux rituels et aux réunions, espérant ainsi obtenir de ses nouvelles ou parvenir à persuader les Alkoniens de partir à sa recherche, bien qu'il n'eût pas la moindre idée de l'endroit où les autres réfugiés pouvaient se trouver. Toutes les nuits, dans ses rêves, il parcourait les rues d'Ahtarra et cherchait Tiriki, cependant que les lumières s'éteignaient peu à peu dans les échoppes, les maisons et les temples.

Parfois, l'espace d'un instant, elle lui semblait si proche qu'il pensait la toucher. Puis il s'éveillait et réalisait qu'elle ne s'était pas écartée de lui comme il l'avait cru, simplement parce qu'elle n'avait jamais été là.

Les journées étaient presque aussi déprimantes. L'existence même de Belsairath prouvait que les Atlantes pouvaient survivre et même prospérer dans une nouvelle contrée ; pourtant, le nombre de constructions neuves qui sortaient de terre avec leurs pompeuses imitations de l'architecture antique ne contribuait qu'à accentuer la mélancolie croissante de Micail.

Tjalan aurait voulu l'installer dans sa villa et même dans ses propres appartements, mais Micail avait protesté avec la dernière énergie.

153

Belsairath était bruyante et les conditions sanitaires laissaient largement à désirer, de plus l'auberge était en plein centre, mais il *devait* être en mesure de voir le port.

– Tiriki pourrait arriver. Si j'habitais quelque part d'où je ne puisse pas voir le port, alors… elle repartirait peut-être, avait-il argumenté. Certains des navires qui mouillent ici ne restent pas. Non, je dois être ici.

Micail fut donc exempté des réunions du conseil à la villa de Tjalan. Il fut soulagé de ne plus participer aux savants et interminables débats à propos des influences astrales et des flux de pouvoir sur cette terre. Quant à la nourriture, il ne lui était pas difficile de résister à la tentation des plats les plus délicats, lourdement épicés et marinés dans du raf ni'iri. Pourtant, il aurait préféré une véritable solitude. Il lui semblait impossible d'échapper à la présence permanente d'un tiers : un soldat chargé de sa protection, une prêtresse en toge bleue ou quelque guérisseur venu le soigner, ou encore Jiritaren ou Bennurajos qui lui apportaient des liqueurs capiteuses et l'ensevelissaient sous les railleries et les divertissements.

Stoïquement, Micail avait toléré ce traitement de faveur et ces irruptions perpétuelles, car il se rendait compte, inconsciemment, qu'il n'était pas loin de la folie… Les visites les plus difficiles à supporter étaient celles de Tjalan ; il ne cessait de lui assurer qu'il était prêt à lui fournir n'importe quoi qui puisse le sortir de sa léthargie, y compris des jeunes filles destinées à le distraire.

Son cousin Naranshada vint le voir une ou deux fois, mais Micail était incapable de dire si ces visites lui apportaient du réconfort ou accroissaient sa douleur. Jeunes prêtres, ils avaient été proches, mais quand Ansha s'était plongé dans l'étude de l'ingénierie, qui était devenue sa spécialité, ils s'étaient peu à peu éloignés. À présent, la seule chose qu'ils avaient en commun était ce qu'ils avaient perdu, car dans le chaos qui avait précédé la fuite d'Ahtarrath, la femme et les enfants d'Ansha s'étaient noyés. L'*Émeraude royale*, à la recherche de survivants, l'avait croisé, agrippé à une vergue et à moitié fou de douleur.

Parfois, Micail enviait son cousin qui pouvait ignorer le vain tourment de l'attente et continuer à vivre. Puis il voyait la douleur muette qui habitait le regard d'Ansha et réalisait que l'espoir le plus mince était préférable à la certitude du désespoir. S'il avait vu Tiriki s'enfoncer sous les vagues, il n'aurait jamais pu survivre.

Un jour, en fin d'après-midi, Ardral vint rendre une visite inattendue à Micail. Il lui apportait une jarre de vin de miel qui venait des celliers de Forrelaro et une assiette de succulent cochon rôti préparé par le cuisinier personnel de Tjalan. La journée était chaude mais pas vraiment ensoleillée, aussi ils tirèrent une table basse et deux bancs près du balcon avant de s'attaquer avec voracité aux victuailles.

Un peu plus tard, leur appétit assouvi, ils se mirent à parler des projets pour le nouveau Temple.

— Tu devrais assister à certaines de ces réunions, mon garçon. Ensemble, Haladris et Mahadalku sont redoutables ; tu es le seul prêtre dont le rang te permettrait de t'opposer à eux. Si on les laisse faire, le nouveau Temple reproduira tous les défauts de l'ancien.

— N'est-ce pas un peu prématuré de s'interroger sur l'identité du prochain responsable du Temple ? Après tout, on ne peut rien décider en l'absence de Tiriki et de Chédan...

— Mais comment être sûrs qu'ils se joindront au débat dans cette vie ? répondit Ardral sèchement et Micail se redressa, choqué. Mon garçon, je suis désolé, ajouta le vieil adepte plus gentiment, mais tu as examiné tous les navires, les bateaux et même les phoques qui ont pénétré dans cette anse depuis notre arrivée et cela fait trois lunes que nous n'avons pas eu la moindre nouvelle d'eux ! Il arrive un moment où...

— Je sais ! Je sais. C'est idiot et entêté de ma part. Mais quand même... comment est-il possible que nous soyons *tous* là ? Je ne peux le croire, ce serait trop cruel. Je me refuse à croire que ma bien-aimée... qu'ils ont tous disparu, les meilleurs d'entre nous... ne laissant derrière eux qu'une poignée de prêtres obscurs, une myriade de nobles orgueilleux, un troupeau de scribes et de chélas et bien trop de soldats ! Et la plupart d'entre eux ne sont guère que des enfants.

— Écoute-moi, Micail, fit Ardral d'une voix douce. Tu n'as pas tort de continuer à espérer. J'ai souvent entendu Réio-ta dire que vous deux, vous aviez une seule âme, et il comprenait ces choses-là.

Si tu crois qu'elle est en vie, alors je le crois aussi. Mais rappelle-toi, ce qui doit être sera. Il est possible que le labeur de Tiriki et le tien, qui ont été si longtemps confondus, doivent se séparer pour un temps. (L'adepte s'interrompit pour peser ce qu'il allait dire.) Et quand il s'agit d'ériger un Temple digne de ce nom, n'oublie jamais que ce n'est ni pour nos talents ni pour notre nombre que nous serons tenus responsable. Un seul esprit intègre suffit à conserver les coutumes de la Lumière.

— Je l'ai entendu dire, répondit Micail, mais pour conserver le savoir-faire des prêtres il faut bien plus que ça. Nous n'avons sauvé que quatre des douze acolytes. *Quatre.*

Ardral hocha la tête et proposa de remplir le gobelet de Micail, qui accepta. La liqueur vieillie en fûts de bois sur la Terre des Ancêtres envahit son palais, y laissant un goût délicat et un peu poussiéreux.

— Oui, nous avons laissé beaucoup de choses derrière nous, murmura Ardral. Je ne sais pas ce à quoi tu t'attendais, mais...

— Ce à quoi je m'attendais ? rit Micail, à la limite de l'hystérie. Je ne parviens même pas à m'en souvenir ! Mais il me semblait que Rajasta avait décrit quelque chose de plus primitif que... ça, ajouta-t-il avec un grand geste du bras vers les bâtiments décatis de Belsairath.

— Une contrée sauvage aurait été préférable, admit Ardral en se coupant une nouvelle tranche de porc. Les gens non civilisés sont toujours désireux de recevoir un enseignement.

Les quatre survivants des Douze se trouvaient souvent laissés à eux-mêmes. Les acolytes ne vivaient même pas ensemble, mais dans plusieurs maisons de Belsairath ou des environs. La villa de la princesse Chaithala, bien chauffée et spacieuse, était rapidement devenue le point de rencontre favori des jeunes Atlantes. Les acolytes, bien sûr, auraient dû être occupés par la pratique de la méditation et par l'étude. Certains, parmi les prêtres les plus âgés, auraient pu les prendre en charge, mais c'étaient précisément eux qui s'immergeaient le plus profondément dans leurs propres recherches et leurs débats. Le temps passait, et bien que Micail n'ait jamais explicitement abandonné sa responsabilité envers leur éducation, il ne semblait jamais prêt à commencer. Élara, qui s'était demandée un moment si on ferait d'elle l'acolyte du prince à leur arrivée sur la nouvelle terre, pensait que les réfugiés s'en sortiraient aussi bien sans lui. Elle l'avait suffisamment observé pendant le voyage de Béléri'in à Belsairath pour douter de ce qu'il pût s'occuper de lui-même, sans parler des autres.

– C'est vraiment dommage, dit-elle à Lirini, la deuxième fille du chantre Ocathrel qui, avec ses dix-sept printemps, était la plus proche d'elle par l'âge. J'aurais pourtant aimé suivre son enseignement. Quand le prince est lui-même, c'est un homme charmant.

– Charmant? Je trouve que c'est le plus séduisant de tous les prêtres. Crois-tu qu'il se remariera un jour?

Élara leva un sourcil élégamment arqué. Lirini ne semblait pas se lamenter beaucoup de la mort de son promis, qui n'avait pas échappé au Cataclysme, mais il est vrai qu'elle-même n'aurait pas été non plus ravagée par la douleur si Lanath n'avait pas survécu. Pour l'instant, il semblait se faire battre à plate couture au jeu des plumes qui l'opposait à Vialmar, mais ce n'était pas une nouveauté. Lanath avait l'air plus grassouillet que jamais en ce moment, les sourcils froncés devant le motif dessiné par les jetons sur la table, tandis que Vialmar, grand et dégingandé, ses cheveux noirs ébouriffés, tambourinait le bras de son fauteuil du bout de ses doigts impatients.

– Il est sûrement un peu tôt pour penser à ça, répondit Élara d'un air réprobateur.

Elle s'était pourtant demandée elle aussi ce qui se passerait si Tiriki n'arrivait jamais. Mais de quel droit Lirini évoquait-elle ces commérages? Elle n'était qu'une chéla. Et puis son maître, le prêtre Haladris, la négligeait encore plus que Micail ne négligeait les acolytes.

Alertée par les bruits d'une course effrénée et par des hurlements, Élara se pencha pour attraper son bol de thé, juste au moment où le prince Baradel passait à toute allure, poursuivi par la princesse Cyrena dont il agitait l'écharpe au-dessus de sa tête comme une prise de guerre. La petite princesse était la seule survivante de la famille royale de Tarisseda; elle avait tendance à dissimuler son chagrin en tyrannisant son promis, de deux ans son cadet.

– Quel sale môme ! siffla Lirini. Et dire qu'il est déjà grand prince. Mais il a deux sœurs et un petit frère encore bébé, et puis il y a Galara qui vient de ton île, chuchota-t-elle encore. Galara est la cousine du prince Micail. J'ai l'impression que la royauté est sur-représentée par ici, et ils n'ont pas grand-chose sur quoi régner.

– C'est vrai qu'il y a aussi beaucoup de prêtres et de prêtresses mais pas de temples à honorer, soupira Élara.

– Il y a Timul…

– C'est vrai, fit Élara qui se souvint de la femme forte et volontaire qu'elle avait rencontrée peu après son arrivée. Je suis une initiée de Ni-Terat, enfin, une novice… (Elle rougit.) À la maison, j'étais l'apprentie de Liala. (Elle s'interrompit pour évoquer un instant la prêtresse en toge bleue qui, bien que sévère, avait toujours été bonne envers elle.) Que la Mère la bénisse. Mais tu n'as pas l'impression que Timul est un peu… imposante ?

– Peu lui importent les hommes, répondit Lirini avec un haussement d'épaules, mais elle a une patience infinie avec les femmes. Elle a une sorte de chapelle. Beaucoup de femmes de la ville y vont.

– Je devrais peut-être lui rendre visite, ajouta Élara d'un air songeur.

« Et puis, se dit-elle, je ferais aussi bien d'explorer toutes les options. Enfin, pas si ça signifie renoncer aux hommes… En tout cas pas avant d'avoir trouvé quelqu'un qui vaille la peine qu'on renonce à lui ! »

Elle dissimula un sourire. Lanath, en tant que futur époux, n'était pas encore disponible. Elle jeta un nouveau coup d'œil inquisiteur sur Vialmar, qui venait de gagner le jeu des plumes et plaisantait bruyamment en essayant de persuader Karagon – un jeune homme effacé qui était le chéla du prêtre en toge grise Valadur – de l'affronter à son tour. L'un ou l'autre apprécierait peut-être de flirter avec quelqu'un d'un peu plus dégourdi que Cléta. D'ailleurs, Karagon s'y était déjà essayé avec elle, bien qu'elle ne l'ait pas compris sur le moment. Elle sourit à nouveau. La vie pourrait peut-être devenir intéressante, même sur ces côtes désolées.

Il y eut du remue-ménage du côté de la porte et tout le monde se leva quand la princesse Chaithala pénétra dans la pièce.

— Non, non, fit-elle gracieusement. N'interrompez pas vos jeux pour moi.

Elle fit le tour de la pièce pour bavarder avec les jeunes gens, ses longs voiles vert pâle flottant derrière elle. Élara remarqua qu'elle s'était d'abord approchée de Cléta, puis de Lanath et Vialmar, aussi elle ne fut pas surprise lorsque la princesse s'approcha d'elle d'une démarche ondulante. Élara se tourna vers Lirini pour lui dire :

— Je crains que le devoir ne m'appelle. Je suis heureuse que nous ayons pu bavarder toutes les deux.

Avant que la chéla n'ait pu répondre, Élara s'éloigna et rejoignit les autres acolytes dans le sillage de Chaithala.

— J'ai beaucoup réfléchi à votre situation, disait la princesse, et je me demande si nous ne pourrions pas inviter le prince Micail. Il s'agit de mettre fin à votre ennui et à votre inaction. Mais il nous faudrait un prétexte. Qu'en pensez-vous ? Un dîner, peut-être ? Rien de formel, bien entendu, mais cela l'aiderait peut-être à constater sans s'en formaliser combien il a négligé votre enseignement…

« Et quelle part de cet enseignement consisterait alors en des leçons particulières pour vos enfants ? » se dit Élara.

Mais se faire les complices des manœuvres de Chaithala était sans doute le prix à payer pour reprendre un programme d'études digne de ce nom. C'était très bien de rester assis à discuter ou à jouer, mais Élara craignait que les acolytes ne deviennent comme ces pommes trop mûres qui pourrissent de l'intérieur.

— Micail ! Je suis si heureux que tu aies pu te joindre à nous ! Tu as bien meilleure mine que la dernière fois.

Micail tressaillit quand Tjalan lui passa un bras musclé sur les épaules pour l'étreindre. Le salon de réception de la villa de Tjalan était plein de prêtres et de prêtresses. La lumière qui descendait d'une myriade de lampes suspendues faisait danser leurs ombres sur les fresques des murs. Micail se laissa mener à un banc et s'assit près de Haladris et Mahadalku.

— Vous savez tous quels efforts Naranshada et Ardral ont déployé pour trouver le site idéal pour notre nouveau temple, lança Tjalan à la cantonade. Nous avons organisé cette réunion parce qu'il a enfin été démontré qu'un courant d'énergie part de Béléri'in en direction du cœur des terres. Est-ce exact? demanda le prince en se tournant vers Naranshada.

– C'est exact, répondit celui-ci avec un grand sourire. La théorie sur ces forces est bien connue de la plupart d'entre nous, mais même sur les plus grandes de nos îles nous n'avions jamais pu identifier que quelques zones très spécifiques. Ici, il semblerait que les réseaux de forces soient beaucoup plus denses et que nous puissions en tirer une source d'énergie. Mais… il y a des problèmes que nous n'avions pas prévus.

Un murmure parcourut la salle.

– Rien que nous ne puissions résoudre, continua Ansha, mais il nous faudra trouver une position plus précise, de préférence un site où deux des voies d'énergie les plus importantes se croisent.

– Veux-tu dire qu'il existe un tel site? demanda Haladris, un des hommes les plus grands parmi les auditeurs, qui se redressa encore en écarquillant ses yeux aux paupières tombantes.

Le prince Tjalan s'avança et reprit la parole.

– C'est possible. Un marchand du nom de Heshoth est arrivé il y a peu, avec un petit groupe de commerçants de grain et de peaux. Ce Heshoth vient d'une tribu qui s'appelle Ai-Zir; il semble que cette tribu soit établie sur la plaine qui s'étend derrière les collines au nord de Belsairath. Au milieu de ce territoire, il y a un sanctuaire. Le nom qu'ils lui donnent signifie « la rencontre des voies divines ».

– Êtes-vous certain de l'avoir bien compris? questionna Mahadalku, une maîtresse femme dont la puissante carrure la faisait sembler plus jeune qu'elle n'était.

– Peut-on lui faire confiance? voulut savoir Métanor.

– Les commerçants d'ici estiment qu'il est fiable, répondit Tjalan. De puis, il parle notre langue. La première tâche à accomplir vous reviendra, seigneur gardien, ajouta-t-il en se tournant vers Haladris. Utilisez vos connaissances pour déterminer le potentiel de ce site. L'étape suivante est d'ordre militaire, et cela me revient, bien entendu. Je vais envoyer une patrouille explorer le territoire. Nous devons savoir si la population est suffisamment nombreuse pour nous fournir une force de travail susceptible de soutenir nos projets.

« Y a-t-il une seule bonne raison pour qu'ils en aient envie ? » se demanda Micail, mais Haladris et Mahadalku hochaient la tête à contrecœur et les autres avaient l'air de vouloir suivre le mouvement. Ils ne s'étaient probablement pas demandé si les indigènes souhaitaient ou non participer à la fondation d'un nouvel empire atlante ; d'ailleurs, cela leur était peut-être totalement indifférent. En tous les cas, si le destin d'Atlantis était de se relever de ses cendres sur cette terre glaciale, alors Micail présumait que cela arriverait, sans que l'opinion de quiconque puisse y changer quoi que ce soit.

Selon les critères locaux, Belsairath était sans doute une métropole, mais en réalité la ville était plus petite que n'importe laquelle des circonscriptions administratives d'Ahtarra, Alkon ou même Taris. Élara et Cléta n'eurent donc aucune difficulté à trouver le temple que Timul avait bâti pour la déesse Mère. En comparaison des colonnes de marbre, des flèches et des tuiles dorées qui avaient orné de tels temples dans les royaumes de la Mer, ce petit bâtiment bas et couvert de chaume était tout sauf imposant ; néanmoins, les piliers de bois qui soutenaient le portique étaient convenablement arrondis et blanchis et le signe de la Déesse était peint en bleu sur le fronton au-dessus de la porte.

— Il aurait été plus intelligent de le construire dans les collines, là où se trouvent les villas, dit Cléta.

Son visage rond s'éclaira lorsque le soleil perça les nuages qui avaient couvert le ciel toute la journée. D'un seul mouvement, les deux jeunes filles se tournèrent vers le soleil estival comme des fleurs, saluant sa chaleur les yeux fermés.

— Il ne devait pas y en avoir beaucoup à l'époque, murmura Élara. Ô astre du Jour ! Il me semble que cela fait une éternité que je n'ai ressenti la chaleur de Manoah…

Mais à ce moment-là la luminosité baissa et elle rouvrit les yeux pour voir les nuages se refermer sur lui.

— Je n'aurais pas dû parler. Je l'ai effrayé… (Elle sourit puis se mit à soupirer lorsqu'elle remarqua la perplexité de Cléta.) C'était une *plaisanterie*, Cléta. Enfin, peu importe. Puisque nous avons trouvé le temple, autant y entrer.

Elles n'étaient pas au bout de leurs surprises. Lorsque la porte leur fut ouverte, elles se retrouvèrent dans une longue pièce aux murs peints sur laquelle donnaient trois autres portes. L'une d'elles s'ouvrit et une prêtresse en toge bleue en émergea, l'air placide ; mais lorsqu'elle reconnut les toges blanches des acolytes, elle se mit à sourire.

— Lodreimi ! Que fais-tu là ? s'exclama Élara qui l'avait reconnue à son tour.

Cette jeune Alkonienne était à Belsairath la seule autre initiée du culte de Ni-Terat (ou Caratra) originaire d'Atlantis – à part Timul et Marona, qu'Élara ne connaissait pas très bien. Élara avait désiré la retrouver mais personne n'avait pu lui dire où elle vivait.

— Je sers la Déesse, répondit l'Alkonienne dont la gravité habituelle se dilua dans un sourire. Quand je suis arrivée ici, je me sentais tellement perdue… jusqu'à ma rencontre avec Timul, je ne savais quoi faire ! Je sais que vous bénéficierez de sa sagesse, vous aussi. Restez là, je vais l'appeler.

De l'intérieur du bâtiment leur parvenait un chant, ou plutôt des voix de filles en train d'apprendre un chant. D'une autre direction émanait l'odeur des herbes et de l'encens. Le tumulte de la voie publique qui passait devant le temple n'était plus qu'un léger bourdonnement. Élara sentit les larmes lui monter aux yeux, sous le poids des souvenirs qui s'éveillaient dans la paix de ce temple. Elle retrouvait les sensations qu'elle avait éprouvées dans le temple des guérisseurs d'Ahtarra.

Lorsqu'elle eut chassé ses larmes, elle vit que la haute prêtresse en personne se tenait devant elles ; c'était une femme à l'embonpoint rassurant, aux cheveux brun-roux tressés en couronne, et dont l'autorité subtile rayonnait autour de sa personne.

— Élara, Cléta, nous espérions que vous viendriez nous voir. Lodreimi nous a tellement parlé de vous. Avez-vous froid ? Venez dans la cuisine, on va vous servir du thé, puis je vous montrerai ce que nous faisons ici…

La porte de droite menait dans un couloir où s'ouvraient d'autres portes. Timul leur apprit qu'il s'agissait des chambres des prêtresses ; quelques-unes étaient aussi réservées aux femmes de passage qui avaient besoin d'un refuge.

— La vie est dure ici pour certaines, dit la haute prêtresse. Dans les tribus, les femmes sont respectées, en règle générale, mais lorsqu'elles arrivent en ville il n'y a plus de structure clanique qui puisse les protéger.

— Vous leur donnez des soins médicaux? demanda Cléta au moment où elles entraient dans la cuisine.

— Nous leur donnons tout ce que nous pouvons, répondit Timul d'un air guindé. De la nourriture, un refuge ou des soins, selon leurs besoins.

— Il était prévu que je devienne herboriste, dit alors Cléta, mais je n'ai jamais pu commencer mes études.

— Tu pourras commencer ici, dès que tu le souhaiteras, dit Timul avec un mouvement du menton en direction d'une femme à la toge safran agenouillée près de l'âtre, en train de touiller l'intérieur d'un chaudron suspendu au-dessus du feu. Sadhisebo sera ravie d'avoir de l'aide.

— Une *saji*? fit Cléta d'un ton sceptique.

La femme se leva avec une grâce fluide et se tourna vers elles pour les saluer chaleureusement. Élara recula d'un pas. Elle avait entendu trop d'histoires à propos des sajis qui avaient servi dans les temples des toges grises, dans l'ancien temps. Les toges grises étudiaient la magie, et la magie pouvait être employée à bien des fins; mais certaines utilisations ne jouissaient pas de la faveur des serviteurs de la Lumière. À la seule vue de la frêle saji, elle ressentit un trouble qu'elle ne sut pas vraiment interpréter.

Timul sourit gentiment:

— Croyiez-vous qu'elles n'étaient que de stupides putains du Temple? Les arts de l'amour sont une voie vers le royaume divin, c'est certain, mais Sadhisebo et sa sœur Saiyano connaissent fort bien les arcanes et les usages des plantes.

— Les plantes destinées à interrompre la venue d'un enfant? demanda Cléta.

— Celles-là aussi, si nécessaire, répliqua Timul sévèrement, ainsi que celles qui le retiennent en sécurité. Nous servons la vie ici, vous devez le comprendre, et faire le bien impose quelquefois de recourir à des mesures impitoyables. Afin de sauver la vie, la Déesse doit parfois donner la mort.

– Je sais tout cela, répondit Élara qui inclina la tête avec un sourire timide pour la saji qui posait des bols de thé sur la table basse.
Avant d'être choisie pour faire partie des Douze, j'avais été consacrée à Ni-Terat. Sur Ahtarrath, j'étais la chéla de la prêtresse Liala,
dans le temple des toges bleues.

– C'est ce que j'ai entendu dire ; tu es donc doublement la bienvenue ici. Cependant, ce temple n'est pas consacré à Ni-Terat, mais
à Caratra.

– Mais… ne sont-elles pas la même ? fit Élara, surprise.

– Es-tu la même enfant qu'on a menée dans le temple après ta
naissance ?

– Évidemment, répondit Élara, avant de secouer la tête. Oh, je
comprends. La réponse, je suppose, est à la fois oui et non. Je me souviens d'avoir été cette enfant, mais je suis différente aujourd'hui…

– La Déesse change elle aussi, répondit Timul dont le visage se
mit à rayonner. Aux hommes, elle n'apparaît que comme Ni-Terat,
Celle-qui-est-voilée, car ses vérités les plus claires demeurent mysté-
rieuses à leurs yeux. Mais dans le temple, ces mystères sont révélés,
aussi nous l'appelons toujours Caratra, la nourricière.

– Mais on m'a appris que Caratra était la fille de Ni-Terat et de
Manoah, dit Cléta. De quelle façon peut-elle être mère également ?

Élara leva un sourcil.

– De la façon habituelle, j'imagine ! Comment crois-tu que *tu* es
venue au monde ?

– Je sais d'où viennent les bébés, merci beaucoup ! s'exclama
Cléta en rougissant. J'essaie juste de comprendre cette théologie !

– Bien sûr, la coupa Timul qui avait réprimé le même sourire
qu'Élara. Bois ton thé et je vais essayer de t'expliquer, mais ne t'étonne
pas si ça ne correspond pas exactement à ce que tu as entendu dire
jusqu'à présent. Quand on voyage, on atteint de nouveaux points de
vue en atteignant de nouvelles contrées. Mais dans l'ancien temps, la
Reine de la Terre était appelée le Phénix, parce qu'au fur et à mesure
que le temps s'écoule elle s'efface puis renaît.

– Comme la statue aux deux visages sur la grande place d'Ahtarra ?
demanda Cléta.

– Exactement, répondit Timul.

Élara eut un grand sourire.

– Mais est-ce la statue de Ni-Terat ou de Banur? (Elle s'interrompit et constata que Cléta la regardait, interloquée.) Comment, tu n'as jamais entendu cette vieille plaisanterie? Vraiment, Cléta, tu es incroyable!

– Mais quelle est la réponse? demanda la plus jeune.

Timul souriait largement à présent.

– La réponse, mon enfant, est «oui». C'est là qu'est le Mystère. Tous les dieux sont un seul dieu, toutes les déesses sont une seule déesse, et il y a un seul créateur. J'imagine qu'on vous a enseigné ça, même dans le temple de la Lumière…

– Bien sûr! s'exclama Élara. Mais… j'avais toujours cru comprendre que ça signifiait qu'on devait appréhender par-delà les formes et les images, ce qui se trouve au-delà de tout.

– L'essence des dieux dépasse notre compréhension, sauf durant les moments où notre esprit prend son envol…

Timul contempla les jeunes filles l'une après l'autre. Élara baissa la tête, se souvenant d'un épisode de son enfance: elle avait regardé le soleil se noyer dans la mer, essayant de saisir quelque chose qui se trouvait juste hors de sa portée. Puis, lorsque la splendeur la plus absolue s'était offerte à ses yeux, la porte s'était ouverte et, l'espace d'un instant, elle avait eu l'impression de faire corps avec le ciel et la terre. Cléta hocha la tête elle aussi, et Élara se demanda quel souvenir lui était venu à l'esprit.

– Mais nous sculptons toujours des statues, pourtant, murmura Cléta.

– Oui, parce que nous sommes dans des corps mortels entourés de formes physiques. L'Esprit profond parle une langue faite de symboles, pas de mots. *Parler* de la Déesse ne communiquera jamais autant de choses qu'une belle image.

– Mais cela ne répond pas à ma question à propos de Caratra, reprit Cléta.

– Tu as raison, je m'égare, pardonne-moi. Les femmes ici sont filles de la Déesse, mais à part Lodreimi, elles n'ont pas reçu l'éducation nécessaire pour discuter de théologie.

– Alors, Caratra…, fit Élara avec un regard de côté pour Cléta.

– C'est une question de niveaux, voyez-vous, répondit Timul. Au plus haut niveau, il y a le Un, incréé, non manifesté, infini et consistant. Mais là où il y a un seul Être, il n'y a pas d'action.

– C'est pour cela que nous parlons de dieu et de déesse, compléta Cléta. Je sais cela. Le Un devient Deux, et les Deux interagissent pour que l'esprit se manifeste. La force féminine éveille la force masculine, il la féconde et elle donne naissance au monde...

– Dans chaque contrée, les dieux sont différents. Certains peuples n'ont que quelques dieux, alors que d'autres en vénèrent beaucoup. Dans les royaumes de la Mer, nous en adorions quatre, continua Timul.

– Nar-Inabi, le seigneur des mers et des étoiles, que nous avons prié pour nous faire sortir des ténèbres lorsqu'Ahtarrath a disparu, murmura Élara.

– Et Manoah, le seigneur du jour, que nous honorons dans le temple de la Lumière, fit Cléta.

– Mais aussi Banur aux quatre visages, qui préserve et détruit, et Ni-Terat, qui est la terre et la mère obscure de tout ce qui est, dit Élara.

– Sur Atlantis, nous n'avions pour terre que des îles, aussi Ni-Terat restait voilée. (Timul se baissa pour toucher la terre battue avec respect.) Ici, il en va différemment. Cet endroit est aussi une île, mais elle est si vaste que si vous allez à l'intérieur des terres, vous pouvez voyager pendant des jours et des jours sans voir ni entendre la mer. Alors nous nous souvenons d'une autre histoire. Dans le temple de la Déesse, il est dit que le temps de la Déesse arrive, mais nous ne parlons pas de ça avec ceux du dehors ; ils seraient nombreux à considérer la moindre atteinte à la primauté de Manoah comme une rébellion contre la Lumière...

– Quel rapport cela a-t-il avec le temple que les prêtres vont bâtir ? demanda Cléta en reposant son bol de thé.

Le visage de Timul s'assombrit.

– J'espère qu'il n'y en a pas. La Déesse n'a pas besoin de temples de pierre. En vérité, il est préférable de l'honorer dans un jardin ou un bosquet sacré. Le culte de la grande Mère s'est épanoui dans cette contrée depuis longtemps, et certaines indigènes peuvent légitimement être appelées des prêtresses. J'espère les trouver et m'appuyer sur cette allégeance si ancienne... Alors, peu importera ce que feront les prêtres.

Élara baissa les yeux sur son bol et prit une gorgée de thé.

«Et si vraiment un conflit d'intérêt éclate, se dit-elle, où ira ma loyauté?»

Plongée dans ses pensées, elle suivit Timul et Cléta vers le lieu consacré.

La pièce était plongée dans l'obscurité; une seule lampe projetait sa lueur tremblotante sur l'autel. Quand ses yeux se furent habitués à l'ombre, Élara constata que les murs étaient peints de fresques qui semblaient se mouvoir dans la lumière subtile.

— Les quatre pouvoirs que nous honorons ici sont un peu différents, chuchota Timul. Regardez…

Sur le mur oriental, la Déesse était représentée comme une jeune fille qui dansait parmi les fleurs. Le mur austral montrait Caratra comme la mère, assise sur un trône avec un petit enfant rieur sur les genoux, entourée des fruits de la terre. À l'ouest, c'était la représentation familière de Ni-Terat, voilée de mystère, couronnée d'étoiles; mais ce fut le mur du nord qui fit battre le cœur d'Élara, car la Déesse y était dressée, une épée à la main, et son visage était un crâne.

Élara ferma les yeux, incapable de supporter ce regard implacable.

— La jeune fille, la mère et la sage sont les visages de la Déesse que toutes les femmes connaissent, disait Timul doucement. Nous vénérons Caratra comme source de vie, mais nous qui sommes des prêtresses devons accepter et révérer tous les visages de Ni-Terat, car de son jugement dépend notre renaissance.

«C'est vrai, pensa Élara les yeux toujours fermés. Je sens toujours le regard de la déesse.» Et comme cette pensée la traversait, elle sentit le pouvoir qui l'entourait changer, se réchauffer et la tenir dans ses bras comme le faisait sa mère.

«*Maintenant, tu comprends*, vint une pensée qui n'était pas la sienne. *Mais n'aie pas peur, car dans les ténèbres et dans la lumière, je suis là.*»

CHAPITRE 9

Pour ceux qui avaient tant aimé la chaleur des étés ahtarréens, la lumière qui baignait ce nouveau pays semblait toujours plus argentée que dorée. De même, pour un Atlante, la plus tiède de ces mers nordiques n'inspirait jamais que des frissons. Pourtant, personne n'aurait pu nier que le temps avait changé ; les marécages débordaient de vie. Les réfugiés saluaient avec soulagement l'allongement des jours. Le ciel n'aurait jamais cette teinte turquoise des cieux atlantes, mais aucune prairie de l'ancien monde n'aurait pu offrir au regard des verts aussi profonds que ceux qui tapissaient ces collines.

Pour Tiriki, la luxuriance de cette nature printanière ne faisait qu'une avec sa propre fertilité. L'aubépine envahissait les taillis et les primevères ouvraient leurs pétales luisants sous les arbres, tandis que son corps s'arrondissait et que son visage rosissait au soleil. Elle mûrissait en même temps que les fruits de la forêt ; l'enfant qu'elle portait grandissait avec une vigueur qu'elle n'avait jamais connue lors de ses précédentes grossesses et Tiriki rendait grâces à Caratra la nourricière.

La venue de l'enfant de Micail régénérait ses espérances, et de nouveaux espoirs s'éveillaient aussi chez les acolytes. L'enfant de Tiriki était devenu leur lien avec l'avenir, leur talisman pour la survie. Ils trouvaient de multiples excuses pour venir la voir et commentaient longuement entre eux les moindres changements qu'ils remarquaient chez elle. Iriel pétillait de joie, gazouillait et se tracassait pour elle ; Elis cuisinait et faisait le ménage chez Tiriki à la moindre occasion ; quant à Damisa, elle était devenue une ombre fidèle, sauf lorsqu'elle était de mauvaise humeur. Tiriki acceptait tout cela de bonne grâce. Elle aurait même été tout à fait heureuse, si ce n'était qu'elle s'éveillait parfois la nuit, en pleurs, parce que Micail aurait dû partager cette joie ; elle savait qu'il lui faudrait donner naissance à cet enfant toute seule et qu'elle l'élèverait seule aussi.

Sur la rive, sous les saules pleureurs, il y avait un coin abrité où la rivière venait chuchoter doucement. C'était devenu la retraite favorite des membres les plus âgés du clergé ; ils s'y réunissaient sous les taches de soleil qui filtraient à travers les arbres et faisaient briller les cheveux grisonnants d'Alyssa.

– L'un est perdu, l'autre trouvé… beaucoup parcourent la ronde sacrée… de la colline à la plaine… les deux seront un à nouveau…

La voix de la prophétesse s'éteignit ; elle se mit à sourire, les yeux dans le vague. Chédan l'observait en se demandant si, cette fois, il y aurait la moindre signification à ses divagations.

Il fit un effort pour conserver son impassibilité et fit signe à Liala de remplir de tisane le bol de la prophétesse. Les oracles, se dit le mage, sont déjà difficiles à comprendre lorsqu'ils sont transmis lors d'un rituel rigoureux, en réponse à des questions précises. Durant les quelques mois qu'ils avaient passés là, l'Omphale était resté passif sous ses couches de soie, dans le secret d'un abri de pierres près de la hutte que partageaient Alyssa et Liala ; pourtant, Alyssa avait commencé à entrer en transe inopinément pour en ressortir de la même façon, comme si elle avait été déracinée de la réalité ordinaire en même temps qu'arrachée à Ahtarrath.

Une odeur de menthe et de citronnelle emplit l'air lorsque Liala versa la tisane d'une bouilloire en terre dans les quatre bols taillés dans du bois de hêtre.

– Comme je le disais, fit Tiriki en saisissant son bol, nous ne devons pas oublier que nos vies ne nous appartiennent pas entièrement. Auparavant, les lois du Temple étaient toujours là pour nous

169

guider. À présent, ce sont nos propres pas qui tracent le chemin et nous devons être prêts à les voir s'égarer de temps à autre.

Elle s'interrompit à nouveau et Chédan sut qu'elle pensait à Malaéra, la prêtresse en toge bleue qui avait tenté de se pendre la nuit précédente.

– Je pense que Malaéra ne s'est pas complètement égarée, continua Tiriki, mais nous allons devoir la surveiller pendant quelque temps. Elle est désorientée et malheureuse, et qui parmi nous pourrait se vanter de ne jamais avoir ressenti cela ? Pire, elle souffre d'arthrose et il y a peu de choses qu'elle puisse faire sans avoir mal.

– Cela me fait de la peine d'avoir à le dire, marmonna Liala, mais c'est surtout nous qu'elle fait souffrir. Nous aussi, nous avons perdu nos amis et notre famille ! Faut-il vraiment qu'elle se lamente *sans arrêt* ?

– C'est certain, répondit Chédan calmement. Sans doute est-ce une façon pour les dieux de nous rappeler que tout le monde ne peut pas lâcher prise aussi facilement sur leurs amours et leurs espoirs perdus. On m'a dit que Malaéra n'avait jamais, de toute sa vie, dissimulé ses sentiments. Qui sommes-nous pour lui imposer de le faire à présent ?

– Je pense que son désespoir passera, répéta Tiriki. Peut-être comprend-elle mieux que nous que notre mission ici requiert plus que la simple survie.

Elle jeta un coup d'œil anxieux à Alyssa, mais la prophétesse semblait absorbée par la dégustation de son breuvage.

– Si nous devons établir un nouveau Temple, il faut le faire rapidement, continua Tiriki, sinon, dans une génération ou deux, nos enfants se seront mêlés à la population locale et notre objectif ne sera jamais atteint. Je ne suis pas devenue prophétesse, mais j'ai lu suffisamment pour savoir que c'est déjà arrivé.

– La première génération de naufragés se souvient que ses ancêtres viennent de l'autre côté des océans, intervint Chédan, mais un siècle plus tard, leurs petits-enfants disent souvent que l'*océan* est leur ancêtre, et ils lui font des offrandes.

– Oh, lâcha Liala sarcastique. J'ai moins d'inquiétudes pour le futur que pour le présent immédiat. Je suis reconnaissante de ce que tant d'entre nous aient été sauvés, mais j'aurais aimé que les prêtres et les prêtresses arrivent ici en nombre plus égal. Il y a vous, Chédan, et nous toutes, et Kalaran et toutes ces filles. Ne pensez-vous pas que c'est disproportionné ?

— Mais oui, c'est vrai, fit Tiriki. Je n'avais jamais vu ça comme un problème auparavant. L'énergie du Tor est si bien proportionnée…

— Un pic solitaire, fredonna Alyssa sans les regarder, une étincelle de roc qui garde trois sources et six grottes, et tellement plus de cœurs. Il brille, brille, brille, brille… Peu importent les ténèbres.

Le vent fit frissonner les saules, les branches tressaillirent un instant puis s'immobilisèrent. Personne ne parla. Le mage fixait le fond de son bol en caressant les minuscules sculptures en forme de coquillages qui en ornaient les bords.

« Liala a encore raison, se dit-il. Tiriki ne s'est pas autorisée à affronter le problème, parce qu'il lui faudrait penser à Micail si elle le faisait. Elle et moi pouvons œuvrer en tant que grand prêtre et grande prêtresse, mais nous ne pouvons pas générer l'énergie qu'elle et Micail… Ou bien est-ce moi qui suis trop préoccupé, et pas elle ? »

Un son à la limite de l'inaudible attira son attention. Encadré par les branches du saule, un de ces petits faucons qu'on appelle merlins était suspendu dans l'air argenté… La fauconnerie était à la mode depuis longtemps chez les nobles, mais Chédan n'avait jamais prêté particulièrement attention à ces oiseaux. Maintenant, il avait l'impression de sentir la présence des chouettes et des merlins lorsqu'ils étaient à proximité. C'était peut-être une promesse, un signe de ce que l'avenir allait leur apporter.

Liala continuait :

— Si nos prêtresses doivent perpétuer nos traditions, il leur faut trouver des compagnons, et nous devrons alors recruter des prêtres parmi les gens ordinaires. Reidel, par exemple. Il me semble qu'il a du potentiel…

— Surtout auprès de Damisa ! s'exclama Alyssa qui était revenue à elle avec un éclat de rire. Vous avez vu comment il la regarde ?

— Et comment elle se refuse à lui rendre ses regards ? interrompit Tiriki. Je suis d'accord, il faudra faire quelque chose, mais…

— Je suis une prêtresse de la déesse Mère, pas une adepte comme vous, intervint Liala. Nous autres, les toges bleues, nous célébrons le corps, nous ne le transcendons pas ! Je n'aime pas beaucoup ces marins, mais je commence à être de moins en moins difficile. J'ai même commencé à m'intéresser aux hommes des marécages.

Chédan la considéra un instant ; il venait de prendre conscience qu'il y avait un corps féminin sous cette toge bleue. Il fut un temps où il n'aurait pas été aussi surpris de son commentaire. La bataille pour la survie l'avait-elle distrait, ou commençait-il à se faire vieux ?

— Je comprends, dit Tiriki, et je suis d'accord, mais il est risqué de mélanger le sang de différentes cultures ou races.

— Ils ne doivent pas être si différents que ça, répondit Liala. Taret est une prêtresse de la Mère, comme nous.

— Ils ne semblent pas avoir beaucoup de cérémonies, la coupa Chédan. Ces gens sont proches de la terre et ils connaissent la paix depuis longtemps. Ceux que les dieux ont satisfaits ont rarement envie d'autre chose.

— Ne posez pas la mauvaise question, siffla Alyssa les yeux dans le vague.

Chédan se tourna vers elle. Comment en était-elle arrivée à ce commentaire ? Elle continua :

— Vous construisez des réservoirs pour la pluie, mais vous ignorez la mer. Il y a des pouvoirs ici qui doivent être compris, des noms à apprendre. Et cet autre pouvoir que vous dites servir et préserver ? Et l'Omphale ?

Dans le silence choqué qui suivit, un faucon cria en plongeant vers la terre, en direction d'une proie invisible. Chédan grimaça. Ç'avait été la pire des erreurs que de croire que la prophétesse en toge grise était un cas désespéré. Elle perdait certes tout contrôle sur ses dons mais, même folle, Alyssa pouvait encore leur rappeler des vérités qu'ils avaient oubliées à leurs dépens.

Les nuits rallongèrent et refroidirent, mais leurs abris étaient terminés. Ils n'étaient pas d'un très grand confort, mais au moins ils protégeaient de l'humidité et des courants d'air. On avait même commencé dans l'enthousiasme à construire un bâtiment pour se réunir, mais on ne pouvait plus faire grand-chose sous la fine pluie froide. La vie était dure. Les brumes glacées ne se levaient jamais,

mais ils avaient stocké pendant l'été de la nourriture en quantité suffisante, même si elle n'était pas très appétissante.

La veille du solstice d'hiver, un nouveau front orageux se mit à arriver de la mer. Tiriki était dans sa hutte, en train d'enfiler une tunique supplémentaire pour se protéger du froid, lorsqu'elle entendit une exclamation.

— Damisa? Que se passe-t-il? appela-t-elle. Y a-t-il un problème?

— Un problème, non, fut la réponse. C'est merveilleux!

Tiriki jeta un autre châle sur ses épaules et se dirigea vers la porte pour défaire les cordelettes qui retenaient solidement le battant de peau.

— Oh, regardez! chuchota Damisa, et Tiriki retint sa respiration.

Un vent fort était en train de souffler et les arbres noirs agitaient leur filet de branchages devant les nuages couleur de perle et de charbon où se mêlaient tous les dégradés du bleu lavande au mauve et au rose. Elle avait déjà vu une telle palette de couleurs dans le jardin de sa mère, mais ce n'était qu'ici, dans cette nouvelle et étrange contrée, que les cieux s'emplissaient de cette extraordinaire magnificence…

— Les ailes de la tempête, les ailes de la beauté…, murmura-t-elle.

D'instant en instant, l'incendie du couchant gagnait le ciel; chaque nuage ne fut bientôt plus qu'une masse écarlate de feu en fusion… et pendant un instant Tiriki crut revoir les dernières flammes d'Ahtarrath se lever à nouveau sur les mers. Elle s'approcha de Damisa, dont la peau blanche avait emprunté des reflets à l'agonie du soleil.

«Le Soleil ne fait qu'ouvrir la voie pour le seigneur Nar-Inabi, créateur de la mer et des étoiles, récita Tiriki d'après le catéchisme de son enfance, et bien qu'en hiver Banur le destructeur prenne place brièvement sur le trône, Celui-aux-quatre-visages est aussi le sauveur dont le règne hivernal prépare la voie pour le miracle de Ni-Terat, la ténébreuse Mère de l'univers, qui précède Caratra la nourricière, encore et toujours.»

Encore frissonnante mais étrangement réconfortée, Tiriki noua son châle sous son menton et contempla les couleurs du coucher du soleil, jusqu'à ce que les plus petites traces d'écarlate aient disparu. La dernière bande de lumière sur l'horizon diminua pour n'être plus qu'une infime pointe d'orange incandescent qui tourna au pourpre, s'atténua puis disparut.

— Le seigneur du jour a détourné son visage de la terre, annonça Tiriki au groupe qui s'était assemblé autour d'elle. Avez-vous éteint tous les feux domestiques ?

Chez eux, la veille du solstice d'hiver, tous les feux auraient été éteints à midi, mais ici le bon sens avait prévalu et Chédan avait décidé que la tradition imposait uniquement qu'on éteigne les feux durant la cérémonie proprement dite.

Les Atlantes tournaient en rond et tapaient des pieds, inquiets. Cette soirée serait glacée et sombre, bien au-delà de ce qu'ils avaient enduré jusqu'à présent. Même Chédan Arados n'avait jamais passé l'hiver dans ces îles du Nord. Pire, les nuages d'orage leur dissimulaient les étoiles. Même la messagère de Manoah, la lune, n'apparaîtrait pas. Seule l'étoile de Caratra, qui luisait sur l'horizon, leur donnait l'espoir que la lumière resterait dans le monde.

Le rituel du solstice d'hiver qu'ils s'apprêtaient à célébrer n'avait jamais semblé aussi nécessaire. Dans cet environnement, il était difficile de croire aux anciennes certitudes ; bien que la raison comme la tradition aient assuré à Tiriki que les constellations ne cessaient jamais de briller, même lorsqu'elle ne les voyait pas, dans son cœur une voix atavique murmurait que si ses prières échouaient, cette nuit ne finirait jamais.

Au centre du cercle de pierres au sommet du Tor, Chédan se préparait lui aussi pour le rituel du solstice. Depuis leur arrivée, tous les membres de la caste des prêtres avaient, bien entendu, continué à respecter la discipline quotidienne des salutations et de la méditation. Mais ce rituel serait la première véritable cérémonie tentée sur ces terres.

Depuis le milieu de la matinée, Kalaran et lui avaient travaillé à la construction d'un petit autel carré et l'avaient consacré avec l'eau et l'huile, puis ils étaient allés chercher du petit bois pour le feu sacré. Durant toutes ces préparations, Chédan avait été dérangé par des souvenirs qui avaient brouillé sa concentration.

Son dos douloureux tourné vers l'est, le mage mit le masque étincelant aux yeux immenses de Nar-Inabi et entonna l'ouverture que personne sinon lui, son acolyte et les dieux n'entendraient. À cet instant, la musique sacrée des flûtes et des tambours s'éleva sur les coteaux du Tor; les prêtresses commençaient à monter le long du chemin récemment tracé au milieu des arbres. Les voix se mêlèrent dans l'obscurité :

> *Le ciel est froid, l'année est finie,*
> *La Roue tourne.*
> *La terre est nue, hier si riche,*
> *Et la Roue tourne.*

Tiriki fut la première à pénétrer dans l'enclos sacré, son diadème doré de gardienne scintillant sur son front; plus remarquable encore était la proéminence de son ventre, car la fin de sa grossesse approchait. Chédan savait que celle-ci avait augmenté son pouvoir mais, dans son état, il eût été dangereux de la laisser diriger la cérémonie.

Il fixa son regard sur la nouvelle arrivée, Liala, qui portait le masque grisonnant de Ni-Terat. Il sourit sous son propre masque. Liala était une prêtresse expérimentée, solide et fiable. Il était sûr qu'elle serait en mesure de contrôler n'importe quel flux de pouvoir, aussi irrégulier soit-il.

> *Dans les ruisseaux gelés, nous voyons nos rêves,*
> *La Roue tourne.*
> *Une seule étincelle défie la nuit,*
> *Et la Roue tourne.*

Pour cette cérémonie, comme le voulait la tradition, chacun portait la simple tunique du Temple de la Lumière. Mais à vrai dire, on distinguait difficilement l'étincelant tissu blanc, car ils étaient tous enveloppés d'épaisses couches de vêtements. Chédan sourit avec ironie derrière son masque. «Il va falloir que nous nous cousions des vêtements de cérémonie appropriés à ce climat, si nous voulons conserver notre splendeur rituelle», pensa-t-il.

Il se força à retrouver sa concentration et joignit sa voix à celle des autres :

L'obscurité descend, mais la lune nous appelle,
La Roue tourne.
La nuit étoilée fait notre joie,
Et la Roue tournera.

Sur ce dernier mot, les chanteurs, les flûtes et les tambours se turent. Un instant passa.

— Qui vient ici, alors que l'année s'interrompt ? chanta Chédan. Où est Banur, le roi aux quatre visages, où est-il ? Pourquoi vous interrompre, alors que le monde s'enfonce dans l'obscurité ?

— Nous sommes les enfants de la Lumière, répondit le chœur. Nous n'avons pas peur des ombres. Nous nous levons pour porter les torches qui donneront à tous la Lumière !

— Pourtant, dans ce royaume des lunes gelées, entonna la chaude voix de Liala, par-delà la sagesse et la foi, quel pouvoir vous soutient-il ?

— Le pouvoir de la vie ! Le cercle de l'amour…

— Alors, venez, reprirent Chédan et Liala d'une seule voix. Que cette chaleur règne dans nos cœurs…

Les voix s'unirent :

— Père, Lumière, reviens au monde !

Il y eut des froissements d'étoffe et bien des articulations craquèrent lorsque les officiants s'installèrent dans la pose de la méditation. Le sol était très froid mais pas humide, du moins pas encore.

— C'est la tombée de la nuit la plus longue, chanta Chédan. À présent, Banur tient toute la terre en esclavage…

Il fit une courte pause afin de calculer combien de temps il lui restait avant que les nœuds célestes ne se rencontrent au nord-est de l'écliptique. Il avait longtemps travaillé pour calculer l'instant exact où le soleil passerait du royaume de la Chèvre océane à celui du Porteur d'eau.

— Depuis l'aube du Temple, reprit-il, nous avons célébré cet instant avant que le soleil ne reprenne sa croissance. Nous sommes réunis ici afin d'être consacrés à nouveau pour le grand travail à venir, mais également pour affirmer que nos pouvoirs sont dignes d'être alliés à ceux qui dirigent tout ce qui est. Le feu est une manifestation de cette Lumière. Aussi nous l'honorons, sachant que le symbole n'est rien, mais que la réalité d'où est né le symbole est tout. Ce soir, nous unissons nos forces à celles de la terre pour invoquer les cieux. Êtes-vous prêts à joindre vos pouvoirs à présent, pour que la Lumière renaisse ?

Un murmure d'assentiment s'éleva autour du cercle.

— Mène-nous de l'irréel au réel…, chanta Chédan.

— Mène-nous de l'obscurité à la Lumière…, continua Liala.

— Mène-nous de la peur de la mort à la connaissance de l'éternité…, chantèrent les acolytes d'une voix aiguë.

> *Défenseurs de la Lumière, levez-vous !*
> *Éveillez-vous, vivants dans la sphère des mortels,*
> *Et comme la lune, reflètez Manoah,*
> *Toujours proche dans sa splendeur…*

Chédan ne vit pas les officiants se donner la main, mais il sentit s'accentuer la pression de l'air lorsque le cercle se referma. Liala se tenait de l'autre côté de l'autel, les mains étendues, paumes vers le ciel. Il l'imita et les premières vrilles de pouvoir fusèrent entre eux.

Ensemble, ils firent résonner la première des syllabes sacrées, faisant surgir du sol le pouvoir de la terre qui monta jusqu'à la base de leur colonne vertébrale. Chédan tint la note pendant que Liala reprenait sa respiration, puis il inspira à son tour et elle recommença ; le son se propagea tout autour du cercle sans s'interrompre. Le Mot de pouvoir commença à s'élever en un mouvement puissant au-dessus du cercle et se renforça ; le Tor sous leurs pieds sembla bourdonner.

Chédan inspira à nouveau et laissa le pouvoir monter jusqu'à son ventre, puis il attaqua le deuxième Mot. Le cercle le soutint et sa virilité s'éveilla sous l'influence du pouvoir brut qui grimpait en spirale dans son abdomen ; il s'évertua à concentrer cette énergie. Ce n'était pas si difficile, d'habitude. La sueur perlait sur son front.

Le cercle passa en une souple transition au troisième Mot, mais Chédan ne parvenait pas à contenir les spasmes provoqués par les feux allumés dans son plexus solaire ni les implosions d'énergie le long de ses nerfs. Quand les tremblements s'apaisèrent, il vit que Liala était devenue une silhouette dorée, étincelante, entourée d'un halo de flammèches d'un bleu topaze. Mais son pouvoir chancelait. Son malaise résonna en Chédan qui lutta contre la panique.

Il était trop tard pour chercher à comprendre ce qui se passait. Il prit une profonde inspiration et lança le troisième Mot à nouveau, dirigeant cette fois tout le pouvoir du Mot vers le masque de Ni-Terat. Ses membres se mirent à trembler et, comme des serpents enroulés sur eux-mêmes, des cercles bleus et violets descendirent en vagues successives autour d'elle; brutalement, l'obstacle céda. Le cercle vacilla sous la brusque poussée d'énergie.

Tremblant de soulagement, Chédan modula le quatrième Mot à partir des échos qui s'apaisaient… les cœurs s'ouvrirent et s'emplirent de vagues d'amour. Avec le cinquième Mot, un vent d'énergie se leva, accompagné d'un son d'une si intense beauté qu'il en était presque insupportable. Ce fut une délivrance que d'avancer jusqu'au point de pouvoir dans le troisième œil.

L'énonciation du sixième Mot, s'appuyant sur la résonance du précédent et tourbillonnant en vagues sonores et visibles, résolut le conflit entre la perception et l'illusion. Chédan lui-même n'aurait su dire si les auras des autres participants étaient devenues plus lumineuses ou si sa propre vision avait changé; il voyait parfaitement chaque membre du cercle, et pas seulement leur apparence physique. Chédan savait qu'il voyait leurs esprits. Jetant un coup d'œil à Liala, il lut en elle son dévouement et sa fierté, et le besoin d'amour qui brillait au fond de son âme. Puis tout fut submergé par le flux de pouvoir, une immense colonne de lumière cambrée entre la terre et les cieux.

Peu à peu, ce flux se stabilisa et Chédan commença à envoyer l'énergie vers le bas, le long de ses bras, jusqu'à ses mains. Soudain, un pâle filet de fumée jaillit du bois entassé sur la pierre de l'autel. Des lignes d'or étincelèrent parmi les bûches, puis les flammes s'élevèrent. L'odeur des huiles aromatiques envahit l'air.

– Bénie soit la Lumière! chantèrent-ils en chœur. Bénie soit la Lumière au sein de notre aube intime, elle qui montre la voie et nous réchauffe. Bénie soit la Lumière, elle qui vit dans chaque cœur qui bat. Bénie soit la Lumière dont nous sommes tous faits.

Les flammes montèrent plus haut encore et dorèrent le visage des adorateurs qui se mirent à danser dans le sens de la rotation du soleil;

elles enveloppaient de leur éclat les pierres érodées de l'antique cercle. Chédan fit un pas en arrière; l'éternel pouvoir de la terre s'amplifia en un flux régulier d'énergie qui irradiait de l'autel et dissipait la brume autour du Tor.

Chédan fit un geste et les célébrants se lâchèrent la main et levèrent les bras vers le ciel.

— Venez, enfants de la Lumière, défenseurs de la Lumière! entonna le mage. Baignez vos torches au feu de l'esprit. Apportez la lumière nouvelle à vos foyers!

Un par un, chacun s'approcha de l'autel pour allumer sa torche au feu sacré, puis s'engagea sur le chemin qui descendait du Tor. Chédan les observait avec un sourire fatigué; la chaîne des torches dansait sur la pente telle une guirlande de lumière. Les chanteurs continuaient:

> *Une étincelle allume le feu du soleil*
> *Et les visions sous les flammes nous apparaissent,*
> *Pourtant, l'amour continue et nous le connaissons,*
> *Et la Roue tourne.*

Dans les années à venir, se disait le mage, les choses devraient changer. Le pouvoir avait été d'une brutalité peu commune, et bien que tout se soit finalement bien terminé, cette étrangeté le troublait. Pourquoi en avait-il été ainsi? «Mon oncle Ardral avait-il raison? se demanda-t-il avec un serrement de cœur. Sommes-nous à l'aube d'un nouvel âge?»

> *La mère se repose, mais elle s'éveillera bientôt,*
> *Pour ramasser ses herbes et cuire son pain.*
> *Au ventre de la terre nous prenons une nouvelle vie,*
> *Et la Roue tourne.*

Chédan fronça les sourcils puis sourit largement. L'ancien chant semblait tout à coup particulièrement approprié. «Mais les semences du futur viennent toujours du passé. Le père n'est pas mort si sa sagesse demeure...»

— Comment allez-vous ? Puis-je vous donner ma cape ? Voulez-vous vous appuyer sur moi pour descendre ?

Les paroles de Damisa étaient respectueuses, mais Tiriki sentait pointer l'exaspération sous l'inquiétude. Elle secoua la tête. Il avait déjà été suffisamment embarrassant de devoir se traîner au cours de la danse rituelle comme un poney boiteux ! La prochaine fois, quelqu'un risquait de lui proposer une chaise à porteurs…

— Ma dame ? insista Damisa. Puis-je…

— Je vais bien ! la rembarra Tiriki.

— J'en suis sûre, répondit Damisa brusquement elle aussi. Je ne voulais que vous aider !

Tiriki soupira. Elle commençait à se fatiguer des sautes d'humeur de Damisa, tantôt passive et distraite, tantôt inquiète et pleine de sollicitude, mais elle savait que la dépense d'énergie qu'ils venaient de subir rendait souvent irascible. Elle prit une profonde inspiration qui la fit frissonner de froid et s'efforça de rester calme.

— Je t'en remercie, dit-elle courtoisement. Je vais descendre à mon rythme et vous retrouver en bas. Va, maintenant : la fête promise par Reidel et ses marins doit être prête à commencer !

Elle leva sa torche ; celle-ci crépita rageusement dans le vent qui avait commencé à souffler à l'instant où le rituel s'était terminé.

— Oh, Reidel…, ronchonna Damisa. J'imagine que les marins doivent se débrouiller seuls pour survivre en mer, mais je n'ai jamais trouvé que leur cuisine méritait qu'on se hâte pour la goûter…

— Peut-être, répondit Tiriki sèchement, mais je suis sûre que tu as faim, alors dépêche-toi.

Damisa eut l'air interloqué, mais si elle se sentit insultée, elle ne résista néanmoins pas à Tiriki ; elle lui tourna le dos pour entamer la descente. Tiriki soupira à nouveau et la suivit beaucoup plus prudemment. Au moins, elle avait sa torche pour redescendre.

Elle trébucha et son pied se tordit dans un trou du sol rocailleux. Elle en perdit le souffle et les muscles de son ventre se contractèrent ; elle s'arrêta et s'appuya sur son bâton en repensant avec inquiétude à ces autres bébés qu'elle n'avait pu mener à terme – et si elle avait fait du mal à l'enfant ?

Une grosse pierre sortait de terre tout près du chemin. Elle envisagea de s'y asseoir, mais son instinct lui intimait l'ordre de continuer à marcher. «Ça ne peut pas être sérieux, se dit-elle. Quand je me serai un peu réchauffée, la douleur s'évanouira.»

Elle prit une profonde inspiration et recommença la descente. Elle entendait des rires joyeux un peu plus bas, et une ou deux voix résonnaient en amont, mais pour l'instant elle était seule sur le chemin. Elle atteignit une pente plus douce et les buissons s'épaissirent de part et d'autre. Elle serait bientôt sous les arbres. «Et c'est tant mieux, parce qu'il va pleuvoir», se dit-elle au moment où une goutte s'écrasa sur sa joue.

Une fois encore, des nuages denses obscurcissaient les étoiles. Un brouillard léger tombait et déposait un voile de cristaux sur ses châles. Elle tenta d'accélérer, mais la douleur dans ses reins était devenue lancinante.

L'imperceptible condensation du brouillard se transforma en véritable averse. Sa torche siffla sous l'attaque des gouttes qui passaient au travers du feuillage ; elles imbibaient ses vêtements et rendaient le chemin glissant. Il lui faudrait ralentir encore pour éviter la chute. «Si seulement je n'avais pas renvoyé Damisa... J'aurais eu besoin d'un peu d'aide à présent.»

Elle s'ordonna de respirer lentement et cela adoucit la douleur pendant un moment. Puis une autre pierre roula sous son pied et elle chancela ; sa torche et son bâton volèrent dans les airs. De l'eau glacée frappa son visage et ses bras lorsqu'elle tomba au sol ; au même instant, elle sentit un torrent de chaleur entre ses cuisses. Son souffle lui échappa en un sanglot, puis son ventre se contracta.

«L'enfant ! pensa-t-elle, paniquée. L'enfant arrive... maintenant...» Elle aurait dû faire plus attention, elle était si prêt du terme. Dans ce froid mordant, c'était folie que d'avoir grimpé en haut de la colline pour le rituel.

Elle tendit la main vers sa torche qui luisait encore doucement, mais avant qu'elle ait refermé ses doigts dessus, celle-ci crachota et s'éteignit tout à fait. Elle ne put retenir un juron. Cette lueur n'avait pas été intense, mais sans elle l'obscurité lui semblait impénétrable.

– Liala ! souffla-t-elle, car il n'y avait pas d'ordre de Caratra ici, mais la prêtresse en toge bleue lui avait promis son aide pour l'accouchement. Quelqu'un ! *Aidez-moi !*

Elle inspira en claquant des doigts, tentant de reprendre le contrôle d'elle-même. Elle avait encore un peu de temps – elle avait entendu dire que les premiers-nés mettaient souvent plusieurs heures à naître. Cela ne la rassura guère. Tremblante, elle se hissa sur ses mains et ses genoux et se demanda si elle parviendrait à se mettre sur ses pieds, et s'il serait sans danger de marcher. « Il vaut mieux ramper, au moins je pourrai sentir le chemin. » C'était une progression douloureuse, toutefois, et avant d'être allée bien loin elle ne désira plus que se mettre en boule sur le chemin pour souffrir en paix.

Elle se força pourtant à avancer encore. « Mon… mon enfant chéri ! Je veux te… te voir *vivant* ! » Curieusement, cette résolution la réchauffa. « Ça va aller. Sinon, de toute façon, Chédan et Liala me trouveront quand ils descendront la colline… »

La rigoureuse discipline du temple lui avait donné la certitude qu'elle aurait la force de supporter ce qui l'attendait, mais elle n'avait jamais réalisé auparavant combien elle s'appuyait sur l'armée de serviteurs qui l'entouraient sur Ahtarrath. Dans le monde de l'esprit, elle pouvait faire face à tous les dangers, mais cette fois, c'était une épreuve de la chair et elle se trouvait, de façon inattendue, seule, faible, et livrée à la douleur physique.

Pire encore, réalisa-t-elle en s'appuyant à un tronc d'arbre trempé au milieu de ce qu'elle avait pris pour le chemin, elle était perdue. Elle s'agrippa au tronc et se mit debout.

– Ohé ! hurla-t-elle, mais le vent emporta son cri.

Elle eut l'impression que quelqu'un d'autre avait crié un peu plus haut sur la colline. Étaient-ils en train de la chercher ? Quelqu'un avait dû remarquer qu'elle avait disparu. Elle essaya d'appeler à nouveau, mais ses hurlements furent étouffés par le tambourinement de la pluie qui tombait en rafales.

« Cet enfant était un miracle, pensa-t-elle hébétée. Les pouvoirs qui m'ont envoyé cette joie ne permettraient pas qu'il soit détruit… pas ainsi, c'est trop absurde ! » Elle se remit à quatre pattes, respirant avec précaution car la douleur tordait à nouveau son corps.

« Je suis une gardienne, dit la partie de son esprit qui était encore capable de penser. Je suis capable, forcément, d'appeler quelqu'un, même si je suis prise au piège ici… La Dame ! La Reine ! Elle m'a donné sa bénédiction ! » Mais lorsqu'elle tenta de rassembler ses forces pour lancer son appel, une autre contraction dispersa sa concentration et la ramena dans son corps.

Finalement, tout ce qu'elle put faire fut de profiter des quelques instants qui séparaient les bouffées d'intense douleur pour se traîner lentement en direction du pied de la colline.

— Lève-toi.

La sensation animale de la douleur à laquelle la conscience de Tiriki s'était réduite accueillit ces mots sans les comprendre. À demi-inconsciente, elle avait continué à ramper. Mais à présent, de petites mains agrippaient ses bras avec une vigueur étonnante et la mettaient debout.

— Voilà ! Tu peux marcher. Je vais te montrer le chemin.

— Qui êtes-vous ? gémit Tiriki ; une énergie pleine de chaleur envahissait son corps par l'intermédiaire de ces petites mains si fortes.

— Concentre-toi sur tes pieds ! fut la seule réponse.

Tiriki s'arrêta pour laisser passer une nouvelle contraction.

— Bien ! fit la voix. Maintenant, respire et accueille la douleur.

C'était une voix féminine et, à en juger par la taille de ces mains, ce devait être une femme des marécages. Peut-être, pensa Tiriki vaguement, une des indigènes qui étaient venues jusqu'au Tor pour contempler le feu du solstice… Elle n'avait pas la moindre idée de la direction qu'elles prenaient dans cette jungle où les branches la giflaient, ni du temps passé à parcourir sous la pluie battante ce chemin au cœur de la forêt. Mais tout à coup, sa mystérieuse compagne la fit entrer dans une clairière au milieu des arbres. Tiriki sentit le sol plat sous ses pieds. Elle reconnut la fumée d'un feu de bois et devina, plus qu'elle ne la vit, la masse indistincte d'une construction.

Sa guide lança un appel, un chapelet de notes liquides qui ressemblait au chant d'un oiseau, mais Tiriki réalisa que c'étaient des mots.

Une lueur dansante s'échappa d'une porte de cuir qui s'ouvrait. Les mains de l'étrangère la lâchèrent et Tiriki s'effondra dans les bras de la vénérable Taret.

Par bonheur, les quelques heures qui suivirent devaient rester floues dans la mémoire de Tiriki. Le souvenir de crises d'une douleur aiguë, pourtant, serait entrecoupé de la conscience d'une grande chaleur, de la vivacité des yeux de la vieille Taret et du réconfort que lui apportaient ses mains. Ensuite, il y aurait aussi le visage de Liala, mais elle savait que c'était la force de Taret qui l'avait soutenue.

Lorsque la souffrance fut à son paroxysme, elle perdit la conscience de ce qui l'entourait. Il lui semblait qu'elle était de retour dans son lit au palais d'Ahtarra, lovée dans les bras de Micail. Elle savait que ce ne pouvait être qu'un rêve à l'intérieur d'un rêve, car les traditions du Temple interdisaient à tout homme, y compris le père de l'enfant, d'être présent dans la pièce où se déroulait une naissance ; il ne savait même pas si la mère et l'enfant étaient en vie jusqu'au moment où sa femme sortait, son enfant dans les bras, de la maison de Caratra.

Peut-être que les règles de l'autre monde étaient différentes, parce que Micail était avec elle, c'était certain, et il murmurait des encouragements cependant que sa chair était torturée par l'épreuve toujours recommencée. Elle se souviendrait avoir été soulevée et soutenue contre le ventre et les doux seins d'une femme tandis qu'une autre se penchait et écartait ses cuisses.

– Encore une poussée… (Les mots étaient-ils ceux de Taret ou de Micail ?) Puise ta force dans la terre… Crie ! Hurle ! Pousse le bébé dans le monde !

Évidemment : il fallait qu'elle tire sa force du pouvoir de la terre. Pendant un instant, Tiriki contrôla clairement ce qui se passait. Elle se souvenait de la façon dont les forces du Tor avaient jailli à travers elle ; elle s'appuya à nouveau sur elles jusqu'à sentir qu'elle *était* la terre. Avec un hurlement qui sembla résonner par toute la Terre, elle poussa son enfant dans le monde des humains.

La porte de cuir était grande ouverte, découpant un triangle lumineux sur les ténèbres.

Sa conscience revenait progressivement et lui disait que c'était le ciel, teinté de toutes les nuances nacrées d'une aube hivernale. Elle réalisa avec surprise que, malgré sa faiblesse, elle n'avait pas mal. Elle était même pleine d'une profonde et radieuse satisfaction – elle baissa les yeux et découvrit une petite vie pelotonnée au creux de son bras, gazouillante et tiède, et elle comprit pourquoi.

Émerveillée, elle examina la douce courbe du crâne couronné d'une mèche de cheveux flamboyants puis, lorsque le bébé bougea, elle aperçut les minuscules traits de son visage, fripés comme le bouton d'une rose.

Une ombre traversa son champ de vision. Elle leva les yeux et vit le sourire de Liala.

– Va-t-il bien ? murmura Tiriki.

– *Elle* est parfaite, fit la voix de Taret auprès d'elle.

Le regard de Tiriki se posa sur son enfant. Ce n'était pas un fils, alors, un fils qui aurait hérité des pouvoirs de son père – si, du moins, ces pouvoirs représentaient quoi que ce soit dans ce nouveau pays. Une fille, donc, qui hériterait… de quoi ? Sans parler, incapable de formuler la question qui tournoyait en elle, elle leva les yeux vers Taret.

– Fille d'un sanctuaire, dit la vieille femme joyeusement. Elle sera prêtresse ici un jour.

Tiriki hocha la tête – elle l'avait à peine entendue, pourtant tous les fragments de son âme semblaient avoir retrouvé leur place. Ce n'était cependant pas tout à fait la même configuration. Une partie d'elle était liée à l'enfant couchée à ses côtés, une autre touchait la terre sur laquelle elle était étendue, et il y avait encore autre chose qu'elle ne pouvait ni définir ni nommer. Elle savait seulement qu'avec cette naissance, le processus qui avait débuté par le rituel au sommet du Tor était achevé. Désormais, elle appartiendrait pour toujours à ces lieux.

Cette pensée en amena une autre.

– Merci, dit-elle à Taret. Et je vous prie de remercier aussi de ma part la femme qui m'a menée ici. Sans son aide, je serais morte. Était-ce toi, Liala ? ou Métia ? ou…

– Comment ? répondit Liala, le front plissé par l'incompréhension. Non, je n'ai pas fait grand-chose. C'est Damisa qui s'est inquiétée lorsque tu ne nous as pas rejoints à la fête, ensuite on ne t'a trouvée nulle part. Alors je suis venue voir Taret en espérant qu'elle pourrait nous aider. Je venais d'entrer ici lorsque nous t'avons entendue crier – mais je croyais que tu étais arrivée seule !

Le sourire de Taret s'épanouissait jusqu'à ses oreilles.

– La Reine des rayonnants c'était, dit-elle fièrement. Elle veille sur les siens.

CHAPITRE 10

Micail soupira dans son sommeil et tendit la main pour toucher Tiriki, dans un réflexe que neuf mois de solitude n'étaient pas parvenus à effacer. Cette fois, il eut l'impression que ses bras se refermaient sur elle. Il sentait se contracter la boule dure de son ventre et il sut, avec la certitude que donnent les rêves, qu'elle donnait naissance à son enfant.

Elle gémissait et il la serrait plus fort avec un murmure d'encouragement puis, soudain, ils se trouvaient sur une plaine herbeuse dans la pâle lueur qui précède l'aurore. Le ventre de sa femme se soulevait et toute la terre se soulevait en même temps, mais ce n'était pas sous l'effet des feux de la destruction. Partout, une nouvelle vie émergeait du sol. La lutte que menait Tiriki s'intensifiait puis, avec un hurlement, elle poussait l'enfant dans le monde. Elle se laissait aller en arrière en haletant et il se baissait pour saisir le nouveau-né ; c'était une fille, parfaitement formée, le crâne surmonté d'une houppe de cheveux qui ressemblait à une flamme.

Il la levait au-dessus de sa tête en riant.

— Voyez, c'est l'enfant de la prophétie, mon pacte avec ce nouveau pays !

Et tous les êtres se rassemblaient sur la plaine, les humains et les autres, et criaient en signe de bienvenue, enthousiastes ; des vagues de bonheur le soulevèrent et l'entraînèrent au loin.

Micail se débattit pour se libérer des couvertures. Il cligna des yeux en constatant qu'il entendait encore des hurlements de joie et des chants.

«N'était-ce qu'un rêve, se demanda-t-il, ou mes souvenirs de cette dernière année n'étaient-ils qu'un cauchemar?» Mais les contours indistincts de la pièce ne lui étaient que trop familiers; ils n'appartenaient pas à des souvenirs où auraient vécu Tiriki et son enfant.

C'était donc un rêve – un mensonge. Curieusement, cela ne l'emplit pas du désespoir qu'il ressentait habituellement lorsque les promesses de la nuit lui étaient arrachées au matin. Si ça n'avait été qu'une illusion, au moins c'était une belle illusion.

Le tumulte augmentait à l'extérieur. Il s'arracha à son lit, trébucha sur le tapis et ouvrit les volets qui empêchaient l'air humide de la nuit de pénétrer dans la chambre. À l'ouest, un nouveau front orageux déroulait ses nuages menaçants derrière lesquels s'abattaient des nappes de pluie, mais la nouvelle lune, messagère de Manoah, se glissait sous les nuées pour se reposer derrière l'horizon et les étoiles diffusaient une lueur froide.

Le monde entier était au repos, obscur et silencieux – sauf à Belsairath. Le carrefour boueux sous les fenêtres de l'auberge était illuminé par des torches; un immense feu de joie brûlait sur la place. Des gens dansaient autour en hurlant.

«Un nouveau navire est-il arrivé?» Micail plissa les yeux pour apercevoir le port, mais les quais étaient sombres et déserts. Il se frotta les paupières, incapable d'imaginer quelle autre raison pouvait bien justifier une fête aussi enthousiaste.

La porte de sa chambre s'ouvrit et la silhouette anguleuse de Jiritaren se découpa dans l'embrasure sur la lueur de la lampe qui brûlait en permanence dans le couloir.

– Mais oui, tu es réveillé! Je m'en doutais, avec tout ce boucan!

Sa voix était rieuse, comme d'habitude.

– Avais-je le choix? demanda Micail avec un geste vers la fenêtre. Au nom de tous les dieux, que signifie ce tapage?

– Personne ne t'en a parlé? C'est ainsi qu'ils célèbrent le solstice d'hiver ici!

– Oh…, fit Micail en refermant les volets qui assourdirent un peu le bruit; il savait que c'était le solstice, mais il avait préféré ne pas se joindre au rituel du feu nouveau à la villa du prince Tjalan. Je n'ai pas été moi-même ces derniers temps.

— Tu as l'air beaucoup mieux aujourd'hui. Mettons un peu de lumière.

Il présenta un petit bout de bois à la flamme du couloir et le ramena dans la chambre pour y allumer la lampe.

— Mmm… oui…, fit-il alors en regardant dans l'oreille de Micail. Je crois qu'il y a quelqu'un là-dedans. Il était temps.

— Oh, arrête ! s'exclama Micail en simulant un coup de poing dans l'estomac de son ami, puis il se retourna pour attraper sa coupe où il espérait qu'il restait un peu d'eau. Mais je suis content que tu sois là. Je suis même content de cette fête ! Il était temps que quelque chose de joyeux arrive par ici.

Il s'interrompit brusquement en se souvenant des paroles de Jiritaren :

— Il était temps *pour quoi* ?

— Haladris et Mahadalku ont convoqué une réunion extraordinaire. Du calme ! Elle ne commencera pas avant la fin des prières du matin. Mais je viens de revenir du rituel et je sais que tu te couches souvent tard, alors j'ai pensé que tu aimerais le savoir…

— Probablement, si toutefois tu me disais quoi que ce soit à ce propos !

— Ce que je m'*apprêtais* à te dire, c'est que les voyants de Tarisseda avec qui Stathalka a travaillé ont trouvé le bon endroit, et ce n'est pas très loin.

— Le bon endroit ?

— La source de pouvoir dont nous avons besoin pour construire notre temple ! Et puis Naranshada a réussi à confirmer que les énergies pourraient se coordonner. C'est à l'endroit dont le prince Tjalan a parlé, dans les plaines d'Ai-Zir.

Micail fronça les sourcils ; son esprit commençait à fonctionner comme il n'avait pas fonctionné depuis longtemps.

— Si Ansha pense lui aussi que c'est le bon endroit, alors il faudrait commencer à faire des plans pour…

Il s'arrêta net en constatant que Jiritaren riait.

— Non, non, excuse-moi, continue. C'est juste que j'ai l'impression de t'entendre à nouveau. Ça faisait bien trop longtemps que tu n'étais plus toi-même.

– J'imagine que tu as raison.

Même si son rêve n'avait été qu'une illusion, Micail bénissait les dieux pour lui avoir envoyé la force d'assumer ses responsabilités. Si Tiriki devait arriver au port aujourd'hui, il se dit qu'il aurait eu trop honte de lui pour la regarder en face. « Je n'ai rien fait du tout, se dit-il sévèrement. Mais c'est terminé. »

Jiritaren, redevenu sérieux, hocha la tête.

– Ils veulent que tu diriges l'expédition. Tjalan dit qu'il désire t'accompagner, mais il devra probablement revenir ici pour garder un œil sur la situation locale. Tu es le seul à avoir à la fois le rang nécessaire pour commander un détachement de soldats et le statut qui t'autorise à contrôler les prêtres qu'ils auront sous leur protection.

Micail resta silencieux un moment. Ce que Jiri lui disait le surprenait moins que le fait d'être, pour la première fois depuis le Cataclysme, intéressé par quelque chose.

Il resta allongé sans dormir à écouter le tapage des fêtards longtemps après que son ami l'ait quitté. La pluie qui avait commencé à battre les tuiles au-dessus de sa tête ne semblait pas les déranger. Elle lui rappela les vagues sur les rivages d'Ahtarrath ; il se surprit à sourire.

Il ferma enfin les yeux, revoyant en pensée les images merveilleuses de son rêve. À l'instant où les premiers oiseaux annonçaient l'arrivée du jour, sa vision changea. Il entendait une voix qui proclamait : « *La Fille de Manoah ramène la lumière dans le monde !* », et autour du nouveau-né, un halo de lumière s'élargit tandis que le soleil du solstice d'hiver commençait à se lever.

Le premier anniversaire de leur arrivée à Belsairath arriva, puis le feuillage de l'hiver sembla prendre part lui aussi à la célébration en cédant la place à un vert brillant qui emplissait le monde d'une douceur parfumée. Les cycles du soleil, qui chez eux n'étaient perceptibles que pour les prêtres, étaient ici au cœur de la religion locale. Micail n'avait jamais été aussi conscient du fait que les jours rallongeaient. Tout à ses préparatifs pour l'expédition vers le territoire des Ai-Zir, il n'avait plus beaucoup de temps pour se morfondre – mais ce n'était pas la seule raison.

Sa douleur ne s'était pas effacée, mais elle s'était atténuée. Il commençait à accepter le fait qu'il avait perdu Tiriki à jamais. Il avait parlé aux marchands qui arrivaient à Belsairath ; il avait même réussi à convaincre Tjalan d'envoyer un navire à Béléri-in pour inspecter les côtes où un bateau aurait pu accoster, mais on n'avait eu aucune nouvelle d'elle. Même s'il pleurait l'être de chair qu'il avait tant aimé, il se disait que dans une autre vie ils se retrouveraient. Parfois, il arrivait presque à y croire.

Le jour du départ arriva et Micail se retrouva sur le quai, sa toge ceinturée haut pour lui permettre de marcher, des sandales solides aux pieds et un bâton à la main, qui aurait cette fois-ci plus d'usages que la seule magie. Derrière lui, les voix résonnaient tandis que la colonne se formait. Les tuniques blanches des acolytes choisis pour l'accompagner faisaient des taches claires parmi les tuniques vertes des soldats. Les flots étaient bleus aujourd'hui, tachetés d'écume blanche. Il vit du coin de l'œil une lueur d'un rouge doré et son corps se tendit, certain qu'il avait aperçu la voile d'un navire… Mais le vent tourna et lissa les vagues. Ce n'était que la lumière, elle lui avait joué un tour.

«Ne confonds pas le poteau indicateur et la destination…», murmura le vieux Rajasta dans sa mémoire.

– Micail ! Dépêche-toi, mon vieux, on ne peut pas partir sans toi ! La voix de Jiritaren le sortit de sa rêverie.

– Au revoir, chuchota-t-il en levant les mains pour saluer le miroitement de la lumière sur les vagues.

Puis il se retourna et quitta le quai pour prendre sa place dans la colonne, auprès du prince Tjalan.

Durant la première heure de ce premier jour de voyage, Micail ne vit que la route défoncée et il ne prêta qu'une oreille discrète aux conversations jusqu'à ce qu'une exclamation de surprise lui fasse lever les yeux. Il aperçut alors un haut talus engazonné sur le flanc d'une colline, à gauche de la route.

– Les indigènes ont construit ça ? demanda-t-il à Tjalan. Je ne les en aurais pas cru capables.

– Eux, ou plutôt leurs ancêtres. Ils vivaient là jusqu'à ce que nous arrivions. Mon arrière-grand-père a fondé le port, ajouta Tjalan en pointant son pouce derrière lui. Mon père disait que les ports de l'île de Tin étaient déficitaires, mais localement cela a contribué au développement. En fait, Domazo, le patron de l'auberge que tu aimes tellement, est un descendant du chef indigène de l'époque. Je ne serais pas étonné qu'il ait plus d'autorité sur la ville que je n'en ai moi-même ! En tout cas, comme tu le vois, personne ne vit plus ici à présent. Ça nous laisse beaucoup de place pour notre propre expansion.

— Impressionnant, fit Micail.

— En effet. Nous ne devrions jamais oublier que s'ils sont encadrés et motivés comme il se doit, ces gens peuvent accomplir de grandes choses.

Micail lui lança un regard pénétrant, mais Tjalan se contenta de continuer à marcher en scrutant l'horizon. Tjalan voulait-il vraiment dire que les indigènes n'avaient besoin que d'un chef énergique ? Lui-même, sans doute ? Lorsqu'ils avaient fait leurs plans, ils n'avaient parlé que d'explorer les plaines des Ai-Zir et de *demander* la permission au roi local d'y construire le temple. Micail était sûr que la prophétie de Rajasta ne mentionnait nulle part qu'un empire atlante serait construit grâce au labeur de peuples soumis.

Le matin du deuxième jour, Micail se laissa distancer suffisamment pour se joindre aux plus jeunes membres de l'expédition. Il n'était pas sûr de recevoir un bon accueil de leur part, car ils étaient souvent embarrassés et inquiets en sa présence, mais ce jour-là ils semblèrent contents de le voir.

Après s'être frotté à l'ombrageuse vanité des autres prêtres, il était heureux de voir que les acolytes ne pensaient même pas à en imposer aux chélas des prêtres et des prêtresses. Ils traitaient Li'ija et Karagon comme leurs égaux, et ni la semi-royauté de Galara ni le fait qu'elle était la belle-sœur de Micail ne lui valaient la moindre faveur. Mais le garçon, Lanath, l'inquiétait. Il marchait derrière les autres sans se mêler à eux, les yeux dans le vague, comme quelqu'un qui se remémore un mauvais rêve. Micail quitta la route et se baissa en faisant mine de rajuster sa sandale.

— Tu as l'air fatigué, dit-il à Lanath qui le dépassait. Tu n'as pas bien dormi ?

192

Interloqué, Lanath leva les yeux sur lui.

– Si… répondit-il, portant la main à son menton, un geste qui était devenu un tic depuis que sa barbe avait enfin commencé à pousser. La nuit dernière, du moins…

– Nous rêvons tous de ce que nous avons perdu. Mais il nous faut aller de l'avant, ajouta Micail qui savait qu'il s'adressait aussi à lui-même. Je rêve sans cesse de ma femme. La nuit dernière, je l'ai vue comme si elle se tenait devant moi.

– Quand je ne fais pas de cauchemar ; des cauchemars dont je ne me souviens jamais après coup, que les dieux en soient remerciés, alors je rêve de Kanar, l'astrologue du temple sur Ahtarrath, vous savez.

– Oui ?

– Eh bien, je venais de devenir son apprenti – j'ai toujours été doué pour les chiffres. Mais dans mes rêves, je… Enfin, il n'y a rien d'étrange au début, je le vois simplement dans son observatoire ou en train de marcher sur la plage. Mais alors il commence à… c'est comme s'il essayait de me dire quelque chose que je n'arrive pas à comprendre…

– Certes, mais les étoiles font partie de ces choses que personne n'arrive vraiment à comprendre, n'est-ce pas ? répliqua Micail.

Son esprit à lui, en tout cas, était peuplé de choses qu'il ne comprenait pas. Lanath exprimait ce que lui-même ressentait. Pas étonnant que les autres l'évitent.

Ce garçon avait besoin qu'on s'occupe de sa formation. Micail s'éclaircit la gorge avant de continuer :

– Eh bien, Lanath, si tu as été appelé à apprendre la science des étoiles, il faut que tu parles à Ardral… ou à Jiritaren, ajouta-t-il en voyant le garçon tressaillir. Tu ne devrais pas avoir peur du septième gardien. Ses plaisanteries t'en apprendraient plus que les discours sérieux de bien des hommes, mais j'imagine que tu trouveras Jiri plus accessible. En tout cas, pour l'instant, il y a une chose que tu dois absolument étudier. Ta voix a enfin fini de muer, n'est-ce pas ?

– Oui, il paraît que je serai un ténor… comme vous, répondit le jeune homme en rougissant.

– Excellent… et je ne dis pas ça seulement par politesse. Lorsque nous débuterons la construction du temple, il nous faudra des chantres

193

bien entraînés. Aussi, je crois que tu devrais commencer à travailler avec moi tout de suite. Qu'en penses-tu ?

— Maintenant ? Je veux dire… j'ai toujours du mal à me concentrer, surtout en public, reprit Lanath en rougissant à nouveau. Mais… mais je serais heureux d'essayer !

— C'est tout ce que je te demande. Nous allons commencer avec un exercice de base. Peux-tu chanter la cinquième note et la tenir ?… Oui, c'est bien, mais maintenant écoute attentivement…

— C'est tellement beau ! s'exclama Élara.

La route qu'ils suivaient derrière le commerçant indigène, Heshoth, sinuait vers le nord-est. À leur gauche s'alignaient des collines basses et couronnées de forêts. La terre, entre les ornières profondes de la route, était couverte d'une herbe d'un émeraude profond étoilé de fleurs printanières.

— Notre voyage a dû être béni des dieux ! reprit-elle.

— Quels dieux ? murmura Lanath, les nôtres ou les leurs ? Je suis encore meurtri d'avoir tant marché hier !

Galara et Li'ija émirent un grognement d'approbation.

— Si tu avais un peu plus levé ton derrière de ta chaise quand nous étions à Belsairath, tu serais en meilleure forme maintenant, fit Élara vertement.

Elle le toisa sans gentillesse. Il était devenu plus grand qu'elle en un rien de temps, mais s'il avait des muscles, ils étaient encore recouverts de graisse – elle n'avait pas d'autre mot pour désigner ça. Ses cheveux sombres lui tombaient dans les yeux comme ceux d'un enfant ; pourtant sa barbe avait enfin commencé à pousser. Élara s'était résignée au lien qui les unissait l'un à l'autre, mais elle n'était pas pressée de se marier, surtout avec tous les hommes intéressants qu'il y avait aux environs.

— Le seigneur Ardravanant ne m'a pas laissé beaucoup de loisirs, répondit Lanath. Et puis, pour étudier les étoiles, on est *obligé* de rester assis.

— Et de dormir tard, ajouta Cléta avec une trace d'envie dans la voix.

Cléta était de constitution robuste, vive et intelligente, et lors-qu'elle avait bien dormi elle était aussi très agréable…

– Je suis sûre que ce voyage va nous endurcir, dit Li'ija joyeusement.

– Ce n'est qu'une balade tout à fait plaisante pour toi, n'est-ce pas ? demanda dédaigneusement Karagon, qui s'était joint à l'expédition en compagnie de son maître Valadur.

– Absolument ! Si nous n'étions pas obligés de suivre le rythme de ces chars à bœufs, poursuivit-elle avec un sourire taquin, nous pourrions même aller deux fois plus vite !

Lanath gémit, mais les autres éclatèrent de rire. Ardral voyageait dans un de ces chars à bœufs avec les bagages ; Valadur lui tenait compagnie. Tous les autres marchaient, comme d'ailleurs ils l'auraient fait sur leur île natale, où seuls les puissants, les faibles et les vieillards se déplaçaient en litière.

Vu l'état de la route, Élara se demanda combien de temps le septième gardien supporterait les cahots du chariot avant d'en descendre pour marcher parmi eux, malgré le grand nombre de ses années – quel que soit ce nombre, d'ailleurs. Elle avait souvent posé la question autour d'elle, mais personne ne semblait savoir quel âge avait Ardral. Il y avait d'autres rumeurs à son propos. Il se murmurait que, dans sa jeunesse, il avait utilisé ses pouvoirs pour tuer. Il le niait, ou plutôt il se contentait de dire qu'il n'avait jamais eu à tuer personne, parce que ses ennemis devenaient fous et s'enfuyaient… ce qui n'était pas exactement rassurant. Quoi qu'il en soit, les collines boisées qu'ils longeaient étaient peut-être infestées de dangers inconnus, bêtes sauvages ou pillards. Elle était heureuse de voyager en compagnie d'un mage, quel qu'il fût.

Il y avait les soldats aussi, bien sûr. La moitié d'entre eux fermait la marche, l'autre moitié formant une avant-garde serrée autour de Heshoth, de deux guides indigènes et du prince Tjalan. Micail marchait parfois en compagnie du prince et de ses gardes du corps, et souvent aussi avec les autres prêtres. Il y avait les ingénieurs, Naranshada et Ocathrel, et Jiritaren ; Élara suspectait que sa tâche principale consistait à garder un œil sur Micail, sans parler de seconder Ardral dans ses calculs astronomiques.

Elle comprenait moins ce que la prêtresse Kyrrdis faisait ici. « S'ils voulaient une chantre, il est vrai qu'elle est douée, mais Mahadalku l'est encore plus ; et s'ils voulaient simplement une femme, ils auraient dû emmener une des sajis…» Elle rougit à cette pensée.

Et puis, il y avait Valadur. Elle était perplexe quant à sa fonction. L'ordre des toges grises avait une réputation sulfureuse… «Ardral saura le contrôler, pensa-t-elle. Qui ai-je oublié? Valorin. Évidemment.»

Elle ralentit le pas pour observer les gens autour d'elle, mais elle ne vit Valorin nulle part. C'était un prêtre d'Alkonath qui avait été choisi pour sa profonde connaissance de la science horticole et il quittait sans cesse la route pour aller examiner des buissons et des fleurs qui lui étaient inconnus.

— Regardez! Est-ce un village, là-bas? s'exclama Galara, le doigt pointé sur un ensemble de lopins soigneusement délimités autour d'une hutte ronde au toit couvert de mottes de terre herbeuse; de l'autre côté du champ, un long monticule vert semblait monter la garde.

— Une ferme, plutôt, hasarda Cléta, mais elle ne ressemble pas à celles de chez nous.

— Plusieurs fermes, je crois, fit observer Karagon quand ils eurent atteint le sommet d'une montée.

D'autres champs et d'autres bâtiments venaient d'apparaître sous leurs yeux. Les lopins étaient petits et séparés par des haies ou des fossés. En s'approchant, ils virent les dos sales d'un troupeau de moutons mené par un petit garçon en tunique marron et un chien qui jappait.

— Il y a de l'eau dans ces fossés! fit Lanath, surpris.

Ils s'approchèrent encore; un homme occupé à sarcler des plants de céréales se redressa et lança une salutation dans la langue locale à laquelle Gréha, un des guides indigènes, répondit. Tous deux avaient les cheveux bruns et bouclés et les yeux gris qui caractérisaient ces peuples, bien que Gréha fût plus grand et plus costaud.

— Tu as appris quelques mots du patois local, Cléta, n'est-ce pas? demanda Galara. Que disent-ils?

— Ils parlent de moutons et de bergers. Je crois qu'ils parlent de nous! (Le visage rond de Cléta se colora.) Oh! j'espère que le prince n'a pas entendu ça!

Entouré de ses gardes du corps, le prince Tjalan avançait à grandes enjambées, aussi intrépide que les aigles qui flottaient sur ses bannières.

« Voyez venir le grand seigneur d'Atlantis, qui prend possession de ce nouveau pays, se disait Élara. Mais que lui prendra, à lui, ce nouveau pays ? »

Le voyage prit un rythme de croisière. Jour après jour, ils se levaient tôt et marchaient, faisant halte de temps à autre, jusqu'au milieu de l'après-midi, puis l'avant-garde des soldats se mettait à la recherche d'un site près d'un point d'eau où ils pourraient camper pour la nuit. Un soir, ils furent encerclés par des loups ; plus d'une fois aussi, Lanath les réveilla en hurlant au sortir d'un cauchemar, mais sinon tout semblait paisible. Les acolytes et les chélas s'habituèrent vite à l'exercice, et une fois qu'ils eurent surmonté leur peur de l'inconnu, ils prirent plaisir à explorer la contrée.

Micail n'avait pas voulu les laisser partir seuls, mais Heshoth leur affirma que les peuples d'ici étaient non seulement pacifiques, mais également craintifs. En effet, quand les indigènes voyaient arriver les Atlantes, avec leurs tuniques d'un blanc éclatant et leurs capes colorées, sans parler des bannières, des lances et des épées, les gardiens de cochons et les bûcherons de la forêt partaient en courant, encore plus vite que les gamins qui s'occupaient des vaches et des moutons dans les prairies.

Le lendemain, l'expédition tourna vers le nord, cheminant péniblement pour contourner une longue ligne de collines boisées. En fin d'après-midi, les voyageurs approchèrent d'une butte solitaire surmontée de la bosse oblongue d'un vieux tumulus qui dominait la vallée.

– Nous devrions nous arrêter ici, fit Heshoth, montrant du doigt une grande clairière entre la route et la rivière. Il y a longtemps, des gens venaient ici pour la cérémonie de la fin de l'été, et puis il y a eu une guerre. Personne ne vient ici maintenant.

La journée avait été belle ; le long après-midi se prolongea par un lent coucher de soleil. Les serviteurs du prince Tjalan s'activèrent à monter les tentes et à ramasser du bois pour préparer le repas du soir. Tant qu'ils n'auraient pas terminé, les acolytes et les chélas n'avaient pas grand-chose à faire. La colline, avec ses forêts et ses effluves d'anciennes tragédies, les attira.

– Grimpons là-haut, proposa Karagon. Du sommet, on devrait avoir une belle vue des environs.

– Tu n'as pas encore assez marché pour aujourd'hui ? rouspéta Élara.

Mais à part Lanath, qui marmonnait quelque chose à propos de fantômes, les autres avaient l'air enthousiaste. Li'ija et Karagon découvrirent un chemin qui menait presque directement au sommet et ils se mirent à escalader. Enfin, ils arrivèrent à un fossé et un remblai couverts de végétation. Curieusement, le fossé avait été creusé par segments, avec un passage entre chacun des trous oblongs.

– Ni le fossé ni le remblai n'ont l'air très solides, commenta Karagon. Ils doivent avoir un autre rôle que celui de fortifications.

Sur la pente la plus au nord, ils découvrirent les madriers de ce qui avait dû être un corps de garde, encore debout et appuyés l'un contre l'autre, bien que le toit ait disparu depuis longtemps.

– Si ce n'est pas un fortin, demanda Li'ija, qu'est-ce que c'était ?

– Ça fait une… impression bizarre, fit Lanath en frissonnant. Pas inamicale… c'est juste… c'est très ancien. Il y a des échos de voix…

– Oui, opina Li'ija. Je les entends aussi…

– C'est le vent, voilà tout, intervint Cléta. Mais quelqu'un a creusé dans un de ces trous, ajouta-t-elle en s'approchant et en balayant la terre de la main. Il y a une meule ici, comme celle que les femmes indigènes utilisent pour moudre le grain. Mais elle est cassée.

– Écrabouillée, suggéra Élara.

– Sacrifiée ! chuchota Karagon, grandiloquent.

– Et ça, c'est une marmite ? demanda Galara qui se pencha pour mieux voir.

– C'est un crâne, répondit Élara. Peut-être celui de la femme qui utilisait la meule.

– Allons voir ce qu'il y a dedans, suggéra Karagon en se faufilant dans les ruines, sous les protestations de Lanath et de Galara qui finirent par suivre les autres malgré tout.

— C'est un cercle de pierres ! dit Élara.

Elle fit un pas ou deux à l'intérieur du cercle, tentant de ressentir l'immobilité pleine d'expectative qu'on lui avait appris à reconnaître, mais il n'y avait pas d'autel, seulement des herbes qui ondulaient sous la brise du crépuscule et quelques jeunes pousses de coudrier.

— Je crois que nous avons trouvé leur cimetière, dit Galara, la voix craintive.

— Si c'est leur cimetière, pourquoi ce corps n'est-il pas enterré ? demanda Li'ija qui avait vu, à l'intérieur du cercle, des os blanchis éparpillés sur l'herbe.

— Il a peut-être été brûlé, répondit Cléta d'un air songeur.

Cela se faisait parfois sur Atlantis, dans l'espoir de défaire les liens du karma qui retiennent l'esprit, afin de donner à celui-ci la liberté de trouver une voie supérieure ; mais ces os ne semblaient pas avoir été carbonisés.

— Ils mettaient les corps ici pour que les oiseaux et les bêtes sauvages en mangent la chair, dit alors Lanath d'une voix étrangement plate. Le crâne était déposé dans la fosse familiale avec les offrandes.

Élara, interloquée, leva les yeux sur son fiancé. Lanath n'avait jamais été capable de lire l'histoire d'un site comme il venait de le faire. Elle jeta un coup d'œil à Li'ija comme pour dire : « Je croyais que c'était *ta* spécialité ? »

La fille d'Ocathrel haussa les épaules et se détourna.

— Il commence à être vraiment tard, dit Galara avec un frisson. On devrait faire demi-tour ; en plus, il sera moins facile de descendre cette pente que de la monter.

Ils se sentirent mieux une fois sortis des ruines, mais le chemin qui menait au pied de la colline n'aboutissait pas directement au campement. À mi-pente, ils se retrouvèrent à l'orée d'une clairière différente, bien plus grande que la première. Une végétation touffue recouvrait des morceaux de charpente écroulés ; des rangées de haies chevelues marquaient une séparation entre des enclos destinés aux animaux et des lopins où poussaient encore quelques plants de la céréale locale, une sorte de blé.

— Ici, ça a l'air simplement déserté, comme si quelqu'un pouvait revenir d'un moment à l'autre, constata Lanath. Et pourtant… on a l'impression que personne ne s'y est jamais vraiment installé.

– C'était peut-être une habitation provisoire, suggéra Élara. Le guide a dit que les gens venaient ici pour une fête…

– Ils auraient dû ne pas venir s'ils tenaient à la vie.

C'était la voix, très blanche, de Li'ija. Élara se retourna et la vit, immobile, en train de contempler quelque chose qu'elle tenait dans sa main.

– Tu as trouvé une pointe de flèche ! s'exclama Karagon. Dis, je ne savais pas que tu étais voyante. Tu as vu quelque chose d'autre là-dedans ?

– Du sang… de la haine. Un troupeau. Un raid… des hommes qui courent… des murs de flammes.

– Ces marmites ont l'air… carbonisé, en effet, fit Galara mal à l'aise.

– Et ça, montra Cléta, ce n'est pas une pile de bûches. Ce sont des os…

Élara passa un bras autour de la taille de Li'ija et tourna doucement la main de la chéla pour en faire glisser la pointe de silex qui tomba par terre. L'Alkonienne frissonna et se détendit.

– Ça va ?

– Ça va aller, répondit Li'ija avec un nouveau frisson. C'était étrange. Je me suis souvenue que mon père m'avait dit qu'il y avait un endroit près de Belsairath qui était célèbre pour ses mines de silex, et j'ai pensé à la route… Cette pointe, on aurait dit qu'elle sortait de terre et qu'elle me faisait un clin d'œil. Alors je l'ai ramassée, et…

– Elle t'appelait. Il y a des esprits ici, dit Lanath qui regardait autour de lui craintivement. Leurs crânes n'ont pas été enfouis, personne n'a fait les offrandes rituelles. Ils sont encore là, à attendre.

Ils se rapprochèrent les uns des autres. Le soleil couchant couronnait les arbres de feu, et des rais de lumière sanglante filtraient horizontalement en rasant le sol comme des lignes ondulantes dans l'obscurité croissante.

– Oui ! s'exclama Cléta. Même moi je le sens. Beurk ! je déteste ce genre de choses. Allons-nous en !

Quand ils furent sortis de la clairière, les premières étoiles commençaient à poindre. Li'ija avait l'air de se remettre, mais Cléta et Lanath continuaient à chuchoter à propos d'esprits. Tous les autres semblaient s'en remettre à Élara. Rester à proximité de cette terre n'était pas une bonne idée, pensait-elle. Après tout, c'était dans la terre que se nichait ce mystère. «L'autre visage de Caratra», se dit-elle en frissonnant à son tour.

La meilleure solution était donc de quitter la colline, mais c'était plus difficile qu'ils ne l'avaient cru. Le ciel était clair, mais il n'y avait pas de lune. Sous les arbres, il faisait encore plus sombre, et chaque semblant de chemin s'enroulait sur lui-même comme s'il avait voulu les égarer. Finalement, ils durent se résoudre à forcer un passage au milieu des buissons d'épines et des branches de coudriers entremêlées; ils sentirent enfin la fumée d'un feu de bois et entendirent les serviteurs de Tjalan en train de discuter en faisant la cuisine.

La plupart d'entre eux se hâtèrent en trébuchant jusqu'au camp, mais Lanath s'attarda sur la pente et, au bout d'un moment, Élara remonta le chercher.

— Viens, c'est fini maintenant.

— Non. Nous ne leur avons pas échappé… chuchota-t-il. En tout cas pas à celle du tumulus, là-haut. Elle est très vieille, c'est la mère de toute sa tribu. Et elle ne veut de personne par ici…

«Pas étonnant, pensa Élara, après la façon dont on s'est baladés au milieu des ossements…» Elle poussa doucement Lanath vers le feu de camp.

— Tout ira bien, dit-elle.

Mais quand il se fut éloigné, elle se tourna vers la forêt et leva les mains en signe de salutation.

— Grand-mère, acceptez nos excuses. Nous n'avions que d'honorables intentions envers vous et votre peuple, les vivants comme les morts. Laissez-moi vous faire une offrande dans la forêt, et au matin nous partirons d'ici. Cette nuit, je vous demande votre protection. Ne nous envoyez pas de mauvais rêves !

Le lendemain, les acolytes et les chélas restèrent entre eux et marchèrent en silence. Le jour suivant, la colonne se dirigea à nouveau vers l'est. Micail avait des réticences à aller dans cette direction, parce que durant la nuit qu'ils avaient passée au pied de la colline au tumulus, il avait rêvé de Tiriki, telle qu'elle aurait pu devenir si elle était parvenue dans ces contrées au climat froid. Pour la première fois depuis un an, il s'était réveillé en souriant. L'image avait été si nette dans son esprit qu'il s'attendait à la voir devant lui, couronnée d'aubépines sur un fond de collines verdoyantes…

Quand ils repartirent en direction du levant, cette image commença à s'effacer. «À quoi t'attendais-tu? Ce n'était qu'un rêve», se dit-il.

Ils campèrent cette nuit-là à la lisière des collines. Devant leurs yeux s'étendait un nouveau paysage, dont les douces ondulations menaient jusqu'à une vaste plaine, laquelle s'effaçait à son tour dans un horizon brumeux. Cet endroit avait l'air plus peuplé que les contrées qu'ils avaient traversées jusque-là, mais le même système de haies et de fossés délimitait les champs où le grain nouveau poussait, dru et vert. Plus loin, on apercevait des pâturages où s'égayaient des moutons et du bétail à longues cornes. Les fermes rondes étaient beaucoup plus grandes que celles de la côte; elles étaient couvertes de chaume plutôt que de terre et d'herbe.

— Voilà Azan, l'«enclos du Taureau», où règne le roi Khattar! proclama Heshoth, apparemment fier de son chef. À midi, nous nous arrêterons pour que vous puissiez mettre vos habits de fête afin de lui faire honneur.

Tjalan croisa le regard de Micail, un sourire amusé aux lèvres, mais il semblait trouver que le conseil était bon.

— Nous allons commencer par impressionner ce chef indigène, murmura le prince, mais bientôt, je crois que c'est *lui* qui nous honorera.

— As-tu entendu parler de ce roi? demanda Micail à voix basse.

— D'après ce que dit Heshoth, Khattar règne sur les nombreux chefs de tribu qui vivent dans la plaine. Ils se font la guerre pour des questions de droits de pâture, puis ils se réunissent dans un sanctuaire pour leurs fêtes, présidées par le roi. On dit qu'il a enlevé et épousé la femme qui est à présent la grande prêtresse de toutes les tribus. Apparemment, sa réputation de grand guerrier a dissuadé quiconque de lui demander réparation pour cet affront. (Il haussa les épaules.) Mais Heshoth m'a dit que ce n'est pas sa femme, mais sa sœur, qu'on appelle la reine. Son nom est Khayan-e-Durr, elle est la mère du futur héritier. C'est assez complexe et plutôt primitif, et à dire vrai je ne comprends pas tout. Mais tu sais ce qu'on dit: en Khem, il faut manger comme les Khemois.

— Comment crois-tu qu'il va nous recevoir ? En tant qu'alliés ou comme une menace pour sa suprématie ?

— Ah ! quant à ça, tout dépend de l'habileté de notre ambassade ! répondit Tjalan avec un éclat de rire. J'espère que tu as amené tes plus beaux bracelets.

Ils arrivèrent à Azan-Ylir, le bastion du grand roi, au moment où les feux venaient d'être allumés et où la viande mise à rôtir commençait à embaumer l'air. Le village était installé sur une butte naturelle, d'où il dominait les eaux tranquilles de l'Aman qui descendait tranquillement du nord parmi les saules. Le soleil de l'après-midi jouait dans les feuillages printaniers. Le féroce garde du corps d'Heshoth, Gréha, avait disparu pendant la pause de midi, aussi Micail ne fut-il pas surpris de constater qu'ils étaient attendus.

Gréha les attendait, entouré de guerriers vêtus comme lui de peaux tannées et de fourrures, des armes de bronze à la main. Ils se tenaient debout de part et d'autre d'une porte gigantesque faite de troncs entiers hauts comme deux hommes. Lorsque les Atlantes passèrent sous l'arche de bois, les gardes leur emboîtèrent le pas.

« Sont-ils là pour nous protéger ou nous forcer la main ? » se demanda Micail. Puis, se souvenant de sa conversation avec Tjalan : « Et nous-mêmes ? »

Le village consistait en un groupe de huttes rondes dont les toits coniques étaient couverts de chaume, de bâtiments qui devaient servir de réserves et d'enclos réservé au bétail le plus précieux. Un bâtiment, au centre, surplombait tous les autres, une grande maison ronde dont la toiture était bâtie en deux morceaux : le cône central était surélevé sur des poteaux par rapport au reste du toit, de façon à laisser passer la fumée. À l'intérieur, la lumière qui filtrait par cette ouverture complétait celle du feu central.

Une foule dense emplissait l'édifice mais, au premier coup d'œil, Micail ne vit que l'homme installé sur un siège haut à proximité du feu. Il était aussi large qu'un tonneau, quoique la largeur de ses épaules indiquât que sa corpulence était surtout faite de muscles. Il devait également posséder un cou puissant pour supporter le poids de sa coiffe, couronnée par les cornes d'un taureau. Mais ses yeux étaient clairs et pétillaient d'intelligence.

Lorsque les nouveaux venus se furent arrêtés devant le foyer, le roi dit quelque chose dans la langue gutturale des tribus.

– Khattar, fils de Sayet, héritier des héros, grand taureau d'Azan et roi des rois, vous souhaite la bienvenue, traduisit Heshoth.

Tjalan murmura un remerciement poli et se présenta ainsi que sa troupe au marchand, qui traduisit pour le roi. C'était surtout une façon élégante de permettre à chacun de comprendre ce qui se disait, car Tjalan avait étudié le langage local depuis son premier voyage dans cette contrée, plusieurs années auparavant. «J'ai perdu mon temps, comprit tout à coup Micail. J'aurais dû passer cette année à étudier la langue et les coutumes locales, moi aussi.» Il en savait assez cependant pour deviner qu'ils ne commenceraient à discuter des projets des Atlantes que beaucoup plus tard.

Il y eut un nouvel échange, puis Heshot indiqua aux hommes du groupe qu'ils pouvaient s'asseoir sur des bancs disposés devant des tables à tréteaux, du côté sud du bâtiment. Micail réalisa à ce moment-là qu'à part Antar, l'ombre fidèle de Tjalan, tous les soldats avaient été retenus à l'extérieur.

Les femmes atlantes furent conduites dans un coin retiré à l'est de la pièce, près d'un siège un peu moins haut que celui de Khattar, où trônait face au roi une femme drapée dans un châle brodé de petits éclats d'or. À présent qu'il pouvait observer l'ensemble de la scène, Micail remarqua le losange d'or cousu sur la tunique sans manches du roi et les bracelets, d'or également, qui scintillaient à ses poignets. Quelques-uns des hommes assis sur d'autres bancs portaient eux aussi de l'or ou du bronze, mais la plupart se contentaient de jais ou de corne et d'os finement ciselé. Micail comprit alors pourquoi Tjalan l'avait incité à se faire faire une nouvelle paire de bracelets représentant le dragon royal ainsi qu'un bandeau d'or à Belsairath. Ce n'était pas aussi spectaculaire que ses bijoux de cérémonie habituels, mais ceux-là avaient disparu avec Ahtarrath…

Il y eut des échanges de compliments, puis des quartiers de bœuf et de mouton posés sur un lit de céréales bouillies furent apportés sur les tables. La boisson était une sorte de bière parfumée au miel, servie dans des coupes de poterie fine. Micail remarqua que le roi buvait dans une coupe d'or.

Les bardes chantèrent les victoires du souverain à la bataille, puis un homme en tunique de peau, qui s'appelait Droshrad et que Micail supposa être un prêtre, vanta le pouvoir du roi, hérité des dieux.

Avant même que la nuit ne fût tombée, Micail commençait à suspecter le roi de vouloir les abrutir de nourriture et de boisson. Leur situation leur semblait incertaine et il se retint de boire plus que quelques gorgées polies, mais la courtoisie l'obligea à manger plus de viande qu'il n'en aurait ingérée habituellement en un mois entier. Tjalan, pour sa part, était en forme; il plaisantait avec Heshoth et témoignait de sa commisération à propos de l'état des moissons et des problèmes de voisinage – le genre de conversation qui avait ennuyé Micail au plus haut point sur Ahtarrath et qu'il ne trouvait pas plus intéressante une fois traduite… Enfin, l'épreuve sembla tirer à sa fin. Seuls ou en groupes, les convives commencèrent à quitter la cour.

Le roi et la reine, par contre, restèrent à leurs places, entourés de quelques membres de leur suite. Le chaman Droshrad et ses compagnons s'attardèrent aussi. Micail croisa le regard d'Ardral et constata que le vieil homme considérait la situation, son habituel sourire sardonique aux lèvres.

– Bien sûr que nous avons la main-d'œuvre nécessaire pour construire des tumulus pour nos hôtes honorés, traduisait Heshoth d'après ce que venait de dire le roi. Autrefois, de nombreuses tribus s'alliaient pour construire des monuments. En construire un avec des pierres immenses prouverait mon pouvoir !

– Il y a bien des monuments de ce genre dans mon pays, répondit Tjalan, et ils ont des usages dont vous n'avez jamais rêvé…

– Peut-être, répondit le roi avec une grimace qui pouvait passer pour un sourire. Mais vos ouvriers sont sous la mer, et votre pouvoir aussi !

– Non, mon seigneur, les hommes qui possèdent la magie nécessaire pour lever ces pierres pour vous sont ici, dit Tjalan doucement, soutenant le regard de Khattar.

Micail se réveilla tout à fait et observa son cousin. Ils avaient décidé de demander au roi la permission d'explorer le site désigné

205

par leurs calculs, puis, peut-être, d'y construire. À quoi jouait donc Tjalan ?

— Les gens de ma race ont bien des pouvoirs, continuait le prince, mais comme vous l'avez dit, notre peuple est, pour l'instant, limité en nombre. Le vôtre est beaucoup plus nombreux. Si nous travaillions ensemble, nous serions… plus forts. Le peuple du taureau régnerait sur cette terre pour toujours.

Khattar tira sur sa barbe, les yeux plissés, tandis que le chaman lui chuchotait à l'oreille. Micail les considérait attentivement ; il serrait sa coupe de toutes ses forces, mais il ne s'en aperçut qu'après l'avoir lâchée, quand il remarqua la trace qu'avait faite la ciselure sur sa paume.

— Qu'avez-vous à gagner à cette offre ? demanda Khattar finalement.

Tjalan le regarda dans les yeux, grave et apparemment sincère. Quand lui et Micail étaient gamins et qu'ils jouaient au jeu de la plume, cela signifiait en général qu'il était sur le point de jouer un coup décisif, ou peut-être trompeur.

— Les royaumes de la Mer ne sont plus. Nous avons besoin d'un endroit où nos arts puissent se perpétuer. Nous avons besoin d'une patrie…

— Droshrad peut en appeler aux esprits et commander aux cœurs des hommes, répondit Khattar indirectement, mais seule la sueur des hommes peut faire se mouvoir la pierre.

— Ou leur chant…, dit Tjalan doucement avant de se tourner vers Ardral et Micail. Pour faire bouger des masses importantes, il faut un chœur entier, mais les plus grands de nos prêtres peuvent travailler seuls. Lui montrerez-vous, mes amis, ce que peut faire le pouvoir d'Atlantis ?

Cette fois, son sourire suave leur était destiné. Micail lui lança un regard furieux, mais le petit rire d'Ardral désamorça sa colère.

— Pourquoi pas ? fit le septième gardien qui leva sa coupe pour saluer le roi et la vida d'un trait, avant de se tourner vers Micail et de chuchoter : Le vieux taureau devrait lever sa coupe à son tour, tu ne crois pas ?

Et son regard glissa vers la coupe d'or ; puis, sans attendre Micail, il se mit à chanter.

La voix de baryton d'Ardral était à la fois grave et sonore, malgré son âge. La note qu'il lança n'était pas un mot, mais elle était très précise. Khattar posa la coupe en toute hâte lorsqu'il la sentit vibrer dans sa main. Sur un regard discret d'Ardral, Micail se joignit à la plaisanterie.

«Et pourquoi pas? se dit-il soudain. Qui sont ces barbares qui se permettent de ricaner devant le fils de cent rois?» Il prit une respiration profonde et lança une seconde note tout aussi précise, un demi-ton plus haut que celle d'Ardral, dirigée sur le même objet. La coupe tressauta et se mit à danser sur le bois de la table, puis elle s'éleva et resta en l'air un long moment, tournant sur son axe, avant de revenir très lentement se poser près de la main tremblante du roi.

Pendant un instant, Khattar la contempla, les yeux écarquillés. Puis il frappa la table de la main. Quand la coupe tomba, il se mit à rire à gorge déployée, de plus en plus fort, jusqu'à ce que les oreilles de Micail ne puissent plus supporter qu'avec peine sa voix tonitruante.

CHAPITRE 11

— Quand le grand prêtre Bévor m'a appris que j'allais être acolyte, l'année d'avant le Cataclysme… je n'arrive pas à croire que ça
fait déjà trois ans ! fit remarquer Sélast. Enfin bref, il m'a dit que je
devrais apprendre à discipliner mon corps et mon esprit au-delà de
tout ce que j'avais pu imaginer jusque-là. Mais j'avais toujours cru
que le jeûne serait une démarche volontaire !

Damisa hocha la tête, mais elle garda les yeux fixés sur les trois
femmes du lac qu'elle et Sélast suivaient le long de l'étroit chemin
bordé de buissons épineux.

— La faim subie volontairement n'est qu'un inconfort de la chair,
récita-t-elle sans ironie. (Damisa se disait qu'elle s'était presque
habituée à cette sensation de vide au creux de l'estomac et à la façon
dont ses vêtements pendouillaient autour de sa silhouette autrefois
replète.) Discipliner l'esprit à supporter les exigences du corps,
continua-t-elle, est le meilleur garde-fou contre les tentations et les
illusions de la richesse et de la sécurité.

— Oh, évidemment, grogna Sélast, mais c'est une chose de
comprendre comment vivent les gens des marécages, sans jamais
savoir s'ils auront assez à manger pour le lendemain et en ne faisant
confiance qu'aux dieux, et c'en est une autre… (Elle jeta un coup
d'œil vers Damisa et eut un rire forcé.) Mais je croyais qu'on avait
déjà vécu ça sur le navire, justement ! En plus, on se débrouillait
bien mieux à cette époque que cette dernière année. Même l'année

d'avant, celle de notre arrivée, ça allait beaucoup mieux : il y avait de la nourriture en abondance.

— Tais-toi, lui enjoignit Damisa. Tu t'énerves pour rien. Et puis tu sais bien que les années sont de plus en plus dures, quoi qu'il arrive, tu n'avais pas remarqué ? De toute façon, tu as *toujours* faim.

Sélast grimaça, mais elle ne put le nier. Même sur Cosarrath, d'où elle venait, elle avait eu beau manger tout ce qu'elle voulait et autant qu'elle voulait, elle n'avait jamais pris une particule de graisse. Vêtue d'une courte tunique bleue et crapahutant sur ce chemin, on aurait dit qu'elle était elle-même une créature de la jungle, toujours en éveil, les muscles tendus sous sa peau sombre.

« Et pourtant, l'autre jour, j'ai entendu un des garçons dire qu'elle était à peu près aussi attirante qu'un lapin dépiauté, se dit Damisa. J'ai du mal à y croire. »

Autrefois, du moins elle l'avait entendu dire, les acolytes étaient libres d'avoir une liaison, ou même plusieurs, avant le mariage. Ici, apparemment, personne ne s'y était aventuré ; et puis il y avait si peu d'hommes aux alentours, du moins parmi la caste des prêtres. « Il y a Kalaran, mais il ne m'attire pas précisément, et Rendano, qui n'a pas l'air intéressé, et bien sûr maître Chédan, mais bon… »

L'image de Reidel s'imposa à son esprit, avec ses profonds yeux marron et ses épaules solides… Elle secoua la tête pour chasser cette pensée. Les généalogistes du Temple d'Atlantis auraient été horrifiés à la seule idée d'une telle union, et elle pensait qu'ils auraient eu raison. Pourtant, dernièrement, Tiriki avait suggéré la possibilité d'inviter certains des marins et des marchands à rejoindre la prêtrise. Damisa savait que lors des troubles qui avaient précédé l'avènement des rois des Mers, de nombreux membres des autres castes avaient été admis parmi les prêtres. Elle était issue de la famille royale d'Alkonath et Sélast était d'une ascendance des plus pures aussi, mais la majorité des acolytes avaient des origines bien plus modestes.

Cela dit, ça n'avait plus beaucoup d'importance. Elle soupira. « Nous autres les filles, nous n'aurons plus qu'à dormir les unes avec les autres ; on dit que les amazones le faisaient, dans les plaines de la Terre des Ancêtres… » Elle étouffa un rire, mais son regard se tourna vers Sélast. Presque inconsciemment, elle commença à imiter la démarche furtive de la Cosarréenne, avant de s'en apercevoir, de se mettre à rougir et de trébucher en se prenant les pieds dans une lanière de ses sandales.

Devant elles, les femmes des marécages s'étaient arrêtées pour faire une offrande sur un des autels de la forêt, un assemblage rudimentaire fait de paille tressée et de plumes, posé dans un chêne creux. Damisa sentit la faim lui tenailler à nouveau l'estomac lorsqu'elle aperçut les quelques tubercules d'oignon sauvage qui y avaient été déposés. Comme il était étrange de se dire qu'ici, quelques racines étaient un sacrifice plus précieux que l'encens… Mais si les autels des bords de chemin étaient plus modestes que les pyramides et les tours d'Atlantis, elle devait admettre que les pouvoirs d'ici étaient bien soignés, car ils semblaient payer de retour ces simples offrandes.

Pour autant qu'elle pût en juger – et bien que la chasse et la cueillette aient beaucoup limité le temps qu'ils pouvaient consacrer à la théologie –, les esprits de cette contrée étaient d'un abord plus facile que les dieux d'Atlantis, qui étaient par essence des forces supérieures habitant par-delà la sphère humaine. Malgré leurs batailles et leurs excentricités légendaires, Manoah et Ni-Terat ressemblaient moins à des individus qu'à des signifiants, des représentants des pouvoirs incommensurables qui faisaient évoluer le soleil et les étoiles.

Les marins louaient le créateur des étoiles parce qu'il était le seigneur des mers et les enfants priaient le grand créateur parce qu'il les aidait à s'endormir le soir; mais Ni-Terat elle-même, la sombre Mère de l'humanité, n'avait jamais intercédé pour sauver la moindre vie humaine. Seule Caratra, la nourricière, l'Enfant-qui-devient-mère, était connue dans la tradition pour montrer un réel intérêt envers les gens ordinaires, et encore, seulement quelques fois par an.

Les gens du lac, eux, honoraient les simples esprits des champs et des forêts. Mais ils ne les traitaient pas comme des dieux immenses; ce n'étaient pas des êtres splendides qui pouvaient parfois accorder une faveur, mais plutôt… «Les dieux du lac ressemblent plutôt à de bons voisins, se dit Damisa, enclins à aider leur prochain, qu'ils remarquent son existence ou pas…»

Elle frissonna en s'approchant de l'arbre, se demandant comme à chaque fois si ses sensations auprès de ces autels rustiques n'étaient qu'une illusion générée par les croyances des gens des marécages ou quelque chose de plus profond, comme la présence réelle d'un véritable esprit.

– Ô rayonnant, accepte mon offrande, murmura-t-elle en piquant une petite branche d'aubépine blanche dans la paille. Aide-nous à trouver de la nourriture pour les nôtres.

Elle recula pour laisser Sélast s'agenouiller et ajouter quelques primevères. Puis elles levèrent le regard vers les branches où les nouvelles feuilles filtraient les rayons du soleil, laissant passer une lumière vert pâle ; l'air sembla vibrer et danser.

Pendant un instant, Damisa crut sentir une caresse sur son âme – inquisitrice, presque amusée, mais pas inamicale. Instinctivement, elle se laissa tomber à genoux et posa les mains sur la terre humide. *Quelqu'un* l'avait entendue – elle n'avait jamais ressenti cela dans les temples splendides d'Alkona ou d'Ahtarra.

«Rayonnant! Aide-moi! J'ai tellement faim ici!» cria son cœur, et à ce moment elle réalisa que sa faim n'était pas celle du corps, mais de l'âme.

Sélast était déjà partie pour rejoindre les femmes du lac. Damisa se remit debout, heureuse que l'autre fille n'ait pas assisté à cet instant de faiblesse. Sa tâche, pour l'instant, était de trouver de la nourriture pour leurs corps, et tant qu'elle ne l'aurait pas trouvée, son âme devrait attendre.

La première année, les réfugiés avaient déblayé quelques parcelles de terrain autour des sources et planté les graines qu'ils avaient apportées, mais ils ne l'avaient peut-être pas fait au bon moment car leur première récolte avait été catastrophique. Sans la farine de noix que pilaient les sajis, les conserves de fruits, la bonne fortune des marins qui chassaient sans cesse et la coopération de chacun, ils auraient connu une faim plus torturante encore.

En un sens, ils s'étaient mieux débrouillés l'année suivante, mais le fruit de leurs récoltes parvenu à maturité avait été infime. Sans le talent d'Élis pour le jardinage, leur survie aurait été compromise. Bien que, comme Liala le disait souvent, elle ne puisse pas «planter des cailloux pour récolter des fruits», tout ce qu'Élis avait planté de ses mains avait pris racine et survécu. Elle avait même réussi à persuader le pauvre petit arbre qui avait appartenu au prince Micail de se développer.

D'après les gens des marécages, certaines tribus à l'intérieur des terres semaient du grain et élevaient du bétail. Quant à eux, ils vivaient des fruits de la terre, parce que le terrain n'était pas adapté à la culture. Pourtant, les indigènes n'avaient jamais hésité à partager ce qu'ils avaient, et ils laissaient de bonne grâce les Atlantes les accompagner à la chasse ou à la recherche des plantes comestibles et du gibier d'eau, des poissons et des crustacés, et de quantité d'autres choses disponibles pour qui savait les trouver. C'est pour cela, d'ailleurs, que la tribu de Héron était là.

«Mais la vie au bord du lac n'est plus aussi simple lorsque la saison chaude s'achève! Ils doivent croire que nous sommes des idiots de rester ici pendant l'hiver», s'amusa Damisa, puis elle se hâta pour rattraper les autres, en grimaçant un peu, envieuse de la façon si souple qu'avait Sélast de se mouvoir. Elle arriverait peut-être à les retrouver plus vite si elle prenait un raccourci par la prairie... mais le sol, sous l'herbe, était marécageux. Un pas de plus et son pied creva la surface; elle s'enfonça avec un grand cri. Elle avait tout juste réussi à se dégager, de la boue jusqu'au genou, lorsque Sélast arriva en courant.

— N'essaie pas de te redresser! la gronda la jeune fille. Où as-tu mal? Laisse-moi voir.

Ses doigts agiles tâtèrent la cheville de Damisa, puis son genou.

— Je vais bien, je t'assure, je suis juste un peu boueuse, l'assura Damisa; quoique à la vérité, il était plutôt agréable de sentir ces doigts sur sa peau.

Elle arracha une poignée d'herbe et commença à s'essuyer la jambe. Avec un soupir de soulagement, Sélast s'assit à côté d'elle.

— Merci!

Une chaleur soudaine était montée en Damisa et elle avait pris la jeune fille dans ses bras, pleine de gratitude. Sélast n'était que muscles et os, on aurait dit qu'elle enlaçait un jeune animal sauvage et souple. Un instant, elles restèrent ainsi, immobiles, puis Sélast lui rendit son étreinte et la serra contre elle, fort, mais sans brutalité...

212

– Il vaut mieux nous reposer jusqu'à ce qu'on soit sûre que ton pied peut te porter, fit Sélast quelques instants plus tard ; mais Damisa, stupéfaite qu'il soit si agréable de tenir la jeune fille dans ses bras, ne la lâcha pas.

– Tu te souviens de cette échoppe à Ahtarra, demanda-t-elle avec nostalgie, juste au pied du pylône, où ils vendaient ces délicieux petits gâteaux imbibés de miel ?

Elle se laissa aller sur l'herbe douce ; Sélast la suivit et se nicha au creux de son bras.

– Oh oui ! répondit-elle, les yeux mi-clos. Je mourrais pour en avoir un ! Cette année, ces foutus grains d'orge et de sarrasin feraient bien de trouver le moyen de pousser ! La farine de noix, ça peut aller, à la rigueur, mais… ce n'est pas pareil.

Damisa soupira ; elle caressait, presque sans s'en rendre compte, les solides épaules de Sélast.

– Quand j'étais petite fille, à Alkona, à la fin de l'été, les charrettes de grappes de raisin et de baies d'ila descendaient des vignobles des collines. Il y en avait tellement que personne ne s'en souciait quand il en tombait par terre. Et il en tombait encore et encore, et ils étaient écrasés sur les pavés, et au bout d'un moment on aurait dit que les caniveaux débordaient de vin.

– On n'arrivera jamais à faire pousser du raisin ici. Il n'y a pas assez de soleil…

Mais il y avait assez de lumière pour dorer la peau de Sélast et la faire luire sur l'herbe tendre doucement agitée par le vent. Damisa se leva sur un coude et la contempla.

– Tes lèvres sont exactement de la même couleur que ces grappes, murmura-t-elle.

Sélast leva les yeux vers elle et son visage s'illumina.

– Goûte-les, la défia-t-elle, puis elle sourit.

Lorsqu'elles rattrapèrent les autres, il était plus de midi. Les femmes des marécages s'étaient rassemblées et bavardaient paisiblement en fouillant les roseaux denses autour du lac. Quand elles entendirent Damisa et Sélast, une des femmes baragouina quelque chose d'un air excité et pointa un doigt puis, lorsqu'il fut évident que les jeunes filles ne comprenaient pas, elle eut un geste comme pour battre des ailes et fit une coupe de ses mains.

– Des œufs ? demanda Damisa.

Au bout de deux ans, tous les acolytes avaient fait des progrès dans l'apprentissage de la langue indigène, mais Iriel et Kalaran étaient les seuls à pouvoir la parler vraiment. Damisa, quant à elle, n'avait acquis qu'un vocabulaire limité. La petite femme sourit et se contenta de lui faire signe de la suivre. Damisa prit la précaution de relever le bas de sa jupe et se réjouit d'avoir eu ce réflexe, car leur destination était le nid de quelque canard, qui avait dû se croire bien protégé au milieu des roseaux.

Il eût été difficile de dire qui, du canard ou de l'acolyte, fut le moins heureux de cette rencontre, car elle dégénéra en une furieuse bataille de jurons et de gloussements indignés. Elle laissa à la mère canard un œuf à couver ; cela ne sembla guère l'amadouer. Damisa n'aurait jamais cru un canard capable de mordre, mais elle avait des égratignures et des pinçons sur les deux mains quand la petite troupe se dirigea vers le haut de la berge pour y chercher des pousses comestibles.

Les tendres pousses du mouron, de la patte-d'oie et de la moutarde pouvaient se manger crues, et il y avait des fleurs dont les bulbes fourniraient une nourriture plus solide. Les orties étaient comestibles aussi, cuites ou en infusion, mais les femmes riaient quand les acolytes tentaient de les cueillir, car il n'y avait pas moyen d'éviter de se faire piquer et les filles juraient alors de façon tout à fait inconvenante pour de futures prêtresses.

Sélast suça ses doigts endoloris et se mit à bouder ; elle ne cessa pas, même sur le chemin du retour.

– Ça pourrait être pire, dit Damisa en saisissant l'autre main de la jeune fille pour en embrasser les rougeurs. Kalaran, lui, a dû accompagner les chasseurs. Les orties piquent, mais tu n'es pas obligée de leur courir après. Et elles ne se faufilent pas derrière toi. Et puis elles n'ont ni griffes ni crocs !

– Je préférerais aller à la chasse, grogna Sélast, sauf que dans ce cas je devrais être avec Kalaran.

Damisa soupira, submergée par des émotions contradictoires. Elle avait depuis longtemps accepté le fait que, face à la perte de son propre fiancé, elle avait surtout ressenti du soulagement. Mais Sélast et Kalaran étaient toujours officiellement fiancés et ils devraient se marier un jour, même s'ils étaient à peu près aussi intéressés l'un par l'autre que deux blocs de pierre. «Pourquoi, se demanda-t-elle, alors qu'on nous répète sans arrêt que les règles ont changé et que les choses sont différentes ici (elle se sentit rougir à la pensée des événements de la matinée), pourquoi devons-nous continuer à faire ce que nous aurions fait en Atlantis?» S'ils avaient pu conserver les magnifiques coutumes d'Atlantis, elle n'en aurait pas tant souffert, mais c'étaient les règles et non les agréments qui semblaient avoir survécu.

— Mais nous sommes si peu nombreux, dit-elle enfin. Peux-tu dire honnêtement que ça te serait indifférent s'il lui arrivait quelque chose?

— Il a une veine de pendu! s'exclama Sélast. Il n'est jamais blessé, ses sentiments oui, mais pas lui. Et puis les ennuis, ils ne sont jamais venus des bêtes sauvages.

Damisa fronça les sourcils, mais elle savait à quoi faisait allusion la jeune fille. L'été précédent, deux marins avaient disparu. Les gens des marécages avaient envoyé des éclaireurs à leur recherche, en vain. Le hameau de huttes, où vivaient les marins qui avaient pris femme parmi les indigènes, les marchands et d'autres qui ne faisaient pas partie de la caste des prêtres, débordait de rumeurs. Certains pensaient que les deux marins s'étaient lassés de jamais revoir le *Serpent écarlate* reprendre la mer et qu'ils étaient retournés sur la côte où ils avaient été recueillis par un navire, mais bien peu prenaient cette histoire au sérieux. La plupart croyaient que les marins étaient simplement tombés dans un marécage et qu'ils s'étaient enfoncés sans pouvoir en sortir.

La mort de Malaéra était moins mystérieuse. La vieille prêtresse était désespérée depuis leur départ et elle était finalement parvenue à se noyer dans le lac. Damisa soupçonnait que Liala la blâmait personnellement d'avoir laissé la vieille femme se noyer. «Mais ce n'était même pas mon tour de la surveiller», se dit-elle avec un coup au cœur, car elle avait été celle qui s'en était le plus occupée.

— C'est trop cruel, fit-elle soudain. Alors, tu ne regretterais pas du tout Kalaran?

– Ça dépend, répondit Sélast d'un air sombre. Je pourrais avoir sa part au dîner ?

– Tu es impossible, répondit Damisa sans s'apercevoir que ses yeux étaient pleins de larmes. Tu ne me regretterais pas non plus, je parie.

– Quoi ? Oh, ne dis pas de bêtises, commença Sélast, mais avant qu'elle ait pu en dire plus, elles avaient émergé du bois et remarqué que le campement bourdonnait d'excitation.

– Un bateau arrive ! cria Iriel en courant vers elles. Reidel et ses hommes ont pris le navire pour les guider !

– Ils sont partis il y a des heures, ajouta Élis qui s'était approchée. On ne devrait plus avoir longtemps à attendre.

Tout le monde se retourna lorsque Tiriki émergea de sa hutte en envoyant des baisers à sa fille, bien que la petite Domara ne lui ait pas prêté grande attention dans les bras de la saji Métia. La naissance et la croissance de sa petite fille débordante de vie avaient fait de Tiriki une femme beaucoup plus enjouée, mais lorsqu'elle se tourna vers Damisa avec un sourire de bienvenue, celle-ci remarqua que ses yeux étaient à nouveau emplis de tourment.

– Elle espère qu'il y aura des nouvelles de Micail, murmura Élis.

– Après tout ce temps ? C'est peu probable, railla Sélast.

– Qui es-tu pour ricaner d'elle ? s'exclama Élis. Ton fiancé est encore en vie, et en bonne santé. Et moi je sais ce qui est arrivé à Aldel, je peux le pleurer comme il se doit. Mais ne pas savoir… (Elle secoua la tête, des larmes dans les yeux.) Ça doit être pire que tout.

Damisa fit une grimace, mais elle et son fiancé ne se connaissaient que depuis un an lorsqu'ils avaient été séparés, et elle pouvait à peine se souvenir de son visage après tout ce temps.

Des rives du lac leur parvint le signal clair et sonore du marin de garde.

– Enfin ! hurla Iriel, qui se mit à dévaler le chemin en direction de la rivière.

Les autres la suivirent en riant. Ils arrivèrent juste à temps pour voir le *Serpent écarlate* lâcher l'ancre à côté d'un autre bateau plus petit – pas un navire de guerre, mais un bateau de pêcheur à un mât, avec ce qui ressemblait à un abri de fortune sur le pont. Sa peinture,

216

qui avait dû être bleue et cuivrée, était écaillée par le vent et les vagues. Auprès du navire de Reidel, il ressemblait à une mule à côté d'un cheval de course ; mais les mules sont des bêtes solides. Ce bateau avait non seulement échappé au Cataclysme, il avait aussi réussi à arriver ici… « Je me demande combien il y en a eu », marmotta Damisa pour elle-même. Sélast dit :

— J'espère qu'ils ont amené quelque chose de bon à manger.

— Et voilà, tu recommences, la réprimanda Élis. Il est plus probable qu'ils aient encore plus faim que nous, et que nous devions tirer au sort chaque bouchée.

— Tant mieux, grommela Sélast. Je sens que j'ai de la chance !

À présent, tout le monde aux alentours avait dû apprendre l'arrivée du bateau. À chaque instant, un nouveau venu se joignait à la foule ; la rive disparaissait sous les rangs d'Atlantes et d'indigènes qui se poussaient du coude et bavardaient joyeusement.

Lorsque le navire de Reidel se fut stabilisé près de l'autre bateau, des hommes basculèrent des rondins équarris sur la lisse depuis la rive, puis deux groupes de marins sautèrent à bord pour amarrer les bateaux au tronc d'arbre qui servait de bitte d'amarrage. Damisa se surprit à retenir sa respiration lorsque le petit groupe compact sur le pont se dispersa suffisamment pour qu'on puisse voir la silhouette du premier passager, un homme solidement bâti à la barbe grisonnante. Il descendit avec précaution le long de la planche en portant une petite fille qui devait avoir environ cinq ans. Lorsqu'il eut posé le pied à terre, elle relâcha ses mains agrippées au cou de l'homme et regarda autour d'elle. Damisa aperçut son visage – des sourcils bien dessinés, un nez aquilin et une bouche en forme de cœur.

L'homme se retourna et observa, anxieux, les marins qui aidaient une femme svelte à descendre de la passerelle. Elle observa un moment la foule puis, pleurant à chaudes larmes, elle se précipita dans les bras grands ouverts de l'homme.

— Une famille ! chuchota Iriel. Une vraie famille !

— Évidemment, ça ne peut pas être une *fausse* famille, tout de même ! fit Sélast.

Mais Damisa avait compris ce qu'Iriel voulait dire. Mariés ou pas, les membres de la prêtrise n'étaient pas obligés de vivre en famille ; parmi ceux qui avaient trouvé refuge ici, il n'y avait pas de vrai couple. Bien sûr, il y avait des familles parmi les gens des maré-cages, mais ces gens-là étaient des Atlantes ; peut-être même appar-tenaient-ils à la caste des prêtres… Damisa réalisa que ce picotement dans ses yeux c'était bien des larmes… Elle les essuya furtivement, tandis que Tiriki se hâtait vers les nouveaux venus, les bras ouverts.

Damisa se précipita derrière elle avec un pincement de ressenti-ment. La grande prêtresse avait apparemment oublié comment s'en-tourer d'une escorte digne de ce nom… Mais ces gens verraient-ils seulement que Tiriki était une prêtresse ? Damisa cligna des yeux en essayant de réconcilier dans son esprit le souvenir de la silhouette éthérée qui avait accueilli le prince d'Alkonath à Ahtarra, il y avait bien longtemps, avec cette femme dont les fins cheveux blonds s'échappaient déjà d'une tresse sommaire. Pourtant, bien que le vêtement de Tiriki fût grossier et mal tissé, râpé sur les chevilles et plein de taches de boue, elle adressa la parole aux étrangers avec toute la gravité et le calme maintien d'une gardienne de la Lumière.

Chédan s'était joint au cortège. Damisa remarqua avec fierté que lui, au moins, portait la ceinture dorée de sa toge de cérémonie, bien qu'elle fût nouée sur une tunique fort usée. « Il est vrai que ces pau-vres gens ont l'air plutôt miteux, eux aussi. Mais ils ont une excuse, ils étaient en mer ! »

Le barbu, sans lâcher la femme ni la petite fille, s'inclina.

— Très honorés compatriotes ! dit-il d'une voix chaleureuse qui por-tait loin. Je suis Forolin, marchand de la cité d'Ahtarra. Voici Adeyna, mon épouse adorée, qui vous salue aussi avec le plus grand respect, et ma fille, Kestil. Nous… Il y avait un autre enfant, né juste après le Cataclysme, mais… (Forolin réalisa qu'il s'égarait et s'interrompit. Son menton trembla.) Nous rendons grâces aux dieux ! (Il toucha son cœur et leva la main vers le ciel.) Car nous vous avons trouvés !

— Vous êtes les bienvenus ici ! répéta Tiriki avec un nouveau signe de bénédiction. Forolin, Adeyna, nous sommes heureux de vous accueillir. C'est personnellement, aussi, que j'accueille votre fille, car j'ai moi-même une petite fille âgée d'un an. Peut-être Kestil voudra-t-elle jouer avec Domara ?

— Vous êtes vraiment les bienvenus, dit Chédan à Forolin. Mais puis-je vous demander d'où vous venez ? Ne me dites pas que vous avez passé deux ans en mer sur ce petit esquif !

— Non! non, pas du tout. (Le visage de Forolin s'assombrit à nouveau et il déposa sa fille dans les bras de sa femme.) Nous avons trouvé refuge sur le continent, à Olbairos, où mon négoce avait naguère un comptoir commercial. Nous l'avons trouvé désert, mais nous espérions prendre un nouveau départ là-bas. Cependant nous étions si peu nombreux… puis l'épidémie s'est abattue sur nous. Nous sommes les seuls survivants.

— Comment avez-vous su où nous trouver? demanda Chédan.

— Comme je vous l'ai dit, à une époque Olbairos était un comptoir renommé. La flotte marchande n'existe plus, évidemment, mais des indigènes s'y arrêtent encore de temps en temps. Certains viennent de ces îles. Nous avons eu plusieurs échos de l'installation de gens de notre peuple par ici.

— Plusieurs échos? demanda Tiriki en se tournant vivement vers lui. Vous connaissez d'autres colonies de réfugiés?

— Eh bien, ma dame, je ne les ai pas vues moi-même. Et puis, bien entendu, mes informateurs font principalement du commerce avec les colonies de la côte. Les tribus de l'intérieur des terres sont réputées sauvages et féroces. Mais on nous avait dit que plusieurs navires avaient été aperçus à Béléri'in, alors nous y sommes allés. Ça avait l'air désert, aussi nous n'avons pas insisté lorsqu'une tempête nous a repoussés vers la pleine mer. Nous avons dû partir vers le nord-ouest, et lorsque nous avons enfin réussi à atteindre la côte, nous avons rencontré un groupe d'indigènes qui nous ont appris que vous étiez ici. Nous étions à votre recherche lorsque votre capitaine est arrivé pour nous guider jusqu'ici. Remerciez-le pour moi, je vous prie! Nous lui en sommes éternellement redevables, ainsi qu'à vous.

— Ce sont des vents de tempête qui nous ont conduits ici, nous aussi, dit Chédan d'un ton songeur. Peut-être que personne ne peut trouver cet endroit, à moins d'y être appelé par les dieux…

— Nous n'avons pas grand-chose à vous offrir, dit Tiriki, mais nous avions été prévenus de votre arrivée, aussi un repas chaud vous attend, ainsi qu'un abri sec où vous reposer. Venez, vous êtes entre amis désormais.

Elle conduisit le marchand et sa famille vers la chaussée qui menait au hameau du Tor.

— J'imagine que ça veut dire, ronchonna Sélast, que *nous* irons nous coucher sans manger…

Mais personne ne l'écoutait. Iriel se pendait au bras de Damisa et montrait du doigt une curieuse silhouette qui était en train de franchir la passerelle.

— Et ça, qui c'est ?

Grand et maigre, l'étranger portait une toge élimée qui s'avéra être, après un court examen, celle d'un prêtre du Temple de la Lumière. Il tenait une grosse sacoche dans chaque main. Sourcils froncés, il s'arrêta au milieu de la passerelle et scruta nerveusement la foule qui lui faisait face, mais son visage s'éclaira lorsqu'il reconnut Chédan.

— Vénérable ! s'exclama-t-il en s'inclinant comme il pouvait pour ne pas faire tomber ses sacs dans la boue de la berge. Je suis Dannetrasa, de Caris. Vous ne vous souvenez probablement pas de moi, mais à Ahtarra j'étais l'assistant du gardien Ardravanant au registre des actes…

— Ardral ! s'exclama Chédan. Avez-vous de ses nouvelles ? Est-il en vie ?

— Si seulement je le savais, dit Dannetrasa comme en s'excusant, mais si vous le connaissiez…

— Il était mon oncle.

— Alors vous devez savoir qu'il n'y a aucune raison pour qu'il n'en ait pas réchappé ! Il était prêt, pour autant que quiconque ait pu l'être… (Dannetrasa leva ses sacoches.) Vous devez savoir que la tâche nous incombait de sauver tout ce qui pouvait l'être. J'ai là quelques cartes et plusieurs traités sur les étoiles, et quelques autres choses qui pourraient être utiles…

Il s'interrompit à nouveau, comme si un mauvais souvenir venait de lui passer devant les yeux. L'expression de Chédan changea.

— Venez avec moi, mon ami. Je vois que vous avez passé des moments difficiles, laissez-nous vous accueillir comme il se doit. Vous vous joindrez au festin, si l'on peut parler de festin, puis vous me montrerez les trésors que vous transportez dans ces sacoches !

— Il y a beaucoup de choses dans ces sacoches, fit Dannetrasa, mais pas de traité sur la guérison, hélas. Encore qu'ils n'auraient peut-être pas été très utiles. La maladie qui nous a chassés d'Olbairos ne ressemblait à rien de ce que nous connaissions.

Malgré la lumière encore vive du soleil, Damisa ne put s'empêcher de frissonner. Elle se réjouit de ne pouvoir entendre la suite de la conversation, car les deux hommes s'éloignaient. Elle remarqua que Reidel s'était chargé d'accueillir les hommes du bateau de pêche. Il était étrange de constater combien elle était soulagée de le voir revenu sain et sauf.

— Toute une famille de survivants ! caquetait Iriel. Et l'homme a dit qu'il y en avait d'autres. Peut-être que nous ne sommes pas si isolés que ça. Vous avez vu cette petite fille ! et ses grands yeux pétillants ! J'espère…

— Ce n'est tout de même pas comme si nous n'avions pas de *famille* ici, dit Damisa soudain, avant de se rendre compte, à l'air surpris des deux autres, qu'elle avait parlé tout haut. En un sens, on en a une, insista-t-elle. Chédan est notre père et Tiriki notre mère. Et puis, est-ce qu'on ne nous répète pas sans arrêt que nous sommes tous frères et sœurs ici ?

— Alors venez, mes sœurs, fit Iriel avec un large sourire en passant ses bras sous les leurs. Loutre, le fils du chef, m'a promis un morceau du cerf qu'il a tué hier et que je partagerai volontiers avec vous…

— Douce Iriel ! répondit Sélast joyeusement. Pourquoi ne suis-je pas fiancée avec *toi* ?

Le lendemain de l'arrivée du nouveau bateau, Chédan réunit les prêtresses sous le saule pleureur, à côté du ruisseau, pour discuter des conséquences de l'événement. C'était une de ces journées printanières où le soleil et les nuages se mêlent et où l'atmosphère alterne entre la chaleur de la belle saison et la menace de l'orage. La conversation porta d'abord sur la nourriture et le logement, mais lors des méditations nocturnes du mage, d'autres sujets lui avaient paru au moins aussi importants.

— Mettons de côté ces considérations pour l'instant, dit-il finalement. Elles sont importantes, certes, mais c'est précisément la raison pour laquelle nous ne les oublierons pas. Nous dépensons une telle énergie à garantir notre survie physique que nous avons tendance à oublier la raison pour laquelle nous avons bravé les mers plutôt que de rester dans notre patrie et d'y périr.

— Nous avons été envoyés pour sauver l'antique sagesse, dit Tiriki lentement, comme si elle répétait une leçon presque oubliée. Nous devions fonder un nouveau Temple de la Lumière dans une nouvelle contrée.

Un rai de lumière, comme en réponse, se glissa au travers des nuages et vint illuminer ses cheveux clairs.

— On n'a pas exactement fait du bon travail de ce côté-là, soupira Liala.

— Comment aurions-nous pu, alors que notre temps et notre énergie sont entièrement consacrés à notre survie ? s'exclama Tiriki. Mais j'ai du mal à imaginer un temple comme celui d'Ahtarrath ici. Même si nous en avions les moyens, ce ne serait pas… bien. (Elle soupira et reprit :) Il y a encore tant de choses que nous ne connaissons pas et que je n'ai pas encore pris la peine d'apprendre. Comment pourrions-nous construire un temple à partir de souvenirs glorieux, alors que ces souvenirs sont éparpillés aux quatre vents ?

— Cet endroit possède un pouvoir tout particulier, convint Chédan. C'est ce qui rend les choses si compliquées. Voir de nouveaux visages m'a rappelé qu'il y a des choses dont nous aurions dû nous préoccuper depuis le début. Tiriki sait ce qui est arrivé quand Réio-ta et son frère, le père de Micail, ont été capturés par les toges noires. Micon ne pouvait se laisser mourir sous la torture, parce qu'il n'avait pas encore conçu de fils qui puisse hériter des pouvoirs de la tempête. Il ne pouvait permettre que ce pouvoir passe aux mains du membre de l'ordre des toges noires qui se trouvait être de sa famille. Et pourtant, le pouvoir de Micail n'est pas le seul qui soit susceptible d'être dérobé à l'insu de son héritier légitime.

Alyssa, qui jouait avec une pomme de pin, se mit à glousser.

— Le soleil n'est pas encore levé, le fils n'est pas encore né. Le pouvoir est caché, le roi des Mers est désespéré.

Au cours de ces derniers mois, l'état mental de la prophétesse s'était beaucoup détérioré. Ils la regardèrent sans comprendre, se demandant si elle avait encore quelque chose à dire, mais elle se contenta de reprendre sa pomme de pin. Liala se tourna vers Chédan et lui demanda :

— Que veux-tu dire ?

Le mage hésita avant de répondre.

— Ce que je crains, c'est que nos capacités latentes, et celles des acolytes, voire celles des marins et des marchands, ne soient éveillées par les pouvoirs de cette contrée.

— Pas des pouvoirs maléfiques ! s'exclama Liala.

— Peu de pouvoirs sont maléfiques en eux-mêmes, lui rappela le mage. Mais un voyant qui n'a pas appris à maîtriser ses aptitudes représente un danger, pour lui-même comme pour les autres.

— Il faut que nous achevions l'initiation des acolytes, dit Tiriki lentement. Ils seront mieux à même de faire face à de telles énergies lorsqu'ils auront acquis les plus subtiles de nos pratiques, qu'ils auront reçu le sceau de l'initiation et qu'ils seront sous la tutelle d'un professeur attitré.

— L'initiation, par elle-même, peut libérer des forces maléfiques, fit observer Liala. Mais je suis d'accord, il faut le tenter. Les progrès de Damisa sont… satisfaisants. Mais elle est l'acolyte de Tiriki. Nous devons leur donner à tous une formation individuelle.

Le mage lui sourit.

— Vous avez raison, dame Atlialmaris, dit-il en utilisant son nom formel. Nous avons suffisamment attendu. Nous croyions toujours que d'autres arriveraient et nous libéreraient de cette responsabilité, mais il est évident qu'aucun autre membre de la prêtrise de nous rejoindra plus. J'imagine que Kalaran peut devenir mon élève. J'ai étudié en détail sa charte astrologique et son histoire personnelle, et je pense qu'il est prêt à relever le défi. Il a aussi acquis un certain savoir-faire ici, ainsi que la discipline nécessaire pour le mettre en pratique. J'ai seulement peur que… (Il s'interrompit et les deux femmes le regardèrent d'un air interrogateur.) J'ai peur qu'il ne voie en moi qu'un vieil homme, un fantôme issu du passé, incapable de lui apprendre ce qu'il veut vraiment savoir : comment construire un avenir à partir de tant d'incertitudes.

— Mais aucun de nous ne saurait enseigner cela, répondit Tiriki en lui touchant la main.

— Certes… certes. (Chédan s'éclaircit la gorge et reprit :) Je lui parlerai demain et nous conviendrons d'un programme d'étude. S'il a autant de potentiel que je le crois, je lui montrerai aussi comment lire les signes qui pourraient annoncer un éveil spirituel chez un marin, ou chez les autres.

— Penses-tu vraiment que cela puisse arriver ?

— Il est possible que ce soit déjà arrivé, intervint Tiriki. Nous savons tous que Reidel s'intéresse à Damisa. Elle l'ignore délibérément, mais j'ai remarqué qu'il montre un certain talent pour anticiper non seulement les besoins de Damisa – ce qui pourrait être le simple résultat de l'amour – mais également les miens, ceux de Domara, ou de quiconque se trouve auprès de lui. Lorsque quelque chose tombe, il est toujours là pour le rattraper, et quand il est préférable de ne pas agir, il sait se tenir coi.

— C'est vrai, admit Chédan. Je l'ai remarqué pendant le voyage. Je lui parlerai. Il serait bon pour Kalaran, également, qu'ils puissent étudier ensemble.

— Nous devrons donc nous charger des filles, conclut Liala avec un regard vers Alyssa qui s'était adossée au tronc du saule et semblait endormie. Élis est prête à être initiée au service de Caratra. Elle est douée pour cultiver, et vous avez dû remarquer combien elle est à l'aise avec Domara et les autres enfants. Et puis surtout, c'est une chanteuse ; je veux dire qu'elle pourrait devenir une *véritable* chanteuse. Le Temple avait prévu de la mettre en apprentissage auprès de Kyrrdis. Je ne chante pas très bien, mais j'en sais assez pour la lancer sur cette voie, si elle choisit d'y entrer.

— Voilà de très bonnes nouvelles, dit Tiriki. Damisa et moi avons fait notre possible pour qu'ils continuent à pratiquer les exercices de base.

— Une chose à la fois, prévint Liala. Il faudra d'abord qu'elle trouve sa note juste. Quant à Iriel et Sélast… je ne sais pas. Sélast ne me parle jamais beaucoup, en tout cas pas si elle peut l'éviter, et Iriel parle tellement que j'ai parfois du mal à la suivre !

— J'ai souvent la même impression, acquiesça Chédan. Elles ont l'air tellement jeunes encore, malgré tout ce que nous avons traversé.

— Jeunes oui, mais pas idiotes, répondit Tiriki. Iriel est douée pour lire le caractère des gens et abuse rarement de ce don. Peut-être pourrions-nous la faire travailler avec Sélast plus souvent. Sélast est petite pour son âge, mais elle est très costaud et elle a du bon sens.

– Cela ne leur vaudrait rien, ni à l'une ni à l'autre... (Les yeux d'Alyssa s'étaient ouverts d'un seul coup ; elle était à nouveau parmi eux, tout à fait éveillée et consciente.) Leurs esprits ne jaillissent pas de la même source. Sélast ne suivra que Damisa, tant que la nature ne l'aura pas poussée vers un homme. Que Taret accueille Iriel auprès d'elle pour le moment : cela lui fera du bien d'apprendre que la patience n'est pas l'apanage des enfants d'Atlantis, et qu'être sage n'est pas renoncer à la joie, mais en percevoir les différents aspects.

Les nouveaux venus avaient en fait amené un peu de nourriture, mais il apparut bien vite qu'ils avaient fait une autre contribution, bien moins appréciable et même néfaste, à la communauté. Quelques jours après leur arrivée, Héron vint voir Chédan ; il souffrait de courbatures et de maux de tête. Les gens des marécages étaient insensibles au climat de ces collines, mais ils n'avaient aucune résistance face aux esprits invisibles de la maladie que le bateau avait amenés du continent.

Chédan parla d'une fièvre et dit qu'il en avait beaucoup rencontré dans ses voyages. Avant même qu'on ne pense à le lui demander, Métia alla consulter Taret à propos de décoctions et de tisanes médicinales. Chédan, en la regardant s'éloigner, Iriel pendue à ses basques en train de babiller, pensa que la communauté avait, sans qu'on s'en aperçoive, fini par accepter les sajis. Chez eux, une saji n'aurait jamais adressé la parole à une prêtresse de la Lumière. Mais Métia avait été une nourrice attentive pour la petite Domara, et ses sœurs s'étaient tout naturellement chargées de veiller sur Alyssa. Dans les royaumes de la Mer, les membres de la caste des prêtres ne voyaient jamais les filles des temples que de loin, comme des ombres furtives aux robes colorées se faufilant dans les ruelles.

La rumeur voulait qu'elles fussent, dans le meilleur des cas, impudiques et sales ; il se murmurait qu'elles étaient recrutées dans les hors-caste, parmi les bébés abandonnés dans les grandes cités, ou même pire. C'était sans doute en partie vrai. Mais même après la dissolution de l'ordre des toges grises, certains disaient encore que les sajis étaient utilisées pour les plus ignobles des rituels illicites – ce qui était absolument faux.

Ce n'est qu'après avoir observé avec quelle patience les sajis avaient supporté le voyage à bord du *Serpent écarlate* que Chédan leur avait accordé quelque attention. Il déterra de sa mémoire une vieille histoire selon laquelle leurs ancêtres avaient été les adeptes d'une discipline aussi respectée que la sienne. Le mot «saji», d'ailleurs, n'était que la contraction d'un mot archaïque qui signifiait «l'étranger en exil». Quoi qu'il en soit et d'où qu'elles viennent, il était heureux que les sajis soient parmi eux à présent, car elles étaient expertes en l'art de concocter des remèdes naturels.

La maladie amenée par les réfugiés se répandit rapidement parmi les gens des marécages et les marins. Damisa et Sélast durent partir à la recherche, non plus de nourriture, mais d'herbes médicinales, tandis que les sajis ou Liala et Élis s'affairaient autour des lits des malades. Le visage voilé pour se protéger des miasmes, elles rafraîchissaient patiemment les fronts brûlants et servaient une tisane à base d'écorce de saule et d'autres ingrédients. Pourtant, la maladie ne cessait de s'étendre.

Par une grise matinée, Chédan émergea de la hutte du chef du village et trouva Tiriki qui l'attendait, sa fille dans les bras. La brume voilait le Tor et la cime des arbres, mais plus haut, au-dessus des nuages, le soleil brillait, car il entendait le cri de chasse d'un faucon.

— Héron est en voie de guérison, dit Chédan en réponse à la question muette qu'il lisait dans les yeux de Tiriki, et beaucoup d'autres aussi. Mais son fils Loutre est sérieusement atteint.

— Mais pourquoi est-il si vulnérable à la maladie? Loutre est le plus costaud des garçons d'ici.

— Les jeunes et les costauds, soupira Chédan, une fois qu'ils ont contracté une maladie, sont souvent ceux qui se trouvent avoir moins de résistance que les gens déjà accoutumés à cette maladie.

— Mais il vivra?

Elle fit glisser la remuante fillette aux cheveux roux sur sa hanche. Un instant, le visage de la petite mit du baume au cœur de Chédan, mais il secoua la tête.

— Les dieux seuls savent comment cela va finir. En tout cas, je ne veux pas que toi ou Domara, ni Kestil, vous approchiez des malades.

— Soigner les gens fait partie de ma responsabilité comme de la tienne!

Tiriki parlait doucement pour ne pas déranger sa fille, mais il lui était impossible de dissimuler son regard de défi. Le mage l'observa. Elle n'était apparemment qu'une jeune femme mince, mais il y avait une nouvelle maturité en elle, un éclat qui lui était venu avec la naissance de l'enfant. « J'ai l'impression que l'air de cette contrée septentrionale lui convient, pensa-t-il amusé, mais elle n'aimerait pas que je le lui fasse remarquer. »

— Et Domara ? demanda-t-il tout haut. Veux-tu risquer sa vie, à elle aussi ?

Les bras de Tiriki se resserrèrent sur sa fille.

— Toi, tu n'as pas attrapé la maladie.

— Pas encore, du moins, fit-il observer doucement. Je crois que c'est une forme nouvelle d'une maladie contre laquelle j'ai acquis une résistance durant mes tribulations, mais ce n'est pas certain. Laisse-moi ajouter ceci : il y a de bonnes raisons d'avoir de l'espoir. Je suis heureux que Dannetrasa ait été sur ce bateau ; lui et les sajis ont été d'une aide inestimable. Et puis Alyssa avait raison à propos d'Iriel et de Taret. Non, je ne crois pas que nous subirons le même sort qu'Olbairos. Il y a une chose que nous pouvons dire en toute certitude : tout ce qui peut être fait l'est déjà. La meilleure aide que tu puisses nous apporter, c'est de t'assurer que les enfants et toi restez à distance du danger. Je sais que tu es habituée à l'aide que t'apporte Métia, mais tu sembles très bien te débrouiller sans elle. N'est-ce pas ?

Des émotions contradictoires se succédèrent sur le visage de Tiriki, mais elle finit par hocher la tête.

— Que les dieux soient avec vous, murmura-t-elle avant de lui faire le salut rituel, comme s'ils venaient de terminer une célébration.

— Ma bénédiction sur vous, mes filles, dit-il doucement.

Lorsqu'il baissa les bras, sa main frôla le petit sac qu'il portait à la ceinture.

— Attends ! J'allais te congédier, alors que j'avais l'intention de te donner quelque chose.

Il tira de son sac une petite boîte en bois de cèdre et la lui tendit.

— Mais… c'est la mienne ! s'exclama Tiriki, son regard lumineux examinant tour à tour la petite boîte et le visage du mage. Comment est-elle arrivée en ta possession ?

– J'étais en train de fouiller dans un de mes sacs de voyage à la recherche d'un paquet d'herbes, et je suis tombé dessus. Micail me l'avait donnée, la veille de… (Il laissa sa phrase en suspens, sachant qu'elle comprendrait.) Dans la fièvre du départ, j'en ai totalement oublié l'existence. Nous étions en train de manger un morceau en vérifiant les listes, lorsque Micail m'a donné cette boîte en disant… Que disait-il, déjà ?

Chédan secoua la tête pour repousser le souvenir de l'atmosphère chaude et lumineuse et le goût de la peur dans sa bouche.

– Micail m'a dit qu'il fallait que tu l'aies, mais que tu faisais les bagages avec une telle efficacité que tu aurais dit qu'il valait mieux ne pas l'emmener.

– Ça lui ressemble bien ! dit Tiriki en riant. On s'est disputés plusieurs fois pour savoir quoi prendre et quoi laisser.

Les yeux de la jeune femme s'embuèrent et elle souleva le couvercle pour dissimuler son trouble. Elle était pleine d'un fouillis de boucles d'oreilles, de pendentifs et de bagues.

– Les princes ont des priorités étranges, dit-elle.

Elle abaissait le couvercle lorsque ses yeux se fixèrent soudain sur le contenu de la boîte.

– Mère de la nuit ! Sois béni, Chédan. Soyez bénis tous les deux.

– Qu'y a-t-il ? fit le mage en se tordant le cou pour essayer de jeter un œil.

Elle ouvrit la main et, sur sa paume, il distingua le scintillement d'une bague, une petite chose alambiquée aux surfaces improbables, écaillée et lisse, un mélange d'intaille et de camée, comme un filigrane d'ombres et de lueurs mêlées…

– Nous n'étions guère que des enfants lorsqu'il me l'a donnée. Ce devait être un colifichet trouvé parmi les bijoux de sa grand-mère et dont il avait hérité.

Chédan reconnut alors les dragons impériaux, l'un rouge et l'autre blanc, unis dans la bataille du bien contre le meilleur. Mais il savait que, pour Tiriki, ce n'était pas un emblème des royaumes de la Mer, mais le premier et le plus beau des témoignages d'amour que Micail lui avait donnés.

– Je me demande si elle me va encore, murmura Tiriki d'une voix tremblante. Ça fait si longtemps…

Elle la fit glisser sur son doigt, grimaça lorsque son articulation résista, puis la poussa à sa place.

— Tu vois, dit Chédan doucement, quoi qu'il arrive, l'amour de Micail ne t'a pas quittée.

Le regard surpris de la jeune femme rencontra le sien avant qu'il ne puisse dissimuler la pensée soudaine qu'elle aurait besoin de tout le réconfort possible si l'épidémie s'aggravait et qu'il ne survivait pas.

Une ombre passa sur l'herbe. Il leva les yeux et son cœur tressaillit de joie malgré son angoisse lorsqu'il aperçut la silhouette gracieuse d'un faucon passer devant le soleil.

CHAPITRE 12

Le faucon glissait au-dessus de la plaine, petit point vivant sur l'immensité du ciel gris. Pour lui, il n'y avait aucune différence entre les prêtres et les laboureurs, entre les humains qui cultivaient les champs et ceux qui s'acharnaient à faire se mouvoir les gigantesques blocs de grès sur la plaine. Le faucon considérait toutes les activités des hommes du même œil hautain. Micail, qui s'efforçait de coordonner sept chantres pour en faire un instrument capable de soulever la pierre par lévitation, souhaita pouvoir en faire autant.

La nuit précédente, il avait rêvé qu'il était assis en compagnie de Chédan dans une petite taverne d'Ahtarra, tout près de la bibliothèque, en train de siroter du raf ni'iri et de bavarder librement, comme il faisait parfois avec Ardral. Il était même surpris qu'Ardral n'ait pas été dans ce rêve et se demandait si, pour une raison ou pour une autre, il avait projeté le visage d'un homme sur la personnalité de l'autre ; car s'il avait toujours respecté le mage alkonien, il ne l'avait pas suffisamment connu pour qu'ils aient pu devenir des amis proches. Non, ce n'était sans doute qu'un scénario issu de ses préoccupations actuelles et qui ne devait rien signifier de particulier. Dans ce rêve, ils discutaient de la formation des chélas et des multiples usages du chant.

— Très bien, allons-y. (Il s'arracha à sa rêverie et tendit la main vers une pierre qu'il avait posée sur un tronc d'arbre, à quelques mètres.) Poussez votre note, doucement, puis à mon signal, concentrez la vibration sur la pierre…

Il avait mené son petit groupe de chantres dans un coin de forêt situé entre la plaine et le hameau de huttes que les Ai-Zir avaient bâties pour y loger leurs hôtes. Ils étaient là depuis un an déjà, et si ce n'était pas vraiment leur foyer, c'était du moins un refuge.

– Bien, dit Micail quand les voix se mirent à chevroter puis se désunirent. Il vaut mieux commencer par les chantres les plus exercés.

Il fit signe au prêtre alkonien Ocathrel, qui jusqu'à la veille avait passé son temps dans la plaine en compagnie de Naranshada et des ingénieurs pour sélectionner et fissurer les blocs de grès destinés à former le grand cercle. Ce grès était particulier : des forces qu'Ardral lui-même ne pouvait expliquer en avaient compressé les grains il y a bien longtemps et l'avaient rendu plus dur et plus dense que n'importe quelle pierre connue des Atlantes. S'il ne s'était pas formé entre des couches de pierre plus friable, il aurait été impossible d'en tirer des blocs. Mais cette compression avait aligné les particules de cristal mêlées à la pierre, et les coups de marteaux les avaient réveillées.

Ce n'était pas encore le Temple promis, mais les matériaux dont il serait fait. Cette construction leur permettrait non seulement de calculer les mouvements stellaires mais aussi d'éveiller et de concentrer les forces chtoniennes.

Le matin même, Ocathrel s'était proposé pour aider à former les acolytes, en partie parce qu'il avait trois filles et qu'il pensait être le mieux à même de motiver des jeunes gens. Micail avait eu des doutes sur la question, mais il s'était vite aperçu que le vieux prêtre avait incontestablement raison.

Ocathrel sourit, lissa ses cheveux clairsemés et emplit ses poumons. Il émit alors une note si profonde, si vibrante, que Micail put en sentir les trépidations parcourir ses propres os. Lui-même était un ténor mais il était capable d'atteindre la tessiture du baryton ; il émit la note suivante, quatre tons plus haut. Lanath suait déjà sous l'effort et sa note était hésitante. Micail lui lança un coup d'œil impérieux : le garçon stabilisa sa voix et maintint le ton. Au même instant, Kyrrdis faisait entrer Élara dans le chœur, quatre tons plus haut, dans le contralto, puis Cléta et Galara qui s'étaient révélées posséder des voix de contralto tout à fait justes, sinon puissantes.

Le front plissé par la concentration, les chantres tinrent leur note grâce à la respiration circulaire, jusqu'à ce que les sept tons s'unissent et se fondent en un accord unique. Celui-ci n'augmenta pas en intensité, mais les vibrations gagnèrent en qualité. Micail retint son excitation et fit converger leurs voix en direction de la pierre. Les harmonies s'élevèrent et retombèrent légèrement, dans une unité qui résonnait dans la pénombre de la clairière et volait avec le vent... Puis la pierre commença à bouger, à s'élever, lentement, encore plus haut, et puis... encore plus haut... Lanath haleta et perdit sa place dans le chœur qui se défit ; la pierre chancela et s'abattit sur le sol.

— Quand l'un de nous échoue, tout le monde échoue ! dit Micail, durement. Maintenant, reprenez votre énergie et *ancrez-vous dans la terre* !

Les sept chantres fermèrent les yeux et se concentrèrent sur leur respiration.

— Je suis désolé ! murmura Lanath, le visage rouge d'embarras. J'y arrive pourtant bien quand je suis seul...

— Je sais, mon garçon, et tu te débrouillais très bien jusqu'au dernier moment. (Micail se forçait à parler gentiment. Les regards noirs que les filles jetaient au jeune homme étaient suffisants en fait de reproches.) Tu as simplement perdu ta concentration, ce n'est pas un défaut irrémédiable. Mais à partir de maintenant, il faut que tu t'entraînes à chanter avec le groupe jusqu'à ce que tu arrives à tenir cette note, quoi qu'il puisse arriver par ailleurs ! (Il se tourna vers les autres.) Ocathrel, Kyrrdis, merci pour votre aide. Je sais que vous avez d'autres tâches à remplir. Comme nous tous, d'ailleurs. (Et avec un froncement de sourcils pour les plus jeunes, il ajouta :) Vous pouvez partir maintenant. Galara, attends : Ardral souhaite que tu copies un texte pour lui. Viens avec moi.

— Mais à quoi va bien pouvoir servir une nouvelle copie des *Batailles d'Ardath* ? bougonnait Galara en rentrant à travers les bois au côté de Micail. Tout ça a dû arriver il y a au moins un million d'années.

— Huit cents ans, pour être exact. Et je t'assure que c'est plus qu'une simple légende, répondit Micail.

Il avait dû apprendre la patience avec Galara. Il avait d'abord cru que travailler avec la demi-sœur de Tiriki leur rappellerait à tous deux, douloureusement, ce qu'ils avaient perdu. Mais ils semblaient trouver un certain réconfort dans leur compagnie mutuelle. En fait, Galara avait très peu en commun avec Tiriki. Il était certain que sa femme ne s'était jamais montrée, même à l'âge de quinze ans, aussi lunatique que Galara dont les humeurs viraient sans cesse d'une bouderie obstinée à la rébellion la plus ouverte. Il devait souvent se rappeler qu'elle était bien plus jeune. Et puis elles n'avaient pas été élevées comme des sœurs, comment auraient-elles pu être semblables ?

— Mais enfin, à quoi ça peut bien servir, *tout ça* ? rageait Galara. Enfin, la première chose que tu m'as dite, quand tu m'as annoncé qu'on allait devoir partir, c'est que les ressources de ce nouveau pays seraient très limitées ! Et voilà que la première chose que tout le monde essaie de faire, c'est de construire un nouveau temple pour des dieux qui n'ont rien fait pour nous quand on avait vraiment besoin d'eux !

— Chut, Galara ! (Micail s'était arrêté net, le regard furieux, après avoir jeté un œil aux alentours pour vérifier que personne n'avait entendu, car entretenir le moral des Atlantes était au moins aussi important que de maintenir un front uni face aux Ai-Zir.) Qui, sinon les dieux, nous ont permis de rester en vie ? Ils n'ont pas envoyé un messager pour nous prévenir, ils ont en envoyé plusieurs… et nous ne les avons même pas écoutés. Ils nous ont sauvés pour que nous puissions fonder un nouveau Temple…

— Crois-tu vraiment à ce que tu dis ? demanda Galara en posant une main sur son bras, les yeux levés vers lui. Moi, je n'y arrive pas ! Pas si on est obligé d'en passer par la coopération avec cet abruti de Lanath et cette peste de Cléta ! Si les dieux avaient vraiment voulu qu'on leur construise un temple, pourquoi n'ont-ils pas sauvé Tiriki plutôt qu'eux ?

— Ne le dis pas ! Ne me dis jamais une chose pareille ! cria Micail, la rage au cœur, en la repoussant rudement.

Elle fit un pas en arrière pour reprendre son équilibre, le visage livide.

— Je suis désolée, je ne voulais pas…

— Tu n'as pas réfléchi ! (Micail avait parlé sans desserrer la mâchoire. Il avait cru que sa peine s'était apaisée. Il pouvait passer des semaines, voire des mois sans rêver de Tiriki – et puis un souvenir venait rouvrir la plaie. Il lui fallut un long moment avant de pouvoir reprendre la parole.) Vas-y ! tu connais le chemin. Laisse-moi tranquille. Accable Ardral de questions, si tu l'oses. Je ne sais *pas* pourquoi les dieux ont voulu que *nous* vivions et pas les autres. Je ne sais même pas si la bonne solution à présent est encore de sauver quoi que ce soit d'Atlantis ! Mais la prophétie n'a jamais dit que moi, ou toi, nous régnerions sur ce nouveau pays ; elle disait simplement que j'allais fonder le nouveau Temple ici. Et ça, par tous les dieux, c'est ce que je vais faire !

— Le seigneur Micail... vous dites qu'il était un prince royal, lui aussi ?

La reine des Ai-Zir, Khayan-e-Durr, avait salué de la tête lorsque Micail était passé devant l'auvent où les femmes étaient assises en train de filer.

— Une nation pourvue de tant de princes est en danger..., continua la reine d'un air songeur. Mais il est vrai qu'il est attirant...

Élara échangea un sourire entendu avec Cléta. Il leur avait fallu quelques mois avant de maîtriser suffisamment la langue locale pour être acceptées, et leur capacité à communiquer n'était que très récente. «Il est vrai que Micail attire le regard des femmes», se dit Élara tandis que Micail ralentissait le pas et inclinait la tête à son tour. Elle n'était pas sûre qu'il ait vraiment remarqué le salut de la reine, cependant : c'était plutôt un automatisme qu'il avait acquis à la cour de Mikantor, sur Ahtarrath.

— Il était l'héritier du fils aîné, en effet, répondit enfin la jeune fille. Dans les dix royaumes, et sur la Terre des Ancêtres avant cela, il existait des pouvoirs qui se transmettaient principalement de père en fils dans la lignée royale. Mais le seigneur Micail s'est tourné vers la prêtrise ; c'est son oncle Réio-ta qui régnait véritablement.

— Alors le prince a renoncé au trône, et le pays a disparu, répliqua la reine. Nous avons une légende similaire. Pourtant, le sang des rois a toujours de la valeur. Il est bien dommage que cet homme n'ait pas enfanté de fils. Notre chaman, Droshrad, dit que vous autres êtes venus avec le vent et que vous repartirez comme lui, mais je n'en suis pas si sûre.

Elle s'interrompit, pensive, et Élara leva un sourcil, surprise qu'il y ait un sujet de désaccord entre les chamans et les femmes de la tribu. Cléta prit la parole, le front soucieux.

— J'ai entendu dire que Droshrad s'était opposé à votre décision de nous accueillir, dit-elle prudemment, mais je pensais qu'il en était venu à apprécier le savoir que nous avons amené avec nous. Du moins, il n'y a eu aucun problème récemment.

— Craignez le loup qui rôde, et non le loup qui hurle, répondit la reine. Ce vieil homme se réfugie dans les bois pour comploter et jeter des sorts. Il serait préférable que les vôtres s'allient à notre tribu par les liens du sang. Peut-être qu'une union hors de sa race améliorerait la fertilité de votre prince Micail, comme c'est le cas dans les troupeaux. Oui, se mit-elle à glousser, il nous faudra trouver une épouse de bonne famille à votre seigneur stérile, une femme de sang royal.

Élara s'efforça de ne pas laisser voir combien elle était choquée par ces paroles ; pas seulement par leur contenu, mais aussi par le calcul qu'elles révélaient. Elle était presque aussi ébranlée par la fureur possessive qui s'était emparée d'elle. La reine avait raison sur un point : il serait dommage de laisser s'éteindre la lignée de Micail. Mais sa semence appartenait à la lignée sacrée du Temple. S'il fallait lui trouver une compagne, d'autres pouvaient remplir ce rôle : Cléta ou – et à cette pensée son pouls s'accéléra – elle-même serait en mesure de lui donner un enfant.

Mais elle se contrôla et considéra la reine en soupirant.

— Le seigneur Micail pleure toujours sa femme qui a disparu durant notre exil, dit-elle avec solennité. Je ne crois pas qu'il soit prêt à penser à de telles choses.

« Mais moi oui, ne put-elle s'empêcher de penser. Et pas avec Lanath ! » Elle jeta un coup d'œil à Cléta et remarqua qu'elle aussi suivait Micail du regard, jusqu'à ce qu'il disparaisse au sein d'une foule de Ai-Zir. C'était étrange. Élara avait toujours pensé à Micail comme au mari d'une grande prêtresse. Il était curieux de le considérer tout à coup comme... un homme, et un homme libre, qui plus est.

— Bien, bien, il n'y a pas encore d'urgence, fit la reine sereinement en faisant tournoyer sa quenouille, mais l'alliance entre nos peuples serait renforcée par un mariage.

Élara était à Azan-Ylir depuis assez longtemps pour savoir que, selon la tradition, presque toutes les unions étaient arrangées par les matriarches du clan. Elle considéra à nouveau la reine d'un œil incertain. Sous la chaleur du soleil, elle avait retiré sa cape royale, une peau de daim finement tannée où étaient peints les symboles de son rang et de sa tribu. Sa tunique de dessus était de laine vert pâle tirant sur le gris, ornée d'une tresse incrustée de disques de corne à la taille et au bas des manches qui descendaient jusqu'au coude ; elle était tendue sur son ample poitrine où reposaient des colliers d'ambre et de jais. Une jupe volumineuse en laine multicolore descendait en plis gracieux jusqu'à ses pieds. Ses cheveux châtains, serrés en chignon sous un filet de cordelettes, étaient parsemés de gris, mais la reine avait une majesté naturelle qui ne dépendait pas de ses beaux atours.

Durant les quelques mois précédents, il était devenu évident aux Atlantes que les femmes de la tribu exerçaient un réel pouvoir. Selon la tradition, la reine n'était pas la femme, mais la sœur aînée du roi, qu'elle avait tendance à considérer comme un gamin. C'était le fils de celle-ci, Khensu, et non le fils de Khattar, qui hériterait de lui. De plus, c'était à elle et aux autres mères des clans de prendre la décision finale d'entrer ou non en guerre.

Elles tenaient le registre des unions et des naissances parmi les hommes comme parmi les bêtes, et avant que les hommes ne puissent partir en guerre, elles devaient décider si la tribu en avait les moyens. Dans la caste des prêtres d'Atlantis, certains pouvoirs revenaient soit aux hommes, soit aux femmes, mais ni au sein du Temple, ni au sein des palais, la différence des sexes n'était un obstacle à l'exercice de l'autorité. L'âme, après tout, changeait de sexe d'une existence à l'autre. Mais on ne pouvait évidemment pas s'attendre à trouver un tel savoir chez des primitifs.

– Le roi a une fille prénommée Anet, disait Khayan. Elle est mûre pour le lit conjugal. Elle est allée au sanctuaire de la Déesse à Carn Ava avec sa mère, mais elle sera de retour avant l'hiver. Nous verrons si elle l'apprécie... oui, cette union pourrait être bonne...

Cléta baissa la tête vers Élara pour lui chuchoter :
– Mais Micail l'appréciera-t-elle ? Et que va dire Tjalan ?

Khayan s'inquiétait visiblement du sort de son peuple, mais que pensait-elle de l'objectif de Khattar, qui était d'assurer le pouvoir suprême de sa tribu ? Durant les derniers mois, la reine s'était beaucoup attachée à Élara et, lors de sa dernière visite à Azan, Tjalan l'avait pressée de gagner sa confiance... et pourtant elle ne savait toujours pas quel était réellement le fond de la pensée de Khayan.

— Et vous, jeunes filles, dit la reine soudain, il vous faut penser, vous aussi, à vos prochains maris.

— Oh, Cléta a un fiancé à Belsairath, et moi je suis fiancée à Lanath, répondit Élara avec un soupçon d'amertume.

— Vous avez dit que vous n'étiez pas mariées.

— Nous avons encore beaucoup à faire... Il faut que nous terminions nos études.

— Ah ! rit la reine. Les jeunes vierges croient qu'elles seront toujours jeunes. Mais il est vrai que celles qui sont nées prêtresses sont différentes. (Il y eut un instant de silence, mais avant que quelqu'un ait pu parler, Khayan reprit la parole :) Votre dame Timul est loin, et vous êtes ici. Je devrais peut-être vous envoyer à Ayo.

Cléta fronça le nez, tâchant de comprendre.

— Ayo ? La femme du roi ?

— Elle est aussi la sœur sacrée qui demeure au sanctuaire, répondit Khayan avec un sourire. Les femmes des tribus partagent des informations que les hommes ne connaissent pas toujours. L'une d'elles est venue nous voir, elle venait de votre village sur la côte. Elle dit que les prêtresses en toge bleue qui construisent le temple de la Mère là-bas connaissent certains de nos Mystères. Et ça... ça ne regarde pas les chamans. Oui, je pense que les sœurs voudront vous parler.

« Il faut que j'en parle à Ardral, se dit Élara qui avait le tournis. Ou vaut-il mieux que je m'abstienne ? » Khayan n'était qu'une femme des tribus, mais elle avait raison. Il y avait des mystères réservés aux femmes auquel aucun homme ne devait avoir accès. D'une façon ou d'une autre, il faudrait qu'elle parvienne à envoyer un message à Timul... Elle retrouva enfin ses esprits.

— Je serais fort heureuse de les rencontrer.

Micail prit une profonde inspiration. Un vent tiède caressait la plaine. Tôt le matin même, il avait marché jusqu'au site où serait érigé le cercle de pierres levées. Le soleil levant avait alors apporté la promesse d'un jour étouffant. À présent, la nuit s'annonçait et l'odeur de l'herbe montait comme un encens, un encens alourdi par la senteur chaude des bêtes qui paissaient. À quelque distance, un des petits troupeaux qu'on gardait dans la plaine en été pour leur lait suivait l'animal de tête vers l'abri ; les peaux rousses luisaient comme du cuivre dans le soleil couchant.

Il commençait à comprendre leur importance pour les gens des tribus. Un repas atlante se composait de fruits, de légumes et de grain bouilli, avec parfois quelques petits poissons. Ici, le bétail était la vie même de la nation ; sa santé et sa quantité représentaient le pouvoir de la tribu. Leur cuir et leurs os étaient utilisés pour les vêtements et les ornements, ou bien d'autres choses encore. On mangeait du grain sous forme de bouillie ou de galettes et des légumes sauvages quand c'était la saison, mais toute l'année, c'était de viande et de lait que se nourrissaient les gens.

Au début, les Atlantes avaient eu du mal à digérer cette nourriture trop riche, et même après s'y être habitués ils n'arrivaient pas à la métaboliser correctement. « Nous sommes tous devenus nettement plus substantiels, se dit Micail en tapotant son estomac, tous sauf Ardral. » Le vieux gardien semblait vivre d'air et de bière légère, bien qu'il ne cessât pas de se plaindre car il la trouvait beaucoup moins goûteuse que ses liqueurs favorites. Pourtant, quel que fût son régime alimentaire, il débordait d'énergie. Il parcourait le site en tous sens, observant, donnant des ordres, calculant et recalculant, sa toge battant autour de ses jambes maigres comme les ailes des grues qui hantaient la rivière et les ruines environnantes.

À l'extérieur de l'alignement de piquets qui indiquait l'emplacement du cercle, des hommes s'activaient autour de deux grands blocs de grès. Les chantres étaient parvenus à les libérer de la roche environnante, dont les débris jonchaient la plaine, mais il fallait encore leur donner leur forme définitive et cela ne pouvait être fait qu'à la main, à l'aide de masses faites du même grès. Le martèlement de la pierre sur la pierre produisait une musique monotone qui résonnait dans l'air tiède.

— Viens là, tu veux ? appela Ardral en sortant Micail de sa rêverie. Et amène Lanath. J'ai besoin d'une vérification pour cet alignement.

Micail regarda autour de lui et vit son acolyte debout près d'un trou d'où avait été arraché un rocher, en train de contempler la plaine en direction du soleil couchant.

— Lanath, on a besoin de nous, dit-il doucement. Viens, mon garçon, il n'y a rien à voir par là.

— Seulement les étoiles du soir, répondit Lanath d'une voix sourde. Mais n'importe qui, ou n'importe quoi, pourrait se glisser vers nous dans l'obscurité. Ce pays tout entier est infesté de fantômes… (Il fit un geste en direction des tumulus au loin sur la plaine.) Quand la nuit tombe, tout ceci leur appartient. C'est peut-être ce que me dit Kanar.

— Kanar ! s'exclama Micail. Ton ancien professeur ? Est-ce là un autre de tes rêves ?

— Il me parle, répondit Lanath de la même petite voix.

— Les fantômes, on le sait, sont de mauvais messagers, surtout quand on ne sait pas quelle question leur poser, répliqua Micail, plus durement qu'il n'en avait l'intention. Ne parlons plus de ça ; les histoires des chamans ont rendu les hommes suffisamment nerveux pour ne pas ajouter à leurs lubies ! Nous avons besoin de leur force de travail, mon garçon. Nous ne pouvons pas faire tout le travail par le chant.

Il agrippa l'épaule de Lanath d'une poigne de fer et le força à revenir vers le centre du cercle, où Ardral contemplait les piquets de bois qui simulaient le lever et le coucher du soleil au moment du solstice d'été.

— Regardez ! ordonna-t-il en pointant un doigt vers l'ouest. Voilà la lumière !

Des nuages en provenance de la mer lointaine se massaient et s'embrasaient sous le baiser du soleil déclinant. Sous leurs yeux, un long rayon se mit à briller d'un bout à l'autre du ciel, traçant un chemin doré sur la plaine assombrie. Ardral marmotta quelques mots et se mit à griffonner des hiéroglyphes à toute allure sur sa tablette de cire.

Micail ferma les yeux pour les protéger de l'intensité lumineuse ; il avait l'impression que la lumière du soleil se transformait en courant d'énergie, comme s'il s'était trouvé au milieu d'un torrent de forces vives, ou au carrefour de plusieurs torrents. L'un d'eux venait de l'ouest, là où le soleil se couchait au moment de l'équinoxe ; un autre prenait sa source plus au sud. Le cercle de pierres serait centré sur un alignement nord-est sud-ouest, de façon à capter le lever du soleil du solstice d'été et à amplifier le flux d'énergie.

– C'est la première fois que tu es ici à la tombée du jour, n'est-ce pas ? Micail entendit-il Ardral lui demander. Quand le soleil se lève ou se couche, on sent distinctement les différents courants. C'est pour cela que les voyants nous ont indiqué cet endroit. Si nous orientons les pierres correctement, ce cercle nous permettra d'accomplir une extraordinaire concentration de pouvoir.

Micail rouvrit les yeux et réalisa que les maçons avaient arrêté de frapper.

– Si l'Omphale avait pu être sauvé, Tjalan l'aurait installé ici, ajouta Ardral. Peut-être est-il préférable que...

Le reste de ses paroles fut noyé dans un cri de terreur. Lanath contemplait à nouveau les tumulus, et les ouvriers le regardaient, leurs murmures plus audibles d'instant en instant.

– Regardez, *quelque chose* est sorti des tumulus ! Le jeune prêtre peut le voir ! Le vieux prêtre est en colère parce que nous avons bougé les pierres ! Droshrad avait raison ! Nous ne devrions pas être ici !

Micail plissa les yeux pour tenter de voir dans la pénombre, puis il se mit à rire en voyant une tête surmontée de cornes.

– N'êtes-vous donc que des enfants pour vous effrayer d'une vache ?

S'ensuivit un moment de silence, brisé par un meuglement mélancolique.

– Elle pourrait prendre la forme d'une vache, murmura quelqu'un, mais tout le monde s'était mis à rire.

– Et si vraiment il y avait un démon ici, s'éleva la voix d'Ardral, croyez-vous que je ne serais pas capable de vous protéger ?

Dans l'obscurité, tout le monde pu voir le chatoiement qui l'entourait et dansait autour de sa silhouette. Ce n'était qu'un truc de magicien, Micail le savait : le genre de spectacle que les initiés et les adeptes considéraient indignes d'eux, mais qu'ils maîtrisaient parfaitement... Il respira profondément et laissa sa concentration changer de mode, transférant de l'énergie à son aura jusqu'à ce qu'il étincelle à son tour.

« Je me demande si Droshrad peut faire ça ? » se dit-il avec une bouffée de fierté, qui se transforma en honte lorsqu'il vit les ouvriers reculer en faisant le signe de la protection. La prophétie avait annoncé que ses efforts serviraient à fonder le nouveau Temple, mais la structure qu'ils étaient en train de bâtir servirait-elle les pouvoirs de la Lumière, ou quelque autre ambition bien plus terre à terre ?

C'était durant l'hiver que les Atlantes languissaient le plus de leur pays perdu. Après bientôt trois ans, Micail souffrait toujours jusque dans ses os quand les vents du nord apportaient la neige. « Dieu de l'hiver, jurait-il souvent, par un tel froid, même Banur-aux-quatre-visages ajouterait une bûche dans l'âtre ! » Pour l'instant, cependant, la flambée au cœur de la hutte royale et la chaleur humaine dégagée par les gens qui s'y étaient rassemblés pour la fête du solstice d'hiver avaient réchauffé la température, et Micail avait assez chaud pour commencer à envisager d'ôter sa cape en peau de mouton.

Droshrad et les chamans des autres tribus étaient assis à gauche de Khattar ; les prêtres atlantes étaient à sa droite, dans une inconfortable symétrie. De l'autre côté du foyer, les chefs des cinq tribus avaient depuis longtemps enlevé leur cape et leurs chapeaux ronds et se prélassaient paresseusement sur leurs bancs en simple tunique de laine brodée. Droshrad était, comme toujours, engoncé dans ses vêtements de peau teints et brodés d'éclats d'os.

Micail se demanda s'il aurait dû renvoyer Jiritaren, Naranshada et les acolytes à Belsairath pour l'hiver en même temps qu'Ardral et les autres ; mais à ses yeux, la vie sociale dans la nouvelle capitale de Tjalan représentait un exil plus douloureux que cette vie parmi les sauvages. À l'automne précédent, rester sur la plaine s'était avéré une sage décision : Lanath et lui avaient réussi à affiner le calibrage nécessaire pour le calcul de l'emplacement des pierres. Mais cette année, Droshrad semblait les reluquer avec plus que son dédain habituel.

— Tout cela ne ressemble pas exactement au passage du règne de Nar-Inabi, n'est-ce pas ? demanda Jiritaren dans la langue du Temple.

La formalité de ces mots résonnait curieusement dans cette assemblée. Jiri ouvrit en le faisant craquer un travers de porc rôti. Parmi les tribus, le porc engraissé au maïs était le plat favori des fêtes hivernales ; la viande grasse aidait à combattre le froid – tout comme la bière. Micail leva son gobelet et prit une nouvelle gorgée.

Naranshada fronça les sourcils et se gratta la barbe, puis, dans une forme abâtardie du langage du Temple, il fit remarquer à son tour :

– Je dois dire que je ne suis qu'à demi charmé. J'ai hâte que ce travail soit terminé, pour que nous ne soyons plus obligés de vivre ici. Je viens d'entendre dire que nous n'aurons plus d'ouvriers pour les autres pierres tant que les semis de printemps ne seront pas terminés.

– Quoi ? s'exclama Jiritaren. Est-ce vrai, Micail ?

– Alors… comment trouvez-vous cette fête ? interrompit le roi Khattar en langue atlante au fort accent mais tout à fait compréhensible.

«Il apprend vite, se dit Micail avec un sourire réflexe. Que cela nous serve de leçon : nous avons beau utiliser les plus secrets des dialectes du Temple, il nous faut faire plus attention à ce que nous disons.»

– La viande est grasse et la bière est forte, grand roi, répondit Naranshada poliment.

Micail lui fit écho ; il venait de remarquer que les cercles et les losanges gravés sur les poutres commençaient à se brouiller. Peut-être ferait-il mieux de ralentir sur la boisson pendant un moment.

– Nous avons eu une bonne récolte ! dit le roi, dont le regard mettait quiconque au défi de dire le contraire. Les ancêtres sont contents. Bientôt, ils ont leur nouveau temple !

– Il est heureux que les ancêtres aient la patience de l'éternité. Pourtant, le travail progresse de façon satisfaisante, répondit Micail en se demandant, pour la énième fois, ce que Khattar comprenait exactement de leurs explications sur le but de l'alignement des pierres.

«Et pour moi, que représentent ces pierres ? La première étape de la construction du Temple que j'étais destiné à bâtir, ou simplement une raison de vivre jour après jour ?»

– Tant mieux, approuva le roi. Combien de temps ?

— Les blocs destinés aux trilithes du cercle intérieur ont été transportés sur le site, répondit Naranshada en les comptant sur ses doigts. Ce qui fait quinze pierres. La plupart doivent encore être polies, mais une équipe peut y travailler pendant qu'on en apporte d'autres. Dix autres blocs ont été découpés pour le cercle externe, il en faut donc encore une quarantaine. On pourrait en faire moins, je suppose, mais on s'est déjà heurtés au problème et il faudra peut-être encore en rejeter certains. Je préfère ne pas prendre de risque. Et bien sûr, il restera encore les linteaux pour les relier les uns aux autres.

— Il faudra beaucoup d'hommes pour en bouger autant, dit Khattar, les sourcils froncés.

— Oui, admit Jiritaren, mais si tout se passe comme prévu, nous devrions être en mesure de lever les trilithes…

Il s'arrêta et regarda Naranshada.

— Oh, l'année prochaine, c'est certain, continua celui-ci un peu ivre. Mais sait-on jamais si tout se déroulera comme prévu ?

— Voilà pourquoi les laboureurs sont faits pour travailler dans les champs et pas pour transporter des pierres, fit la voix de Droshrad derrière le roi. Les dieux donnent de mauvaises récoltes quand on ne les sert pas bien. Je vous ai déjà prévenu, roi Khattar, les gens se plaignent.

Micail jeta un coup d'œil vers le neveu du roi, Khensu, qui était assis en compagnie des jeunes guerriers, de l'autre côté de la hutte. Il vit un dessein secret se refléter dans le regard qui rencontra le sien. Dans les royaumes de la Mer comme ici, un prince était l'âme de son peuple. Le père de Micail avait choisi de résister à la torture plutôt que de trahir cette confiance sacrée. Mais ici, Micail commençait à le comprendre, la relation entre le roi et son pays était encore plus directe. La reine était au service de la déesse sans nom, qui était éternelle, mais le dieu qui la rendait fertile était incarné par le roi. Si les récoltes étaient mauvaises plusieurs fois de suite, un homme plus viril devait être choisi, et le vieux roi devait mourir.

Khattar ignora le chaman et leva une main, les doigts écartés.

— Vous devez mettre cinq grosses pierres pour les cinq tribus, et celles du cercle extérieur pour les clans.

— Mais ce n'est pas exactement…, commença Naranshada avant que Jiritaren ne lui envoie un coup de coude dans les côtes.

Le mauvais sourire de Droshrad s'était élargi.

– Vous amenez le pouvoir du soleil dans le cercle…, dit Khattar, mais la suite fut noyée sous les vivats et les premiers battements de tambour se firent entendre.

Au début de la soirée, le feu avait été si chaud qu'un large espace avait été laissé libre au centre de la hutte, mais comme les heures passaient, les troncs s'étaient consumés et il ne restait qu'un tas de braises incandescentes qui suffisaient à maintenir une chaleur confortable dans le bâtiment. À présent, les joueurs de tambour se rassemblaient autour du foyer. Certains présentaient leur instrument à la chaleur pour en raidir la peau, mais les autres avaient commencé à élaborer les motifs rythmiques qui retiennent l'attention. Toutes les conversations s'interrompirent.

Le neveu du roi se leva et fit signe à ses compagnons ; ceux qui étaient suffisamment sobres le rejoignirent auprès du feu. Ils se mirent en cercle en se tenant par l'épaule et dansèrent autour du foyer, se baissant et sautant en un rythme parfait. Ils accélérèrent la cadence et exécutèrent des pas de plus en plus compliqués ; l'un après l'autre, ils chancelaient et s'écartaient du cercle sous les rires. Micail ne fut pas surpris de constater que le dernier danseur encore debout était Khensu. Il se mouvait avec plus de puissance que de grâce, mais son énergie était impressionnante. Les cheveux châtains et ondulés, le corps musculeux, il ressemblait à l'homme qu'avait dû être le roi Khattar dans sa jeunesse. L'un comme l'autre serait un adversaire formidable dans une bataille, se dit Micail, et il se demanda pourquoi les danses lui évoquaient la guerre. Puis Khensu s'arrêta à son tour et leva les bras pour accueillir les acclamations du peuple, tandis que le roi l'observait avec une expression qui révélait qu'il aurait préféré moins d'enthousiasme pour son successeur.

– Vous levez les pierres, vite, d'abord la mienne, marmonna-t-il. Puis les ancêtres me donnent pouvoir.

Il tendit son gobelet pour qu'on le lui remplisse. Micail soupira et se tut, espérant que les questions s'arrêteraient là. Tout ça n'était qu'une question de pouvoir, mais pour qui et pour quoi ? Khattar voulait les pierres pour régner sans partage sur les autres tribus. Tjalan les voulait comme centre autour duquel rebâtir la puissance des royaumes de la Mer, voire de l'Empire. Naranshada, Ocathrel et la plupart des autres prêtres voulaient s'en servir pour exposer leurs talents et démontrer qu'ils avaient été sauvés pour une raison précise… « C'est ce que je pensais moi aussi, au début, pensait Micail. Et peut-être que je le pense encore. Que disait Ardral l'autre jour ? Que ça ressemble au projet du sculpteur qui fait la statue d'un dieu, juste pour voir si c'est possible. Et moi, pour quoi est-ce que je veux ce nouveau Temple ? » C'était une question qu'il n'avait jamais pensé à se poser, jusqu'à récemment ; maintenant son esprit ne cessait d'y revenir encore et encore.

Khattar respirait bruyamment dans son oreille, une main graisseuse et collante de bière posée sur son épaule.

— Ah ! ça, vous allez aimer ! Regardez !

On entendit des froissements d'étoffe et des murmures du côté du banc des femmes qui commençait à se vider. Les jeunes gens se mirent à siffler lorsqu'une file de jeunes filles entra dans la lumière des braises, vêtues de châles et de jupes de laine et de cuir dont les longues franges dansaient au rythme de leurs corps. Des colliers de bois sculpté et de corne, de jais et d'ambre ondulaient doucement sur leurs jeunes poitrines. Les yeux baissés, se tenant par la main, elles dansaient en cercle, traçant un motif aussi compliqué que le battement des tambours, tandis qu'une flûte d'os pépiait et roucoulait. Leurs corps souples s'arquaient et se redressaient comme de jeunes bouleaux à l'orée de la forêt, comme des saules près d'un ruisseau au doux clapotis. Micail lui-même ne pouvait s'empêcher de sourire.

— Vous aimez nos filles, oui ? demanda le roi en essuyant ses moustaches pleines de bière d'un revers de main, le sourire matois.

— Elles sont aussi belles que de jeunes génisses dans un pré vert tendre…, répondit Micail, et le roi s'écroula de rire.

— On fera un taureau de toi, ô étranger !

Les serviteurs parcouraient la foule avec des paniers de noix et de baies séchées, les derniers cadeaux de l'automne, et des fromages ronds et durs. Micail s'essuya les mains sur sa tunique et prit une poignée de noix puis quelques baies, avec une pensée contrite pour les bols d'eau parfumée qui, chez lui, auraient été offerts aux hôtes pour s'y laver les mains. Les verres exquis remplis d'un vin musqué lui manquaient aussi. À la place, il serait bien obligé de boire encore de cette bière indigène qui commençait sérieusement à lui tourner la tête.

Mais cela semblait être la tradition ici : les hommes sur les bancs les plus éloignés avaient déjà l'air tout à fait ivres. Lorsqu'une jeune servante s'approcha pour remplir son gobelet, il ne fit pas d'objection.

Les jeunes danseuses revenaient en ondulant vers le banc des femmes, mais les tambours ne s'arrêtaient pas pour autant. L'assistance, au lieu de revenir à des conversations anodines qui auraient indiqué la fin d'une cérémonie formelle, se redressait et attendait dans un silence excité.

Puis le battement cessa, la porte d'entrée s'ouvrit avec un grincement qui sembla immense au cœur du silence, et quelqu'un entra. Personne ne remarqua que la porte s'était refermée car une mince silhouette s'approchait du foyer – c'était une jeune fille enveloppée dans une cape de peau, ses cheveux bruns noués haut sur la tête et retenus en une longue natte luisante dans le dos. Le roi s'avança et la considéra, le visage impénétrable.

– Mon père, je te salue.

Le bras mince de la fille, couvert de bracelets d'ambre, émergea des plis de fourrure et sa main toucha son front, ses lèvres puis sa poitrine.

– Ma fille, sois la bienvenue, répondit le roi. Apportes-tu la bénédiction de ta mère pour notre célébration ?

– Oui, et celle de la Mère !

Elle s'avança, pleine d'une grâce concentrée que Micail reconnut avec surprise comme la marque d'une discipline spirituelle. Ce devait être Anet, la fille royale dont Élara lui avait parlé et dont la mère était une grande prêtresse. Le roi Khattar s'était assis.

– Alors, donne-la nous, dit-il doucement.

La jeune fille sourit et, se tournant vers les joueurs de tambour, elle lâcha la douce fourrure qu'elle retenait sur ses épaules et la laissa glisser à terre. Micail écarquilla les yeux, car elle ne portait sur elle qu'une kyrielle de bijoux de jais et d'ambre et une courte jupe de brins de laine tortillés retenus en haut et en bas par des bandes de laine tissée. Mais le murmure qui parcourait la salle était un murmure de satisfaction. Il était évident que cet événement avait été anticipé ; et pourquoi cela aurait-il dû choquer Micail, lui qui avait vu les sajis de la Terre des Ancêtres vêtues seulement de leurs voiles safran ?

Les tambours les plus tendus parlèrent une fois, puis une autre, puis encore une autre, et Anet entra dans l'espace laissé libre autour du foyer, ses bras exquis levés vers le ciel. Les autres tambours rejoignirent alors les premiers et entamèrent un dialogue sans paroles ; questions et réponses se succédaient, faisaient s'accélérer le cœur de Micail et échauffaient son sang – et pourtant la danseuse n'avait toujours pas bougé. Ce n'est qu'après avoir réalisé que l'image d'ambre poli qui se balançait entre ses jeunes seins captait la lumière et la renvoyait qu'il comprit que sa peau *ondulait*, en tremblements contrôlés qui s'étendaient de ses genoux à sa poitrine, puis de sa poitrine à ses genoux, en un mouvement continu.

– Elle concentre le pouvoir, chuchota Naranshada, la voix rauque et basse.

Jiritaren hocha la tête comme un ivrogne avant de répliquer :

– Si c'est là ce qu'apprennent leurs filles au sanctuaire de Carn Ava, nous devrions y envoyer les nôtres !

Micail les entendait, mais il ne pouvait pas parler. Même respirer lui était devenu difficile, et toute sa peau le picotait. Il sentait chacun de ses cheveux sur sa nuque ; l'air semblait crépiter de tension. Cette fille ne ressemblait pas le moins du monde à sa bien-aimée, et pourtant il y avait une grâce concentrée dans sa pose, qui lui rappelait étrangement Tiriki en train de prier.

Presque imperceptiblement, elle avait commencé à plier les genoux et ses bras se mirent à serpenter autour d'elle, à se relever, à s'abaisser, dans un mouvement continu et sinueux qui la portait en avant autour des piliers qui soutenaient le toit. La lueur du feu mourant éclairait ses cheveux bruns qui prirent la même teinte que l'herbe sèche des collines dans la lumière du soleil. Aux yeux de Micail, elle irradiait de la lumière même de Manoah, et il pensa : « Elle danse pour ramener la Lumière dans le monde… »

Elle fit le tour de la hutte quatre fois en dansant autour du cercle des piliers. À chaque passage, elle s'arrêtait, faisait face à une direction différente, tombait lentement à genoux, arquait le dos et se penchait en arrière, puis immobilisait ses bras et ses jambes, le dos tendu comme un arc, avant de se remettre debout d'un seul mouvement, les bras levés, et reprenait sa danse. Enfin, le pas léger et tournoyant, elle décrivit un dernier cercle, attrapa au vol sa cape de fourrure et la jeta sur son dos. C'était comme si la lumière avait quitté la pièce. Elle se tint droite, immobile, souriant faiblement, tandis que les spectateurs laissaient échapper un soupir collectif, puis elle se retourna et fendit la foule en direction de la porte ouverte.

Brièvement, comme elle passait devant lui, son regard rencontra celui de Micail. Elle avait les yeux verts.

– Quelle fille extraordinaire! disait Jiritaren, avec un peu trop de ferveur.

– Oui, comme sa mère quand elle était jeune et que je l'ai enlevée, dit le roi avec un sourire où ses dents gâtées apparaissaient au milieu de sa barbe grisonnante. Il faudra que je trouve un bon mari à Anet, avant qu'un énergumène plus couillu qu'intelligent se mette en tête de m'imiter! (Son regard perçant chercha celui de Micail.) Khayan-e-Durr dit que je devrais la marier avec toi, saint homme. Qu'en penses-tu?

Micail leva les yeux vers lui, choqué. «Mais je suis marié à Tiriki», se dit-il; pourtant, au même instant, il se rendit compte qu'il préférait ne pas répondre. Naranshada vint à sa rescousse.

– Grand roi, nous apprécions l'honneur que vous nous faites, mais je vous prie de vous souvenir que le seigneur Micail est de sang royal dans notre peuple, et qu'il ne peut contracter une alliance avec… sans consulter le prince Tjalan, conclut-il presque aussi aisément que s'il avait toujours su ce qu'il allait dire.

Derrière l'épaule solide de Khattar, Micail aperçut la grimace de Droshrad. Cette proposition avait surpris le chaman autant que lui. Il comprit alors qu'il y avait une autre bonne raison que sa confusion pour éviter une réponse immédiate et réagit en bafouillant:

– C'est la vérité.

Il vit le visage du roi s'assombrir.

– Alors dites ceci à votre prince de ma part, ricana-t-il. Vous autres gens des Mers, vous dites que vous voulez me servir, faire de moi un grand homme parmi les autres tribus. Mais sans les femmes de la royauté, je ne suis rien! Réfléchissez à votre réponse, mais ne réfléchissez pas trop longtemps. Sans le lien du sang, vous perdrez vos ouvriers, vos pierres, et tout le reste.

CHAPITRE 13

— Maman ! Joli ! Regarde…

Domara dansait sur la pelouse en montrant du doigt les merles qui parsemaient le tapis herbeux, leurs plumes lustrées chatoyant au soleil. Il avait plu très fort la nuit précédente, et les oiseaux faisaient un festin des vers de terre chassés de l'humus par le déluge. Tiriki tenta d'attraper l'enfant, échoua, et se redressa avec un sourire. Domara avait fêté son troisième anniversaire au printemps dernier. Elle était constamment en mouvement, ses cheveux roux dansant autour du Tor comme une flamme.

Kestil, la fille de Forolin, marchait avec la dignité qui seyait à ses sept ans.

— Pourquoi les chasses-tu ? Ils ne font que se poser plus loin.

— Joli ! répéta Domara avec un coup d'œil par-dessus son épaule, puis elle se mit à battre de ses petits bras potelés. Tiriki l'attrapa enfin et la souleva au-dessus de sa tête.

— Vole, petit oiseau ! entonna-t-elle, mais n'oublie pas le nid… Tes amis, Gamin, Tortue et Linotte t'attendent pour jouer avec toi.

Elle installa la petite fille sur sa hanche et emprunta la chaussée de bois qui menait à l'ancien village d'été, que les gens des marécages avaient commencé, un an plus tôt, à reconstruire pour en faire un lieu de vie permanent. Elle sentit un frisson de fierté lui parcourir l'échine lorsqu'elle pensa à leur première année dans cette contrée, quand il était évident que les indigènes croyaient les Atlantes fous d'essayer de vivre dans les marécages toute l'année.

Mais elle savait que s'ils l'honoraient, ils révéraient encore plus Chédan, qui les avait personnellement soignés durant l'épidémie. Quand il traversait le village, ils amenaient leurs enfants pour qu'il les bénisse, et ils s'étaient mis à recueillir des plumes de faucon pour lui faire une cape de cérémonie. C'était pour lui, et non pour Tiriki, qu'ils avaient accepté de vivre ici pendant l'hiver. C'était aussi pour lui qu'ils avaient accepté de déterrer et de transporter les pierres que le mage utilisait pour construire le premier bâtiment en dur de la communauté.

Tiriki soupira et décida que ce n'était pas de sa part de la jalousie, mais plutôt... un brin de conservatisme. L'idée qu'un homme pût être un guérisseur était dérangeante pour elle, aussi étrange que l'idée d'une femme, elle comprise, menant les cérémonies. Pourtant, sur la Terre des Ancêtres, son propre père avait été un gué-risseur et ses écrits sur le sujet auraient pu être considérés par les seigneurs du karma eux-mêmes comme une expiation suffisante pour ses péchés.

«Nouveau pays, nouvelles traditions, comme le disait souvent mon vieux professeur, Rajasta le sage.» Tiriki laissa dériver sa pensée. «Peut-être que si j'avais prêté plus d'attention à ses prophé-ties, il me serait moins difficile de m'adapter. Peut-être aussi que ce n'est pas censé être facile.»

Au-dessus de sa tête, le soleil était parvenu à percer les nuages et les brumes des marécages; il ne restait plus qu'un infime voile de vapeur étendu au travers du ciel. Domara et elle marchaient dans un halo de lumière diffuse. Au loin, le village apparaissait et disparais-sait tour à tour; quand elles approchèrent, elles distinguèrent les femmes en train de broyer des graines, d'écosser des haricots ou de couper des tubercules devant leurs portes, et des hommes qui répa-raient des filets ou empennaient des flèches.

Plusieurs villageois levèrent une main en signe de bienvenue et Domara leur répondit joyeusement. Tiriki la laissait souvent jouer en compagnie des enfants du village, aussi la fillette faisait-elle écho au guttural dialecte local aussi souvent qu'elle avait recours à la subtile et mélodieuse grammaire des rois de la Mer.

– Mor-Gan, tu es en retard. Heureuse tu vas bien, dit la femme de Héron, une petite femme réjouie qui répondait au curieux prénom d'Ortie.

Les indigènes avaient fait beaucoup plus de progrès en langues étrangères que Tiriki, mais elle parvenait à deviner le sens de la plupart des noms. «Morgane», se répéta-t-elle doucement. Chédan lui avait dit que ce mot évoquait un esprit des mers dans plusieurs légendes très anciennes, puis il s'était mis à rire et n'avait plus rien dit.

«Et lui, comment l'appellent-ils, déjà? Le pleureur du ciel? L'aile de lumière?»

– Faucon du soleil! s'exclama-t-elle. Avez-vous vu Faucon du soleil aujourd'hui?

– Il parti à nouvelle maisons des esprits, répondit Ortie en ouvrant une cosse de fèves. Ils disputent sur *pierres*. Les hommes…

Tiriki la remercia gracieusement; elle ressentit ce petit frisson d'excitation qui lui venait toujours lorsqu'elle pensait au nouveau Temple – ce Temple qui représentait à la fois la restauration d'une splendeur traditionnelle et leur engagement envers cette nouvelle terre. Forolin s'était révélé particulièrement utile, car il était issu d'une famille qui avait engendré plus de constructeurs que de marchands. Son expérience pratique complétait si bien les notions théoriques de Chédan que Tiriki commençait à croire que le projet allait effectivement aboutir.

«Et pourquoi pas? se demanda-t-elle. Nous avons accompli tant d'autres choses.»

Au cours des quatre années qui s'étaient écoulées depuis leur arrivée, les premières huttes grossières avaient été remplacées par de solides cabanes de rondin calfatées et couvertes d'enduit pour les protéger des intempéries. Par-delà les toits de chaume du village, Tiriki pouvait voir le bétail en train de paître dans les prairies et, plus haut, les champs de sarrasin et d'orge qui ondulaient en vert et gris sous la brise.

Elle se disait que les gens, comme les bâtiments, avaient dû changer, mais leur transformation avait été plus graduelle. On avait réussi à conserver certaines des magnifiques tenues brodées venues d'Atlantis, mais on les revêtait rarement; et quand leurs vêtements ordinaires étaient tombés en lambeaux, la plupart des réfugiés s'étaient mis à porter les simples tuniques de peau des gens des marécages.

« Mais ça ne durera peut-être pas », se dit-elle en voyant une des femmes du village s'essayer maladroitement au tissage de la laine. Depuis que les cartes du prêtre Dannetrasa avaient permis aux marins de Reidel de trouver des moutons, la laine filée avait gagné en popularité ; Liala et les sajis avaient même commencé à raffiner une cire locale pour y ajouter un jus d'herbe qui donnait un bleu merveilleux.

« Si nous ne faisons pas attention, les hommes vont se mettre à porter du bleu, eux aussi. » À cette idée, elle eut un frisson de répugnance. Pour elle, le bleu serait toujours la couleur de Caratra, qu'on réservait à ses prêtresses.

Au bout du village, un troupeau de gamins se précipita hors d'une maison en pépiant comme des moineaux. Domara leur répondit dans la même langue et Tiriki la lâcha pour qu'elle puisse les rejoindre. Une femme mince avait émergé de la maison à son tour, et Tiriki la salua.

– Que le jour te soit bénéfique, Fougère. Puis-je te laisser Domara à nouveau ? Je dois enseigner sur l'île aujourd'hui, mais je serai de retour au coucher du soleil.

– Nous surveillons, répondit Fougère en souriant. Kestil ? ajouta-t-elle en direction de la fille de Forolin, tu m'aides ? Empêche Domara tomber dans l'eau ?

– Oui ! cria la fillette joyeusement dans la langue des marécages, avant de se remettre à courir après Gamin et Linotte, les enfants d'Ortie.

« Au moins, se dit Tiriki résignée, Domara sait nager. »

Le monticule pierreux situé à l'extrémité du chemin de planches était entouré d'eau si fréquemment qu'on en parlait généralement comme d'une île. Tiriki avait fini par réaliser que dans cette nature sauvage, la terre, l'eau et l'air n'étaient pas les entités distinctes qu'elle avait connues sur Ahtarrath. Dans la brume, ces trois éléments tendaient à se mêler confusément, de la même façon que les différences de caste entre les prêtres, les marins et les indigènes commençaient à s'estomper.

Les acolytes et les quelques autres personnes qui étudiaient avec elle l'attendaient dans la clairière qu'ils avaient dégagée au cœur de l'île, au milieu des fougères et des aulnes. Cet endroit avait une énergie particulière, en quelque sorte juvénile, qui le rendait particulièrement approprié pour enseigner aux jeunes – non pas, d'ailleurs, que tous ses élèves aient été particulièrement jeunes. Afin d'équilibrer la proportion de prêtres et de prêtresses, Reidel avait été intégré aux rangs des prêtres juniors, ainsi que le marin Cadis, après un très long débat.

Tiriki ne doutait pas un instant qu'ils aient eu raison d'accueillir Reidel. La mer lui avait appris à anticiper les courants de pouvoir, et tous les capitaines devaient savoir se commander à eux-mêmes avant de prétendre diriger leurs hommes. Sa constance s'avérait déjà très utile lors des rituels. Les raisons que Reidel avait eues d'accepter l'enseignement étaient moins claires, mais Tiriki soupçonnait que Damisa y était pour quelque chose. Elle leur adressa un signe de tête et constata une fois de plus, en voyant le sourire de Reidel éclairer ses traits décidés, que c'était un homme très séduisant.

– Notre sujet d'aujourd'hui sera l'autre monde, commença-t-elle. Nos traditions nous enseignent qu'il existe plusieurs niveaux d'existence ; le niveau physique n'est que le plus évident d'entre eux. Des adeptes se sont aventurés dans les mondes de l'esprit et en ont tiré des cartes, mais ces cartes sont-elles forcément toujours les mêmes ?

Elle parcourut le cercle du regard. Pour une fois, Sélast, toujours aussi maigre et nerveuse et qui semblait vibrer d'énergie contenue même lorsqu'elle était immobile, était assise près de son fiancé Kalaran. Depuis qu'il avait commencé à travailler avec Chédan, sa mine renfrognée avait perdu de son amertume ; Tiriki pensait cependant qu'il devait avoir du mal à accepter Cadis et Reidel, parce qu'il pensait toujours à ses anciens compagnons, les acolytes mâles qui n'étaient plus là. À côté de Kalaran, Élis, songeuse, jouait avec une poignée de terre. Mais ni Damisa ni Iriel n'étaient présentes.

L'absence de Damisa n'avait pas été intentionnelle. En réalité, tout ça était arrivé à cause d'Iriel. Si Liala n'avait pas demandé à Damisa de porter un message à Iriel, elle serait allée tout droit au cours et n'aurait jamais eu à se préoccuper de cette gamine. Mais lorsqu'elle était arrivée à la tonnelle qu'Iriel s'était construite au milieu des roseaux, celle-ci ne lui avait accordé qu'un bref regard avant de concentrer à nouveau toute son attention sur le fouillis de ronces qui l'entourait.

– Liala te fait dire qu'Alyssa se sent encore malade, annonça Damisa brusquement. Elle te demande de lui amener des boutons d'achillée séchés la prochaine fois que tu remonteras.

Iriel ne bougea pas d'un cheveu.

– Tu peux lui amener après la leçon, d'ailleurs c'est là que tu devrais être en ce moment. Mais qu'est-ce que tu fais, à la fin ? Ce n'est pas la saison des mûres…

– Chut !

La voix était douce, mais c'était indubitablement un ordre. Damisa obéit sans même s'en rendre compte ; elle se mit à genoux instinctivement à côté de la jeune fille. Un moment passa. Il n'y avait pas d'autre son que celui du vent au travers des saules et le murmure de la rivière. Elle ne voyait rien là qui puisse expliquer l'immobilité d'Iriel.

– Tu passes trop de temps avec Taret, tu commences à voir des choses, marmonna Damisa. Allez, viens maintenant, c'est très joli ici, mais il faut que nous…

– Tais-toi !

Cette fois, il y avait de la peur dans sa voix et, quand elle l'entendit, Damisa se tut à nouveau. Secouée, elle commença à s'éloigner d'Iriel, s'attendant à ce qu'elle l'attrape tout à coup et se mette à rire.

– S'il te plaît, insista Iriel, ne bouge pas !

Elle s'était contentée de remuer les lèvres, sans cligner des paupières et sans quitter des yeux un seul instant ce qu'elle n'avait jamais cessé de fixer – un coin plus sombre que les autres dans les broussailles, que Damisa n'avait pas encore remarqué.

Puis il y eut un bruit, comme la déchirure de quelque chose d'humide, suivie d'un bruissement au cœur des ronces. Curieusement, Iriel se détendit soudain.

– Qu'est-ce que c'est ? ne put s'empêcher de demander Damisa.

– Un esprit de la forêt, chuchota Iriel avec un sourire bizarre. Il a arrêté d'écouter maintenant. Si tu bouges tout doucement et sans faire de bruit, tu pourras le voir aussi.

Damisa se détendit à son tour, mais avant qu'elle ait pu seulement bouger une épaule, Iriel la houspilla à nouveau :

– Doucement, je t'ai dit ! Il a presque fini. Quand il aura tout à fait fini, il s'en ira. À ce moment-là, on pourra partir aussi.

Les cheveux hérissés sur la nuque, Damisa se déplaça, le plus lentement possible, jusqu'à ce qu'elle puisse regarder à l'intérieur du roncier. Au début, ça ressemblait à n'importe quel autre endroit de la forêt, et puis le vent tourna et elle sentit l'odeur du sang et d'autre chose, une odeur fétide et sauvage.

« Soit nous sommes devenues complètement folles toutes les deux, pensa Damisa, soit il y a quelque chose ici. »

Elle contempla la scène à nouveau, examinant soigneusement chaque champignon, chaque brin d'herbe et chaque brindille, avant de remarquer, à la lisière de l'obscurité, une branche marron – une branche duveteuse qui se terminait par un sabot luisant, noir et fendu. Elle avait dépouillé suffisamment de cervidés pour savoir que c'était un quartier de biche, mais pourquoi était-il là ?

La cuisse de biche fut secouée de spasmes, puis elle entendit à nouveau ce bruit de déchirure. Peut-être avait-elle fait du bruit sous le coup de la surprise, car les ronces s'écartèrent et, tout à coup, elle aperçut une tête massive aux mâchoires proéminentes, le museau plein de sang, les yeux couleur d'ambre. Le roncier s'agita encore et la créature sauta sur ses pieds ; les dents toujours plantées dans la chair, elle se mit à tirer sur le morceau de gibier.

L'espace d'un instant, Damisa vit l'animal tout entier, une silhouette sombre en forme d'homme, couverte d'une fourrure foncée. Un instinct qui ne devait rien à son entraînement de prêtresse la fit se tenir parfaitement immobile, dans un respect mêlé de crainte pour un pouvoir plus ancien qu'Atlantis.

– Une ourse ! s'exclama Iriel quand le craquement des branches se fut évanoui. Tu as remarqué ses tétines gonflées ? Elle doit avoir des petits cachés tout près !

– Un ours...

Ce mot avait l'air trop court pour contenir tant de pouvoir. Damisa avait vu un ours un jour, au zoo d'Alkonath, mais il était beaucoup plus petit que celui-là et d'une autre couleur ; et puis on lui avait affirmé qu'il ne mangeait que des fruits. Mais il était vrai qu'il y avait très peu d'animaux dans les royaumes de la Mer, à part ceux qui servaient les hommes.

– On n'avait vraiment pas besoin de ça ! s'exclama Damisa qui essayait de retrouver le contrôle d'elle-même. Loutre nous avait bien dit qu'il y avait des animaux dangereux dans cette vallée !

– En général, il n'y en a pas. C'est bien pour ça que c'est si merveilleux ! dit Iriel, le visage rouge d'enthousiasme. Taret dit que la Mère Ourse est le plus ancien des esprits, la mère de tous les pouvoirs animaux. Ça porte chance de la voir !

Damisa avait des doutes quant à la bonne fortune liée à cette rencontre, mais elle n'en avait pas à propos du pouvoir. En regardant au fond de ces yeux dorés, elle avait ressenti une respectueuse terreur, comme elle n'en avait jamais fait l'expérience au cours d'un rituel.

– Taret dit que les anciens qui vivaient ici la révéraient. Ils avaient des grottes où ils faisaient de la magie. Peut-être qu'il en reste encore ! Pas des anciens, des grottes. Peut-être que l'ourse en a trouvé une et qu'elle y habite ! Ce doit être un endroit plein d'une énergie fantastique…

– C'est un *marécage*, ici, Iriel, lui rappela Damisa, exaspérée. Comment pourrait-il y avoir des grottes par ici ?

– Il y a des grottes dans le Tor, répondit la jeune fille comme si cela résolvait la question. Allez, viens, ajouta-t-elle, tu ne disais pas qu'on nous attendait quelque part ?

Une des traditions d'Atlantis, que les immigrants étaient parvenus à conserver, était le rassemblement auquel donnait lieu le repas du soir. Sur Ahtarrath, les acolytes dînaient dans une pièce carrée illuminée par des lampes suspendues et ornée de fresques représentant des pieuvres, dont la chair tendre était une des bases de la gastronomie atlante.

Le bâtiment réservé aux réunions qu'avaient construit les Atlantes était rectangulaire. Plusieurs portes s'ouvraient le long des cloisons de branches tressées qu'on pouvait enlever quand le temps le permettait. C'était là que la communauté, à l'exception de quelques marins qui avaient épousé des femmes indigènes et vivaient en leur compagnie au village, se retrouvait autour d'un long foyer central dont la fumée s'échappait au centre du toit de chaume pointu.

À une extrémité de la pièce, la petite statue de Caratra était posée sur un socle taillé dans un solide rondin. Tiriki remarqua que quelqu'un avait déjà déposé des brins d'aster pourpre devant elle. Elle se demanda qui c'était, et quelles paroles avaient été prononcées pendant l'offrande.

Les réfugiés évoquaient encore Caratra sous le nom de Ni-Terat, alors que les indigènes l'appelaient la Mère du foyer ; tous, toutefois, tiraient du réconfort de sa douce présence. Aujourd'hui, cependant, Tiriki se sentait encore plus déracinée que d'habitude. Autrefois, elle avait servi la Lumière sous la forme de l'imposant mais lointain Manoah, dont on ne sentait la présence que dans de rarissimes moments d'extase liés à la transe. Mais auprès du Tor, ils vivaient à proximité de la terre, et il semblait plus convenable que la Mère qui n'abandonne jamais ses enfants ait son autel ici, au centre de la communauté.

Tiriki fit du regard le tour de la pièce pleine de monde et sourit en repensant aux paroles de Rajasta : « Ce n'est pas Manoah, ce sont les êtres humains qui ont besoin de représentations de pierre. Lui ne peut jamais être oublié. Le soleil est sa propre représentation... Et puis, ajouta Tiriki, cet endroit est déjà consacré à la Lumière. »

C'était vrai. En été, comme s'il voulait se faire pardonner son manque d'ardeur, le soleil s'attardait tard le soir, ses longs rayons rentrant à flots par les portes situées à l'est et emplissant l'atmosphère d'une chaude lueur de miel. La lumière dorée voilait les défauts de leurs vêtements et transformait les raccommodages et les taches en subtiles décorations. Tiriki, soudain, déborda de fierté. Elle reconnaissait en eux le fier héritage des prêtres qui régnaient déjà sur la Terre des Ancêtres, mais les visages qui s'étaient tournés vers elle étaient marqués par les épreuves endurées et illuminés par un rayonnement qu'elle n'avait jamais vu dans le temple d'Ahtarrath ; même les yeux du vieux Chédan lui semblaient pleins d'une sagesse nouvelle.

Tiriki prit place à la tête d'une des longues tables, Domara à côté d'elle, et se mit à compter mentalement les présents. Reidel et les marins célibataires étaient assis ensemble, toujours soumis à la discipline du bord. Chédan présidait une autre tablée composée de Forolin et sa famille d'un côté, des prêtres Rendano et Dannetrasa de l'autre. Les sajis n'étaient pas là car elles prenaient généralement leur repas en privé, en compagnie de Liala et d'Alyssa, mais la tablée de Tiriki était loin d'être calme, car les acolytes y étaient installés.

Damisa et Sélast étaient côte à côte, comme d'habitude, et Élis se disputait avec Kalaran, ce qui ne surprenait personne non plus. Même au bout de toutes ces années, Kalaran ne semblait toujours pas s'entendre avec les autres, comme si le chagrin qu'il ressentait pour ceux qu'il avait perdus l'empêchait de se réjouir en compagnie de ceux qui restaient. Tiriki fronça les sourcils en remarquant que la place à côté de lui était vide.

— Où est Iriel?

Les acolytes se regardèrent.

— Je ne l'ai pas vue depuis la leçon de cet après-midi, répondit Élis. Vous ne nous avez pas raconté pourquoi vous étiez si en retard, Damisa. Est-ce qu'elle était en train de travailler à quelque chose de spécial? Elle y est peut-être retournée, et elle aura oublié l'heure.

— Non, elle ne travaillait à rien de spécial, répondit Damisa après avoir réfléchi un moment. J'avais l'intention de vous en parler... on était en retard parce qu'on a vu un ours...

Elle avait parlé fort et des têtes se tournèrent aux autres tables.

— Un quoi? se récria Reidel. Il y a des *ours* par ici?

— Si j'ai bien compris, il y a longtemps qu'il n'y en avait pas eu. Iriel délirait presque de joie. Apparemment, la Mère Ourse est un grand pouvoir par ici. Les gens des marécages lui auraient consacré des rituels dans des grottes sacrées, ajouta-t-elle d'un air de doute.

— Elle ne serait tout de même pas partie à la poursuite de l'ours? demanda Élis en exprimant l'inquiétude générale.

Le regard de Tiriki, affolé, croisa celui de Chédan. Reidel repoussa son banc et se mit debout, recouvrant toute son autorité naturelle.

— Nous devons la trouver. Les marécages sont dangereux et nous ne voulons perdre personne d'autre. Nous allons travailler par équipes: Tiriki et Chédan vont rester ici pour tout coordonner, ainsi qu'Élis, s'il faut un messager. Cadis, va voir au village et assure-toi qu'elle n'est pas là-bas. Teiron, fouille les bords du lac puis cours au village et demande à Héron d'envoyer des pisteurs sur les traces de l'ours. Loutre voudra sans doute nous aider, il semble apprécier particulièrement Iriel. Damisa, Sélast, Kalaran, venez avec moi. Il faut que nous allions fouiller le Tor, et les villageois n'y vont jamais…

Damisa attrapa une autre branche au vol lorsque son pied glissa à nouveau et s'agrippa de toutes ses forces, la respiration rauque. Au-dessus d'elle, la masse du Tor se découpait sur la nuit comme celle de la montagne de l'Étoile. Elle laissa échapper un cri quand une main ferme se referma sur son bras.

— Ce n'est que moi, murmura Reidel à son oreille.

Elle se laissa aller contre son bras, surprise de se sentir tellement en sécurité auprès de lui. Leurs torches s'étaient éteintes un peu plus tôt et le monde avait disparu dans un chaos d'ombres indistinctes. Le bras de Reidel était sa seule certitude dans ce monde sauvage.

— Le Tor a-t-il grandi, ou sommes-nous en train de tourner en rond indéfiniment ? demanda-t-elle lorsqu'elle put parler.

— C'est l'impression que ça donne, admit Reidel. Et tous ces arbres ! Ils me rendent nerveux. J'aimerais presque me retrouver en pleine mer !

— Au moins, on voit les étoiles. Elles pourront nous guider sur terre comme elles l'ont fait en mer, n'est-ce pas ?

— C'est vrai, répondit-il en renversant la tête en arrière pour voir le ciel, où un lacis de branches encadrait la Roue. À dire vrai… (Il fit une pause de quelques secondes, et lorsqu'il reprit il y avait dans sa voix une hésitation qu'elle n'avait pas entendue jusque-là.) À dire vrai, je n'aimerais pas être ailleurs qu'ici. (Il la lâcha tout doucement.) J'espère que Sélast et Kalaran se seront mieux débrouillés que nous, conclut-il en levant à nouveau les yeux vers le ciel, sans laisser à Damisa le temps de répondre.

«Qu'aurais-je dû dire ? s'interrogea-t-elle. Comment pourrais-je lui demander ce qu'il veut dire, alors que je le sais déjà?» Dans le monde d'autrefois, même si elle n'avait pas été destinée au Temple de la Lumière, une fille de son rang n'aurait jamais adressé la parole à quelqu'un comme Reidel. Elle se serait encore moins demandé ce qu'elle aurait ressenti, entourée par ces bras puissants. Elle sentit à nouveau sa chaleur quand il l'aida à enjamber un arbre tombé à terre. Elle abhorrait l'idée de l'accouplement, mais pour la première fois elle se dit que ce n'était peut-être pas si terrible que ça. Un sourire aux lèvres dans l'obscurité, elle le suivit vers le sommet du Tor.

— Je sais ce que tu penses… pauvre, vieille Alyssa !

La prophétesse écarta le rideau de cheveux gras qui lui voilait le visage et jeta un œil sur Tiriki avec un sourire penché.

— Mais si je suis folle, pourquoi me demander à *moi* si vous avez perdu une acolyte ? Et si je ne suis pas folle, pourquoi attendre le milieu de la nuit pour me poser la question ?

Tiriki ne trouva rien à répondre. Interloquée, elle chercha le regard de Liala, qui se contenta de hausser les épaules. La prophétesse était propre et bien coiffée quand Liala la conduisait à un rassemblement, mais apparemment l'influence de celle-ci ne s'étendait pas à la pièce qu'occupait Alyssa ; elle était jonchée d'assiettes de nourriture à moitié vides, de babioles qui devaient lui rappeler la terre de son enfance, de cailloux aux formes bizarres et d'assemblages étranges faits de brindilles et de pommes de pin.

— Je ne te parle pas de santé mentale… j'ai besoin de ta vision ! laissa échapper Tiriki avant de s'arrêter brusquement, consciente d'avoir trahi son angoisse, car elle choisissait ses mots avec précaution d'habitude ; mais Alyssa se mit à rire.

— Oh, je sais. La folie est clairvoyante, quand le destin est implacable. Et comme l'Omphale ne cesse jamais de me parler…

Elle eut un geste de la main vers le mur contre lequel, dans la hutte mitoyenne, on avait déposé l'Omphale, enrobé de soieries et enfermé dans sa malle. Tiriki réalisa avec un pincement au cœur qu'elle n'y avait plus pensé depuis longtemps. Elle soutint le regard de la vieille femme et attendit. Celle-ci ferma les yeux, les rouvrit, puis détourna le regard.

— La fille n'est pas blessée. Je ne puis dire si elle est en sécurité.

— Comment ? Où est-elle ?

— Cherche au cœur de la colline ; là-bas tu comprendras.

Ses cheveux pendouillèrent devant son visage quand elle pencha la tête et se remit à se balancer sur son tabouret bas.

– Que veux-tu dire ? Qu'as-tu vu ? demanda Tiriki, mais Alyssa se contenta de fredonner un air sans paroles.

– J'espère que ça t'a aidée, soupira Liala, parce que tu ne tireras plus rien d'elle ce soir.

– J'ai une idée, répondit Tiriki après avoir réfléchi. Les autres sont partis explorer les grottes, mais je pourrais peut-être y voir des choses qu'eux ne peuvent pas voir…

Elle eut un sursaut soudain ; son regard s'était posé sur le sol et sur l'assemblage incongru de cailloux, de brindilles et d'objets divers. Elle venait de comprendre que c'était une maquette du Tor, tel qu'on devait le voir depuis le ciel…

– … si quelqu'un ne les a pas déjà remarquées, termina-t-elle, son courage revenu.

– Je viens avec toi, annonça Liala. Heureusement, Téviri, la saji, peut veiller sur Alyssa, quoique d'habitude elle passe de ce genre de prostration au sommeil le plus profond et ne se réveille pas avant le lendemain midi.

Quand Tiriki et Liala s'approchèrent, la flamme de leurs torches vacilla dans le courant d'air qui sortait de l'entrée de la grotte. Taret leur avait raconté bien des choses à propos de cet endroit, mais Tiriki n'avait jamais trouvé le temps d'aller l'explorer – ou peut-être était-ce de la crainte. Elle s'efforça de distinguer quelque chose dans les ténèbres, avec un mélange d'excitation et d'appréhension.

– On aurait dû laisser les jeunes s'aventurer là-dedans, dit Liala avec un regard plein de doute pour le sol inégal.

– Je t'ai connue plus courageuse ! Et puis si Iriel a besoin de nous, elle ne peut pas attendre que nous les retrouvions.

Sans attendre de voir si Liala la suivait, elle se mit à longer la berge du ruisseau. Les pierres, blanchies par la chaux contenue dans l'eau, miroitaient à la lueur de sa torche. Par endroits, les minéraux s'étaient cristallisés et pendaient du plafond du tunnel en une série irrégulière de pyramides renversées. Sur leurs pointes, des gouttes d'eau se formaient et tombaient par terre. Quand elle posa la main contre la paroi pour s'y appuyer, elle constata que la roche était froide et humide sous ses doigts.

Ce passage était-il naturel, ou avait-il été creusé de main d'homme? La pierre semblait avoir été polie par le passage de l'eau, mais ici ou là, au plafond, on aurait dit qu'elle avait été sculptée. Aiguillonnée par la curiosité, Tiriki accéléra le pas malgré le sol glissant. Ce n'est qu'après avoir passé un coude et s'être arrêtée un instant qu'elle réalisa que Liala n'était plus derrière elle. Elle appela doucement, mais le son se perdit dans le chuchotis de l'eau sur les pierres.

Elle réfléchit un moment. Il n'y avait aucun carrefour, donc Liala n'avait pas pu se perdre, et elle aurait entendu des éclaboussures si elle avait glissé sur la roche et était tombée à l'eau. Plus probablement, la prêtresse avait dû renoncer et revenir en arrière. Tiriki serra son châle autour de ses épaules et se remit en marche. Elle n'était pas plus seule que l'instant d'avant, mais de savoir que Liala n'était plus là la mit sur ses gardes. Elle remarqua un deuxième passage de l'autre côté du ruisseau, qui semblait mener vers la gauche. Elle leva sa torche et constata que tout autour de l'entrée était gravée une spirale aux courbes sensuelles. Damisa avait dit qu'Iriel cherchait peut-être un temple caché dans une grotte. Les lèvres serrées, Tiriki se pencha et traça une flèche vers la gauche dans la boue du sol; puis elle enjamba le ruisseau scintillant.

Il semblait n'y avoir guère de différence entre ce passage et le précédent, mais elle sentait un changement. Sourcils froncés, elle posa son doigt sur la gravure et suivit la spirale, de l'extérieur au centre, puis à nouveau vers l'extérieur.

Elle resta là, fascinée par ce motif, jusqu'à ce qu'elle réalise soudain que son bras était retombé contre son flanc et que sa torche était dangereusement proche de sa jupe de laine. Saisie, elle l'éloigna d'un geste brusque et jeta un œil autour d'elle. Combien de temps était-elle restée en transe? Jusqu'où était-elle allée? Elle secoua la tête. Elle aurait mieux fait de s'abstenir de toucher à la spirale. Taret lui avait dit qu'il y avait, quelque part sur l'île, un labyrinthe qui menait à l'autre monde si on le suivait jusqu'au bout.

Le passage qui s'incurvait devant elle lui semblait moins sombre, mais elle ne pouvait pas y voir très loin, ni devant ni derrière. «Je ne suis pas perdue», se dit-elle fermement. Il lui suffisait de suivre la spirale dans l'autre sens pour retrouver le ruisseau. Courageusement, elle posa la main sur la roche et repartit...

Un tour plus loin, elle se retrouva sous le ciel étoilé.

La lueur de sa torche lui sembla soudain pâle et elle cligna des yeux dans la lumière qui l'entourait. Était-ce déjà le matin? Le ciel avait la teinte argentée de l'aube, mais le brouillard enveloppait le pied du Tor et son sommet dissimulait l'horizon.

Elle continua à grimper, mais lorsqu'elle atteignit ce qui lui parut être le faîte, elle n'y vit que le cercle de pierres, plus hautes que dans son souvenir et baignées d'une lumière qui semblait issue d'elles. Le soleil n'était pas la source de cette clarté, car le ciel du côté oriental n'était pas plus lumineux que du côté occidental. L'air n'était pas froid, mais un frisson la parcourut lorsqu'elle leva les yeux sur l'horizon. «Je ne suis plus dans le monde que je connais...»

Des voiles de brume se déchiraient sur la plaine ; ce n'était pas la fumée des feux de bois matinaux des villages, en fait il n'y avait aucun signe d'habitation... pourtant les brumes elles-mêmes brillaient, comme si ce qu'elles dissimulaient les éclairait de l'intérieur. Tiriki retint sa respiration et plissa les yeux.

«*Tu essayes trop*, fit une douce voix amusée derrière elle. *As-tu oublié tout ce que tu as appris? Eilantha... inspire... expire... laisse ta vision intérieure s'ouvrir, et regarde...*»

Tiriki n'avait jamais laissé personne diriger ses perceptions depuis qu'elle était enfant, mais avant qu'elle puisse résister, elle s'était déjà laissée entraîner et, à la place des arbres et des prairies, elle voyait maintenant des entrelacs d'intense luminosité. Abasourdie, elle se retourna et vit le Tor comme une structure de cristal dans laquelle des courants d'énergie montaient en spirale, s'enroulaient autour du sommet et s'élevaient, en un cercle rayonnant, vers le ciel. Elle leva une main et vit, à la place d'une main humaine, un réseau luminescent dont les lignes s'entremêlaient aussi étroitement que les dragons sur sa bague.

«*Pourquoi es-tu si surprise?*» Elle ne savait plus si la pensée qui la traversait venait d'elle ou d'ailleurs. «*Ne savais-tu pas que tu es, toi aussi, une partie de ce monde?*»

C'était évident. Instantanément, Tiriki prit conscience de son être et des innombrables réseaux de lumière qui s'emboîtaient, d'une couche de réalité à une autre, et qui incluaient toutes les entités, de la pierre et de la poussière à l'esprit le plus pur. Elle visualisa l'esprit désorienté d'Alyssa comme un jaillissement d'étincelles ; elle vit la radiation puissante de la foi et du pouvoir de Chédan ; elle vit aussi la lueur dansante d'Iriel, l'étincelle de son âme si proche de celle de Loutre qu'elles ne faisaient qu'une. Le pouvoir du Tor ondulait par toute la terre comme des rivières de lumière. Son excitation grandit quand elle laissa ses perceptions s'étendre ; car ici, à l'endroit où tous les niveaux de l'existence se confondaient, elle pourrait trouver Micail…

L'espace d'un infime instant, elle toucha son esprit. Mais la vague d'émotion fut trop intense et elle replongea, vertigineusement, dans son corps – ou plutôt dans la forme que prenait son corps ici, car sa propre chair rayonnait autant que celle de la femme qui se tenait devant elle, vêtue de lumière et couronnée d'étoiles.

– Micail est vivant ! s'exclama Tiriki.

« *Toute chose est vivante. Passé, présent, futur, chacune dans sa propre dimension.* »

Sous les palmes touffues de plantes inconnues, des formes monstrueuses se mouvaient ; en même temps la glace couvrait le monde et rien ne poussait. Elle vit le Tor à la fois ombragé d'arbres et chauve, couvert d'herbe verte et couronné de pierres levées et aussi d'un étrange édifice qui s'écroula au même instant pour ne laisser qu'une tour. Elle vit des gens vêtus de peaux, de tuniques bleues, de vêtements multicolores ; elle vit des constructions, des champs, des prairies à la place des marécages qu'elle connaissait… Ses perceptions la submergèrent. Elle ne savait plus rien.

« *Tout cela est vrai*, expliqua la voix dans son esprit. *À chaque fois que tu fais un choix, le monde change, et un autre niveau se révèle.* »

« Comment retrouverai-je Micail ? hurla l'esprit de Tiriki. Comment vous trouverai-je, vous ? »

« *Tu n'as qu'à suivre la Spirale, vers le haut ou vers le bas…* »

– Ma dame, êtes-vous blessée ? demanda une voix d'homme.

– Tiriki ! Mais qu'est-ce que tu fais là ?

Les voix se mêlaient, distinctes, mais curieusement harmonieuses toutes ensemble. Tiriki ouvrit les yeux et réalisa qu'elle était couchée sur l'herbe, à l'intérieur du cercle de pierres, au sommet du Tor. Elle lutta pour s'asseoir, plissant les yeux dans la lumière de l'aube naissante.

– Vous êtes-vous promenée toute la nuit, vous aussi ?

Un homme solide – elle reconnut Reidel – se pencha sur elle pour l'aider à se mettre debout.

– Je me suis promenée, oui… répondit Tiriki étourdie. Mais où ?

– Que dites-vous, ma dame ?

– Peu importe…

Toutes ses articulations la faisaient souffrir, mais bien que l'herbe fut pleine de rosée, ses vêtements étaient secs. Elle regarda autour d'elle, clignant des yeux, pour comparer ce qu'elle voyait avec ses souvenirs.

– Elle a l'air assommée, dit Damisa, une trace d'irritation dans la voix. On ferait mieux de l'amener en bas, le plus vite possible.

– Venez, ma dame, dit Reidel doucement. Vous pouvez vous appuyer sur moi. Nous n'avons pas trouvé Iriel, mais au moins nous vous avons retrouvée, vous.

– Iriel est en sécurité, croassa Tiriki, qui s'éclaircit la gorge et essaya à nouveau. Amenez-moi auprès de Chédan. Ce que j'ai vu… il doit savoir ce que j'ai vu.

CHAPITRE 14

Une colonne de poussière se mouvait sur la plaine et témoignait de l'avancée d'un nouveau bloc de pierre. Micail escalada le remblai qui entourait le cercle et dirigea son regard vers le nord, par-delà le fossé, abritant ses yeux de la main pour tenter d'apercevoir la file d'hommes en nage qui le traînaient. D'autres hommes les précédaient, dégageant le passage devant les gros rondins qui supportaient la charge, prêts à se précipiter pour remplacer les ouvriers dont la force s'épuisait.

Une chorale de chantres était capable de soulever une pierre pendant quelques instants ; sept chorales combinées pouvaient la transporter si la distance n'était pas trop importante – mais il n'y avait plus assez de chantres dans le monde entier pour amener un bloc de grès, par lévitation, d'un bout à l'autre de la plaine. Soulever les pierres une fois qu'elles auraient été amenées dans le cercle mettrait déjà à contribution tout le talent des chantres entraînés qui restaient.

Ils avaient essayé de bouger les blocs avec des bœufs, mais les hommes travaillaient plus dur et plus longtemps, et ils étaient plus faciles à mener. Le roi Khattar semblait incapable de comprendre pourquoi cela dérangeait Micail. Depuis des générations, à l'époque où les récoltes mûrissaient et où le bétail avait été mené dans les collines pour y être laissé sous la responsabilité des jeunes filles et des jeunes gens, le roi avait toujours eu recours à l'enrôlement. Chaque ferme et chaque hameau était censé fournir un homme solide pour le

266

travail dû à la communauté. C'est ainsi que les fortifications avaient été construites, ainsi que les tumulus et, probablement, les plus anciens des cercles de pierres levées.

« Il y a tant de choses que nous ne savons pas, pensait Micail. J'espère que nous n'aurons pas à nous repentir de nos lacunes quant à la connaissance de ce peuple. » Il se retourna et considéra les cinq paires de pierres qui avaient été levées dans le cercle. Malgré ses doutes, il ne pouvait s'empêcher de ressentir un frisson d'orgueil à la vision de ces monstres de grès dont la silhouette se détachait nettement sur le ciel. La magie atlante ne pouvait pas tout accomplir, mais elle avait permis cela. On commençait à croire que cette tâche, qui aurait demandé dix ans de labeur à la totalité des travailleurs des tribus dominées par le roi Khattar, allait pouvoir être achevée en moins de trois ans. En une seule année, ils avaient préparé cinq paires de monolithes pour le demi-cercle intérieur. Les linteaux avaient été taillés également et attendaient près du site.

Quand les derniers chantres arriveraient de Belsairath et que les linteaux seraient soulevés et mis en place sur des vagues de son, les chamans comprendraient qu'ils avaient tout intérêt à collaborer avec ce nouveau pouvoir, plutôt que de lutter contre lui. « Ensuite, nous aurons tout loisir de terminer le nouveau Temple sans plus être inquiétés. » Micail réalisa tout à coup qu'il avait été si préoccupé par la construction du cercle de pierre, ces deux dernières années, qu'il ne parvenait pas à imaginer le travail qui s'ensuivrait.

— Mon seigneur ?

Quelqu'un toucha son coude et le sortit de sa rêverie. C'était Lanath.

— Qu'y a-t-il ?

— Aimeriez-vous venir inspecter la troisième pierre maintenant ?

La peau bronzée de l'acolyte luisait dans la lumière du plein été ; la rigueur du travail avait fait de lui un homme. Micail réalisa qu'il n'avait pas eu à le tirer d'un mauvais rêve depuis longtemps.

La troisième pierre était enserrée dans un coffrage de bois où était juché un indigène au sourire éclatant.

— Elle est comme autre côté, non ? Allez voir...

Micail fit le tour de la pierre, une fois, deux fois, comparant les deux côtés et la comparant à la deuxième pierre. Tous les monolithes avaient été grossièrement aplanis avant d'être dressés et chacun d'eux avait été poli avec soin sur un côté qu'on avait rendu légèrement concave. Cependant, ce n'était qu'une fois installée à sa place finale que chaque pierre pouvait être rétrécie à la base et au sommet, jusqu'à ce que ses côtés, sous un certain angle, aient l'air parfaitement rectilignes.

— Oui, c'est bien. Tu peux descendre. Dis-leur de ma part que tu as droit à une ration de bière supplémentaire, répondit Micail cordialement.

Il posa une main sur la surface grumeleuse. À chaque fois qu'il touchait une pierre levée, il sentait les subtils turbulences de l'énergie à l'intérieur. Quand la construction serait complète, il était sûr qu'il pourrait en ressentir le pouvoir sans même la toucher.

Les gens du peuple pensaient que la roche était inanimée, mais à l'intérieur de ces pierres-là, il percevait le potentiel d'un immense pouvoir accumulé. On le sentait déjà lors du lever et du coucher du soleil. Plusieurs des travailleurs indigènes refusaient de se rendre sur le site à ces moments-là. Ils disaient que les pierres avaient commencé à parler entre elles, et Micail n'était pas loin d'y croire.

— Bientôt, je vous entendrai aussi, murmura-t-il au monolithe. Quand tu seras relié à ton frère et que les autres se tiendront à tes côtés, nous invoquerons ton esprit, et tout le monde comprendra enfin…

L'espace d'un instant, la vibration subliminale se transforma en bourdonnement audible. Il sursauta et constata que Lanath l'avait entendu aussi.

— Dans cet environnement sauvage, il est aisé d'oublier les merveilles qui ont existé ailleurs, lui dit-il. Mais notre véritable trésor a toujours été la sagesse des étoiles. Nous allons faire de cet endroit un monument qui proclamera, même après notre disparition, que nous avons vécu ici.

— Nous y voilà ! s'exclama Élara en pointant un doigt en direction des arbres qui bordaient la rivière Aman. On peut déjà voir les poteaux de la palissade.

Timul mit sa main en visière.

— Oui, je vois. J'avais d'abord cru que c'étaient des arbres. Qu'y a-t-il sur ces poteaux ? Des cornes de taureau ? Je vois... Barbare, mais efficace.

Tous les autres se mirent aussi à bavarder, soulagés et curieux, quand le reste du village des Ai-Zir apparut. Micail avait fait dire que le travail sur le cercle de pierres avait si bien avancé qu'on allait avoir besoin de tout le monde, aussi tous ceux qui étaient restés à Belsairath jusque-là avaient-ils répondu à son appel.

Élara jeta un coup d'œil derrière elle. Ocathrel était revenu lui aussi, en compagnie cette fois de ses trois filles et de Galara, la cousine de Micail. Il y avait aussi la chantre Sahurusartha et son mari Reualen, un chantre lui aussi, ainsi que Adéranthis, Kyrrdis, Valadur, Valorin et leurs chélas, dont la plupart n'étaient jamais venus ici. Mais cette fois, les gardiens les plus âgés étaient là aussi : le sinistre Haladris, le sévère Mahadalku et même, dans une chaise à porteurs, la fragile Stathalkha et le vieux Métanor. Et là-bas, tout au bout de la colonne, il y avait Vialmar, qui regardait autour de lui nerveusement comme s'il s'attendait à être attaqué d'une minute à l'autre, malgré la présence des hommes en armes de Tjalan.

Presque tous les prêtres et toutes les prêtresses qui avaient trouvé refuge à Belsairath étaient présents, du moins ceux qui avaient survécu à l'épidémie de l'hiver précédent. La femme du prince Tjalan et deux de ses enfants faisaient partie des victimes. Élara se trouvait à Belsairath lorsque l'épidémie avait éclaté, et Timul l'avait enrôlée immédiatement comme guérisseuse. Il lui semblait qu'elle vivait au milieu de la mort et de la maladie depuis une éternité ; elle accueillait donc avec joie l'idée de revoir le village d'Azan. «Pauvre Lanath, se dit-elle. Il a dû s'ennuyer à mourir. Je me demande s'il a réussi à convaincre Micail d'apprendre à jouer aux plumes.»

— Je sais bien que ça a l'air tout petit à côté de Belsairath, dit-elle tout haut, mais les autres capitales tribales ne sont guère que quelques maisons rassemblées autour d'un tumulus, et pendant les festivités, des tentes et des huttes de roseaux poussent un peu partout sur les collines. Azan est le seul endroit qu'on pourrait qualifier de village.

— Arrête avec ces banalités, ma fille, je comprends, la reprit Timul dont les yeux sombres parcouraient la scène en tous sens.

La lettre de Micail contenait une convocation à l'intention de tous les chantres. Ils devaient l'aider à terminer, à consacrer et à activer la roue du soleil. Apparemment, c'était aussi tout un événement pour la tribu. Elle se demanda si la reine serait là aussi. Lorsqu'Élara était partie, Micail avait réussi à repousser une proposition de mariage en affirmant qu'il devait rester célibataire pour accomplir au mieux son travail avec les pierres. Elle se demanda si quelqu'un parviendrait un jour à partager le lit du prince.

Micail contemplait les visages des prêtres et des prêtresses assis sous les saules près de la rivière, attendant qu'il prenne la parole. «Comment se fait-il que nous soyons devenus étrangers les uns aux autres? soupira-t-il. Ou suis-je le seul à avoir changé?»

Autrefois, présider ce genre de réunions faisait partie de sa vie quotidienne. Il tenta de répéter mentalement les salutations traditionnelles, les petits compliments et les discrètes formalités qui avaient été ses meilleurs outils pour administrer le Temple et la cité d'Ahtarrath; puis il fit une grimace, comme si ses anciennes habitudes étaient des muscles depuis longtemps raidis par l'inaction. À présent, il n'était à l'aise que face à la rude politesse des hommes des tribus et à la camaraderie de Jiri et d'Ansha.

Il prit une profonde inspiration et commença.

– Je vous remercie tous d'avoir répondu à mon appel. Je ne savais pas, à vrai dire, combien parmi vous seraient en mesure de faire le voyage, mais il est de la première importance que nous montrions notre pouvoir en faisant se mouvoir les pierres. (Il se tourna vers Ardral.) Mon seigneur, voulez-vous ajouter quelques mots?

Le vieil adepte leva un sourcil et secoua la tête.

– Non, mon garçon. Maintenant que nous en sommes à l'étape des manipulations physiques, j'aime autant m'en remettre à toi.

Micail réprima un nouveau soupir. Une chose à laquelle il n'avait pas pensé en envoyant son message, c'était que les gardiens, en règle générale, n'atteignent ce rang que lorsqu'ils ont atteint un âge mûr. La plupart des hommes et des femmes qui lui faisaient face étaient *vieux*. Heureusement, la discipline du Temple les avait maintenus en bonne santé, et une bonne nuit de sommeil en avait reposé la plupart. Ardral, lui, était sans âge, mais le vieux Métanor avait l'air encore plus gris que d'habitude – il faudrait surveiller son cœur si le travail devenait pénible – et Stathalkha semblait déjà à mi-chemin de l'autre monde.

Haladris d'Alkonath et Mahadalku de Tarisseda, par contre, avaient un air massif qui lui rappelait les blocs de grès, quoiqu'il ne sût pas d'où lui venait cette métaphore car ils ne s'étaient jamais montrés particulièrement têtus, obstinés ni inflexibles... « Il y a tant de choses que je ne sais pas », se répéta-t-il avec un sourire triste. Même les plus sages des gardiens ne tenaient pas toujours leur langue devant les plus jeunes des prêtres ; il faudrait qu'il pense à demander à Élara de lui rapporter ce qu'elle pourrait entendre – ou à Vialmar, qui était resté à Belsairath tout le temps depuis leur arrivée dans cette contrée.

— Évidemment que nous sommes venus, répondait Mahadalku, le port de tête aussi majestueux que si elle s'était adressée à eux depuis le portique du temple de Tarisseda plutôt que sous un auvent de roseaux tressés à Azan. Les comptoirs de commerce n'offrent guère que... la survie. C'est ici que vous construisez notre avenir. Nous ne souhaiterions pas être ailleurs.

La majorité de la foule murmura son accord.

— Bien...

Micail tenta de se souvenir de la formule, dans la langue du Temple, qui signifierait exactement ce qu'il voulait dire, mais il n'y parvint pas. Il se mordit les lèvres et se contenta d'un geste pour indiquer qu'il manquait de temps pour discourir plus avant. Cela ouvrirait la voie aux questions, mais il les avait attendues de toute façon. Il conclut :

— Si nous mettons toutes nos forces en commun, en comptant les acolytes et les chélas, nous devrions pouvoir rassembler trois chœurs de chantres – ce qui devrait être suffisant pour soulever les linteaux des trilithes. Le seigneur Haladris fera office de chef de chœur.

— Je suis sûr qu'Haladris pourrait soulever ces pierres tout seul, intervint Ardral.

— Non, non, répondit celui-ci. Je peux soulever un rocher de la taille d'une petite femme, pas plus, et je dois avouer que je suis épuisé ensuite. Je vous assure que je serai ravi d'avoir de l'aide.

Micail fit la moue. Il s'était souvenu du grand talent du premier gardien d'Alkonath pour la télékinésie, mais pas de son manque absolu d'humour. Il reprit :

— Nous allons d'abord terminer le plus haut des trilithes, celui qui représente la tribu du roi Khattar.

— Celui dont le roi Khattar *croit* qu'il représente sa tribu, le corrigea Mahadalku d'une voix suave.

— Ce qui ne change rien au résultat, l'interrompit Micail. Je vous prie de bien vouloir pardonner mon impertinence, ma dame, mais il n'est pas inutile de garder à l'esprit comment ils comprennent les choses. Nous ne sommes plus dans les royaumes de la Mer…

— Comme si nous pouvions oublier *ça* ! s'exclama Mahadalku qui se tourna vers le paysage de l'autre côté de la rivière, où les prairies se succédaient indéfiniment jusqu'à se fondre dans un brouillard doré. *Mais la Roue tourne…*

Il y eut un silence, que ne parvint pas à briser un toussotement d'Ardral.

— Je suis d'accord, nous ne pouvons pas ignorer ce que pense Khattar, dit enfin Naranshada. Ils sont beaucoup plus nombreux que nous. Et puis, c'est leur terre et nous utilisons leur force de travail et leurs pierres…

— Techniquement, oui, répondit Haladris froidement. Je ne sous-entends pas que nous devrions l'écarter. Il semble être un allié utile et il n'est pas nécessaire de l'insulter. Mais je suis certain que ces guerriers barbares ne feraient pas le poids face aux soldats de Tjalan. En tous les cas, vous avez raison, seigneur Micail. Quoi que puissent penser les indigènes de l'usage de ces pierres, le cercle est destiné à amplifier et à diriger les vibrations du son. Une fois que la roue du soleil sera terminée, nous pourrons utiliser son pouvoir… de la façon qui nous chante.

Haladris avait parlé comme si personne n'était autorisé à faire la moindre objection à son évaluation de la situation. Du regard, Micail supplia Ardral d'intervenir, mais l'adepte, une fois encore, se contenta de secouer la tête.

« Nous n'avons pas vraiment le choix, pensa Micail tristement. Nous avons besoin d'Haladris pour soulever les pierres. Personne ne l'égale en précision. » La question de savoir qui utilisait qui, et dans quel but, pouvait attendre jusqu'à ce que le travail soit achevé.

– Combien de temps avons-nous, demanda Mahadalku calme-ment, avant ces… festivités organisées par le roi, où vous avez l'in-tention de lever les pierres ?

– Je me fie aux calculs du seigneur Adravanant. Les festivités commenceront dans une demi-lune, quand les troupeaux redescen-dront des collines. La coutume des tribus veut que tout le monde se réunisse à ce moment-là auprès des plus anciennes constructions. Il y aura une foire aux bestiaux et des courses, et des offrandes seront faites aux ancêtres. Tous leurs chamans seront là…

« Ainsi que les sœurs de Carn Ava », ajouta Micail pour lui-même.

Il avait rencontré la mère d'Anet plusieurs fois, mais il avait tou-jours évité la conversation. Depuis le dîner où il avait posé les yeux sur la jeune fille pour la première fois, elle le mettait mal à l'aise.

– Donc, non seulement nous lèverons les pierres, mais en plus on nous verra le faire… (Le sourire de Mahadalku était glacial.) Ça me plaît… ça ne peut que nous rendre service.

Timul considérait avec intérêt les gens qui se pressaient à la foire de la fin de l'été.

– J'ai l'impression de mieux comprendre les femmes qui nous rendent visite au temple de Belsairath, dit-elle, depuis que je les vois dans leur habitat naturel.

Élara, elle, se rendait compte qu'elle avait toujours aimé les célé-brations tribales, même si la cacophonie et l'agitation lui rappelaient les jours de marché à Ahtarra et lui donnaient le mal du pays. Elle se disait pourtant que les inévitables souvenirs des royaumes de la Mer devenaient de moins en moins poignants pour les exilés. Parfois une odeur ou une image faussement familière leur perçait le cœur, mais cela arrivait moins souvent. Et puis ces derniers temps, il y avait telle-ment d'odeurs, de sons et d'images qu'elle était certaine de ne jamais avoir rencontrés auparavant !

La plaine derrière le cercle de pierres avait changé de visage avec l'arrivée de la foule. Les cinq tribus y avaient établi leurs tentes de peau et leurs huttes de branchages, chacune surmontée d'un mât qui supportait un crâne de taureau peint dans la couleur de la tribu : rouge, bleu, noir, ocre ou blanc – cette dernière couleur, peinte sur de l'os déjà blanc, avait étonné Élara jusqu'à ce qu'elle ait vu le résultat. Le peuple du roi Khattar se rassemblait sous un crâne rouge, et son étendard, comme les piliers du trilithe qu'il avait choisi, était le plus haut de tous.

— Où allons-nous ? demanda Timul.

Élara fendait la foule bavarde qui entourait les étals des artisans, où s'entassaient leurs produits : des poteries, tasses, bols et gobelets ; des vêtements et des objets de cuir ; du bois sculpté ; des toisons et des ballots de laine cardée ; des haches de pierre, des pointes de flèches et des socs de charrue. Mais il n'y avait pas de bronze. Les armes de métal étaient réservées aux rois.

— Vers le taureau bleu, répondit Élara en pointant le doigt vers un crâne frotté de guède qui apparaissait au-dessus des têtes : des écheveaux de laine teinte en bleue, pendus sur le mât, dansaient dans le vent ; des fleurs d'été étaient tressées autour des cornes. C'est la tribu qui vit le plus au nord. Leur centre sacré est situé à Carn Ava.

— Ah, c'est là que vit la prêtresse, fit Timul avec une excitation mal dissimulée. J'espérais qu'elle serait ici. Continue, je te suis.

La tente d'Ayo était facile à trouver : elle était aussi grande qu'une tente de chef. Les poteaux en étaient richement sculptés et la peau qui la couvrait était couverte de signes sacrés peints avec de la guède. Les yeux de la Déesse, au-dessus de l'entrée, les regardaient arriver. Une jeune femme en train de moudre du grain se mit debout à leur approche.

— Entrez, honorables. Ma dame vous attend.

La journée était chaude et les côtés de la tente avaient été relevés pour laisser entrer l'air et la lumière. La femme qui les avait accueillies leur fit signe de s'asseoir sur des coussins de cuir bourrés d'herbe sèche et leur servit de l'eau fraîche dans des tasses d'argile où l'on avait appliqué une cordelette pour y imprimer un motif et les rendre plus faciles à tenir. Lorsqu'elle se glissa dehors, le rideau qui séparait la pièce centrale de la zone privée se souleva et Ayo en personne apparut.

Comme sa compagne, la prêtresse portait une simple tunique sans manches, retenue sur l'épaule par une épingle de corne. Ses cheveux étaient torsadés sur la nuque et retenus dans un filet maintenu en place par un bandeau. À la différence de toutes les femmes de pouvoir qu'Élara ait jamais rencontrées, Ayo ne portait aucun collier. Elle n'en avait pas besoin – elle était drapée dans un pouvoir qui rappela à la jeune fille Mahadalku ou même Timul. La femme de Micail, Tiriki, avait eu ce même maintien lorsqu'elle conduisait un rituel, se rappela Élara tristement.

Timul fit à Ayo le salut réservé à une grande prêtresse de Caratra et, souriante, Ayo lui rendit le salut approprié.

– Ce qu'ils disent est donc vrai. Vous faites partie des sœurs des mers lointaines, dit-elle.

Elle était plus âgée qu'on ne l'aurait dit au premier abord, mais elle prit un siège avec une grâce qui rappela à Élara sa fille Anet.

– Mais notre pays a disparu, répondit Timul simplement. Nous devons apprendre quel visage montre la Déesse dans cette contrée, sinon elle nous ignorera.

– C'est bien, sourit Ayo. Vous parlez bien notre langue, mais vous avez l'accent de la tribu du Taureau Noir. J'avais entendu dire que quelqu'un rendait service à nos sœurs lorsqu'elles se rendaient aux maisons de pierre près de la mer. C'est un plaisir de vous rencontrer. Mais pourquoi être venue ici ?

– Les prêtres de mon peuple vont accomplir un grand exploit de magie demain. On m'a appelée pour que j'y assiste.

– Et vous, mon enfant ? Vous êtes une guérisseuse, n'est-ce pas ?

Le regard gris d'Ayo avait changé d'intensité et Élara ne put en détacher les yeux.

– Je suis également une chantre, répondit-elle. Je vais aider à construire le cercle de pierres.

– Ah… Et à quoi va servir cette magie ?

Élara se mordit les lèvres, ne sachant que répondre. Tout n'avait pas été expliqué aux acolytes et aux chélas, mais elle en avait assez entendu pour savoir que, d'après les gardiens, le roi Khattar ne comprenait pas exactement à quoi allait servir le cercle, et qu'ils préféraient que cela reste ainsi. Mais Ayo était la femme de Khattar, aussi indépendante fut-elle. Élara n'aimait pas mentir ; elle allait donc devoir choisir ses mots avec soin.

– Je suis une servante de la Lumière, dit-elle lentement, et je crois que lorsque le cercle sera terminé, les pierres amèneront la lumière dans ce pays.

– La lumière est déjà dans ce pays. Elle y coule comme une rivière. Les âmes des ancêtres suivent ses eaux jusqu'à l'autre monde et en reviennent, dans les ventres de nos femmes.

– J'ai entendu dire que les chamans n'étaient pas satisfaits de nos initiatives, intervint Timul, et qu'ils interrompraient notre travail si nos prêtres n'avaient pas l'accord du roi. Pensez-vous comme eux que nous avons tort ?

– Peut-être. Peut-être pas. Mais vous n'êtes pas nombreux, répondit Ayo, et il y a tant de choses que vous ne comprenez pas.

– Que voulez-vous dire ? demanda Élara, indécise.

– Si je *pouvais* vous le dire, je n'aurais pas besoin de le faire, sourit Ayo. Mais nous finirons tous par n'être qu'un seul peuple.

– Voulez-vous parler d'un mariage entre votre fille et le prince Micail ?

Ayo se mit à rire.

– Ce sont Khattar et la reine Khayan qui veulent de ce mariage. Mais ma fille n'est pas destinée au foyer d'un homme. Elle se donnera à celui que la Déesse, et non le roi, lui aura désigné. N'en va-t-il pas de même chez vous ?

– Dans mon ordre, c'est vrai, nous sommes libres de nos choix, répondit Timul.

– Khattar ne veut que créer un lien indéfectible entre votre peuple et lui-même. Si ce n'est pas par un mariage, il trouvera un autre moyen d'atteindre ce but. Ses espoirs sont peut-être insensés, mais prenez garde.

« Est-ce une menace ou un avertissement ? » se demanda Élara, choquée.

La première jeune femme revint alors avec un panier de galettes glacées au miel et la conversation prit un tour plus anodin. Mais plus tard, en rentrant au campement atlante, toutes deux se demandaient toujours quelle était la signification du sourire énigmatique d'Ayo.

Le jour choisi pour lever les pierres, la population se rassembla à l'extérieur du fossé qui entourait le village, bourdonnant comme une ruche immense. Face à l'entrée, un banc avait été installé pour le roi Khattar.

Pour Micail, il était déchirant de voir et de saluer les chantres qui attendaient à l'intérieur du cercle comme autant de fantômes de sa vie passée, leurs beaux vêtements blancs parfumés par les épices atlantes dans lesquels ils avaient été conservés. Son propre costume, une toge à la coupe superbe, bien qu'un peu large, avait été emprunté à Ocathrel ; il arracha des murmures d'admiration à ses collègues, et même quelques larmes de nostalgie. Bientôt, pourtant, les chantres furent tous là, placés dans le chœur selon leur tessiture.

Lorsque le silence fut absolu, Micail hocha la tête et jeta une poignée d'encens dans chacun des trois brûle-parfum posés sur des trépieds du côté oriental, celui de Nar-Inabi. Les braises se mirent à clignoter comme des étoiles rougeoyantes quand la résine commença à fondre et que la fumée odorante monta en spirale vers le ciel. La lourdeur de la douce odeur familière le prit à la gorge et, l'espace d'un instant, il se retrouva dans le temple de la Lumière sur Ahtarrath ; mais Jiritaren, du côté méridional, murmura alors l'autre mot du feu et la lumière jaillit de sa torche noire.

Sahurusartha s'agenouilla devant un petit bol de marbre posé sur un autel du côté occidental et entonna l'hymne d'apaisement de Banuraux-quatre-visages, le destructeur et le sauveur, le dieu de l'hiver et de l'eau ; pendant ce temps, la prêtresse Delengirol levait deux fois vers le ciel septentrional un plateau filigrané chargé de sel, car Ni-Terat n'avait pas besoin de mots.

Micail se dirigea vers le sud, son bâton levé très haut. Son pommeau d'orichalque scintillait comme une étoile dans le soleil de midi.

– Par le pouvoir de la sainte Lumière, que cet endroit soit purifié ! cria-t-il. Par la sagesse de la sainte Lumière, qu'il soit consacré ! Par la force de la sainte Lumière, qu'il soit protégé !

Il se tourna vers la droite et se mit à parcourir lentement le pourtour du cercle, les trois autres prêtres derrière lui, purifiant chaque quartier avec les quatre éléments sacrés. Les autres prêtres et prêtresses chantaient doucement :

L'éveil de Manoah libère le monde
De la nuit la plus noire,
Génération après génération, nous revivons
Et saluons la Lumière !

Micail sentait les fluctuations de la gravité annonçant que la protection s'élevait autour d'eux. L'épaisse fumée d'encens n'était plus seule à brouiller les visages des spectateurs à l'extérieur du cercle. Les chantres séparaient les pierres du monde ordinaire...

Dans ce temple sacré, nous voyons
Par les yeux de l'esprit,
Ô seigneurs de la foi et de la sagesse,
Venez bénir notre rituel !

Il termina le tour du cercle lorsque le chant s'arrêta et se tint immobile, tous les sens aux aguets. Ils avaient fait du bon travail en polissant les pierres : elles retenaient parfaitement le son comme l'énergie. Le bruissement des spectateurs n'était pas plus fort que le murmure du vent dans les branches. Il laissa échapper un soupir. En parlant avec les travailleurs indigènes, il s'était habitué à penser aux pierres comme à une roue du soleil, mais ce qu'ils avaient conçu devait fonctionner comme un résonateur qui amplifierait les vagues de son et les concentrerait en direction des flux d'énergie qui coulaient dans toute la contrée. Avec un tel pouvoir à leur disposition, ils pourraient construire un nouveau Temple, digne de rivaliser avec l'ancien. Une protection aussi puissante que celle qu'ils avaient invoquée n'était pas strictement nécessaire pour ce genre de travail, mais il éprouvait suffisamment de respect envers le pouvoir des chamans de Droshrad pour prendre toutes les précautions nécessaires à l'encontre de leur magie.

Lorsque les éléments sacrés eurent été déposés sur l'autel, Micail et les trois autres officiants ôtèrent leurs masques et rejoignirent les rangs des chantres. Il prit le temps d'examiner chacun d'entre eux en passant. Les plus âgés, très concentrés, avaient déjà le visage inexpressif ; les plus jeunes ne parvenaient pas à dissimuler leur trac.

Haladris avait pris place face à eux et leur adressait la parole.

— Vous savez ce que nous avons à faire... (Il fixa chacun des chefs de chœur d'un regard noir.) Je vous donnerai la note, puis les basses projetteront le son en direction de la pierre. Quand les harmonies se mettront en place, elle se lèvera et je la dirigerai. Rappelez-vous, c'est de précision, et non de volume, que nous avons besoin. Commençons.

Très doucement, il chantonna la séquence de notes qu'ils répétaient depuis plusieurs jours; elle était très courte et apparemment inoffensive.

Haladris leva la main et les trois basses, Delengirol, Immamiri et Ocathrel, émirent un bourdonnement si grave qu'il semblait issu de la terre. La pierre ne bougea pas encore, mais Micail perçut les premiers frissonnements des particules qui la composaient.

Les barytons se joignirent aux basses, les voix de Haladris et Ardral dominant jusqu'à ce que Métanor, Reualen et les autres aient modulé la leur et que de la gorge de chacun s'échappe la même note riche et puissante. La vibration autour de la pierre devint presque perceptible à la vision ordinaire lorsque Micail et les autres ténors entrèrent dans le chant et équilibrèrent le registre moyen.

Le bloc de grès tremblait, sa face concave miroitant bizarrement sous l'effet d'une lumière intérieure. C'était l'instant qui demandait le plus de prudence, faute de quoi ils risquaient de faire éclater la pierre en mille morceaux plutôt que de la soulever.

Les contraltos s'insérèrent dans l'harmonie collective, puis les sopranos, qui firent doubler le volume, et le chant devint un arc-en-ciel sonore qui submergea tout. La pierre bougea – on voyait un espace sous sa base.

Doucement, les chantres modulèrent l'immense accord pour le hausser lentement. Le bloc s'éleva au-dessus de leurs genoux, puis de leur taille, flottant avec la musique jusqu'à se trouver au niveau de leurs épaules... puis elle les dépassa. Micail sentait le pouvoir couler autour et au travers d'Haladris, qui utilisait son propre talent pour le faire augmenter et le raffiner.

Les colonnes du trilithe étaient hautes comme trois hommes. Quand le linteau de grès se mit à flotter vers sa destination, les têtes des chantres se renversèrent pour ne pas le perdre de vue.

Une fois encore, Micail contrôla ses émotions par la force de sa volonté lorsque les bras du grand prêtre montèrent doucement pour élever leurs voix et l'immense bloc de grès. En le regardant chevaucher le son, Micail sentit son esprit se remplir d'une joie infiniment pure. Une idée se glissa à la surface de sa conscience: «Voilà ce que nous recherchons, non pas le pouvoir, mais l'harmonie...»

Planant juste au-dessus du faîte des colonnes, la pierre hésita. Haladris la souleva un peu plus pour éviter les tenons se dressant au centre de chaque colonne, puis l'abaissa doucement jusqu'à ce que les creux, sur la face inférieure du linteau, fussent positionnés exactement dessus. Baissant ses mains lentement, il modula le volume du chant et laissa la pierre glisser à sa place.

Micail se redressa et laissa échapper un long soupir. Ils y étaient arrivés ! Il sourit aux autres chantres, dont le visage luisait de fierté. Mais leurs épaules étaient voûtées et il savait qu'ils partageaient tous son épuisement. Il pouvait à nouveau entendre le murmure de la foule à l'extérieur. Le roi Khattar affichait un rictus victorieux, comme s'il avait gagné une bataille. Les tambours avaient commencé à battre. Micail grimaça ; il avait l'impression qu'ils résonnaient dans sa chair, mais il savait qu'ils ne s'arrêteraient pas. « Autant demander à un chien sauvage de ne pas aboyer. »

Khattar, enthousiaste devant le succès de leur entreprise, était aussi décidé à fêter l'événement que s'il avait lui-même soulevé la pierre. Les prêtres et les prêtresses s'étaient retirés, mais le roi avait insisté pour que Micail soit présent pour les représenter. Il bâilla et tenta de chasser la fatigue de ses yeux. La nuit était douce et les feux de camps autour desquels chaque clan s'était réuni luisaient comme des étoiles déchues. Les tentes du roi Khattar étaient situées à proximité du cercle de pierres. Il trônait à présent sur un siège aux formes étranges, sur lequel ses hommes avaient jeté une peau teinte en rouge. Son neveu et héritier, Khensu, était assis à ses pieds sur un tabouret. Il y avait des bancs pour les hôtes les plus éminents, mais les guerriers du roi se vautraient tranquillement sur des peaux de bêtes posées à même le sol. Tjalan, Antar et leurs officiers étaient installés plus loin, près des fils de chefs des autres tribus.

On avait mis des torches autour du trilithe pour que le roi puisse continuer à le contempler. Des lueurs rougeâtres dansaient sur les deux colonnes massives et sur le lourd linteau qui les couronnait ; les trois pierres se découpaient nettement sur le ciel étoilé. Micail fut soudain saisi de l'idée que c'était une porte gigantesque ouverte sur l'autre monde. «Que se passerait-il si je passais cette porte? Tiriki m'attendrait-elle de l'autre côté?»

Il tendit son gobelet pour qu'on le lui remplisse et réalisa trop tard que la svelte jeune fille qui portait le pichet n'était autre qu'Anet.

— Ta magie est immense, dit-elle en se baissant plus qu'il n'était nécessaire pour verser la bière.

Au moins elle était vêtue, cette fois, mais Micail se recula instinctivement, étourdi par l'odeur de ses cheveux. Cela la fit rire et, passant le pichet à une autre jeune fille, elle se glissa sur le banc près de lui.

— Maintenant que la pierre est en place, tu n'as plus besoin de dormir seul, oui?

— Tu sais que mon prince ne me laissera pas me marier...

Elle secoua la tête et ses yeux lancèrent des éclairs.

— Je m'en moque! Ce ne sont que des mots destinés à mon père, pas à moi. Je sais, par le rang, que tu es mon égal. Mais n'aie pas peur. Le mariage est une idée de mon père, pas de moi.

Elle s'appuya contre lui avec un sourire aguicheur; il sentit la tiédeur de sa chair à travers sa tunique grossière. Il leva une main pour la repousser, mais elle se posa malgré lui sur la douce chevelure de la jeune fille. Désorienté, il lui demanda:

— Alors pourquoi...? Pourquoi es-tu...?

Ce qu'il voulait dire, c'était «pourquoi fais-tu cela?», mais sa langue refusait de lui obéir.

— Tu sers la vérité, dit-elle enfin. Peux-tu dire, honnêtement, que tu ne veux pas de moi?

Il sentit son sang affluer d'un coup, et sans l'avoir décidé il la prit dans ses bras; leurs lèvres se rencontrèrent. Sa bouche était tendre et il prit alors conscience qu'il n'avait pas tenu une femme dans ses bras depuis très longtemps.

— Tu m'as répondu, dit-elle lorsqu'il la lâcha enfin. Maintenant, je te réponds. Je ne veux pas être ta femme, ô prince des terres lointaines. Mais je veux porter ton enfant.

Sa main glissa sur sa cuisse. Il ne pouvait plus nier qu'il la désirait.

— Pas ici, pas maintenant, articula-t-il péniblement. Ton père nous regarde...

À cet instant, le roi Khattar prononça justement son nom. Micail sursauta et se tourna vers lui. Le roi souriait. Les avait-il vus ?

— Maintenant, les pierres sont levées, oui ? Maintenant le monde voit mon pouvoir ! (Le rire royal explosa en mille échos.) Maintenant, le temps est venu de l'utiliser !

Micail se raidit d'appréhension. Khattar se pencha en avant, l'haleine chargée de relents d'alcool et de viande.

— Nous allons leur montrer, oui ? Tous ceux qui ne suivent pas le Taureau ! Le peuple du Lièvre, les Ai-Akhsi qui vivent dans les terres que vous appelez Béléri'in, ils nous défient. Et les Ai-Ilf, la tribu du Sanglier, au nord, ils volent notre bétail ! Nous allons les attaquer, pas pour piller, pour conquérir ! Car nous avons des armes qui ne se brisent pas dans la bataille ! Des armes qui peuvent découper le bois, le cuir et l'os !

Micail secoua la tête pour tenter de dissiper les effets de l'alcool et de l'excitation ; Anet se glissa hors du banc et disparut dans la foule. Le prince Tjalan s'était redressé et il essayait d'entendre ce qui se disait de l'autre côté du foyer.

— Vous avez de solides armes de bronze, commença Micail mais le roi se donna une claque sur le genou.

— Non ! J'ai vu les lames de vos armes couper le bois aussi facilement que nos couteaux coupent l'herbe !

Khattar frappa du plat de la main le poignard qu'il portait au cou dans un étui de cuir, faisant scintiller dans la lueur du feu les minuscules clous d'or qui en ornaient le manche. Khensu s'était levé et se tenait derrière son oncle, la main sur le manche de son propre poignard.

Micail étouffa un gémissement. Il avait pourtant prévenu Tjalan qu'il était dangereux de laisser ses soldats montrer à tous combien leurs armes étaient tranchantes.

— Nous n'en avons pas assez pour armer tous vos guerriers, commença-t-il, mais Khattar refusa de s'arrêter.

— Mais vous êtes les grands chamans dont parlent nos légendes ! Nous l'avons vu ! Vous pouvez en faire d'autres.

Micail se demanda s'il allait oser lui dire qu'ils ne *pouvaient pas*, même s'ils l'avaient voulu. Dans quelque temps, l'orichalque des armes qu'ils avaient amenées avec eux finirait par s'écailler puis par retourner à l'état de poussières minérales. Parmi les prêtres et les mages qui avaient échappé au Cataclysme, pas un seul, à sa connaissance, n'avait les connaissances nécessaires pour forger le métal sacré.

– Tu vas jurer que tu le feras…, chuchota Khensu d'une voix rauque à son oreille, tandis qu'un bras puissant maintenait les siens collés à ses flancs et que la froideur d'une lame se collait sur sa gorge. Ou tu vas goûter à *ça*…

Micail jeta un coup d'œil affolé en direction de Tjalan, mais le prince alkonien avait disparu. S'il parvenait jusqu'à ses hommes, ils pourraient au moins protéger les autres. Il prit une profonde inspiration, puis une autre, et son pouls se ralentit. Il crut entendre crier de l'autre côté du feu. « Grand créateur ! pria-t-il avec ferveur. Ne les laisse pas s'en prendre à Tjalan ! »

Un groupe d'hommes se fraya brutalement un chemin dans la foule et Micail reconnut deux des chefs des autres tribus, leurs guerriers derrière eux.

– Pourquoi le roi Khattar veut-il tuer le chaman étranger avant qu'il ait fini de lever les pierres ? demanda une voix féminine.

Était-ce Anet ? Il s'efforça de l'apercevoir et d'entendre ce qu'elle disait.

– Tu es le grand roi, Taureau Rouge, mais tu n'es pas seul ! cria le chef qui régnait sur le territoire où était situé Carn Ava. Laisse le prêtre étranger s'en aller.

Le bras de Khensu se raidit, les muscles tendus comme une corde sous la peau, et Micail sentit un filet de sang couler le long de son cou. Le jeune homme sentait la fumée et la peur.

– Si tu veux être roi après ton oncle, tu ferais mieux de leur obéir, chuchota Micail, mais Khensu n'écoutait pas.

Malgré le tumulte, on entendit le pas entraîné d'un groupe de soldats : Tjalan était revenu. Micail ne savait pas s'il devait s'en réjouir ou pas, mais il n'avait pas le temps de se poser la question. Les lanciers, dans un mouvement discipliné, s'inséraient entre les opposants ; puis un javelot, un seul, fendit l'air.

Plus tard, Micail penserait que le lancier avait juste voulu effrayer le roi ; mais Khattar s'était levé de son siège comme un ours enragé et le javelot l'atteignit brutalement à l'épaule. Il tournoya sur lui-même et s'effondra avec un cri étouffé. La poigne de Khensu se relâcha, le couteau s'éloigna de la gorge de Micail. Saisissant sa chance, celui-ci agrippa la main qui tenait encore la lame et la tordit, tout en bondissant en arrière. Tout à coup, les soldats l'entouraient.

Micail avala précautionneusement : sa gorge était intacte, la lame n'avait fait qu'entamer la peau. Il vit Khensu se débattre sous la poigne d'un soldat et, par terre, la silhouette de Khattar, recroquevillé sur le sol, en train de jurer et d'étreindre son épaule transpercée. Micail fendit le cercle protecteur des soldats et s'agenouilla auprès de lui pour écarter les doigts crispés et sanglants afin d'examiner la plaie. Khattar leva vers lui un furieux regard d'incompréhension lorsque Micail appuya la paume de sa main sur la blessure pour contrôler l'hémorragie, puis il se détourna et inspira profondément.

— Taisez-vous ! (C'était la voix qui avait servi à lever la pierre et la foule se tut, interloquée.) Le roi Khattar est en vie !

— Retournez auprès de vos foyers ! Nous nous réunirons demain matin.

C'était Tjalan et, bien que sa voix n'ait pas eu le même pouvoir, tout le monde y reconnut le ton du commandement. Lentement, la foule se dispersa. Tjalan se pencha et posa une main sur l'épaule de Micail.

— Ça va ?

— Je survivrai, répondit Micail sobrement. Et lui aussi. Amène-moi un garrot et un morceau de tissu.

Micail ne releva la tête qu'après avoir bandé la blessure de Khattar.

— C'était parfaitement perfide.

— Comment ? Regrettes-tu que je t'aie sauvé ? répondit Tjalan avec un sourire.

— Ce garçon a paniqué, c'est tout. J'étais sur le point de me libérer seul.

— Peut-être bien… (Le regard acéré du prince se posa sur ses guerriers, qui avaient pris position autour d'eux.) Mais cet instant devait arriver tôt ou tard. Il valait mieux que ce soit maintenant, tu ne crois pas ?

« Non, pensa Micail. Il aurait mieux valu que ça n'arrive jamais. La prophétie de Rajasta n'a jamais mentionné ce qui s'est passé aujourd'hui ». Mais une voix intérieure lui intima l'ordre de se taire.

CHAPITRE 15

En plein cœur de l'été, dans les marécages, le ciel restait parfois dégagé toute une semaine. Plantée sous le soleil, les yeux fermés, Damisa croyait presque sentir la chaleur rayonnante d'Ahtarrath. Il faisait chaud, même à l'ombre de l'enclos qu'ils avaient construit pour que Sélast y habite durant la lune qui précédait le mariage.

« Il fait même trop chaud, pensait-elle en s'éventant de la main. Je me suis habituée à vivre sous le brouillard... Je suis ici depuis trop longtemps. » Mais même dans les royaumes de la Mer, elle n'aurait pu garder Sélast pour elle toute seule.

Iriel et Élis ôtaient la tunique que Sélast avait portée pendant le bain rituel dans les eaux de la source rouge. La lumière du soleil filtra au travers des branches tressées de la clôture et tacheta sa peau comme la fourrure d'un faon. Cinq années passées au milieu des brumes de ce nouveau pays avaient fait pâlir sa peau dorée et le travail physique avait donné à ses membres anguleux une force et une souplesse qui évoqua une nouvelle fois à Damisa quelque créature plus gracieuse que les humains. Mais Sélast n'était pas un faon, pensa-t-elle brusquement. C'était une jeune jument à la crinière noire et épaisse, aux yeux pleins de feu.

– La robe, maintenant, dit Iriel en arrangeant les lourds plis bleus sur son bras, puis nous te couronnerons de fleurs ! (Elle fronça les sourcils quand elle constata que le panier était vide.) Kestil et les enfants étaient supposés en ramasser ce matin ! S'ils ont oublié...

– Je vais courir au village, dit Élis en se dirigeant vers la porte.

– Si vous y allez toutes les deux, vous irez plus vite, intervint Damisa. Je vais rester pour garder un œil sur la mariée.

Quand elles furent parties, Sélast se mit à marcher de long en large dans l'enclos. Elle souleva la tunique blanche, puis la robe bleue, tissée à partir d'un lin cultivé ici même et teint avec de la guède. Ce n'était pas exactement le même bleu que celui porté par les prêtresses de Caratra, mais il en était assez proche pour mettre Damisa mal à l'aise. Porter ce bleu-là, c'était consacrer sa vie au service de la Mère. Damisa eut un haut-le-cœur en imaginant le corps élancé de Sélast déformé par la maternité.

– Tu es nerveuse ?

– Nerveuse ? répondit Sélast avec ce mouvement vif de la tête que Damisa aimait tant. Un peu, je crois. J'ai peur d'oublier mon texte.

Damisa pensa que c'était peu probable. Les acolytes exerçaient leur mémoire depuis leur plus tendre enfance.

– Nerveuse à propos du mariage, je veux dire.

– À propos du mariage avec Kalaran ? s'esclaffa Sélast. Je le connais depuis mes neuf ans, avant même qu'on ne soit choisis pour devenir des acolytes. C'est vrai que je n'avais pas une très haute opinion de lui jusqu'à l'année dernière, la nuit où nous étions à la recherche d'Iriel. Il avait tout le temps l'air en colère. Ce n'est qu'à ce moment-là que j'ai réalisé pourquoi : il se sent toujours coupable d'avoir survécu, alors que Kalhan, Lanath et les autres ne sont plus là. C'est pour ça qu'il est parfois si… sarcastique. Il essaie de cacher sa douleur.

– Oh, c'est pour ça ? fit Damisa puis, entendant le sarcasme dans sa propre voix, elle essaya de sourire. Tu l'épouses par pitié, alors, plutôt que par devoir ?

Sélast arrêta de déambuler et la considéra en fronçant les sourcils.

– C'est un peu les deux, je crois. Et puis au moins, nous sommes amis. Quelle importance ? Ce jour devait arriver, de toute façon.

– Sur Ahtarrath oui, mais ici ? demanda Damisa qui se leva brusquement et saisit la jeune fille par les épaules. Nous n'avons pas de Temple, et il reste bien peu de prêtres et de prêtresses. Pourquoi devrions-nous consacrer notre vie à perpétuer cette caste ?

Sélast écarquilla les yeux et posa une main sur la chevelure de Damisa.

— Es-tu jalouse de Kalaran ? Mais ça ne changera rien entre nous…

« Ça a déjà tout changé entre nous », se dit Damisa, les yeux hagards fixés sur ceux de son amie.

— Tu dormiras à ses côtés, tu t'occuperas de son foyer et tu porteras ses enfants, et tu crois que ça ne va rien changer ? (Elle se rendit compte qu'elle avait crié en voyant Sélast reculer d'un pas.) Tu n'es pas obligée de faire ça, supplia-t-elle. Rappelle-toi des histoires de Taret à propos de cette île du nord, où les femmes sont des guerrières. Nous pourrions y aller ensemble…

Sélast fit un brusque mouvement de la tête et échappa à son amie.

— Dire qu'on m'a toujours considérée, moi, comme une rebelle, alors que tu étais toujours la plus convenable des prêtresses ! Tu ne sais pas ce que tu dis, Damisa. Tu es l'acolyte de Tiriki ! Et puis Kalaran a besoin de moi, continua-t-elle plus doucement. Cette nuit-là, sur la colline, il m'a dit qu'après le Cataclysme, il avait perdu la foi. Il ne ressentait plus les pouvoirs cachés. Mais quand nous nous sommes serrés l'un contre l'autre, frigorifiés et effrayés, il a réalisé qu'il n'était pas seul.

— *Moi* j'ai besoin de toi ! s'exclama Damisa.

Mais Sélast fit non de la tête.

— Tu *veux* de moi, mais tu es assez forte pour vivre sans moi. Crois-tu que nous n'avons été sauvés, alors que tant d'autres sont morts, que pour nous permettre de rechercher notre propre plaisir ?

— Au diable ceux qui sont morts, et au diable Tiriki ! marmonna Damisa. Sélast… je t'aime…

Elle ouvrit les bras pour y serrer la jeune fille, le cœur plein de tout ce qu'elle ne parvenait pas à exprimer, mais elle la lâcha lorsque la porte s'ouvrit à la volée et qu'Iriel et Élis entrèrent, les bras chargés de fleurs. Le rouge au front, muette, Damisa s'enfuit de la cabane de la mariée et seul le son des rires la poursuivit.

La procession du mariage s'approchait en contournant la forêt et commençait à entamer l'ascension à l'est du Tor. Tiriki aperçut les tuniques claires à travers les arbres quand le son des cloches arriva sur les ailes du vent. Précautionneusement, Chédan embrasa une brindille à la flamme de la lampe et la jeta sur le petit bois préparé sur l'autel.

Le vent fit monter les flammes et agita les plis des tuniques des prêtres et des prêtresses qui attendaient, debout, à l'intérieur du cercle de pierres. Le poids de son collier et de son diadème gênait un peu Tiriki, qui s'était habituée à ne porter aucun bijou, et elle trouvait étrange le toucher des draperies soyeuses sur sa peau.

« Je puis me souvenir, mais je ne pleurerai pas, se dit-elle quand la procession atteignit le haut de la colline. Ce jour appartient à Sélast et Kalaran, je ne laisserai aucune ombre l'obscurcir. »

Tiriki et Micail avaient été mariés dans le temple qui couronnait la montagne de l'Étoile, l'enceinte la plus sacrée de toute l'île. Leur union avait eu lieu devant Déoris, Réio-ta et le clergé supérieur du Temple ; elle avait été célébrée par le vieux gardien Rajasta, au cours d'un des derniers rituels qu'il ait accomplis avant de mourir.

Aujourd'hui, c'était Chédan qui se tenait devant le jeune couple. Les symboles sacrés brodés sur son étole scintillaient au soleil. À la place de la montagne de l'Étoile, leur temple était ce cercle de pierres brutes en haut du Tor, mais bien que ce sanctuaire des marécages ait été moins majestueux que celui d'Ahtarrath, Tiriki avait appris qu'il l'égalait probablement en pouvoir.

Ce jour-là, Micail était resplendissant dans sa tunique blanche. Le bandeau d'or sur son front n'était pas plus brillant que la masse de ses cheveux roux. Quant à elle, elle avait porté pour la première fois la toge bleue et le serre-tête des prêtresses de Caratra, bien qu'elle n'eût guère été qu'une enfant. « Ai-je voulu procréer trop tôt ? se demanda-t-elle. Est-ce pour cela que je n'ai jamais pu mettre au monde d'enfant vivant ? Jusqu'à notre arrivée ici... » Kestil et Domara s'approchaient en dansant à la tête de la procession, parsemant le chemin de fleurs. Mais Sélast avait atteint sa vingtième année et la dure vie dans les marécages l'avait rendue solide. Ses bébés vivraient.

Domara vida son panier de fleurs et courut auprès de sa mère. Tiriki la prit affectueusement dans ses bras et se délecta de sa chaleur et de l'odeur de fleurs sauvages de ses cheveux. « Micail n'est plus là, mais une part de lui survit dans sa fille... ».

Perdue dans ses pensées, elle n'avait pas entendu les paroles de bienvenue formulées par Chédan. Lors de son propre mariage, elle avait été si troublée et si absorbée par Micail qu'elle ne les avait pas entendues non plus. Le mage nouait déjà le poignet droit de Kalaran au poignet gauche de Sélast et les passait au-dessus de la flamme. Puis, toujours liés l'un à l'autre, le couple suivit le parcours du soleil autour de l'autel de pierre.

Chédan posait à présent les questions rituelles et recueillait leurs serments d'élever leurs enfants au service de la Lumière et d'agir comme prêtre et comme prêtresse l'un envers l'autre. Il n'y avait pas de mots d'amour dans cette cérémonie, remarqua Tiriki – mais pour elle et Micail, l'amour avait déjà été là. «Les étoiles elles-mêmes avaient annoncé notre union!» cria son cœur, libéré pendant un instant du contrôle sévère qu'elle lui imposait depuis si longtemps. «Pourquoi, alors, nous avoir séparés si tôt?»

La voix de Kalaran était hésitante, mais celle de Sélast s'élevait, claire et ferme. Ils avaient du respect l'un pour l'autre, l'amour viendrait en son temps. Lorsque les serments furent terminés, Chédan leva les mains en signe de bénédiction et leur fit face, de l'autre côté du feu.

– Ô grand Tout! Accorde à cette femme et à cet homme la sagesse et le courage; accorde-leur la paix et la compréhension; accorde la pureté des intentions et la vraie connaissance à ces deux âmes qui se tiennent devant toi. Accorde-leur la croissance de l'esprit et la force d'âme nécessaire à l'accomplissement de leurs devoirs. Ô Toi qui es, homme, femme, et plus encore, permets à ce couple de vivre en Toi, et pour Toi.

Tiriki se souvenait de ce passage du rituel. Liée à Micail par le poignet, elle avait senti sa chaleur comme si c'était la sienne, puis, sous l'effet de l'invocation, elle avait ressenti quelque chose d'autre, une troisième essence, qui les enveloppait de pouvoir, les unissait et les transcendait à la fois. Elle sentait cette sphère d'énergie à présent, bien qu'elle se tînt au-dehors. Elle fut consciente, non seulement du lien qui unissait Sélast et Kalaran, mais aussi de l'énergie qui reliait tous ceux qui se tenaient dans le cercle et qui les rattachait à la terre autour d'eux, résonnant en de multiples univers dont elle savait qu'ils existaient, même si elle ne pouvait les voir.

«Ô Toi qui es! s'éleva son esprit, toujours attaché à Micail. Laisse-nous vivre en Toi!»

Il était étrange de remarquer combien la pénurie avait changé leur attitude envers la nourriture, pensa Chédan en reposant la côtelette de biche qu'il était en train de ronger. Autour de lui, Tiriki et les autres se servaient avec appétit des plats préparés par les gens des marécages en l'honneur des jeunes mariés. Chédan se disait que sur la Terre des Ancêtres, les prêtres avaient considéré la nourriture comme une distraction qui s'opposait à la culture de l'esprit. Mais dans les royaumes de la Mer, tout ce que la mer ou la terre ne pouvaient produire était importé par bateau. Sur Alkonath, il n'y avait pas si longtemps, il avait été à la limite de l'embonpoint. Il aurait pu compter ses côtes aujourd'hui.

Il y avait eu des moments, surtout l'hiver, quand il ne restait plus rien à manger sinon de la bouillie de millet, où Chédan s'était demandé pourquoi il mettait tant d'énergie à rester en vie. Pourtant, le Temple lui-même avait admis que les plaisirs de la table et du lit aidaient à réconcilier l'homme avec son incarnation dans un corps physique, dont les leçons étaient nécessaires à l'évolution de l'âme. Il se remit donc à mâchonner sa côtelette en savourant le mélange de sel, de graisse et des herbes dont on avait frotté la viande rôtie, se délectant de la chair saignante et juteuse de la biche.

— C'était une belle cérémonie, disait Liala. Et le pouvoir du Tor est… encore plus puissant que nous ne l'avions cru. N'est-ce pas?

Elle avait été malade pendant la plus grande partie du printemps, mais elle avait refusé de manquer cette célébration.

— Il me semble que quelqu'un a déjà dû s'en apercevoir, même ici, parce que le cercle de pierres a été construit pour concentrer ce pouvoir, répondit Rendano de l'autre côté de la table avec l'air de douter que ces primitifs aient pu réaliser un tel exploit.

— Nous ne sommes pas les premiers de notre race à être venus ici, dit Alyssa d'une voix monocorde. Le temple du soleil, près de la rivière Naradek, sur la côte, est en ruine aujourd'hui, mais les femmes les plus sages de ce peuple sont des initiées, à leur façon.

290

— À leur façon! répondit Rendano avec dédain. Mais nous, que laisserons-nous derrière nous? Et *ses* enfants, que sauront-ils de la gloire d'Atlantis? demanda-t-il avec un geste en direction de Sélast qui s'efforçait de fourrer un morceau de galette dans la bouche d'un Kalaran hilare.

— Atlantis n'est plus, dit Chédan doucement, mais les Mystères demeurent. Nous avons encore beaucoup à faire ici.

— C'est vrai, intervint Tiriki. Chédan, te souviens-tu du labyrinthe sous le temple de la montagne de l'Étoile? N'était-il pas destiné à enseigner la façon dont on passe dans les autres mondes?

— Dans les légendes seulement, ricana Rendano. Ce genre de choses n'est destiné qu'à éduquer l'âme.

— La nuit où Iriel a disparu… (Tiriki s'efforça de trouver les mots justes.) J'ai parcouru le labyrinthe au cœur de la colline, et je suis arrivée quelque part qui n'était pas dans ce monde-ci.

— Tu t'es égarée par l'esprit en dormant sur la colline, répondit Rendano avec un petit sourire.

— Non, je la crois, objecta Liala. Je l'ai suivie dans le passage creusé par les eaux de la source blanche et je suis retournée à l'entrée pour l'attendre quand ma hanche a commencé à me faire souffrir. Elle n'est pas ressortie par là, et plus tard nous l'avons trouvée en haut du Tor.

— Alors, il devait y avoir une autre issue…

— Les acolytes ont parcouru cette colline en tous sens et en plein jour, et ils n'en ont découvert aucune, fit observer Chédan. J'ai exploré ce passage au printemps, sans trouver le tunnel. Mais je suis persuadé qu'il est là, même si je ne comprends pas pour quelle raison il y est. Tu as beaucoup discuté avec Taret, ces derniers temps, continua-t-il en se tournant vers Alyssa. Que dit-elle?

Alyssa, dans ses vêtements de cérémonie propres et les cheveux bien peignés, avait l'air d'avoir retrouvé un certain équilibre mental. Il fallait profiter de ce bref instant.

— Elle dit beaucoup de choses que je ne puis répéter, répondit-elle avec un sourire qui leur rappela la femme qu'ils avaient connue autrefois. Mais j'ai *vu*… (Sa voix se mit à trembler et Liala dut la retenir pour l'empêcher de glisser de son siège, mais elle se reprit.) J'ai vu une colline de cristal, où scintillait le motif du labyrinthe.

Elle frissonna et regarda autour d'elle, comme si elle se demandait ce qu'elle faisait là. Liala lança un regard accusateur à Chédan et lui tendit un gobelet d'eau.

— Merci, Alyssa, dit Tiriki. C'est ce que j'essayais de dire. Il est possible qu'une rare combinaison astrologique ait ouvert ce passage, ou peut-être m'était-il destiné. Mais je me demande... Si nous gravions le motif du labyrinthe à l'extérieur de la colline, j'ai l'impression que... que nous pourrions apprendre à rejoindre l'autre monde en le suivant à pied. Qui sait ce que nous pourrions apprendre ainsi?

— Billevesées, chuchota Rendano d'une voix pourtant audible.

Mais Chédan fronçait les sourcils, l'air pensif.

— Depuis des années, notre travail ici s'est limité à garantir notre survie. Je me demande s'il est temps de construire quelque chose... de rassembler nos chantres, et de créer quelque chose de nouveau...

— Tu veux dire que nous allons lever des pierres et construire une cité autour du Tor? Je ne pense pas que les gens des marécages apprécient beaucoup ça, dit Liala.

— Non, murmura Chédan. Les cités sont construites pour une raison précise. Je crois que cet endroit ne pourra jamais supporter une telle population, et qu'il n'est pas destiné à cela. Je commence à entrevoir autre chose... Peut-être que... Commençons par tracer le labyrinthe à la surface de la colline et apprenons à parcourir ce chemin en spirale. Je crois que ce qui nous a été accordé, c'est l'occasion de créer ici le genre d'harmonie spirituelle qui existait autrefois sur la montagne de l'Étoile.

— Un nouveau Temple? demanda Rendano d'un ton sceptique.

— Oui, mais il ne ressemblera à rien de ce qui a existé jusqu'à présent.

> *Le jeune Loutre est un serpent sans peur,*
> *Aïe, ya, aïe ya ya!*
> *Il sera un grand chasseur,*
> *Aïe ya ya...*

Une douzaine de voix se joignirent au chœur, tandis que Loutre se levait de son banc et faisait le tour du cercle en dansant, faisant mine de boxer les spectateurs au passage.

À l'occasion de ce mariage, les gens des marécages avaient brassé une grande quantité d'une boisson qu'ils appelaient bière de bruyère. Elle n'était pas très alcoolisée, mais les Atlantes ne buvant que rarement et les indigènes uniquement lors des festivités, tout le monde était devenu très joyeux. Damisa avait d'abord fait la grimace devant le goût vaguement médicinal à peine dissimulé par le miel, mais elle avait fini par la trouver si agréable qu'elle se relevait sans cesse pour aller se servir à l'outre pendue à une branche de chêne. Après la quatrième tasse, elle avait cessé de compter.

> *Élis creuse des trous dans la terre,*
> *Aïe, ya, aïe ya ya !*
> *Mais que va-t-elle en faire ?*
> *Aïe ya ya…*

Elle remarqua sans surprise que les chanteurs avaient déjà fini de faire le tour des villageois et qu'ils commençaient à s'attaquer aux Atlantes. De telles sottises auraient été très mal vues dans les royaumes de la Mer ; il n'y aurait pas eu non plus de fête publique après un événement aussi banal qu'un mariage. C'était une belle preuve d'union des anciens et des nouveaux habitants du Tor en une seule communauté, que les villageois aient offert de préparer un festin pour les jeunes mariés dans la clairière près de la rive. Tiriki et Chédan n'avaient accepté qu'après mûre réflexion et en avoir parlé avec les autres. En Atlantis, les unions dans la caste des prêtres donnaient lieu à des cérémonies très ritualisées, mais certainement pas à des blagues et à la consommation de boissons alcoolisées.

« Mais tout ça m'est bien égal, se disait Damisa dont les oreilles bourdonnaient de plus en plus. La nouvelle tradition, pas plus que l'ancienne, ne me trouvera un homme. »

> *Liala, tout de bleue vêtue,*
> *Aïe, ya, aïe ya ya !*
> *Dis-nous quoi faire, veux-tu !*
> *Aïe ya ya…*

Les règles du jeu voulaient que la personne ainsi évoquée se lève et danse autour du cercle. Liala, les joues rouges et les yeux brillants, tourna lentement sur elle-même puis, sous les applaudissements, elle embrassa joyeusement le chef du chœur, un homme à la barbe grisonnante qui tenait le rôle de barde dans le village.

> *Sélast, tu cours comme le vent,*
> *Aïe, ya, aïe ya ya !*
> *Viens jouer, arrête un instant !*
> *Aïe ya ya...*

«Elle ne viendra plus jouer, pensa Damisa amèrement. Elle va se contenter de marcher maintenant qu'elle est une femme mariée. »

L'éclat de cette belle journée d'été s'atténuait à présent et laissait la place à un crépuscule doré. À l'ouest, les branches entrelacées des arbres du sous-bois se découpaient en noir sur le rose du ciel mais, à l'est, la longue pente du Tor était encore au soleil. Un instant, Damisa eut l'impression qu'il était embrasé de l'intérieur. Peut-être n'était-ce que l'effet de la bière, se dit-elle, car lorsqu'elle eut cligné des yeux, elle ne vit plus qu'une masse indistincte au-delà des cimes d'arbres.

> *Kalaran attrape les souris,*
> *Aïe, ya, aïe ya ya !*
> *Qu'il aille honorer sa mie !*
> *Aïe ya ya...*

Quelqu'un lança une plaisanterie dans la langue des marécages et des rires fusèrent. Il fallut quelques instants à Damisa pour comprendre que c'était un appel à volontaires pour escorter le jeune couple jusqu'à son lit. Elle s'accorda un regard sur sa bien-aimée. La couronne de fleurs de Sélast était de guingois et ses yeux brillaient d'excitation et d'inquiétude mêlées.

– Rejoins donc ton *mari*, murmura Damisa en levant sa tasse dans un geste ironique. Et quand tu seras dans ses bras, pense à ce que tu as perdu en n'étant plus dans les miens.

L'escorte revint et la danse reprit de plus belle. Reidel s'était installé devant un tambour. Ses dents brillaient dans son visage sombre et ses doigts couraient sur la peau tendue. Elle remarqua, un peu vexée, qu'il semblait beaucoup s'amuser. Certains des marins dansaient main dans la main avec les filles du village. Iriel était assise près d'Élis à la lisière du sous-bois. Loutre était debout près d'elles. Iriel rit à ses paroles et le laissa la mener dans la danse.

Quand Damisa se leva pour aller remplir sa tasse, elle rencontra Tiriki qui s'apprêtait à quitter la fête en compagnie d'une Domara tout ensommeillée. Chédan et l'autre prêtre étaient déjà partis.

— Elle devrait être au lit depuis longtemps, dit Tiriki avec un sourire, mais elle voulait voir la danse.

— C'est très différent de nos célébrations dans le Temple, répondit Damisa d'un air revêche en se souvenant des repas exquis et des danses pleines de dignité.

— Il est facile de comprendre pourquoi : la survie est si incertaine ici. Lorsque les gens ont de la nourriture en abondance, ils en profitent, c'est naturel. C'est une façon pour eux, comme pour nous d'ailleurs, d'affirmer que la vie continue malgré tout. Mais il est l'heure de se coucher, n'est-ce pas, ma chérie ? demanda Tiriki à Domara qui bâillait. Veux-tu venir avec nous jusqu'au Tor ? demanda-t-elle à Damisa.

— Je ne suis pas encore prête à me coucher.

Tiriki considéra la tasse dans la main de son acolyte et se demanda s'il était judicieux de faire preuve d'autorité.

— Ne reste pas seule à bouder. Je sais que toi et Sélast étiez proches, mais…

— Mais crois-tu vraiment qu'il soit possible de vivre sans un compagnon ? Comme toi ? demanda Damisa.

Elle sut immédiatement que l'alcool l'avait trahie. Tiriki se redressa et ses yeux lancèrent des éclairs. La jeune fille fit un pas en arrière.

— Comme moi ? Prie les dieux de ne jamais connaître le bonheur que j'ai connu, sinon tu devras aussi, un jour, connaître ma douleur.

Elle lui tourna le dos et s'éloigna sans accorder un seul regard à Damisa.

Après cela, les choses devinrent floues. À un moment, elle vit Loutre et Iriel se diriger vers les buissons, main dans la main. Elle se mit debout en clignant des yeux. Il ne restait que quelques personnes autour du feu. Reidel en faisait partie.

— Ma dame, tout va bien ? fit-il en s'approchant d'elle. Puis-je t'escorter jusqu'à la maison des jeunes filles ?

— Oui, oui… (Elle se mit à glousser et se rattrapa à son épaule. Il sentait la bière de bruyère et la sueur.) Mais je suis… un peu saoule. (Elle eut un hoquet et se remit à rire.) Il vaut peut-être mieux… attendre un peu.

— Il vaut mieux marcher, ça te fera du bien, répondit-il fermement en glissant son bras sous le sien. Nous allons prendre le chemin qui fait le tour du Tor.

Damisa n'était pas sûre de vouloir sortir du confortable cocon où l'avait enfermée la bière, mais elle avait déjà remarqué que le bras de Reidel était fort et réconfortant. Elle se sentit mieux en s'appuyant sur lui, et quand ils s'assirent pour se reposer un moment sur une pente herbeuse, devant la rivière où se reflétait la lune, il lui sembla tout naturel de poser sa tête sur son épaule. Peu à peu, son étourdissement passa.

Il lui fallut un moment avant de réaliser que des tremblements agitaient les muscles sous sa joue. Elle se redressa et demanda :

— Tu trembles… Tu as froid, ou ma tête est trop lourde ?

— Non, dit-il d'une voix blanche. Elle n'est jamais trop lourde. Mais il était idiot de ma part de croire que… que tu ne remarquerais rien…

— Remarquer quoi ?

Il la lâcha brusquement et se détourna ; sa silhouette se découpa sur les étoiles.

— Combien c'est dur pour moi de te tenir dans mes bras, et rien d'autre…

« Cette bière de bruyère te fait perdre le contrôle, à toi aussi, se dit-elle. Sinon tu n'oserais pas dire ça ! » Mais pouvait-elle vraiment se refuser à lui, alors que Sélast lui était perdue à jamais ?

— Alors, viens, dit-elle en le saisissant par le bras pour le tourner vers elle.

Il s'approcha en un mouvement souple et rapide qui la prit par surprise, un bras autour de la taille et l'autre dans ses cheveux. Un instant encore, et il l'avait tirée contre lui ; ses lèvres cherchaient celles de la jeune fille, timides d'abord, puis durement quand elle répondit à son appel. Les étoiles valsèrent dans le ciel quand il l'allongea sur le sol, les mains curieuses, puis autoritaires, au fur et à mesure que les épingles et les lacets cédaient.

La respiration de Damisa s'accéléra et un feu qui ne devait rien à la bière s'alluma sous sa peau. Dans les rares moments où sa bouche n'était pas occupée à l'embrasser, la voix de Reidel murmurait des mots d'émerveillement et d'adoration.

« Ce n'est pas juste, se dit Damisa, l'esprit tout à fait clair, quand il s'éloigna d'elle pour ôter sa tunique. Je suis poussée par le désir, mais lui par l'amour… ».

Mais alors Reidel s'allongea près d'elle ; sa main louvoya sur sa peau et trouva le sanctuaire entre ses cuisses. Le désir fondit sur Damisa comme l'irruption d'une déesse en balayant ses dernières résistances et elle accueillit la dure chaleur de l'homme quand son corps couvrit le sien.

Tiriki était allongée sur son lit étroit, mais le sommeil ne venait pas. Elle entendait le tambour près du feu et il résonnait dans sa tête comme le pouls enfiévré d'un homme et d'une femme dans les affres de l'amour. Elle eut un sourire plein d'ironie. Elle avait entendu des halètements et des rires dans les buissons quand elle avait ramené Domara et elle avait été soulagée de ce que la petite fille, endormie, ne puisse lui demander quelle était la source de ce bruit. Les mariages étaient célébrés à des époques propices à l'union charnelle, aussi n'était-il pas étonnant que les convives, eux aussi, aient ressenti ces énergies.

Malheureusement, elle aussi en sentait les effets, alors qu'elle était seule. Elle pouvait s'imaginer dans les bras de Micail, mais les souvenirs ne remplaçaient pas l'échange magnétique avec un partenaire de chair et d'os.

« Oh, mon amour… Il n'y a pas que mon corps qui se languit de toi… quand nos esprits se sont touchés, nous avons refait le monde… »

Derrière le rideau, Domara respirait paisiblement et Métia, qui s'occupait toujours de l'enfant, ronflait par intermittence. Tiriki se leva sans bruit et posa un châle sur la chemise qu'elle portait pour dormir. Elle irait voir Taret, qui se couchait tard et dormait peu. La sagesse de la vieille femme l'avait soutenue plus d'une fois ; peut-être saurait-elle lui enseigner comment survivre à la solitude sans fin des années à venir.

— Est-il autorisé de… Crois-tu qu'ils nous laisseront nous marier ?

Damisa se réveilla complètement en réalisant que Reidel venait de lui parler. En fait, il parlait depuis un moment, avec des mots d'amour qu'elle avait ignorés tandis qu'elle réfléchissait à ce qui leur était arrivé, et pourquoi.

— Nous marier ? demanda-t-elle, surprise.

Reidel avait toujours semblé tellement indépendant. Qui aurait pu dire qu'il était si plein de passion contenue ?

— Crois-tu vraiment que j'aurais osé te toucher si je n'avais pas eu des intentions honorables ? répondit-il, choqué.

« Crois-tu vraiment que si mes intentions avaient été honorables, je t'aurais laissé faire ? » Damisa ravala ces paroles en pensant qu'elle aussi avait désiré ce qui était arrivé, même si c'était pour des raisons différentes. Elle tâtonna à la recherche de sa tunique.

— Les unions des acolytes sont prescrites par les étoiles…

— Mais je suis un prêtre à présent, et je suis certain…

— Il n'y a pas de certitude ! le coupa Damisa à bout de patience. Crois-tu vraiment que ce que nous venons de faire nous engage l'un envers l'autre ? Je suis l'héritière de la lignée royale d'Alkonath, je ne puis mêler mon sang à celui de n'importe qui !

— Mais tu as partagé ma couche…

— Oui. Moi aussi j'ai des besoins, comme toi…

— Non, pas comme moi. (Reidel laissa échapper un long soupir et Damisa eut un pincement de remords en réalisant qu'il comprenait enfin.) *Moi*, je t'aime.

— Eh bien…, finit-elle par répondre pour briser un long silence. Je suis désolée.

Reidel saisit sa tunique et sa ceinture et les balança sur son épaule comme s'il dédaignait de cacher sa nudité.

« Tu es *désolée* ! J'aurais pu trouver un mot plus cru ! » aurait-il pu dire, mais il ne le dit pas ; elle comprit alors que ce qu'il ressentait pour elle, c'était vraiment de l'amour. Elle distingua la ligne gracieuse de ses épaules musclées et de ses hanches fines contre le ciel étoilé, puis il lui tourna le dos et descendit le sentier, la laissant seule.

«J'ai dit la vérité! Je ne l'aime pas!» Pourquoi, alors, la dernière image de l'homme se noya-t-elle dans les larmes?

CHAPITRE 16

La nuit est fraîche et le vent tourmente ses cheveux et ses vêtements comme un enfant malicieux, mais le manteau de voyage de Chédan lui tient chaud. Son corps est jeune à nouveau, il répond à tous les ordres de son esprit. Avec un sourire de triomphe, il plonge dans une haie d'épineux pour rejoindre le chemin sur la colline.

Le cri d'un oiseau de proie déchire le silence – « skiriiiiii ! » – le faucon est au-dessus, non, derrière lui. Chédan baisse instinctivement la tête, mais l'attaque ne vient pas.

Il finit par avancer vers le scintillant cercle de pierres levées. Cinq énormes trilithes émergent du brouillard ; à leur forme, il reconnaît la marque d'Atlantis. Mais la statue d'un dragon s'interpose entre lui et les pierres. Il s'immobilise et écoute. Une voix, affaiblie par la douleur mais étrangement familière, psalmodie « Tiriki, Tiriki ».

– Tu es là ? chante Chédan. Micail ? C'est toi ?

Mais le dragon est devenu un faucon qui porte le visage de Micail et bat de ses immenses ailes noires dans la brume grise.

– Osinarmen ? Pourquoi te déguises-tu ici ?

– Skiriii !

– Attends ! appelle Chédan, mais l'esprit de Micail s'est envolé pour un territoire des rêves plus lointain encore ; et bien que Chédan soit un mage puissant, il n'ose pas le suivre.

– Voilà pourquoi tu n'as pas réussi à le trouver.

Chédan se retourne, mais il ne voit rien, sinon le cercle de pierres qui continue à irradier la lumière.

– Il ne peut pas te reconnaître. Il a besoin de tes conseils, plus que jamais, mais tu ne peux plus le guider. Surtout pas ici! Il croit que tu es mort. Il a peur que tu lui apportes une nouvelle qu'il refuse d'apprendre. Mais cela n'a pas d'importance. C'est lui qui doit passer l'épreuve. Il vaincra ou échouera par ses seules actions. Tu ne peux pas l'empêcher d'accomplir sa destinée.

– Qui es-tu? entonne Chédan d'une voix autoritaire. Révèle ta vérité!

– Hélas, je ne puis me révéler à celui qui ne peut pas voir. Quand tu le pourras, murmure la voix, tu me verras. Mais les hommes ne sont jamais aussi embarrassés de leur passé que lorsqu'ils entrevoient le futur…

La voix devient un ouragan qui le précipite dans les airs, loin du cercle de pierres.

– Retourne d'où tu viens, Chédan, ordonne la voix. Quand le moment viendra pour toi de transmettre ton héritage, la voie s'ouvrira. Tu ne t'interrogeras ni sur le qui, ni sur le quand, ni sur le pourquoi – tu sauras. Mais, jusqu'à ce moment, retourne d'où tu viens. Termine la tâche que tu dois accomplir.

Chédan se réveilla, en sueur, empêtré dans les couvertures rugueuses, l'esprit encore plein d'images de pierres levées en train de danser follement et s'éloignant dans les brumes.

«Micail! hurla son esprit. Où es-tu?»

Depuis son arrivée au Tor, il avait souvent rêvé de Micail. Parfois ils étaient sur Ahtarrath, parfois sur la Terre des Ancêtres. Ils marchaient ensemble ou discutaient autour d'une carafe de vin hellène, se délectant des conversations profondes qu'ils aimaient tous les deux. Chédan se rendait compte que ces entretiens étaient aussi un enseignement, comme si par le rêve il essayait de communiquer toute la sagesse qu'il n'avait pas eu le temps de transmettre dans le monde ordinaire.

Où allaient toutes ces informations? se demandait-il. Il savait que Tiriki croyait secrètement que Micail était en vie quelque part dans ce monde. Mais il savait qu'il était possible également qu'elle l'ait rencontré en rêve, afin de préparer l'esprit de Micail à renaître dans ce nouveau pays… Mais cette dernière vision – si c'était bien une vision – avait été différente. Il ressentait le même apaisement que celui qui succède à la transe. Et même si Micail avait fui, il était malgré tout parvenu à entrer en contact avec lui.

« Et j'étais jeune à nouveau. » Le souvenir de cette vigueur retrouvée emplissait encore sa conscience – pourtant, à chaque instant, son corps lui rappelait péniblement qu'il avait servi son esprit pendant plus de soixante-dix ans. Les cinq dernières années avaient été particulièrement pénibles. Il aurait été soulagé de pouvoir laisser reposer sa chair douloureuse et de partir pour les régions du karma, même si cela signifiait qu'il devrait faire face au jugement.

Il secoua la tête d'un air contrit. *Termine la tâche que tu dois accomplir*, avait dit la voix. Chédan se dit qu'il ferait mieux de sortir du lit, pour commencer. « C'était peut-être une promesse », pensa-t-il avec espoir.

Un vent froid soufflait sur la plaine et faisait plier l'herbe nouvelle qui pointait sous le chaume blanchi par l'hiver, puis laissait chaque brin se redresser de vert et de gris dans une palette ondoyante.

Le soleil de l'après-midi avait réchauffé l'air, mais le jour baissait à présent et l'espoir qui avait rempli le cœur de Micail se contractait comme un bourgeon brûlé par le givre. Un souvenir de la nuit lui revint soudain – il avait été un dragon, ou un faucon, un animal sauvage et féroce qui s'efforçait d'échapper à l'emprise des pierres. Et, une fois encore, Chédan était là.

Micail contempla les hommes qui s'activaient sous ses yeux. Le rêve de Tjalan, avait-il fini par comprendre, était seulement de créer quelque chose qui leur survivrait à tous ; mais parfois, les cinq trilithes lui semblaient l'image d'une arrogance supérieure même à celle d'un prince…

Le cercle extérieur encore incomplet semblait moins intimidant à Micail, peut-être justement parce qu'il n'était pas achevé. Vingt-quatre pierres verticales avaient été levées autour des trilithes, y compris une moins haute que les autres et qui indiquait au moins observateur des spectateurs l'enfilade de l'avenue centrale en direction du soleil levant au solstice d'été. Les six pierres manquantes seraient amenées l'été suivant, par des ouvriers qui seraient probablement réquisitionnés dans la tribu du Taureau Bleu.

Six autres linteaux étaient déjà là, et deux d'entre eux avaient été levés et déposés sur les pierres pour montrer quel serait le résultat final : une roue du soleil d'un périmètre de plus de trente mètres. Pour dégager et transporter les vingt-quatre dernières pierres qui compléteraient l'ensemble, il faudrait encore un an de travail.

Grâce aux efforts de Timul et d'Élara, le roi avait survécu à l'infection due à sa blessure, mais le javelot avait fracassé son épaule. Khattar ne manierait plus jamais la hache de guerre, qu'elle soit de bronze ou d'orichalque. Certains, surtout parmi les jeunes guerriers, disaient qu'il devrait abdiquer pour laisser Khensu devenir grand roi. Mais seules les matriarches pouvaient prendre cette décision, et l'assemblée des femmes était restée ostensiblement silencieuse sur le sujet.

Craignaient-elles, elles aussi, les soldats de Tjalan ? Il arrivait que Micail lui-même soit mal à l'aise face à l'étalage de la force des Alkoniens, et pourtant il était bien obligé d'admettre que cela pouvait être nécessaire. La tribu du Taureau Rouge avait déclaré qu'elle refusait de fournir la moindre aide supplémentaire, jusqu'à ce qu'il soit prouvé que le roi Khattar allait effectivement régner sur toutes les tribus.

« Ils croient que nous n'avons qu'une centaine d'épées pour nous protéger, et c'est vrai – pour l'instant. Heureusement pour nous, les tribus souhaitent voir le cercle achevé, elles aussi. Lorsque la dernière pierre sera en place, ils attaqueront ; au pire moment pour eux ! Ils ne peuvent même pas imaginer les pouvoirs que nous pourrons tirer du circuit d'énergie lorsqu'il sera bouclé. »

– Seigneur prince, le soir tombe, dit le vieil homme qui servait de contremaître parmi les ouvriers de la tribu du Taureau Blanc. Nous retournons à nos foyers ?

– Oui, il est temps, répondit Micail.

Il s'assit, s'adossa à une pierre en cours de polissage et observa les hommes qui s'éloignaient, un par un, en direction de leur campement sur la rivière. Pour sa part, il n'avait pas à aller bien loin pour trouver le gîte, le couvert et la compagnie des siens, mais il n'avait pas envie de bouger. Il les trouvait trop bavards ; les chamailleries incessantes et la lutte de chacun pour défendre son propre statut le rendaient fou. Il resta assis là, contemplant d'un œil vague les nuages qui se mêlaient au soleil couchant et se disant que s'il rentrait assez tard, il parviendrait peut-être à persuader Cléta ou Élara de lui amener de la nourriture dans sa hutte, loin des autres. Il n'était presque jamais sur ses gardes avec les acolytes, même depuis qu'Élara lui avait dit que, si le roi Khattar insistait pour qu'il prenne femme, elle était volontaire pour porter un enfant de lui. Mais elle ne l'avait pas poursuivi de ses assiduités et en cet instant, replié dans sa solitude sous le coucher du soleil, il se surprit à penser à sa proposition, ne serait-ce que pour repousser le souvenir d'Anet dans ses bras.

À la seule pensée du corps souple de la danseuse, son sang s'échauffa. Il fronça les sourcils et la vision à moitié illicite s'effaça de son esprit, pour être remplacée par le souvenir d'une légende indigène selon laquelle les pierres des cercles les plus anciens s'éveillaient à la tombée de la nuit et se mettaient même à danser lors des fêtes rituelles. La rumeur disait que ces pierres-ci commençaient à s'animer.

L'ancien cercle de pierres, sur la colline, avait dû être un site de crémation funéraire, comme les ouvrages de terre qui avaient tellement effrayé les acolytes lors de leur arrivée. La plupart des autres cercles devaient remplir la même fonction. Pourtant, on ne pouvait nier qu'à la tombée de la nuit, l'endroit semblait curieusement plus distant, et plus grand qu'il n'était réellement ; il dégageait alors une présence telle qu'il était difficile de penser à autre chose quand on était à proximité. Micail se remit debout avec un soupir et s'efforça de ne penser à rien en prenant le chemin qui le mènerait de l'autre côté de la plaine.

Cette nuit-là, le sommeil lui échappa longtemps ; mais juste avant l'aube, ses rêves troublés lui amenèrent la vision de lointaines et vertes collines, et d'un chemin semé d'or où s'avançait Tiriki, vêtue de lumière bleue.

Le printemps était l'époque de l'espoir dans les marécages ; c'était l'époque où la terre verdissait et où le ciel s'emplissait des pépiements des oiseaux migrateurs. Lorsqu'ils se posaient sur les étangs, leurs appels étouffés se faisaient encore plus musicaux, comme si les dieux du vent eux-mêmes avaient chanté un hymne à la terre. C'était l'époque où l'on récoltait les œufs et les tendres pousses, et où la nourriture abondante régénérait la confiance et l'énergie de tous ceux qui vivaient autour du lac. C'était l'époque du beau temps et d'une vie meilleure, mais c'était aussi l'époque où il fallait se remettre au travail sur le labyrinthe, dont ils avaient commencé à graver la spirale sur les pentes du Tor juste après le mariage de Kalaran et Sélast.

Tiriki se redressa et se massa les reins, reposant sur le sol la ramure de cerf qui lui servait de houe. « La caste des prêtres n'a pas été élevée pour un tel labeur », se dit-elle en considérant la portion du chemin qu'elle était en train de tracer dans la terre autour de la colline. Elle remarqua que son ombre sur le sol était mince ; elle savait que sa chair n'était plus que muscles. Elle se dit qu'elle n'avait sans doute jamais été en aussi bonne santé.

C'était vrai de ses compagnons également. Devant et derrière, elle apercevait d'autres terrassiers dont le dos se baissait et se redressait au rythme de la houe dont ils fouillaient le sol. Elle, Chédan et quelques autres avaient chanté à la terre le long du chemin et ils étaient parvenus à l'ameublir ; pourtant, même le plus expérimenté des chœurs n'aurait pas réussi à déblayer complètement une telle quantité de particules – quoiqu'il serait sans doute parvenu à faire se mouvoir ce bloc de pierre, au bas du chemin, nettement plus facilement qu'eux.

Juste devant elle, Domara planta son bâton dans le sol et se mit à rire. Elle avait eu cinq ans l'hiver précédent et une récente poussée de croissance lui avait enlevé ses dernières rondeurs de bébé. Tiriki commençait à voir la jeune fille qu'elle était en train de devenir. Pas la femme – que les dieux en soient remerciés, cela n'arriverait que dans un avenir lointain – mais la gamine mince aux jambes longues et aux cheveux roux embroussaillés. « Elle sera comme Micail, grande et solide. »

Les adultes se plaignaient parfois du dur labeur sans fin, mais les enfants étaient dans leur élément ; ils s'amusaient à remuer la terre et se couvraient de boue des pieds à la tête. Si seulement on avait pu leur faire confiance pour continuer à travailler sans se dissiper, les plus âgés auraient pu leur laisser cette tâche, se disait Tiriki en regardant les mottes voler autour d'elle. Mais même Domara, qui insistait tellement pour aider les adultes qu'ils l'avaient surnommée «petite prêtresse», pouvait se laisser distraire par un papillon.

Quand Tiriki se remit au travail, elle sentit quelque chose céder. Les liens qui retenaient les bois de cerf au manche s'étaient à nouveau défaits. Elle soupira.

– Domara, ma chérie, peux-tu apporter ça à Héron et lui demander s'il peut le réparer?

Quand l'enfant fut partie, elle se saisit d'une omoplate de biche et s'agenouilla sur le chemin pour en égaliser la surface et repousser vers l'aval la terre retournée. Il serait bientôt l'heure d'arrêter. Elle avait dégagé une section entière ce matin-là et avait presque atteint l'endroit où commençait la section de Kalaran. À l'exception de Liala et d'Alyssa, qui étaient malades, et de Sélast qui était enceinte, toute la communauté travaillait sur le labyrinthe, même les gens des marécages, bien que cet exercice ait été aussi étranger à leur mode de vie qu'à celui des prêtres et prêtresses atlantes.

On avait interdit à Chédan de travailler. Il avait protesté, évidemment, en disant que l'inaction lui pesait, mais Tiriki savait combien ses articulations le faisaient souffrir. Il avait fait sa part, et plus que sa part, lui avait-elle dit, en tirant de sa mémoire à elle l'image du passage dans la colline pour la transcrire sous la forme d'un dédale ovale qui serpentait le long des pentes du Tor. Le chemin démarrait comme s'il avait eu l'intention de se diriger tout droit vers le sommet, puis il longeait la mi-pente en suivant la course du soleil avant de plonger vers le bas et de revenir en arrière. Une fois presque arrivé à la verticale du point de départ, il repartait vers l'aval et faisait le tour de la base de la colline avant de remonter juste un peu plus haut que le chemin initial. De là, il serpentait lentement de gauche à droite, presque jusqu'au sommet, avant de revenir en arrière dans un nouveau virage qui l'amenait, finalement, au cercle de pierres.

Il leur avait fallu un an d'efforts pour creuser le chemin d'un mètre de large qui constituait le circuit initial. À présent, ils s'attaquaient au chemin secondaire. Le reste du travail était délimité par des piquets fichés dans le sol, mais le sentier avait été parcouru si fréquemment qu'on aurait pu croire à une piste laissée par des animaux sauvages.

Tiriki fut saisie de vertige d'avoir visualisé le dédale. Les premières esquisses de Chédan lui avaient déjà fait le même effet ; elles lui évoquaient un symbole ou une inscription qu'elle était certaine d'avoir déjà vu quelque part, sans parvenir à se souvenir où, ni quand. Le mage lui avait assuré que sa forme était différente de tous les caractères et hiéroglyphes qu'il connaissait, et Dannetrasa, qui connaissait encore mieux les livres que le vieux mage, le lui avait confirmé ; pourtant, cette idée continuait à la hanter.

Qu'il fut très ancien ou absolument nouveau, le motif fonctionnait. Chédan et elle l'avaient parcouru plus d'une fois et, à chaque fois, ils avaient ressenti la proximité d'un autre monde et touché l'esprit intérieur de la terre. Ce n'était pas le Temple que les prophéties avaient annoncé, mais son pouvoir était profond et manifeste. Lorsque le chemin serait terminé, n'importe qui, elle en était sûre, serait en mesure de le suivre et d'en tirer un enseignement.

Tiriki lissa soigneusement la terre avec l'omoplate et aspira les senteurs de terre remuée. Ici, sous les arbres qui abritaient le pied du Tor, l'humus était particulièrement riche car il se nourrissait de feuilles mortes depuis des centaines d'années. Il serait plus difficile de creuser sur les pentes, là où le substrat rocheux était à peine dissimulé sous une fine couche de terre. Elle enfonça ses doigts dans la terre et sentit son énergie couler en elle, comme si elle faisait partie du réseau de la vie sur le Tor et qu'elle se nourrissait de vent et de pluie, de soleil et de terre…

Enracine-toi profondément… repais-toi de cette énergie… nous survivrons à la tourmente…

Stupéfaite, elle leva les mains et la voix retourna au silence.

« La tourmente ? » se dit-elle en considérant le ciel sans nuage. Mais à ce moment la cloche du vieux navire résonna pour annoncer le repas de midi, et son estomac lui dit que celui-ci serait le bienvenu.

Les longs rayons rougeoyants du soleil couchant transperçaient les arbres au-dessus des haies. À l'est, un fin quartier de lune s'élevait sur le Tor. Damisa, debout dans l'étang de la source rouge, puisait l'eau dans ses mains et la laissait couler sur son corps. L'eau chargée de fer était passée par une mare peu profonde où elle avait absorbé un peu de la chaleur du soleil, mais elle était encore suffisamment froide pour donner la chair de poule.

Taret leur avait appris à se baigner dans la source, si le temps le permettait, le jour qui suivait la fin de leurs périodes menstruelles. C'était, là aussi, un rite de passage.

– Les femmes sont comme la lune, disait-elle. Chaque mois, nous sommes nouvelles.

Damisa espérait que c'était vrai. Parfois, elle aurait aimé pouvoir recommencer sa vie entièrement. C'était un tel gâchis… Elle était née dans le luxe de la noblesse alkonienne et avait été élevée pour servir dans le Temple de la Lumière – pas pour se tuer à la tâche dans le monde vulgaire des houes et des casseroles.

À un moment, elle avait trouvé de quoi se réjouir, mais c'était terminé. Non seulement Sélast s'était éloignée d'elle pour se concentrer sur son enfant à naître, mais en plus, c'était Damisa elle-même qui avait fait fuir Reidel. Elle aimait à penser que c'était le sens de l'honneur qui l'empêchait de rechercher à nouveau la compagnie du jeune homme, alors que tout ce qu'elle avait désiré c'était le réconfort de bras autour d'elle. Durant tout ce temps, pourtant, elle n'avait trouvé personne d'autre vers qui se tourner. Elle laissa couler un peu d'eau sur sa tête et regarda les gouttes s'accrocher à ses longs cheveux fauves comme des bijoux rouge et or.

Prise d'une soudaine impulsion, elle se retourna et envoya un baiser au mince croissant de lune qui flottait dans le ciel embrasé.

> *Nouvelle lune, belle lune,*
> *Porte-moi bientôt chance !*

Ce n'était qu'une ritournelle enfantine, pensa Damisa avec un sourire, en se demandant ce que la lune aurait aimé lui apprendre aujourd'hui.

Un brusque coup de vent agita les cimes des arbres et la fit frissonner. En se tournant vers la berge où elle avait posé ses vêtements, elle se souvint qu'elle avait promis à Alyssa de lui apporter de l'eau de la source. Elle tendit un pichet de céramique sous la petite chute qui alimentait la mare, puis elle sortit de l'eau et se sécha vigoureusement à l'aide d'une serviette en laine.

Avant que Damisa n'ait atteint la hutte de la prophétesse, le crépuscule déposa de vaporeux voiles bleus sur le paysage. Elle frappa doucement au chambranle de la porte. Personne ne répondit. Ces derniers temps, l'adepte dormait beaucoup, mais une saji aurait dû se trouver à proximité. Damisa fut tentée de laisser son pichet près de la porte et de repartir, mais au moment où elle se baissait, elle entendit un bruit étrange à l'intérieur.

Elle écarta le rideau de cuir d'un geste hésitant et vit sur le sol, près du foyer, ce qu'elle prit d'abord pour un tas de chiffons gris. Puis elle réalisa que cela tremblait et émettait ce bruit bizarre. Elle se précipita au côté d'Alyssa.

— Où sont les femmes ? demanda-t-elle.

Elle souleva précautionneusement un coin de tissu rabattu sur le visage de la vieille femme et tenta de redresser ses membres contorsionnés. Elle supposa alors qu'une saji avait déjà dû aller chercher de l'aide.

— Tout va bien maintenant... Ne t'inquiète pas, je suis là, murmura-t-elle, mais elle savait que c'était faux : Alyssa n'allait *pas* bien, c'était certain.

— L'équilibre du cercle est rompu ! marmottait la prophétesse. S'ils l'utilisent, ils vont mourir...

— Quoi ? Qui va mourir ? demanda Damisa, désespérée. Dis-le moi !

— Le faucon du soleil court comme un serpent dans le ciel... (Les yeux d'Alyssa s'écarquillèrent brusquement.) Le cercle est carré, mais le soleil tourne en rond, et la pierre délivrée se sature de sons...

Alors, Damisa vit une plaine où un cercle de gigantesques piliers entourait trois immenses arches rectangulaires, comme si Alyssa était parvenue à lui transmettre l'image. Puis la tête de la vieille femme se mit à bouger dans un mouvement convulsif et Damisa dut l'empêcher de se fracasser sur le sol.

Elle entendit des voix étouffées et leva un regard soulagé sur Virja qui venait de repousser le rideau, suivi d'un Chédan boitillant et de Tiriki.

— Elle ne s'est pas réveillée ? demanda le mage.

— Elle a *parlé*, répondit Damisa, elle m'a même fait voir ce qu'elle... regardait ! Mais je n'y ai rien compris.

La lueur du feu donnait au visage de la vieille femme une apparence de bonne santé, mais ses yeux étaient enfoncés dans leurs orbites. Elle avait l'air déjà morte, pourtant elle respirait encore.

Chédan s'assit avec précaution sur un tabouret, s'appuya sur son bâton sculpté et se pencha pour prendre la main cireuse d'Alyssa dans la sienne.

— Alyssa de Caris ! appela-t-il d'un ton sévère. Néniath ! Tu entends ma voix, tu me reconnais. Par-delà l'espace et le temps, je t'appelle, *reviens* !

Virja murmurait à l'oreille de Tiriki que la vieille femme avait dormi toute la journée, qu'elle avait refusé de manger, puis qu'elle ne s'était plus réveillée.

— Je t'entends, fils de Naduil.

Les mots étaient sonores, mais les yeux d'Alyssa restèrent fermés.

— Dis-moi, prophétesse, que vois-tu ?

— La joie là où il y avait la tristesse, la peur où il devrait y avoir de la joie. Celui qui ouvrira la porte est parmi vous, mais regardez derrière lui. Petite chanteuse...

Ils levèrent tous les yeux sur Tiriki, car c'était la signification de son nom. Elle s'agenouilla entre Chédan et Alyssa.

— Je suis là, Néniath. Que veux-tu me dire ?

— Fais attention. L'amour est ton ennemi – la perte seule peut réaliser ton amour. Tu as préservé la Pierre, mais elle doit devenir le germe de la Lumière. Elle doit être plantée profondément.

— L'Omphale, souffla Chédan sans réaliser qu'il parlait à voix haute ; il avait dit un jour qu'il faisait encore des cauchemars où il se voyait lutter pour l'amener jusqu'au navire...

« Tant de choses ont été perdues, se dit Damisa, pourquoi l'Omphale n'a-t-il pas, lui aussi, disparu sous les eaux ? »

— Tu as parlé... d'un ennemi... déguisé en amour ? demandait Tiriki. Je ne comprends pas ! Que dois-je *faire* ?

— Tu le sauras... (La voix d'Alyssa s'affaiblissait.) Mais peux-tu tout risquer... pour tout gagner ?

Ils restaient suspendus à ses lèvres, mais on n'entendit plus qu'un halètement quand Alyssa se mit à lutter pour respirer.

— Alyssa, comment vas-tu ? demanda Chédan après un instant.

— Je suis fatiguée… et Ni-Terat attend. Ses voiles sombres m'enveloppent. S'il vous plaît… laissez-moi partir…

Le mage passa ses mains au-dessus du corps d'Alyssa, mais son sourire était triste. Une lueur tachetée tourbillonna autour d'elle, puis s'évanouit.

— Reste encore un peu, ma sœur, et nous chanterons pour t'accompagner sur le chemin, dit Chédan doucement.

Tiriki toucha le bras de Damisa.

— Va chercher les autres, maintenant.

Lorsqu'elle eut laissé retomber derrière elle le lourd rideau de cuir, Damisa entendit la voix de Chédan entonner l'hymne du soir.

> *Ô Créateur de tous les mortels,*
> *Nous t'invoquons à la fin de ce jour.*
> *Ô Lumière par-delà toutes les ombres,*
> *Toi qui transcendes ce monde de formes…*

Pendant des heures, les prêtres et les prêtresses se relayèrent pour soulager le trépas d'Alyssa. Chédan et Tiriki restèrent avec l'adepte jusqu'à la fin, espérant qu'elle aurait un dernier instant de lucidité. Les visions de ceux qui se tiennent sur le seuil de la mort, même s'ils ne sont pas prophètes, s'étendent souvent très loin ; mais lorsqu'elle parla, Alyssa se croyait sur l'île de Caris où elle était née. Il eût été cruel de la rappeler.

Ils décidèrent que le corps d'Alyssa serait incinéré la nuit suivante, au sommet du Tor. Jusque-là, le travail sur le labyrinthe serait interrompu. On envoya Domara, en compagnie des enfants du village, récolter des fleurs sauvages pour orner le cercueil. Cela la mettait à l'abri du chagrin de ses aînés, mais sans elle la maison était très silencieuse. Tiriki décida de se joindre à Liala qui allait rendre sa visite quotidienne à Taret en avançant à tout petits pas, appuyée sur un bâton.

– Nous avons eu d'autres morts, bien sûr, dit Liala, mais elle est la première *de son genre* à nous quitter.

Tiriki hocha la tête ; elle savait ce que voulait dire la vieille femme. La pauvre Malaéra avait été une simple prêtresse, dépourvue de talents particuliers. Alyssa serait la première prophétesse à mourir sur cette terre. Son esprit troublé trouverait-il le repos ici, ou continuerait-il à errer, emprisonné entre le passé et l'avenir ?

– Ça datait de ce dernier rituel, avec l'Omphale. (Tiriki jeta un regard involontaire en direction de la hutte où était déposé cet œuf de mauvais augure.) Quelque chose s'est brisé dans son esprit à ce moment-là, avant même la chute d'Ahtarrath. Ensuite, elle... n'a plus jamais été la même.

– Que Caratra lui donne la paix, soupira Liala en faisant le signe de la Déesse sur son cœur et sur son front.

– Oui, elle marche en paix avec la Mère, à présent, répondit Tiriki mais ses pensées étaient au loin.

Elle avait cru accompagner Liala avec l'intention de l'aider à marcher, mais elle réalisa qu'en vérité elle avait besoin du réconfort et de la sagesse que dispensait Taret. La vieille femme vénérable servait la Déesse depuis toujours ; elle pourrait les aider à comprendre.

La porte de la maison de Taret était ouverte et elles l'entendirent parler dans la langue de la tribu du lac :

– Tu vois, la voilà, je te l'avais dit... Entrez, mes filles, ajouta Taret. Ma visiteuse a un message pour vous.

Une jeune fille vêtue d'une tunique courte et sans manches de laine bleue était assise de l'autre côté du feu. Elle était mince et souple et portait ses cheveux retenus en queue-de-cheval sur la nuque. Elle avait enlevé ses chaussures de marche ; ses pieds étaient ceux d'une danseuse, arqués et musclés.

À la vue de la tunique bleue, Liala fit le salut qu'une prêtresse de Caratra offre à une autre, et Tiriki en fit autant. Les grands yeux sombres de l'étrangère s'écarquillèrent.

– Elles servent la Mère aussi, oui, dit Taret dont le regard d'oiseau passait de l'une à l'autre des trois femmes. Voici Anet, fille d'Ayo, la Sœur sacrée du peuple d'Azan. Les femmes l'envoient porter des nouvelles qu'elles ne peuvent pas confier à d'autres messagers.

Anet se leva et s'inclina avec une grâce fluide, dans le salut qu'une néophyte fait à une grande prêtresse. Tiriki leva un sourcil. La jeune femme pensait-elle qu'elles douteraient de sa qualité de prêtresse, ou avait-elle quelque autre raison de vouloir les impressionner ?

— Grandes étoiles, mon enfant, il n'est pas nécessaire d'être si formelle ! dit Liala avec un sourire.

— Je ne veux pas être impertinente, répliqua Anet en se rasseyant en tailleur. (Tiriki soupçonnait que ce qui avait motivé cette salutation n'était pas l'humilité.) Les autres gens des Mers sont très cérémonieux, en particulier avec nous. Très fiers.

Tiriki sentit le sang lui monter au visage.

— Des gens des Mers ? Que veux-tu dire ?

— Les étrangers, répondit Anet simplement. Les prêtres et les prêtresses qui sont venus de la mer dans leurs bateaux ailés. Des gens de votre peuple.

Tiriki se retint de l'attraper par le bras.

— Qui sont-ils ? Peux-tu nous donner leurs noms ?

— Lorsqu'ils sont arrivés, nous pensions que le vieux chaman était leur chef. Celui qu'ils appellent Ar-Dral.

Tiriki s'étrangla de surprise.

— Ardral ? Tu ne veux tout de même pas dire… Ardral d'Atalan ? Le septième gardien du Temple sur Ahtarrath ? Ardravanant ?

— Ils lui donnent ce nom parfois. Mais nous ne le voyons plus très souvent, depuis que leur prince… (Anet fit la grimace)… depuis que le prince Tjalan, avec ses soldats, a amené les autres prêtres pour lever les pierres. Mais je vois que vous vous habillez comme certaines de leurs prêtresses. Vous les connaissez peut-être aussi. Il y a Timul, et Élara…

— Élara ? s'exclama Liala à son tour. Tu veux dire *l'acolyte* Élara ?

— Oui, ça me rappelle quelque chose…, répondit Anet lentement.

— Et c'est une guérisseuse ? Je le savais ! fit Liala avec un sourire jusqu'aux oreilles.

— C'est…, reprit Tiriki d'une voix blanche. Tu dis qu'il y a d'autres prêtres. *Quel est leur nom ?*

— Oh, il y en a tellement, répondit la jeune fille doucement. Il y a Haladris, et Ocathrel, et Immamiri… il y en a beaucoup. Je regrette de ne pas avoir appris tous leurs noms, parce que mon père souhaitait tellement que j'épouse leur *autre* prince, pour mêler son sang à notre lignée. (Anet lança un long regard de biais à Tiriki.) Un grand et bel homme aux cheveux de feu. Le seigneur Micail.

Chédan se dit qu'il était malencontreux que ces nouvelles leur parviennent à ce moment-là. La pauvre Alyssa n'avait pas eu toute leur attention à ses funérailles.

Il n'avait pas fallu longtemps pour réunir la communauté et entendre ce que la fille des Ai-Zir avait à leur raconter sur les Atlantes et leur projet de construire un grand cercle de pierres levées à Azan. Tiriki voulait entamer immédiatement le voyage long d'une semaine et, lorsqu'ils tentèrent de la calmer, elle s'écroula. Il était paradoxal qu'elle ait vaillamment résisté à tous les dangers auxquels ils avaient fait face, et que ce soit la joie qui la terrasse. Mais Chédan se souvint que c'était souvent le cas après une longue période de deuil.

Une fois que Tiriki eut été mise au lit et que les autres se fussent retirés pour la nuit, Chédan était resté éveillé pendant des heures devant le feu du bâtiment du conseil. Les cieux tournaient au-dessus de sa tête et révélaient leurs constellations connues et inconnues dans la nuit étonnamment dégagée. On avait donné une tisane à Tiriki pour la faire dormir mais, un par un, les autres étaient revenus se joindre à Chédan, l'esprit trop plein de pensées virevoltantes pour savoir quoi dire. Quand le feu se fut réduit à un tas de cendre et à quelques volutes de fumée blanche, on put distinguer chaque visage, car l'aube était arrivée.

– Nous devons les rejoindre, disait Rendano, et le plus tôt possible. Les tribus des Ai-Zir semblent avoir beaucoup plus de ressources que les indigènes d'ici. Nous pourrions retrouver notre ancien mode de vie.

Le coup d'œil qu'il jeta sur la structure grossière des bâtiments environnants était dédaigneux.

– Je n'en suis pas si sûre, intervint Liala. Avant sa mort, Alyssa a parlé d'un danger lié à des cercles et à des pierres. Et nous venons d'apprendre que nos compatriotes se trouvent de l'autre côté de ces collines, en train de construire un cercle de pierres, précisément. Ne pensez-vous pas que le danger dont parlait Alyssa pourrait venir d'*eux* ?

— De notre propre peuple ? s'exclama Damisa, interloquée.

— Je ne veux pas dire du mal des morts, mais nous savons tous qu'Alyssa était complètement folle, ajouta Reidel.

Chédan leva les yeux, mais il ravala ses mots. Reidel avait fait des progrès immenses, mais il ne comprenait pas les forces étranges contre lesquelles une prophétesse doit lutter – personne ne pouvait comprendre, à moins d'avoir parcouru le même chemin.

— Depuis quand la folie empêche-t-elle de dire la vérité ? demanda la petite Iriel qui, Chédan le remarqua tout à coup, n'était plus si petite que ça, car en six ans elle était devenue une femme ; d'ailleurs chez eux, tous les acolytes auraient déjà été consacrés comme prêtres et prêtresses. Alyssa vivait dans son monde, continua Iriel, mais quand nous parvenions à comprendre quelque chose, on en tirait souvent un grain de vérité. Alors… je crois que Liala a raison. Et si ces gens des plaines forçaient les nôtres à construire pour eux ? Taret dit que c'est une tribu puissante.

— Je pense que cette fille ne nous a pas dit tout ce qu'elle savait, la coupa Forolin subitement. Son père est le roi – si le prince Tjalan a vraiment pris les choses en main, comment les autres tribus considèrent-elles la situation ? Si elles décidaient de se rebeller, nous ferions des otages de choix. Il est arrivé quelque chose de ce genre sur une route maritime où je voyageais quand j'étais plus jeune. Je suis aussi impatient que n'importe qui de retrouver un endroit plus civilisé, continua-t-il avec sérieux, mais je pense que nous ne devons pas nous précipiter. Nous ne sommes pas si mal ici.

— Oui, la vie est dure, mais nous sommes en sécurité, dit Sélast en posant une main protectrice sur son ventre. Et je ne peux pas voyager en ce moment.

Chédan se caressa la barbe, pensif. Il ne voyait aucun inconvénient à laisser les autres spéculer sur le danger que pouvaient représenter les indigènes, mais les paroles d'Alyssa résonnaient encore dans sa mémoire. Elle n'avait pas parlé d'un danger venu des hommes, mais des pierres elles-mêmes.

Les autres s'étaient tus. En levant les yeux, Chédan s'aperçut qu'ils le fixaient. Il considéra leurs visages, l'un après l'autre.

– J'ai l'impression que nous sommes sur le point de prendre une décision, fit-il, mais l'expérience m'a appris qu'il y a toujours quelqu'un pour ajouter quelque chose au dernier moment…

Le visage de Damisa s'était peu à peu assombri, et elle explosa.

– En effet, personne ne m'a demandé *mon* opinion. Comment pourrions-nous ne pas y aller ? Non seulement ce sont nos compatriotes, mais en plus il y a Micail et plein d'autres gardiens parmi eux. Il est certain que ce qu'ils sont en train de construire doit faire partie du nouveau Temple, comme il est dit dans la prophétie dont tout le monde se gargarise tout le temps ! Croyez-vous vraiment qu'une bande de sauvages pourrait mettre tous ces adeptes et ces prêtres en coupe réglée, surtout si Tjalan est là pour les protéger ? Ou est-ce de Tjalan que vous avez peur ? Il nous protégera, nous aussi… ou vous méfiez-vous de tous ceux qui ne viennent pas d'Ahtarrath ?

– Mais non, mais non, répondit Chédan d'un ton apaisant. Ma chère Damisa, d'où viennent donc ces paroles ? Sélast et Kalaran ne sont pas ahtarréens. Quant à moi, je suis aussi d'Alkonath, si tu veux bien t'en souvenir. Non, pour le meilleur comme pour le pire, mes amis, nous sommes tous des Atlantes dans cette nouvelle contrée.

– Ce n'est pas du prince Tjalan que nous nous méfions, dit Kalaran, mais du peuple qui nous sépare de lui.

– Forolin a raison, je crois, fit Liala en hochant la tête. Si Tjalan a suffisamment de soldats pour constituer une menace pour les tribus, les indigènes pourraient effectivement vouloir se servir de nous comme bouclier. Et si Tjalan n'est pas assez fort pour les en dissuader… Je crois que je n'ai pas besoin d'en dire plus.

– Pourquoi ne pas envoyer une délégation pour prendre contact ? suggéra Liala. Les plus jeunes d'entre nous peuvent voyager rapidement. Si tout va bien, alors le prince enverra une escorte pour nous emmener tous là-bas. Après une si longue séparation, nous pouvons bien attendre encore un peu avant de retrouver nos compatriotes et amis.

– Je pensais la même chose, dit Dannetrasa.

– Alors nous sommes tous d'accord, fit remarquer Chédan. Damisa voudra sans doute faire partie de l'expédition, puisqu'elle connaît bien la faune sauvage et qu'elle est, de plus, la cousine de Tjalan. Qu'en penses-tu, Damisa ?

— J'irai avec quelques-uns de mes hommes, pour la protéger, offrit Reidel quand il la vit hocher la tête.

— Ne devrions-nous pas envoyer quelqu'un… d'un grade supérieur? demanda Rendano.

— J'espère que tu ne penses pas à moi, répondit Chédan. Mais peut-être veux-tu y aller? Et puis Damisa est la plus âgée des Douze, la loi lui garantit donc d'être reconnue dans n'importe quels cour ou temple atlante.

— Et Tiriki? demanda Damisa. Elle voudra venir aussi…

— Je pense qu'il vaut mieux qu'elle ne parte pas encore, répondit Chédan. Elle a besoin de temps pour se remettre. (En réalité, les paroles d'Alyssa le mettaient toujours mal à l'aise, et il n'aurait pas été très délicat de faire remarquer que la grande prêtresse était bien la seule personne dont on ne pouvait pas se passer…) Mais je doute qu'elle soit d'accord avec moi. Je suggère donc que toi et Reidel rassembliez quelques hommes et des provisions, puis que vous partiez. Aussi vite que possible, ajouta-t-il, de préférence avant qu'elle ne se réveille. Je n'ai pas envie d'avoir à l'attacher pour l'empêcher de vous suivre.

CHAPITRE 17

— Tu as entendu la nouvelle ? Anet est rentrée de la région du lac…

C'était la voix d'une esclave indigène, une de celles que les Alkoniens avaient achetées récemment pour aider au travail de la nouvelle communauté. Micail, qui se rendait au portail et passait derrière la hutte où avaient été installées les cuisines, ne put s'empêcher de les entendre discuter.

— Vraiment ? répondit une autre esclave. A-t-elle amené son arc et ses flèches ? C'est la seule façon dont elle arrivera à capturer Cheveux-de-feu !

Micail se sentit rougir tandis que les rires des femmes résonnaient. Il connaissait son surnom, mais il ne savait pas que l'intérêt que lui portait Anet était de notoriété publique. La première voix reprit :

— La nouvelle, c'est qu'elle revient avec des étrangers. Encore des gens des Mers, mais pas les mêmes.

— D'où viennent-ils ?

— De quelque part dans les marécages. Il paraît qu'ils y sont depuis des années. J'ai entendu dire qu'ils ne ressemblent pas à nos nouveaux maîtres ; ils s'habillent comme les gens des marécages. Mais ils sont plus grands, alors peut-être…

— Oui, et il paraît que parmi eux, il y a…

— Chut ! interrompit une autre voix, sans doute celle d'une responsable. N'importe qui pourrait vous entendre. On en saura bientôt plus. J'imagine que les seigneurs faucons voudront les rencontrer.

318

Le grincement des meules à grain ne s'était pas interrompu un seul instant, mais désormais plus personne ne parlait dans la hutte. Micail fit demi-tour et se dirigea vers la cour centrale. Il réalisa avec détachement que son cœur battait la chamade, bien qu'il n'ait fourni aucun effort. «Je ferais peut-être mieux d'aller voir Tjalan», se dit-il.

Quand Anet et ses compagnons de voyage touchèrent enfin au but, toute la communauté avait appris leur arrivée. Les rumeurs allaient bon train, certaines moins absurdes que les autres. Mahadalku et la plupart des prêtres et des prêtresses les plus âgés avaient poliment refusé de se joindre à la foule dans la cour principale, mais Haladris était là.

Une deuxième goutte s'écrasa sur le front d'Élara; elle leva les yeux vers le ciel avec une grimace. De lourds nuages venaient envahir le ciel bleu de la matinée. Les indigènes estimaient que l'été commençait juste entre l'équinoxe et le solstice, mais il était difficile de déterminer la saison à partir du temps qu'il faisait. Élara tira son châle sur le haut de son crâne quand les premières gouttes se changèrent en averse.

Quelqu'un pointait déjà le doigt; elle réalisa qu'elle était arrivée juste à temps. Un groupe arrivait sur la plaine. Elle reconnut de loin les cheveux bruns et la démarche dansante d'Anet, ainsi que les deux guerriers de la tribu du Taureau Bleu qui l'escortaient partout. Derrière eux, elle apercevait un petit groupe de grands hommes bronzés vêtus de laine et de cuir et, au milieu d'eux, une longue chevelure blonde qui n'appartenait certainement pas à une femme des tribus.

— Qui est-ce? demanda Cléta qui se mettait sur la pointe des pieds et essuyait la pluie qui lui dégoulinait dans les yeux. Tu peux voir?

— Ce sont des Atlantes, c'est certain. Cœur de Manoah! Je crois que c'est Damisa!

Élara cligna des yeux, essayant de retrouver dans la silhouette de jeune déesse qui avançait vers eux à grands pas celle de l'adolescente empotée dont elle se souvenait.

Quand Anet et ses compagnons atteignirent la foule, Micail fit un pas en avant, quittant sa place à côté de Tjalan comme s'il était incapable de rester immobile une seconde de plus. Ses épaules crispées se relâchèrent un peu, mais on le sentait toujours tendu. La pitié déchira le cœur d'Élara ; elle remarqua qu'Anet, elle aussi, observait Micail, d'un regard de renard qui se demande si le faisan qu'il reluque arrivera à lui échapper. « Tu n'as donc pas encore compris qu'il n'est pas pour toi, pensa Élara. Pour moi non plus, d'ailleurs… » Il lui avait opposé un refus poli mais ferme. « Si Tiriki est en vie, il la rejoindra. Et sinon… je crois qu'il restera célibataire. »

Tjalan, tout sourire, s'avançait à son tour. Quand elle l'aperçut, Damisa s'inclina, le visage radieux, dans le salut réservé aux princes régnants. Elle fit à Ardral et à Micail le salut destiné aux seigneurs du Temple, mais on aurait dit que son regard ne parvenait pas à se détacher du prince d'Alkonath.

— Mais c'est ma petite cousine ! s'exclama Tjalan. Grâces soient rendues au dieu des chemins pour votre arrivée ! Entrez donc en cette heure propice, et que la peur ne vous effleure pas en mon domaine. Bienvenue ! Bienvenue, ma cousine. Je n'avais pas envisagé une telle joie.

Quand Damisa se redressa, le rouge aux joues, Élara la vit tirer discrètement sur le bas de sa toge. « Elle a grandi, aussi ! »

— Mon prince, disait la jeune fille, je suis reconnaissante aux dieux de vous trouver ici. Je vous amène les salutations de notre communauté dans le Pays d'été, ainsi que celles de nos guides, le gardien Chédan Arados et la gardienne Tiri… Eilantha.

Damisa leva les yeux vers Micail. « Que quelqu'un l'aide ! » pensa Élara en le voyant blêmir. Ardral s'avança et attrapa le coude de Micail.

— Nous nous réjouissons de te voir, ô acolyte. Ton message d'espoir guérit les plaies de nos cœurs.

Le vieil homme avait parlé avec sa componction habituelle, mais il y avait une trace de brusquerie dans sa voix. Les sourcils levés, il dirigeait son regard perçant sur le jeune homme qui se tenait derrière Damisa. Elle n'attendit pas qu'il ait posé la question.

— Je vous présente Reidel, fils de Sarhedran, l'ancien capitaine du *Serpent écarlate*, devenu prêtre du sixième ordre du Temple de la Lumière…

Sous les regards choqués des représentants de la prêtrise, le visage buriné de Reidel se figea, mais il réussit à s'incliner fort gracieusement. Cléta s'approcha d'Élara et lui murmura à l'oreille :

320

— S'ils ont admis un *roturier*, ça doit vouloir dire qu'ils sont encore moins nombreux que nous.

— Venez, à présent, dit Tjalan avec chaleur en reprenant le contrôle de la situation. Venez vous abriter de la pluie et savourer la fin de votre voyage. Quand vous serez reposés et réconfortés par un bon repas, vous nous raconterez peut-être vos aventures au pays du lac.

La tradition atlante exigeait que les nouveaux venus fussent accueillis avec de la nourriture et des boissons. Micail repensa à la fête qui avait suivi l'arrivée de Tjalan et de ses navires sur Ahtarrath, où, comme aujourd'hui, la courtoisie superficielle avait pesé comme un couvercle sur un chaudron frémissant de non-dits. Damisa ne perdit pas un instant, cependant, pour leur dresser la liste de ceux qui avaient trouvé refuge près du Tor et pour assurer à Micail que Tiriki allait bien. Mais une ou deux fois, pendant son récit de leur découverte du Tor et de leur installation, elle montra une certaine hésitation ou répondit trop rapidement, ce qui incita Micail à penser qu'il devait y avoir deux ou trois choses dont on lui avait interdit de parler.

« Tiriki est vivante ! » Micail débordait de questions qu'il ne pouvait pas encore poser. Tiriki avait-elle ressenti le même vide que lui, durant toutes ces années ? Quelles souffrances avait-elle dû endurer, alors qu'il n'était pas là pour la protéger ? Damisa disait qu'elle était en bonne santé — pourquoi alors n'avait-elle pas accompagné les autres ? Il se retenait à grand-peine de courir chercher les guerriers du Taureau Bleu pour exiger qu'ils l'emmènent au Pays d'été immédiatement. Mais ils étaient avec Anet. Il frémissait à l'idée de lui demander de le mener auprès d'une femme qu'elle devait considérer comme sa rivale. Il était sans doute préférable d'attendre et de voir ce que Tjalan avait l'intention de faire.

L'attitude enjouée de Tjalan était encore plus hypocrite que la sienne. La politesse interdisait à Micail d'interrompre la réception pour demander des nouvelles de Tiriki, aussi il attendit impatiemment le moment de parler avec Damisa en tête-à-tête ; mais avant qu'il n'y parvienne, le prince mit un terme aux réjouissances en suggérant aux arrivants de se retirer dans les chambres qui avaient été mises à leur disposition pour qu'ils puissent se reposer. Reidel eut l'air contrarié d'être séparé de Damisa, mais lorsque la jeune femme eut réalisé qu'un véritable bain atlante l'attendait, elle se laissa conduire par les serviteurs de Tjalan sans un regard en arrière.

Pendant ce temps, le prince invitait Ardral et Micail à l'accompagner dans le salon le plus reculé de sa forteresse, où les autres gardiens attendaient déjà, assis sur des banquettes aux dossiers richement sculptés regroupées autour d'un feu vif. Micail n'était jamais entré dans cette pièce, mais il ne fut pas surpris de constater que même ici, au cœur de la sauvage Azan, où les tapis recouvraient un simple sol de terre battue, Tjalan avait réussi à s'entourer d'un grand luxe. Il y avait même une sorte de trône, un siège de bonnes dimensions dont les pieds étaient sculptés en forme de faucons.

Le salon grouillait de serviteurs du prince s'assurant que chacun était pourvu d'une boisson ou d'une assiette pleine. Micail laissa Ardral le guider vers un siège plus proche de Naranshada que de Haladris.

— Je suis heureuse que nous ayons pu nous réunir, disait Mahadalku, le sourire plus glacé que la pluie qui martelait les toits. On dit que Chédan Arados est un excellent chantre, et j'ai entendu dire la même chose de votre princesse, ajouta-t-elle avec un hochement de tête en direction de Micail. Ils nous seront fort utiles, et je ne doute pas que nous pourrons aussi utiliser l'aide des autres — quoique j'aie de sérieux doutes à propos de ce... marin, Reidel.

— Il a l'air d'être un charmant jeune homme, suggéra Stathalkha.

— Oui, il a l'air aimable, concéda Mahadalku froidement, mais il n'a pas été soumis à la formation du Temple dès l'enfance. Comment pourrait-il contrôler un véritable pouvoir ?

— Certains des Douze n'ont pas eu cette formation précoce, répondit Naranshada avec un haussement d'épaule. Ils se débrouillent pourtant très bien. Cette nouvelle contrée ne déborde pas d'Atlantes, quelle que soit leur caste. Nous aurons à faire face à ce problème à un moment ou à un autre, même si nous accueillons une douzaine d'autres navires. Quant à moi, je vois mal le maître Chédan Arados permettre à quiconque d'être initié, à moins d'avoir un véritable potentiel.

— Je vous assure qu'il ne le ferait jamais, intervint Ardral sous le murmure approbateur de deux ou trois personnes, car la gloire de Chédan était grande.

— Dire qu'ils étaient là depuis tout ce temps, dit Micail soudain. Juste de l'autre côté de ces collines. Comment se fait-il que tu ne les aies pas remarqués, Stathalkha? On m'avait affirmé que tes voyants avaient cherché partout... pourquoi ne les ont-ils pas trouvés?

— Peut-être les avions-nous trouvés, répondit Stathalkha en tournant son visage ridé pour lui faire face directement. Nous avons repéré plusieurs endroits où le pouvoir était utilisé et où l'énergie avait un air... familier. Il me semble qu'une colline, qui correspondrait à la description de cette fille, figurait sur cette liste. Mais ce que nous cherchions, c'était un endroit où construire notre roue du soleil. Mahadalku et moi avons considéré que si certains de nos compatriotes étaient à proximité, nous finirions par les trouver. Et c'est ce qui est arrivé! conclut-elle d'un ton triomphal.

Micail réalisa soudain que la poigne d'Ardral lui broyait l'épaule et il desserra les poings. Étrangler la fragile prêtresse de Tarisseda n'aurait rien arrangé.

— Oui, nous les avons trouvés, murmurait Tjalan, l'air songeur, ses traits puissants luisant comme le bronze à la lumière des flammes. Il pourrait être intéressant de créer un nouveau port sur la côte. Il semble qu'ils soient plus près que Belsairath.

— Je doute que cela soit pertinent, lui répliqua Haladris. D'après ce que j'ai entendu dire, les conditions de vie là-bas sont... primitives. Que ferions-nous d'un tel endroit?

— Un refuge, intervint Ardral, si les choses tournent mal ici?

Tjalan fronça les sourcils.

— Que veux-tu dire? Il est vrai que les tribus sont agitées ces temps-ci, mais elles ne pourront rien entreprendre avant longtemps. Et à ce moment-là, la roue du soleil sera terminée et nous serons en mesure de frapper un coup fatal n'importe où sur la plaine, et même au-delà. Les Ai-Zir rentreront vite dans le rang après ça.

Micail fut pris de vertige.

— Que veux-tu dire? Le pouvoir doit être utilisé pour construire le temple.

— Évidemment, évidemment, dit Delengirol d'un ton bourru, mais nous ne construirons pas grand-chose sans ouvriers supplémentaires.

— Et on devra probablement démontrer le pouvoir du cercle afin de... d'impressionner les indigènes.

— Les *impressionner*?

La peau de Micail frissonnait, comme si un éclair était sur le point de s'abattre depuis les nuages. Ardral se redressa, le regard inquiet. Mahadalku, insensible au danger, hocha la tête.

— Mais oui, tu dois bien comprendre tout de même qu'il nous faut garder les tribus sous contrôle. Au moins jusqu'à ce qu'elles aient... réalisé tout leur potentiel, conclut-elle avec un sourire de condescendance.

Micail, la conscience palpitante, réprima la rage qui l'animait. Stupéfait, il reconnut le feu familier qui courait dans ses veines – pas une seule fois, durant toutes les années qui avaient suivi son départ d'Atlantis, les dons hérités de ses pères ne s'étaient éveillés en lui.

Mais comment entrer en contact avec les pouvoirs qui étaient les siens, pas en tant que gardien de la Lumière mais en tant que prince d'Ahtarrath, alors que son île avait disparu? Il lutta de toutes ses forces pour reprendre possession de lui-même mais, dans le salon, la tension était devenue palpable. Les cieux renvoyèrent l'écho d'un coup de tonnerre et une bourrasque rabattit violemment la pluie sur les murs.

De tous les participants à la réunion, seul Tjalan, qui connaissait mal les traditions d'Ahtarrath, ne comprit pas la signification de ce distant coup de tonnerre. Dans le regard des autres se mêlèrent stupéfaction et conjectures lorsqu'ils eurent réalisé que les pouvoirs d'Ahtarrath avaient été rétablis.

Mais pendant que les gardiens dévisageaient Micail, Tjalan se contenta d'avaler une gorgée de vin et de dire avec un sourire indulgent:

— Je sais, je sais, ça a l'air contradictoire. Au nom de la Lumière, nous les accablons de labeur et de souffrances. Mais c'est temporaire. Lorsqu'ils verront de quoi nous sommes vraiment capables, ils nous acclameront. Et je te le demande, mon cousin, comment crois-tu que les temples d'Atlantis ont été construits? Comme tu l'as vu, même les plus grands mages ont besoin de l'aide d'hommes ordinaires.

«C'est Tiriki, se disait Micail qui n'écoutait Tjalan que d'une oreille. Savoir qu'elle est en vie suffit à refaire de moi un homme entier. Je croyais que mes pouvoirs me venaient de mon île, et pourtant je les ai emmenés avec moi. Mais il me faudra être prudent.»

Tjalan avait pris le silence de Micail pour un assentiment, et il continua :

— Micail, mon vieux, après tout ce temps, tu dois bien commencer à voir les possibilités infinies qui s'offrent à nous dans ce pays ? Avec ses ressources et sa population, cet endroit pourrait devenir plus glorieux encore que tous les royaumes des Mers réunis !

Micail restait assis sans bouger ; son cœur battait toujours à toute allure, néanmoins il se contrôlait. En cet instant, ce n'était pas le potentiel de ce pays qui l'intéressait, mais le sien propre. Mais peut-être sa venue ici avait-elle modifié ses pouvoirs ? À cette pensée, sa joie s'évanouit.

Tjalan ajouta d'un ton persuasif :

— Tous les temples de Manoah, même celui où tu servais sur Ahtarrath, étaient des copies du premier temple de la cité du Cercle du serpent, sur la Terre des Ancêtres. Tu es né là-bas, Micail, tu dois te souvenir des piliers de marbre et des escaliers d'or ? Reconstruire ce temple, voilà ta destinée. C'est là que toi et moi nous ranimerons la gloire du Radieux Empire !

«Pourquoi le devrions-nous ?» se demanda Micail. Le chaos émotionnel où il se débattait ne lui permit pas de répondre à cette question. Doutait-il des motivations de Tjalan, ou des siennes ? Naranshada semblait être le seul à partager son malaise. Le visage de Mahadalku et celui de Haladris étaient parfaitement sereins. Lorsqu'il se tourna vers Ardral, il vit dans les yeux du vieux gardien une lueur qu'il ne sut comment interpréter.

— Si au moins nous étions sûrs de ne pas reproduire leurs erreurs, murmurait Naranshada. Il y avait des raisons à la chute du Radieux Empire…

— Et à celle des royaumes de la Mer, ajouta Micail qui venait de retrouver sa voix.

— Certes, répondit Tjalan aimablement.

— En tout cas, nous ne sommes pas obligés de prendre une décision immédiatement, intervint Ardral. Peut-être Tiriki et Chédan sont-ils en train de créer quelque chose qui contribuera à la réalisation de ce que nous espérons réussir. Les voies des dieux sont impénétrables.

— C'est vrai, fit Naranshada. Nous ne parlons pas de quelques chélas qu'il suffirait de faire rentrer dans le rang. Chédan est un mage et Tiriki une gardienne. Ils ont régné sur leur propre temple pendant cinq ans. Nous devons entendre ce qu'ils ont à dire.

— C'est précisément pour ça qu'ils devraient être ici ! s'exclama Tjalan. Grands dieux, cousin, tu es le mari de Tiriki ! Pourquoi n'est-elle pas ici, à tes côtés ?

— Évidemment, que je veux être avec elle ! l'interrompit Micail.

Il ne doutait pas – il ne *pouvait pas* douter – qu'elle aussi veuille être avec lui. Mais l'idée de lui donner un *ordre* le consternait. Ils s'étaient toujours traités mutuellement comme des égaux.

— Qu'elle désire ou non se joindre à nous, elle doit y être contrainte pour le bien de tous, dit Mahadalku sur un ton véhément. Avec tout le respect que je te dois, seigneur Micail, ta femme n'est pas une gardienne de haut rang.

— Que veux-tu dire ? siffla Micail, les dents serrées.

— Que nous ne pouvons pas la laisser décider seule, répondit Haladris. L'égalité dont tu fais si grand cas implique qu'elle doive prendre la place qui lui revient dans notre hiérarchie. Seule la discipline traditionnelle peut préserver notre mode de vie. Sinon, nous sommes trop peu nombreux pour assurer la survie de notre caste. Si le grand Chédan Arados était ici, je suis certain qu'il serait d'accord avec moi.

— Nous anticipons peut-être sur les problèmes, dit Ardral d'un ton conciliant. La communauté du Tor est peut-être impatiente de nous rejoindre, pourquoi les accabler de menaces et d'exigences ? Pourquoi ne pas attendre d'avoir pu parler avec eux ? Chédan est mon neveu, mais surtout je le considère comme un homme sage. Je pense qu'il choisira ce qui peut bénéficier à tous.

Micail fronça les sourcils. Confronté à une situation conflictuelle, Ardral choisissait toujours de ne pas voir les choses en face. Mais quelles qu'aient pu être les raisons de l'adepte pour calmer les esprits, Micail lui en était reconnaissant. Dans tous ses rêves, les retrouvailles avec Tiriki n'amenaient que de la joie, mais cette discussion l'avait mis très mal à l'aise. À l'exception de Tjalan, tous étaient des gardiens qui avaient consacré leur vie aux mêmes idéaux que lui et fait le même serment de servir les dieux. Pourquoi, alors, avait-il l'impression de se trouver au milieu d'ennemis ?

Quand Ardral se dirigea vers la porte, Micail se leva pour le suivre, mais Tjalan lui prit le bras doucement.

— Je sens bien que les événements d'aujourd'hui t'ont bouleversé.

Micail le toisa sans oser poursuivre la conversation. L'afflux de pouvoir qu'il avait ressenti plus tôt avait secoué son esprit en même temps qu'il avait revigoré son corps, et il ne pouvait se fier à son sang-froid.

— Ces gardiens peuvent être difficiles à supporter, je le sais bien, reprit Tjalan. (Sous le charme de son cousin, Micail se détendit un peu – juste un peu.) Rappelle-toi qu'ils sont vieux. Si seulement ils avaient le cœur aussi jeune que le vôtre ! ajouta-t-il en direction d'Ardral avant de se retourner vers Micail. Surtout Haladris et Mahadalku… Chez nous, ces deux-là étaient responsables de leur propre temple, ne l'oublie pas. Cela ne fait de mal à personne de les laisser s'exprimer maintenant. Lorsque notre peuple sera réuni à nouveau, c'est toi qui sera à la tête du nouveau Temple. Cette responsabilité t'a toujours été destinée.

« Mais suis-je en mesure d'endosser une telle responsabilité ? » se demandait Micail tandis qu'il abandonnait Tjalan à son trône, ses soldats et ses rêves de gloire. « Est-ce là la destinée que la prophétie de Rajasta me promettait ? J'ai l'impression de me tenir au milieu d'une meute de bêtes sauvages, essayant de décider laquelle aura l'honneur de me dévorer. »

Il laissa Ardral l'escorter jusqu'au portail, mais le vieux gardien n'avait pas plus tôt tourné les talons pour retourner à l'intérieur de la forteresse que Micail en fit autant, par un chemin différent.

Après avoir erré un moment, il finit par trouver Reidel et un de ses hommes en train de discuter dans la salle centrale. Quand il leur demanda ce qu'ils faisaient là, Reidel se contenta de montrer du doigt la pièce contiguë où Damisa était assise près d'un feu, entourée d'acolytes et de chélas. Micail hésita un instant. Ils avaient l'air si jeunes, si vigoureux et si pleins d'espoir. Avait-il le droit de leur faire partager ses angoisses ? Mais il fallait qu'il sache.

Ils se tournèrent vers lui quand il pénétra dans la lumière. Leurs regards étaient accueillants et interrogateurs, et celui d'Élara était empli d'une compassion inattendue – mais elle avait toujours su interpréter ses humeurs. C'était Damisa qui l'intéressait à présent.

– Voudrais-tu… ? (Il s'éclaircit la gorge.) Damisa, je ne tiens pas à te séparer de tes amis si vite, mais j'aimerais beaucoup parler un moment avec toi.

– Bien sûr. (Elle s'était redressée dans un mouvement fluide.) Vous devez avoir envie de tout savoir, et puis je peux parler plus tard avec ces… soi-disant serviteurs de la Lumière !

Il les suivit du regard quand ils passèrent la porte, et rencontra à nouveau le regard de Reidel. Il eut envie de rassurer l'ancien capitaine et de lui dire qu'il lui rendrait Damisa un peu plus tard. Mais Reidel était un prêtre désormais, et il avait un grade inférieur à celui d'un acolyte. Il n'avait pas le droit, à plus forte raison, de contester ce qu'un gardien du Temple voulait faire.

– Ce jeune homme, commença-t-il en s'éloignant en compagnie de Damisa. Comment s'appelle-t-il ? Reidel ? Il a l'air… très protecteur. Croit-il que je vais te faire du mal ?

– Oh, non ! s'exclama Damisa avec un regard furieux par-dessus son épaule. Pardonnez-lui, seigneur gardien. Il croit être amoureux de moi.

– Mais toi, tu n'es pas amoureuse de lui ?

Micail fit un signe de tête au garde de service près du portail lorsqu'ils s'engagèrent sur le chemin qui descendait à la rivière. La pluie s'était arrêtée et le soleil commençait à percer les bancs de nuages qui s'enroulaient comme des écharpes de feu autour des collines lointaines. « Tiriki voit le même coucher de soleil », se dit-il avec une bouffée d'émotion.

– Pour être honnête, répondit Damisa d'un ton las, je pense lui avoir donné des raisons de croire que je l'étais. Mais c'était une erreur ; j'ai essayé de lui expliquer. Il ne dit plus rien à ce sujet, mais… il m'observe.

– S'il t'ennuie…, commença Micail, mais elle secoua la tête.

– Non ! Pardon, ajouta-t-elle d'un air contrit. Je suis habituée à l'absence de cérémonie dans la communauté du Tor et dans les marécages. Je me suis déjà couverte de honte avec le prince Tjalan.

Je vous en prie, seigneur gardien ! Reidel est mon problème… mon erreur. Ma responsabilité. Je vous en prie…

Micail hocha la tête ; il la regarda plus attentivement. Elle n'était plus la sérieuse petite jeune fille qu'il avait rencontrée sur Ahtarrath, mais la femme qui se tenait devant lui avait toujours cette même intensité dans le regard – elle avait toujours l'air sur le fil du rasoir.

— Je vois que tu as bien appris tes leçons, dit-il avec un sourire. Mais tu n'as pas besoin de m'appeler « seigneur gardien », j'entends ça assez souvent. Appelle-moi Micail. Et donne-moi des nouvelles de Tiriki, ajouta-t-il d'un air avide.

— Bien sûr. Elle est en bonne santé, grâces soient rendues à Caratra. C'est elle qui nous a soutenus toutes ces années, elle et Chédan.

— Alors pourquoi n'est-elle pas venue avec vous ?

— Je suis sûre qu'elle en avait envie, répondit Damisa rapidement. Mais elle avait veillé toute la nuit près du lit de mort d'Alyssa. Et puis apprendre que tu étais là – et l'apprendre de cette façon –, ça a été un choc pour elle. Elle n'avait jamais perdu l'espoir qu'elle te retrouverait un jour, mais elle avait… mis cet espoir de côté. Alors Chédan a pensé qu'il valait mieux envoyer quelqu'un de plus costaud ; je suppose que ça veut dire quelqu'un de moins indispensable…, fit-elle avec un sourire. Je suis sûre que quand elle s'est réveillée et qu'elle a vu que nous étions partis, elle a été furieuse envers Chédan, et n'a pas laissé passer l'occasion de le lui dire.

Micail cligna des yeux, essayant d'imaginer sa douce Tiriki réprimander qui que ce soit.

— Alors, Chédan est votre responsable ?

— Pas vraiment… enfin si, en un sens. Il dit que nous ne sommes pas assez nombreux pour avoir un véritable responsable. Mais pour tout ce qui est important, lui et Tiriki partagent les responsabilités.

« Comme elle et moi le faisions. M'a-t-elle remplacé aussi pour autre chose ? » se demanda Micail avec un frisson de jalousie. Mais même si cette question brûlait dans son âme, il savait qu'il n'avait pas le droit de reprocher à sa femme ce qu'elle avait dû faire pour survivre dans un environnement qu'il estimait beaucoup plus hostile que Belsairath ou même Azan.

Un vent léger courait dans les saules ; de la plaine vint l'appel d'une chouette en chasse. Curieusement, ces petits bruits intensifiaient le silence. Le sombre alignement des arbres près de la rivière dissimulait la plaine, mais même les yeux fermés il aurait pu montrer la direction du cercle de pierres.

— Et puis Chédan a dû considérer qu'elle ne devait pas quitter l'enfant, laissa tomber Damisa dans le silence.

Micail leva la tête brusquement ; la roue du soleil était oubliée. La gorge serrée, il laissa échapper :

— Quel enfant ?

— Son enfant… le tien, je veux dire. J'en suis sûre à présent. La chevelure de Domara ressemble tellement à la tienne ! Tu lui ressembles tellement, enfin elle je veux dire…

— Mais Tiriki n'était pas… Elle ne me l'a jamais dit !

Il se demanda si son cœur allait parvenir à s'échapper de sa poitrine.

— Elle ne le savait pas, répondit Damisa avec compassion. Pendant notre voyage, elle croyait qu'elle avait le mal de mer. Elle a terriblement souffert. C'est Taret qui le lui a appris, la vieille femme vénérable du Tor. Elle a la Vision…

— Une fille…, murmura Micail.

— Elle s'appelle Domara. J'aurais dû parler d'elle quand j'ai fait mon premier rapport, mais nous sommes tellement habitués à elle que je n'ai pas pensé… Mais tu dois te réjouir de ne pas avoir appris ça au milieu d'une réunion ! Domara est née au moment du solstice d'hiver, pendant la première année. Elle a eu cinq ans cette année. C'est une adorable petite…

Micail, qui était en train de faire des calculs, l'entendit à peine. Les dates concordaient, si Tiriki l'avait conçue pendant les tout derniers jours qui avaient précédé le Cataclysme. Mais comment… alors que sa semence n'avait pas pris racine durant toutes ces années de paix… Comment avait-elle pu porter un enfant au milieu du chaos ?

Inconsciente des émotions qui tournoyaient en lui, Damisa continuait à parler :

— L'enfant de Sélast naîtra cet été. Tu vois, nous avons plusieurs enfants au Tor. Mais il a dû y avoir beaucoup de naissances ici aussi…

— Je ne sais pas, marmotta-t-il.

Remarquer de telles choses n'aurait fait qu'ajouter à sa souffrance, se dit-il. Quant à ce qu'il ressentait à présent, il n'en savait trop rien. De la fierté ? de la joie ? de la peur ? Cela n'avait pas d'importance. Son cœur chantait : « J'ai un enfant ! »

Décidément, c'était la soirée des entretiens privés, se dit Damisa en s'asseyant sur le siège que lui présentait le prince Tjalan. Micail venait de la raccompagner aux appartements des acolytes lorsqu'un serviteur l'avait mandée à la cour du prince, au milieu de l'enceinte. Il n'y avait pas de colline sur laquelle adosser la forteresse, aussi les maçons avaient-ils monté les murs avec des pierres et enduit les murs intérieurs.

Elle s'installa sur les coussins avec un soupir de bien-être ; son corps avait oublié ce qu'était le confort. Dans la communauté du Tor, ils avaient quelques hamacs, mais surtout des tabourets et des bancs durs taillés dans des troncs d'arbre. Il y avait bien longtemps qu'elle ne s'était assise dans un véritable fauteuil. Ses yeux se remplirent de larmes lorsqu'elle reconnut les motifs typiquement alkoniens des tentures pendues le long des murs.

Une servante silencieuse posa un élégant flacon et deux verres filigranés sur la table incrustée d'or, puis se retira. « Je rêve ! pensa Damisa. Ces cinq dernières années n'étaient qu'un cauchemar, et je me réveille ; je suis en sécurité à la maison... » Mais elle ne pouvait ignorer les rides amères sur le visage du prince Tjalan, ni l'argent qui se mêlait à ses cheveux.

Tjalan versait délicatement un liquide pâle et doré dans les verres.

— À quoi boirons-nous ? demanda-t-il en lui tendant le sien. Au Radieux Empire ? Aux sept gardiens ?

— À l'espoir que porte ce nouveau pays ? répondit-elle timidement, levant son verre.

— Ah ! Oui ! répondit Tjalan avec un grand sourire. Tu es vraiment de ma famille !

La liqueur était sucrée, mais elle la sentit lui brûler la gorge.

— C'est du raf ni'iri, la prévint Tjalan, fais attention. C'est toujours plus fort qu'on ne le croit.

Il se laissa aller contre le dossier de son fauteuil et leva son verre entre ses longs doigts fins pour en respirer les arômes délicats. Elle remarqua qu'il l'examinait avec un sourire ambigu et se sentit rougir. Elle n'aurait su dire si c'était sous l'effet de la boisson ou de l'embarras.

– Ma chère, tu as rempli toutes les promesses de ta jeunesse, dit enfin le prince. De la délicate fleur que tu étais, tu es devenue une femme ravissante. Et une femme qui sait proposer un toast, qui plus est !

Ses joues tournèrent au cramoisi. C'était étrange : quand Reidel lui disait de telles choses, elle savait qu'il le pensait. Avec Tjalan… Mais non ; ce n'était que de la politesse, évidemment. Sa femme était – avait été – d'une grande beauté, après tout.

– Tu crois que je suis un flatteur, n'est-ce pas ? rit Tjalan, ravi de sa confusion. Mais quand je t'emmènerai à Belsairath et que nous t'habillerons comme il sied à une princesse de sang royal, tu verras ce que c'est que la véritable flatterie !

« Mais je suis une prêtresse, pas une princesse, se dit-elle. Et puis, il a raison, cette liqueur est redoutable. » Elle leva le verre et fit semblant de le humer comme il l'avait fait, puis elle le posa sur la table avec détermination.

– Lorsque nous aurons secouru le reste de tes compagnons dans ces marécages et que nous aurons fini de construire la roue du soleil, nous allons créer un empire dans ce pays…

Les yeux de Tjalan s'illuminèrent lorsqu'il se mit à décrire les cités qu'il bâtirait, les routes et les ports qu'il allait construire – le tableau qu'il peignait ressemblait au royaume perdu, plus splendide encore qu'il n'avait été. Dans un coin de son esprit, Damisa se demandait si un tel empire était possible. D'après ce que Micail avait dit, Tjalan n'avait à sa disposition que quelques prêtres et une poignée de soldats.

« Les doutes du vieux Chédan m'auraient-ils contaminée ? se réprimanda-t-elle. Ai-je commencé à croire, moi aussi, que ce que nous avons perdu ne pourra jamais être reconstruit ? » Elle n'avait jamais parlé à personne, pas même à Sélast, des cauchemars où elle tentait sans succès de résister aux forces étranges qui suintaient de l'Omphale. « Chédan a dit qu'il valait mieux ne pas leur apprendre que l'Omphale est près du Tor », se dit-elle.

– Bref, disait Tjalan, lorsque nous irons chercher les autres, je compte sur toi pour leur expliquer tout ça.

Elle revint subitement à la réalité.

— Je ne suis pas certaine que Tiriki veuille partir. Elle a beaucoup travaillé pour construire… notre communauté. Il vaudrait mieux que j'y retourne avec Reidel et que nous leur parlions, quand nous pourrons avoir un autre guide.

— Tu ne connais pas le chemin ? demanda-t-il avec une certaine brusquerie qui la mit sur ses gardes.

— Lorsque je ne vois plus le Tor, pour moi, une colline ressemble à n'importe quelle autre colline, mentit-elle. Je suis sûre qu'il en va de même pour Reidel. Il dit toujours qu'en mer, tout est plus simple.

Chédan lui avait recommandé de ne pas révéler exactement l'endroit où ils se trouvaient, jusqu'à ce qu'elle soit sûre qu'il n'était pas dangereux de le faire. Elle réalisa qu'elle ne faisait pas vraiment confiance à Tjalan, malgré ses flatteries, ou peut-être à cause d'elles. «De plus, il vaut mieux garder quelques informations en réserve ; c'est ma seule ressource. »

— Voilà qui est… dommage, dit Tjalan. Mais tu as eu une journée éprouvante. Tu devrais te reposer à présent. Ma servante te montrera où tu peux dormir.

Un peu déstabilisée par sa soudaine froideur, Damisa se laissa conduire à un lit qui lui sembla presque trop moelleux. Ses membres s'étaient accoutumés au contact des peaux de bêtes posées sur du foin, et le sommeil fut long à venir. Elle se réveilla longtemps après les prières du matin, avec un mal de tête lancinant. Quand elle put enfin se lever, elle découvrit que personne, parmi les acolytes, ne savait où Reidel et ses trois marins avaient passé la nuit.

Lorsqu'elle s'approcha du portail pour aller faire un tour le long de la rivière, en espérant que cela lui éclaircirait les idées, un garde souriant lui barra la route avec sa lance. C'est alors qu'elle réalisa qu'elle était prisonnière.

— Tu as vu Damisa, ce matin ? demanda Lanath à Élara en la prenant par le bras pour la mener vers les bancs sous les trois châtaigniers où attendaient déjà les acolytes et les chélas.

Lorsque le temps le permettait, ils se réunissaient là pour les leçons mais, ce matin, les prêtres étaient réunis en conclave. Élara se doutait cependant qu'ils devaient parler de la même chose qu'eux. Depuis l'arrivée de Damisa et de Reidel, les rumeurs couraient dans le campement comme le vent dans les arbres – les tribus prépareraient une révolte ; les marins de Reidel arrivaient pour libérer leur capitaine ; le prince organisait une expédition pour écraser une rébellion ; des éclairs qui ne venaient pas du ciel avaient terrorisé les ouvriers du cercle de pierres… Tout ce dont on pouvait être certain, c'était que les soldats de Tjalan affûtaient leurs armes et raccommodaient leurs armures de cuir.

– Si je l'ai *vue* ? Je l'ai *entendue*, en tout cas. Elle était en train d'insulter un garde qui refusait de la laisser franchir le portail. Je les ai croisés alors qu'il la ramenait de force chez Tjalan, et elle m'a chuchoté « Trouve Reidel ! ». Mais je ne l'ai pas trouvé.

– Une acolyte retenue prisonnière ? marmonna Galara. Ce n'est pas possible.

– Nous devons trouver Reidel, répéta Élara.

– Je n'aime pas ça, grommela Lanath. J'aurais l'impression de faire les choses en douce, dans le dos de nos supérieurs.

Cléta le considéra d'un air méprisant.

– Tu crois qu'ils vont nous demander notre avis ? Je ne crois pas que nous ayons le choix.

– Je ne comprends pas où est le problème, la coupa Vialmar en repoussant une mèche de cheveux qui lui tombait dans les yeux. Pourquoi refusent-ils de se joindre à nous ? J'ai vraiment envie de revoir Kalaran et les autres. Est-ce qu'ils ne veulent pas nous voir ? Enfin, ici c'est déjà inconfortable… (Il contempla la palissade comme s'il s'attendait à voir une furieuse horde de guerriers ai-zir en train de charger.) Mais d'après ce que Damisa nous a dit hier soir, là-bas ils n'ont rien du tout ! J'aurais cru qu'ils seraient contents de nous rejoindre.

– Qu'ils soient contents ou pas, fit observer Élara, en tout cas ils ont appris à survivre. Je ne sais pas combien de tonneaux de vin Tjalan et ses soldats ont amené dans leurs bateaux, mais lorsqu'ils seront vides, il n'y en aura plus. Peut-être que Chédan et Tiriki sont plus sages que nous : ils ont commencé par apprendre comment vivre ici. Nous devrons tous y venir un jour.

— Pas une fois que le cercle de pierres sera achevé, l'interrompit Karagon. Nous aurons assez de pouvoir pour faire face à n'importe quoi, à ce moment-là.

— Je me demande s'il est bon que le cercle de pierres soit achevé, dit Lanath. Cet endroit me donne froid dans le dos.

— Mais ce qui compte, c'est que les gens soient libres de décider par eux-mêmes, et ça n'a jamais été dans la tradition du Temple de les enfermer pour les obliger à choisir ! s'écria Élara.

— Je suis d'accord, dit Cléta. Sur Ahtarrath, le seigneur Micail était à la fois prince et grand prêtre, alors il n'y avait jamais de conflit d'intérêt, mais ces derniers temps… Je ne sais pas. Je me sentirais mieux si je savais ce qui est arrivé à Reidel.

— C'est juste un marin ! ricana Karagon.

— Non, Damisa a dit qu'il était initié, le corrigea Li'ija. Mais ça n'a pas d'importance. Tjalan n'aurait pas dû les enfermer, ni l'un ni l'autre.

— Bon, soupira Galara. Alors que suggérez-vous ?

— Je t'ai dit que j'avais regardé partout, dit Élara, dans tous les bâtiments. Il n'est pas dans la forteresse.

— Il s'est peut-être enfui, avança Karagon plein d'espoir.

— N'y compte pas trop, conseilla Cléta. S'il n'est pas ici, il est peut-être au village ?

Une par une, les têtes se tournèrent vers Élara. C'était elle qui avait noué le plus de liens avec les Ai-Zir.

— Très bien. Je vais y aller.

Elle trouva la reine Khayan-e-Durr à son occupation habituelle, en train de filer la laine avec ses femmes sous le doux soleil printanier. Après les saluts cérémonieux et compliqués, Élara commença à lui raconter toute l'histoire, mais elle ne fut guère surprise de constater que la reine était déjà au courant. Le problème était plutôt de lui faire sentir que c'était important.

— Si on laisse faire le prince Tjalan, ton fils ne sera jamais chef, car il n'y aura plus de chef. Si le prince emprisonne les siens, crois-tu qu'il laissera ton peuple continuer à circuler librement ? (Élara ne savait pas si ses arguments avaient la moindre portée auprès de la reine.) Tout ce qui peut aider ceux qui ne pensent pas comme lui entravera son pouvoir.

— C'est vrai, répondit la reine. Mais il y a bien des années, deux de nos chamans se sont querellés. Avant même qu'ils n'aient résolu leurs problèmes, une épidémie avait décimé les deux tribus. Je me demande qui mourra avant que vos mages n'aient réglé leurs affaires ?

— Préférez-vous vivre comme des esclaves ? s'exclama Élara. Il faudra bien que vous choisissiez votre camp !

Elle se demanda alors : « Et moi, quand exactement ai-je fait mon choix ? » Khayan lui lança un regard bizarre.

— Tu trahis ton propre peuple ?

— Je ne pense pas le trahir, répondit Élara simplement. Je pense que certains d'entre eux se trahissent eux-mêmes. Quant à moi, je suis fidèle à mes dieux.

La reine esquissa le signe de Caratra sur sa poitrine.

— Cette Tiriki, la femme du seigneur Micail. Elle s'est consacrée à la Déesse ?

— C'est ce que j'ai entendu dire… même si elle a aussi servi dans le Temple de la Lumière.

— Nous nous efforcerons de l'aider, répondit Khayan en souriant. Mais les dieux seuls savent si elle et Micail se retrouveront, ou s'éloigneront à jamais. Il ne suffit pas de libérer les prisonniers – à supposer qu'ils soient véritablement prisonniers. Tôt ou tard, Tjalan trouvera quelqu'un dans les tribus qui saura comment aller dans la région du lac. Nous n'y allons pas souvent, mais l'accès n'est pas secret. Ce Reidel aura besoin d'un guide, sinon ses ennemis arriveront avant lui. D'un guide, mais aussi d'une proposition d'alliance, ajouta-t-elle lentement. Sinon nous allons tous nous retrouver entraînés dans une guerre inutile. Je le dirai à Tjalan lorsque les prisonniers seront partis et hors d'atteinte.

— Attention ! s'écria Élara. Sa colère pourrait retomber sur toi !

— Il s'en mordrait les doigts, répliqua la reine. S'il m'arrive quoi que ce soit, toutes les âmes d'Azan se soulèveront pour me venger. Si Tjalan ne comprend pas ça, il vaudrait mieux que toi et dame Timul le lui disent.

À l'approche du solstice, le temps devint capricieux aux alentours du Tor, comme s'il était incapable de décider si c'était l'hiver ou l'été. Tiriki attendait le retour de Damisa et de Reidel et travaillait sur le labyrinthe pour oublier sa frustration.

«Cette journée ressemble à mon âme, pensait-elle en levant les yeux de la terre retournée vers le ciel nuageux, elle est hésitante.»

Savoir que Micail était en vie la comblait de joie, mais l'imaginer avec sa prêtresse indigène lui tordait le cœur comme une trahison; c'était pire que de l'avoir perdu. Elle comprenait cependant que les obligations d'un prêtre ou d'une prêtresse incluaient parfois une union rituelle, afin de fertiliser l'énergie de la terre. «Moi, je ne l'ai pas fait», se disait-elle avec une brusque jalousie.

Micail avait peut-être partagé la couche de cette princesse indigène pour cette raison-là. Anet n'avait pas suggéré qu'elle voulait de Micail comme amant, mais plutôt qu'elle pensait à lui comme au taureau qu'on mène aux génisses, pour améliorer le troupeau. Mais ce qui hantait les nuits de Tiriki, c'était le silence d'Anet: elle n'avait pas précisé si Micail avait accepté de partager sa couche… et Tiriki n'avait pas posé la question.

«Et s'il l'avait fait simplement pour assouvir un besoin, pourrais-je l'en blâmer? se demanda-t-elle pour la centième fois. Il croyait que j'étais morte. J'ai assez souhaité qu'il soit en vie et qu'il puisse trouver du réconfort. Suis-je restée fidèle par vertu, ou parce que personne ne s'est présenté qui aurait pu me faire douter?» Son raisonnement était imparable, mais au plus secret de son cœur elle ne pouvait pas l'accepter. Si *elle* avait été condamnée à dormir seule dans son lit pendant ces cinq années, Micail aurait dû dormir seul lui aussi!

Elle enfonça brutalement son outil dans le sol, comme si elle pouvait se débarrasser de ses incertitudes en attaquant la terre du chemin. Elle ne pouvait même pas s'emporter contre Chédan pour avoir fait partir Anet avec Damisa et Reidel pendant qu'elle dormait. Durant tout le printemps, le mage avait eu le souffle court. Il disait que le grand âge le rattrapait, mais elle craignait que sa toux ne soit pas un simple refroidissement que la chaleur des beaux jours n'aurait pas encore guéri.

Elle leva les yeux vers Élis, qui travaillait sur la spirale juste au-dessus d'elle, lorsque la jeune fille cria:

– Quelqu'un arrive ! Il a les cheveux noirs. Par les étoiles, c'est Reidel !

– Taisez-vous tous ! (Ce fut le ton, plutôt que le volume, de la voix de Chédan qui interrompit enfin les prêtres et les prêtresses.) C'est une surprise pour nous tous, c'est certain.

Guidé par un chasseur ai-zir, Reidel avait raccourci la durée du voyage de retour d'environ un tiers, mais ses joues creuses et les ombres sous ses yeux trahissaient plus l'angoisse que la fatigue, pensait le mage.

– J'ai eu du mal à croire que le prince utiliserait la force pour nous obliger à le rejoindre ; il sait pourtant combien nous désirions trouver d'autres survivants, dit Reidel avec un coup d'œil en direction de Tiriki, dont le visage était devenu impénétrable lorsqu'elle avait appris la nouvelle. Mais je ne pouvais pas interpréter autrement la présence d'un garde devant la porte de ma chambre ! Et Damisa est mieux installée que je ne l'étais, mais elle est tout de même prisonnière.

– Quelle mouche a piqué le prince Tjalan ? s'écria Liala. Il ne peut pas emprisonner une acolyte choisie par le Temple !

– C'est un scandale, confirma Dannetrasa.

– Oui, oui, les interrompit Chédan. Mais si vous avez une minute de patience, il y a une question que j'aimerais poser à Reidel, et pour ça, j'aurais besoin de m'entendre penser…

Il se tourna vers l'homme qui se tenait debout devant lui.

– Nous pouvons être certains qu'il ne sera fait aucun mal à Damisa, dit-il d'un ton apaisant. Elle est la cousine du prince Tjalan. Je puis vous assurer qu'il garantira sa sécurité.

– J'ai plutôt peur pour le prince, marmonna Iriel. Vous avez déjà vu Damisa quand elle est en colère ?

Des rires saluèrent ses paroles et firent baisser d'un cran la tension qui régnait parmi eux.

– C'est sa colère qui m'a fait libérer, dit Reidel. Ou du moins qui a poussé Élara à demander de l'aide aux Ai-Zir. Je n'en revenais pas quand j'ai vu la reine, en personne, entrer dans le bâtiment où ils m'avaient séquestré. Les gardes devant la porte étaient allongés par terre et ils dormaient comme des bébés ; la reine avait mis une potion dans leur bière. Tjalan ne la suspectera jamais ; les guerriers ont fait un trou dans le mur, depuis l'intérieur, pour faire croire que je m'étais échappé.

— Je suis heureux d'apprendre qu'Élara t'a aidé, répondit Chédan. Plus tard, je te demanderai de m'en dire plus sur les acolytes mais, pour l'instant, ce qui m'intéresse ce sont plutôt leurs aînés. Nous avons fait de toi un prêtre, Reidel, mais tu es toujours notre militaire le plus qualifié. À ton avis, quelles forces le prince Tjalan a-t-il à sa disposition… forces militaires s'entend ?

Le jeune homme réfléchit et leur décrivit ce qu'il avait vu. Comme Chédan s'en était douté, il avait évalué le nombre de soldats de Tjalan sans même en avoir eu conscience.

— Plus d'une centaine ? s'exclama Kalaran lorsque Reidel eut terminé son rapport. Mais nous ne pourrons jamais nous défendre par les armes !

— Par la magie, alors ? demanda Dannetrasa d'un air incertain. Mais là aussi, ils sont plus forts que nous. Ils ont *huit* gardiens, tu dis ? Et quatre acolytes, et encore d'autres prêtres et prêtresses ?

— Y compris Micail.

Tiriki avait parlé d'une voix neutre. La question que personne n'avait posée était dans tous leurs esprits : Micail avait-il été impuissant à empêcher l'emprisonnement de Damisa, ou était-il du côté du prince Tjalan ? Chédan soupira et ajouta :

— Et Ardral. Mais nous avons un avantage sur eux. Nous nous demandions à quel usage était destiné l'Omphale dans cette nouvelle contrée. S'ils cherchent à nous attaquer par des moyens spirituels, nous pouvons invoquer le pouvoir de l'Omphale et ils feront au moins autant de mal à eux-mêmes qu'à nous. Mais si tout cela devait tourner en véritable bataille de magie… nous perdrions tous. Non, il nous faut plutôt les convaincre. D'une façon ou d'une autre…

— Nous devons les rencontrer, dit Tiriki d'une voix toujours aussi blanche. Certains d'entre eux, du moins. Ni chez eux, ni ici, mais en terrain neutre. (Elle leva les yeux et sa voix se brisa enfin.) Je ne croirai *jamais* que Micail m'a trahie ! Mais je ne peux pas risquer vos vies.

— Nous ne pouvons pas risquer la tienne ! objecta Liala.

— Mais Chédan ne supporterait pas le voyage. (Elle leva une main pour l'empêcher de protester.) Et nous ne devons pas y aller tous les deux. Si l'allégeance de Micail… est en doute… Vous savez bien qu'il m'écoutera plus facilement, *moi*.

Chédan soupira à nouveau. Voilà ce qu'il en coûtait de l'avoir empêchée de partir la première fois. Il avait eu raison, et il pensait qu'elle en convenait, mais elle savait qu'il ne parviendrait pas à l'arrêter cette fois-ci.

— À mi-chemin entre ici et Azan, il y a une ancienne forteresse, sur une colline, dit alors Reidel. Nous y avons campé pendant le voyage. Nous pourrions leur proposer de nous rencontrer là-bas. Je suis volontaire pour retourner le leur dire.

« Tu es surtout volontaire pour retourner auprès de Damisa », pensa Chédan, mais il se tut. Après tout, la dévotion de Reidel était tout à son honneur.

— Très bien. Nous prendrons deux de tes meilleurs hommes pour nous escorter, mais pas plus. Ce sont des pourparlers, pas une bataille, lui rappela Tiriki. Tjalan essaiera peut-être d'attaquer pendant que je suis partie, et il vaut mieux que la plupart des hommes restent ici. Élis, Rendano, accepteriez-vous de m'accompagner ?

Chédan ne s'attendait pas à ce qu'ils refusent, et ils ne refusèrent pas, bien qu'il eût été difficile de dire lequel des deux avait l'air le plus mal à l'aise. Même à son âge, l'idée de s'opposer à la volonté d'un grand adepte comme Ardral le troublait… et il se demanda à nouveau quelle était la place d'Ardral dans la nouvelle communauté de Tjalan. Reidel n'avait fait que le croiser là-bas et ils ne s'étaient pas adressé la parole, mais la description qu'Anet avait faite de son oncle lui était restée à l'esprit. À présent, le vieil homme matois devait sans doute mieux comprendre la situation que Tjalan ou Micail eux-mêmes…

« Je les connais si bien, se dit le mage. Je devrais y aller. Mais Tiriki a raison, réalisa-t-il lorsque son genou l'élança tout à coup et lui rappela sa fragilité. Je ne peux pas faire le voyage maintenant. »

— Tiriki, appela Chédan quand ils quittèrent la salle du conseil. J'espère qu'il est superflu de ma part de te dire de faire attention. Mais rappelle-toi, l'énigme du destin, c'est que nous choisissons sans cesse notre propre destinée. Et ce n'est généralement pas celle que nous croyions avoir choisie sur le moment.

CHAPITRE 18

Tiriki était en bleu.

Dans les rêves qui avaient hanté son sommeil depuis l'arrivée du messager, Micail l'avait imaginée revêtue, sinon de l'immaculé vêtement sacerdotal, du moins de la simple tunique blanche des initiés du Temple. Pourtant, même à cette distance, il ne pouvait y avoir aucun doute : c'était elle. Personne d'autre qu'elle, dans ces contrées, n'avait les cheveux aussi blonds.

Mais elle n'était pas seule. Quatre autres silhouettes gravissaient la colline à ses côtés : un prêtre chauve, d'âge moyen, en tunique blanche bordée de rouge et assez élimée, et deux roturiers en bottes et en tunique de peau, armés de piques à pointe d'orichalque. Il y avait aussi une deuxième femme en bleu. « Peut-être Élis ? se demanda Micail. Damisa nous a dit que Sélast était enceinte. » Il secoua la tête, incapable d'imaginer l'une d'elles enceinte. Dans son souvenir, les acolytes n'étaient guère que des enfants – mais cinq ans plus tard, bien des choses avaient changé.

Et Tiriki, avait-elle changé ? Et lui ?

Son cœur battait à tout rompre dans sa poitrine. Ces cinq silhouettes étaient-elles vraiment seules ? De quel endroit secret, au cœur de cette étendue sauvage de collines embrumées, étaient-elles venues ? Un brouillard dense et gris voilait les plaines derrière lui, jusqu'au tertre où Tjalan et lui attendaient, comme si ce lieu isolé, avec ses murs de terre énigmatiques sous leur couverture végétale, n'était qu'une étape sur le chemin qui menait vers les brumes de l'autre monde.

Le vent se leva et, tout à coup, ils étaient assez près pour qu'on puisse distinguer leurs visages. Tiriki n'avait pas l'air plus âgée, mais plus solide, comme si les privations avaient mis en valeur la finesse de son visage et tonifié sa musculature. En réalité, elle avait l'air, si c'était possible, plus *elle-même* que jamais. Quoi qu'elle ait pu vivre, il semblait qu'elle n'en ait pas souffert. Elle se mouvait avec la grâce d'un être qui se sent à l'aise dans sa chair, et sa peau avait la saine teinte que donne la vie au grand air.

À présent, elle était suffisamment proche pour que leurs yeux se rencontrent – et ce qu'il vit dans les siens le poussa à franchir les quelques coudées qui les séparaient encore. Tjalan posa une main sur son bras :

– Attends ! Je croyais qu'on était d'accord…

Micail se tourna vers lui avec hargne :

– Elle est ma *femme* !

Les gardes du corps du prince ne pouvaient pas les entendre, mais ils se raidirent et se penchèrent en avant, comme des faucons qui viennent de repérer leur proie.

– Certes, murmura le prince, une main toujours agrippée à la manche de Micail. Mais Damisa nous en a appris beaucoup sur la proximité de Tiriki et de Chédan. Il l'a empêchée de venir te voir la dernière fois. Qu'y a-t-il de tellement surprenant à ce qu'une femme, laissée seule, transfère sa loyauté sur un autre ?

– Tu n'as pas cessé de distiller ce poison dans mes oreilles depuis que nous avons quitté Azan, gronda Micail.

– Regarde sa tunique, reprit Tjalan. Si elle s'est détournée de Manoah, pourquoi ne se serait-elle pas détournée de toi aussi ? Je te le dis, nous ne devrions pas lui faire plus confiance qu'à Khayan-e-Dur, ou à cette conspiratrice de Timul !

– À moins que tu ne me menaces avec le magnifique poignard que tu portes à la ceinture, je vais aller lui parler… seul si je peux, avec toi sinon !

Tiriki remarqua la tension qui régnait entre les deux hommes et l'attitude anxieuse des soldats de Tjalan. Micail fronça les sourcils et vit son regard à elle devenir encore plus impénétrable.

– Seigneur Tjalan, fit-elle en inclinant la tête de façon très formelle. Permettez-moi de vous présenter mes compagnons : l'acolyte Élis et Rendano, un ancien prêtre du temple d'Akil.

«Je ne fronce pas les sourcils à cause de toi, mon amour, pensa Micail désespérément. Que ressens-tu ? Regarde-moi !» Pendant cinq ans, il avait vécu prisonnier d'une enceinte invisible. Lorsqu'il avait appris que Tiriki était toujours en vie, les murs avaient commencé à s'effriter. Maintenant, il sentait le besoin qu'il avait d'elle prêt à déborder comme un fleuve en crue.

– Il ne m'appartient pas de vous accueillir en cette contrée, où nous ne sommes tous que des voyageurs, continua Tiriki. Je sais que la Mère Suprême règne ici, comme elle le faisait chez nous. C'est en son nom que je vous accueille, au nom de Caratra, que nous appelions autrefois Ni-Terat.

«Cette distance n'est qu'une défense... elle aussi a peut-être l'impression que je suis impassible», se disait Micail, tandis que Tjalan commençait à répondre en parlant d'honneur, de bonheur et de rencontres. «J'ai rêvé de ce jour, mais je n'ai jamais rêvé de ça. Comment peut-elle se dominer aussi facilement ? Elle est l'amour de ma vie ! Mais elle se comporte en étrangère...»

– Tiriki...

C'était moins une salutation qu'un grognement, mais peu lui importait à présent. Elle le regarda alors, et il sentit l'étincelle du contact entre eux. «Tout va bien, se dit-il. Les mots peuvent attendre... le lien qui nous unit est toujours là !» Il fit un pas en avant et la prit dans ses bras, cherchant ses lèvres comme un homme mourant de soif chercherait un puit.

Après un instant d'éternité, il réalisa que Tjalan avait repris la parole, et il lâcha Tiriki à contre-cœur, tout en laissant son bras sous le sien.

– Ma dame, laissez-moi vous dire avant tout que je suis désolé des malentendus qui pourraient ternir ce qui devrait être les plus belles des retrouvailles. Je suis certain que votre messager, Reidel, était un excellent capitaine de vaisseau, et qu'il est également bourré d'autres talents, mais je soupçonne qu'il n'est pas encore au fait de toutes les subtilités de la communication aux plus hauts niveaux de la société.

La caresse de l'esprit de Tiriki réchauffait Micail comme s'il avait tendu les mains au-dessus d'une flamme, mais l'expression de la jeune femme était redevenue impénétrable. Tjalan l'interpréta comme un acquiescement et fit un geste en direction d'une table et de sièges qui avaient été installés sous un auvent. Sur un mât, à proximité, flottait le cercle de faucons alkonien.

— Je vous en prie, asseyons-nous et parlons en amis, car c'est ce que nous sommes. Nous avons apporté du bon fromage local et de délicieuses galettes pour vous restaurer, ainsi qu'une bouteille de vin de Tarisseda.

— Votre hospitalité est la bienvenue, mon seigneur, répondit Rendano en s'asseyant à table avec alacrité. Élis s'assit près de lui et se mit à jouer nerveusement avec la nourriture dans son assiette.

— Voilà qui est… agréable, dit Tiriki. On pourrait presque se croire en promenade dans l'arrière-pays d'Ahtarrath. Les collines étaient presque du même vert au printemps, et semées de ruines elles aussi.

— Il est vrai qu'il y a beaucoup de points communs…, commença Tjalan, mais la douce voix de Tiriki couvrit la sienne.

— Et que boirez-vous lorsque ce vin sera épuisé?

Elle tourna sa coupe d'argent pour que la lueur du soleil éclaire la surface écarlate du liquide, puis la leva à ses lèvres et but.

— C'est une question intéressante, dit Tjalan. Il est vrai que ce millésime est difficile à trouver de nos jours… Mais nous aurons à nouveau du vin lorsque les voies commerciales auront été rouvertes. Les navires vogueront bientôt! Nous avons déjà achevé trois beaux bateaux, et d'autres sont en chantier.

— Vous avez donc l'intention de reconstruire votre principauté?

Le prince sourit.

— Une principauté? Non! un empire, plus radieux encore que le précédent. La population nécessaire à son développement est déjà ici, et grâce à la sagesse d'hommes tels que ton mari, nous avons le pouvoir nécessaire pour le gouverner.

Micail pensait qu'il n'aurait pas pu parler, même s'il l'avait voulu. Contempler le beau visage de Tiriki – ses yeux gris et verts comme la mer –, cela lui suffisait, même lorsqu'elle tournait le regard vers Tjalan.

— C'est vrai, dit Tiriki tranquillement. Il y a du pouvoir ici. Et j'ai entendu dire que vous aviez construit autre chose que des bateaux.

— Oui, répondit le prince avec un large sourire. Une roue du soleil – un cercle de pierres levées. Les pierres ne sont pas encore toutes en place, mais lorsqu'il sera terminé, il n'y aura aucune limite à ce que nous pourrons faire. Tu dois bien comprendre, Tiriki, que tu n'as pas à craindre de me confier les tiens. Nous avons suffisamment de ressources pour les héberger et les nourrir, et du travail utile pour les occuper. (Tjalan jeta un coup d'œil rapide vers Micail avant d'ajouter:) C'est le travail que mentionnait la prophétie, après tout… ton mari prépare les fondations du nouveau Temple.

— Oui, tu dois venir, s'écria Micail en cherchant refuge dans la conversation pour échapper à ses sentiments débordants. Ce que j'ai entendu dire à propos de ces marécages m'a horrifié. Je t'imaginais en train de lutter pour soutirer à la terre la moindre bouchée de nourriture, et de dormir sur de la paille et des peaux de bêtes, mangée par les insectes !

— Est-ce là ce que Damisa vous a raconté ?

— Elle n'a pas eu besoin de le faire, répondit Tjalan en riant. C'est évident, à voir la façon dont elle apprécie la nourriture et nos logements ! Oui, je puis le dire sans fausse modestie, nous avons reproduit la plus grande partie de notre mode de vie. Quoique je sois certain qu'il soit toujours possible de l'améliorer.

— C'est la seule chose dont nous pouvons être certains, mon seigneur, dit Tiriki avec un sourire.

Elle trempa un morceau de pain dans la coupelle d'huile d'olive, y ajouta une petite tranche de fromage et goûta la combinaison d'un air gourmand, bien qu'elle ne fît aucun commentaire. Rendano et Élis avaient terminé leur part et lorgnaient ouvertement sur les restes.

— Et vous, demanda Tjalan en se tournant vers Élis, serez-vous heureuse de retrouver vos compagnons acolytes ? Et vous, mon seigneur, les autres prêtres de votre temple ?

Rendano se contenta d'un sourire poli, mais Élis hocha la tête vigoureusement en disant :

— J'ai très envie de revoir Élara, et Cléta ! Lanath aussi. Sont-ils en bonne santé ?

— Excellente ! Il paraît qu'ils font d'énormes progrès en chant – est-ce bien le mot exact ? Ils ont aidé à lever les pierres.

– Ça a l'air très intéressant, dit Élis avec un regard vers Tiriki. Il y a un petit cercle de pierres sur le…

– Maître Chédan m'a appris qu'il y avait des cercles de pierres et des centaines d'anciens monuments sur tout ce territoire, l'interrompit Tiriki, mais ils sont tous de petite taille. Rien de l'envergure ni de la forme de… ce qu'on nous a décrit.

– J'ai toujours aimé les constructions colossales, admit Tjalan, mais il est évident que ce cercle n'est qu'une partie de l'ensemble de bâtiments que nous avons prévus. Lorsque nous aurons terminé, il sera aussi grand que les plus grands des temples de la Terre des Ancêtres ! Mais vous le verrez bientôt. Je vais envoyer des hommes pour vous aider à déménager vos affaires, et des porteurs pour ceux qui ne peuvent pas faire le voyage à pied. J'ai hâte de revoir Chédan. Je suis très inquiet pour sa santé.

– C'est très aimable, dit Tiriki. Il a été malade, c'est vrai. C'est pour cela qu'il ne m'accompagne pas. En fait… je préférerais qu'il n'ait pas à subir les fatigues d'un voyage pour le moment.

Micail fronça les sourcils. Il connaissait bien ce regard qui transperçait, comme si elle regardait au-delà de vous. «Mon amour, pensa-t-il, qu'essaies-tu de dissimuler?»

– Maintenant que nous nous sommes retrouvés, reprit-elle, il n'y a plus d'urgence. Nous avons beaucoup travaillé avec les pauvres indigènes des marécages, et il serait cruel de les abandonner.

– Je ne… (Le visage de Tjalan s'assombrit, mais il parvint à se maîtriser.) Je comprends, marmonna-t-il. Vous auriez dû rencontrer ma femme, elle était très sentimentale, elle aussi. Micail, j'ai manqué de considération. Toi et Tiriki devez avoir tellement de choses à vous dire ! Pourquoi n'allez-vous pas faire un tour, tous les deux ?

Les mots qu'il ne prononça pas, «pour que tu puisses la raisonner», résonnèrent aussi clairement dans le silence que le cri d'un faucon.

Les mains de Tiriki étaient aussi tièdes que dans son souvenir, mais pas aussi douces, et il y avait des cals sur ses doigts. Micail les retourna dans les siennes et les caressa tendrement, avec une moue pour chaque minuscule coupure, chaque cicatrice et chaque égratignure.

— Tes pauvres mains ! Mais qu'as-tu fait ?

— J'ai construit quelque chose, comme toi. Mais j'ai eu moins d'aide que toi.

Il posa un bras sur ses épaules, résistant à la tentation de la serrer contre lui. Les autres ne pouvaient pas les entendre, mais ils pouvaient les voir, et il se sentait mal à l'aise sous leurs regards. Il n'aurait pas été très convenable pour un prêtre de culbuter sa femme sur la colline, au vu et au su des dieux et de tout le monde.

Il s'efforça de trouver les mots pour exprimer ce qu'il ressentait. Il était étrange qu'après tout ce temps, cela lui soit si difficile.

— J'ai encore l'impression de rêver, finit-il par dire. Ça m'est déjà arrivé… Pendant la plus grande partie du voyage vers Belsairath, et même après. J'étais à la limite de la folie. Je ne sais pas combien de temps j'ai hanté le port, le jour et la nuit, j'étais tellement certain que ton navire finirait par arriver… J'essayais d'oublier le spectacle du port d'Ahtarrath, où tu aurais dû te trouver. Mais tu n'y étais pas ! tu n'étais nulle part !

Elle s'approcha de lui, les yeux aussi humides que les siens, et passa ses bras autour de son corps. Il se détendit enfin.

— Comment, souffla-t-il, comment, au nom des dieux, as-tu survécu ?

— Avec l'aide des dieux, répondit-elle doucement, et celle de Chédan. Il a été ferme comme un roc. C'est lui, l'architecte de ce que nous avons construit. Sans sa sagesse, j'aurais souvent désespéré.

— Je suis heureux qu'il ait été avec toi, murmura Micail – et il le pensait sincèrement.

« Pourtant, se dit-il avec un pincement de jalousie, j'aurais dû être celui qui te guidait et te protégeait. »

— Et les gens des marécages nous ont montré comment vivre ici, disait-elle.

— De racines, de baies et de grenouilles ? fit-il d'un air dédaigneux. J'ai appris ce que mangeaient les indigènes des marécages. Même les Ai-Zir les considèrent comme des sauvages.

— Ils n'ont pas été sauvages envers nous ! s'écria Tiriki d'un ton presque acerbe. Chédan dit que la culture ne dépend pas de l'environnement des gens, mais de leur âme. D'après ce critère, ils sont très civilisés.

347

«Chédan dit...» Micail réalisa qu'il allait sans doute haïr ces mots très bientôt.

— En tout cas, dit-il calmement, nous pourrons peut-être envoyer un ou deux prêtres pour veiller sur votre retraite des marécages, mais toi et l'enfant devez me rejoindre à Azan.

Pourquoi parlaient-ils de politique, alors que tout ce qu'il voulait, c'était en savoir plus à son sujet, et au sujet de cet enfant dont il avait encore du mal à réaliser l'existence.

— Le *devons*-nous, Micail ? (Elle leva les yeux vers lui.) Ce n'est pas un mot que tu employais avec moi...

— Nous avons été séparés si longtemps... j'ai eu tellement besoin de toi ! Ce n'est pas un ordre, mon amour, c'est un cri du cœur !

— Sais-tu combien de matins je me suis réveillée sur un oreiller trempé parce que je t'avais pleuré dans mon sommeil ? Mais avant d'être unis par les liens du mariage, nous avions prêté serment aux dieux. Chédan dit que rompre un seul vœu, c'est commencer à rompre tous les autres. Chez nous, nous travaillions ensemble pour les dieux, et nous recommencerons. Mais, pour le moment, nous avons d'autres obligations. *Moi*, j'en ai, en tout cas. Les gens des marécages ont renoncé à leur ancien mode de vie pour se joindre à notre communauté, nous ne pouvons pas les abandonner purement et simplement. S'il en va différemment pour toi, pourquoi ne quittes-tu pas Azan pour venir vivre avec moi ?

Il s'apprêtait à répondre lorsqu'il réalisa qu'il ne savait pas quoi dire. S'il lui disait que ce n'était pas la même chose, que son travail sur la roue du soleil était plus important, elle se sentirait insultée, et elle aurait raison. Il ne pouvait pas laisser le cercle de pierres inachevé ! Et s'il lui parlait de l'intensité du pouvoir avec lequel il était entré en contact, s'en effraierait-elle ?

— Tu vois ? dit-elle en souriant (elle avait lu ses pensées, comme elle le faisait autrefois), puis son regard se fit inquisiteur. Ou as-tu une autre raison de vouloir rester là-bas ? Cette fille, Anet... Elle avait l'air très... possessive lorsqu'elle parlait de toi.

— Il n'y a rien entre elle et moi, sinon dans son imagination !

Avait-il protesté avec trop de véhémence ?

— Je ne pourrais pas t'en vouloir si tu lui avais cédé. Elle est très belle, et tu ne savais pas que j'étais en vie.

— J'aurais certes pu lui céder, mais je ne l'ai pas fait ! dit-il d'un air blessé. Mais tu préfères croire que je t'ai trompée, n'est-ce pas ? Essayes-tu de trouver une excuse pour avoir couché avec Chédan ?

Tiriki se dégagea de ses bras et lui fit face, les yeux pleins d'éclairs.

— Comment oses-tu ?

Il lui lança un regard furieux et choisit la colère pour dissimuler sa confusion.

— Que puis-je penser d'autre, alors que tu chantes ses louanges sans arrêt ?

— Chédan est un grand mage, un saint homme, un sage…

— À la différence de moi ?

— Tu *étais* un grand homme, un sage, sur Ahtarrath. (Ses yeux étaient gris et froids comme la mer en hiver.) Je ne sais pas ce que tu es à présent.

— Viens à Azan pour t'en rendre compte !

— Pas dans un avenir immédiat, en tous les cas, parce que plus j'en entends, moins je trouve de raisons de quitter le Tor !

— Mais Tjalan ne te laissera pas rester là-bas. Il… Notre peuple *doit* être réuni, afin que nos talents se complètent. Même réunis, nous sommes si peu nombreux… Et il peut nous protéger !

— *Nous* n'avons pas besoin d'une telle protection, répondit Tiriki en se redressant de toute sa hauteur. Je porte la toge bleue de Caratra, mais je suis une gardienne du Temple de la Lumière ! Ni toi, ni Chédan, ni même Tjalan d'Alkonath ne peut me donner d'ordres !

— Ce temple-là est sous la mer, soupira-t-il, soudain épuisé. Jusqu'à ce que nous ayons construit le nouveau Temple, toi, moi et tous les autres, nous ne sommes les gardiens de rien. Aide-moi, Tiriki, aide-moi à en faire une réalité à nouveau…

— De rien ? répéta-t-elle. Crois-tu donc que les dieux ne sont rien sans un temple de pierre ?

— Non, bien sûr que non, mais les *prophéties*…

— Il y a beaucoup de prophéties ! (Elle fit un geste impatient et recula encore d'un pas.) Ça n'a pas d'importance. Le culte de Caratra est puissant ici… plus puissant qu'il ne l'était chez nous. Ma mère et ta mère ont fait de moi *sa* prêtresse bien avant que Rajasta et

Reio-ta ne fasse de moi une prêtresse de la Lumière. Je suis liée aux sœurs sacrées de cette terre, et *elles* pensent que le Tor est l'endroit où je devrais être.

Il la dévisagea; il venait de remarquer une ressemblance entre elle et Anet. Il se sentit mal à l'aise, tout à coup. Était-ce la marque de la Déesse? Le temple de Ni-Terat n'avait pas eu une grande importance sur Ahtarrath. Il n'avait jamais vraiment pensé à l'autre allégeance de Tiriki.

— Si tu veux conserver l'espoir que nous nous retrouverons un jour, ne tente pas de m'obliger à te suivre. Rejoins-moi si tu le souhaites. Sinon...

— Je ne peux pas...

La voix de Micail se brisa. «Je n'ose pas les quitter, j'ai trop peur de ce qu'ils pourraient faire avec cette... chose que nous construisons!» Il comprenait de quoi il avait peur, au moins, mais la honte l'empêchait de l'admettre devant elle. Il s'assurerait que la roue du soleil ne soit jamais utilisée pour servir les fantasmes de grandeur de Tjalan, ensuite seulement il pourrait partir.

— Je suis sûre que tu as tes raisons, Micail. (Elle semblait croire à sa sincérité, même si elle ne le comprenait pas.) Je ne te poserai pas d'autre question si tu crois vraiment que tu dois rester là-bas... pour l'instant. Nos vies nous appartiennent, ajouta-t-elle avec une chaleur qui le rassura. Tu m'as dit cela il y a bien longtemps, et ces derniers temps cette phrase m'a beaucoup réconfortée, car je sais maintenant qu'elle dit juste. Nous devons accomplir notre destinée – ensemble ou séparément.

— Seulement pour un temps, dit-il désespéré. Je ne peux pas encore t'expliquer... (Micail leva les yeux vers le haut de la colline; Tjalan était en train de les observer.) Crois en moi encore un peu, tout comme je crois en toi!

Pendant un long moment, elle le regarda au fond des yeux, puis elle soupira. Le prince se dirigeait vers eux.

— Tiriki, dit Micail dans un souffle, ne me contredis pas quand je lui dirai que tu te joindras bientôt à nous. (Il attendit que la dernière trace de colère se soit effacée de ses yeux avant de continuer.) Eilantha! Je t'aime tant...

— Osinarmen, je t'aime aussi.

Dans l'écho de leur nom sacré, il entendit un serment. Ils se contemplèrent longuement, mémorisant chaque trait du visage de l'autre, comme s'ils ne devaient jamais se revoir. Puis elle prit son bras et ils commencèrent à remonter la colline.

Damisa était assise sous le vieux chêne dans le jardin clos de la forteresse, lorsque deux de ses gardiens annoncèrent un visiteur. Elle fit une grimace de contrariété, tentée de leur dire qu'elle n'y était pour personne et de voir s'ils allaient lui obéir – car en dépit de leur courtoisie, il était devenu évident que, provisoirement ou pas, elle était en détention. Mais Tjalan avait quitté la forteresse pour aller les dieux savaient où, et elle avait épuisé tous les plaisirs du petit jardin. Et puis, ce serait peut-être quelqu'un qu'elle avait envie de voir.

Elle se leva à moitié, la bouche ouverte de stupéfaction, lorsque Reidel entra, escorté par deux soldats.

– Je... je ne m'attendais pas à te revoir, dit-elle quand le dernier garde les eut salués et eut refermé la porte.

Elle avait risqué la fureur de Tjalan pour aider Reidel. Rester dehors était bien le moins qu'il pouvait faire pour lui montrer sa gratitude.

– Tu aurais dû t'en douter, pourtant ; tu me connais.

Il s'assit sur un des bancs et regarda autour de lui avec l'aplomb qui l'avait toujours caractérisé, même sur le pont instable d'un navire au milieu de la tempête.

– Au moins, tu t'es vraiment évadé. J'étais presque certaine qu'ils t'avaient simplement tué. Ils m'ont montré le trou que tu as fait dans le mur. Comment as-tu... Oh, peu importe. Pourquoi, au nom de toutes les étoiles, être revenu dans la gueule du loup ?

– Je suis revenu avec un message. Le prince et Micail sont allés rencontrer Tiriki. En terrain neutre, ajouta-t-il pour interrompre son exclamation indignée.

– Quelqu'un d'autre aurait pu apporter ce message, marmonna-t-elle.

– Notre communauté n'est pas assez importante pour que nous puissions nous permettre de perdre quelqu'un, dit-il sèchement. Et puis je connaissais le chemin. De plus... Comment as-tu pu croire que je te laisserais prisonnière? Bien que... (Son regard se posa sur les coussins du siège sculpté, puis sur la table marquetée où étaient posés un flacon et un verre qui luisaient comme de l'orichalque au soleil.) On dirait que tu es bien traitée!

– Oh, oui, la cage est luxueuse.

Elle versa du vin dans le verre et le lui tendit. Quand il se pencha en avant dans la lumière du soleil, elle remarqua la trace d'un coup de poing sur sa pommette.

– Es-tu prête à partir? demanda-t-il.

– Oui, répondit-elle aussitôt avant de se détourner de lui pour dissimuler le rouge qui lui était monté aux joues. Non, reprit-elle avant de s'arrêter tout aussi brusquement. Comment choisir, alors que je vois des dangers partout? Si seulement Tjalan me faisait confiance!

– Tu le crois? s'exclama Reidel qui avait sauté sur ses pieds.

– Il veut rétablir la gloire d'Atlantis. Pas toi?

– Je vois. Laisse-moi poser la question autrement, alors. (Il fit quelques pas dans la cour avant de se retourner vers elle.) Tu crois en lui? Crois-tu vraiment que ce qu'il attend de toi, c'est de promouvoir sa vision de l'avenir?

– Moi? Mais... (Elle s'aperçut qu'elle n'arrivait pas à le regarder en face.) Je ne sais pas de quoi tu veux parler.

– Vraiment? demanda-t-il d'une voix douce en s'approchant d'elle. Vraiment, tu ne vois pas? Alors pourquoi ne pas avoir dit à Tjalan où était le Tor?

– Il ne me revient pas de prendre des décisions à la place de maître Chédan! s'exclama-t-elle avant de s'éloigner à son tour de quelques pas, puis de revenir. Ou à la place de Tiriki, ajouta-t-elle. Nous avons tous des choix à faire... Oh, je ne sais pas!

– Ça, au moins, c'est clair.

Reidel s'adossa au chêne, les bras croisés. Elle n'en était pas certaine, mais elle se dit que l'expression sur son visage ressemblait à un sourire.

«Il est exaspérant», pensa-t-elle. Depuis qu'elle avait fait preuve de cruauté envers lui l'année précédente, il ne lui avait plus jamais parlé d'amour; et pourtant, aujourd'hui, il n'avait plus cette horrible expression de douleur contenue. C'était comme si, sans qu'un seul mot soit prononcé, ils étaient parvenus à un nouveau type de relation

– lui, du moins – et la nouvelle certitude qui émanait du jeune homme rendait Damisa plus perplexe que jamais.

– Laisse-moi te poser une question à mon tour, dit-elle. Tu dis que tu es revenu à cause de moi... si je décide que Tjalan a raison, seras-tu prêt à me soutenir ?

– C'est habile de ta part de poser une telle question, répondit-il au bout d'un moment. Je crois bien que Tjalan n'a aucune idée de ta force, et toi non plus, d'ailleurs. Je suis sûr que, si c'était nécessaire, tu arriverais à escalader cet arbre et à passer le mur du jardin toute seule. Je t'ai vu faire des choses bien plus difficiles !

Damisa rougit, contrariée, quand Reidel secoua la tête et se mit à soupirer, mais il continua :

– Je te donnerai la même réponse que toi : oui et non. Ce que j'ai vu ici me convainc que Tjalan n'est pas fait pour gouverner. Je n'ai pas envie de l'y aider. Mais ne te méprends pas sur moi, Damisa. J'ai eu du temps pour réfléchir ces derniers temps. J'ai fini par comprendre que, quels que soient tes sentiments envers moi, ma destinée est de t'aimer. Et pour te protéger, je verserai joyeusement jusqu'à la dernière goutte de mon sang.

– Nous nous sommes séparés en toute cordialité, dit Tiriki amèrement, mais nous devons néanmoins nous préparer à nous défendre. Nous n'avons fait que gagner un peu de temps.

Elle regarda un par un les autres membres de sa communauté – de sa *famille* – qui étaient assis sur les rudes bancs de bois autour du feu du conseil.

C'était le milieu de l'après-midi, mais elle s'était débrouillée pour faire flamber quelques rondins, plus pour le symbole que pour la chaleur qu'ils dégageaient. Dans les temples de la Lumière, une flamme perpétuelle brûlait sur l'autel, alimentée par une source mystérieuse, dans une lampe d'or pur. Ce simple feu de bois au milieu des arbres était bien peu de chose à côté d'une telle splendeur, mais la lumière était la même – c'était un éclat du soleil. « Et je suis la même prêtresse, se dit-elle. Je pensais que Micail l'aurait compris... »

– Comment ? demanda Kalara. Tu dis que Reidel est encore... enfin, à nouveau leur prisonnier ?

Élis hocha la tête.

— Nous devons le supposer, en tout cas.

— Alors tu penses que Tjalan va finir par trouver quelqu'un pour conduire ses soldats jusqu'ici, pour nous attaquer ? demanda Liala d'une voix incertaine.

— Oui, répondit Tiriki, mais c'est le cadet de nos soucis. Micail m'a un peu raconté ce que lui et les autres ont commencé à construire pendant ces quatre dernières années : une structure de pierres qu'ils appellent la roue du soleil. D'après Tjalan, elle sert à contrôler le son.

— Par l'œil d'Adsar ! jura Chédan avant de remarquer leurs regards surpris. Évidemment, vous ne pouvez pas comprendre. La théorie de ces assemblages n'était enseignée qu'aux prêtres les plus élevés dans la hiérarchie. Je ne crois pas que quiconque en ait construit un depuis des siècles. (Il soupira.) Vous savez tous que les vibrations sonores peuvent déplacer la matière. Dans un espace conçu de façon particulière, les vibrations sont amplifiées. Un groupe de chantres bien entraîné peut concentrer cette vibration en une impulsion capable de parcourir de longues distances.

— Pour faire bouger quelque chose ? demanda Kalaran.

— Pour détruire quelque chose ? murmura Élis en pâlissant.

— Il m'a dit que cela devait servir de source de pouvoir pour le nouveau Temple, dit Tiriki doucement. Mais comme vous le savez, ce pouvoir peut être dirigé n'importe où en suivant le réseau d'énergies qui coulent déjà dans la terre... La construction n'est pas finie, mais je crois que suffisamment de pierres ont été levées pour qu'il soit utilisable.

— Mais ils ne savent pas où nous sommes ! s'écria Sélast.

— Pas encore, soupira Rendano. Mais le prince Tjalan est fier de son nouveau royaume. Pendant que nous attendions Micail et Tiriki, il s'est beaucoup vanté. Et puis, Stathalkha est avec eux, et elle a formé d'autres voyants. Ils ont fait une carte de tous les nœuds de pouvoir de la contrée...

— Y compris celui-ci, ajouta Élis. Le prince a dit... qu'ils savaient où nous étions depuis des mois. Jusque-là, ils ne pensaient pas que ce nœud-là avait la moindre importance.

— Vous voyez, ils n'ont pas besoin d'envoyer des soldats, dit Rendano. Tout ce qu'ils ont besoin de faire, c'est de concentrer suffisamment d'énergie le long de la ligne qui relie la roue du soleil au Tor.

— Le prince Tjalan sait-il qu'ils en sont capables ?

— Pas encore, je crois, répondit Rendano en haussant les épaules. Mais j'imagine qu'il le saura bientôt.

Chédan secoua la tête.

— Je n'arrive pas à y croire. J'aurais cru qu'Ardral, au moins, aurait le bon sens de ne pas les laisser faire…

— C'est un grand adepte, l'interrompit Rendano, mais il est seul au milieu de tous les autres : Mahadalku, Haladris, Ocathrel d'Alkonath, et même Valadur le Gris ! Ce sont les plus acharnés des partisans de Tjalan.

L'expression de Chédan s'assombrit à chaque nom, car il les connaissait tous.

— Approuvent-ils vraiment cette folie ?

— J'ai eu du mal à y croire, moi aussi, dit Tiriki en se levant pour prendre les mains du vieil homme dans les siennes. Mais Micail n'est pas seul non plus. Jiritaren et Naranshada sont à ses côtés, ainsi que d'autres, et les acolytes semblent avoir du respect pour lui. Il est vrai cependant qu'ils sont en minorité. Et, d'une façon ou d'une autre, Tjalan les domine tous. Mais comment pourraient-ils comprendre véritablement ce qu'ils risquent ? À part Micail, aucun d'eux n'a vu le visage du pouvoir qui a détruit Atlantis… (La voix de Tiriki se brisa.) Ils n'ont jamais vu Dyaus.

— Chut…, fit Chédan.

Il se leva à son tour pour la réconforter. Elle eut un coup au cœur en constatant que sa barbe était désormais complètement blanche. Elle se laissa aller contre lui un instant, furieuse à nouveau de la jalousie de Micail. C'était comme l'accuser de coucher avec son grand-père. Doucement, le mage lui caressa les cheveux.

— Ni Ardral ni Micail ne les laisseront dévoyer leurs pouvoirs de cette façon.

— Le crois-tu vraiment ? (Elle se redressa en s'essuyant les yeux.) J'aimerais en être sûre, moi aussi. Je croyais connaître Micail, mais il y a quelque chose de nouveau en lui. Pendant quatre ans, il a consacré sa vie à construire ce cercle de pierres. Je ne sais pas s'il est capable de l'abandonner.

– S'ils l'utilisent pour envoyer de l'énergie contre nous, que pouvons-nous faire ? interrogea Liala.

Sa voix se cassa et une vague de pitié submergea Tiriki. « Elle est trop âgée pour faire face à une telle épreuve ! Et Chédan… »

– Alyssa ! s'exclama Tiriki dont la réponse l'étonna elle-même. Elle disait quelque chose dans ses derniers délires – enfin, je croyais à l'époque que c'était du délire… Elle marmonnait quelque chose à propos d'une guerre dans les cieux et d'un cercle de pouvoir, et puis elle a crié « le germe de la Lumière doit être planté au creux de la colline ! ».

Il y eut un silence durant lequel tout le monde fixa Tiriki, comme s'ils attendaient quelque chose de plus explicite. Elle avala sa salive et balbutia :

– Je crois qu'elle voulait dire… que nous *devons* utiliser l'Omphale. Tu le disais toi-même, Chédan, avant mon départ.

– Oui, répondit le mage, pris de court. Mais tout ce qu'il peut faire, c'est équilibrer les énergies…

– Non, le contredit Tiriki. Pardonne-moi, mais non. Il peut faire plus ! Mais comment… Il faut que je me repose. Quand ma tête aura arrêté de tourner, j'aurai peut-être la réponse.

– Ce n'est pas une carte géographique, expliqua Stathalkha d'un air hautain en agitant une main en direction du parchemin coloré étalé sur une des tables du prince Tjalan. C'est un plan des voies par où s'écoule l'énergie. (Du bout de son long doigt, elle désigna les différents nœuds de pouvoir.) Vous connaissez déjà ce courant principal, qui circule du sud au nord en passant par la roue du soleil et Carn Ava.

Tjalan hocha la tête vigoureusement. L'expression de Micail était plus ambivalente. Il était toujours bon d'avoir des informations précises, mais l'idée qu'un gardien puisse utiliser ses dons de magie contre un autre gardien – même pour l'observer à distance – lui répugnait profondément. Haladris était très puissant et, avec l'aide de Mahadalku et d'Ocathrel, il y avait peu de choses qu'il n'était pas en mesure de faire – mais Micail avait une meilleure connaissance des pierres.

– Il y a un autre courant très puissant, continua la vieille prêtresse en suivant une autre ligne sur le parchemin. Il arrive du sud-ouest, en gros à la pointe de Béléri'in, puis se dirige vers le nord-est en traversant toute l'île.

– Je ne comprends toujours pas comment cela peut nous aider à exercer une pression sur Chédan et Tiriki, dit Tjalan toujours impassible.

Stathalkha pencha la tête et fixa le prince en clignant des yeux comme un oiseau, puis elle fouilla dans la pile de parchemins pour en sortir un autre, où figurait une carte étonnamment détaillée d'Azan et de la région du lac.

– D'après nos perceptions, ils sont juste là, fit-elle en indiquant un endroit sur le courant de Béléri'in.

Tjalan se pencha sur le vélin puis posa le doigt sur deux points différents et demanda :

– Là, c'est Azan ? et là, le Pays d'été ?

Il consulta la carte à nouveau, la fit pivoter pour la regarder sous un angle différent puis l'examina plus soigneusement. Enfin, il leva les yeux avec un grand sourire.

– Voilà qui nous donne un avantage tactique significatif ! s'exclama-t-il avant de se tourner vers Micail et de lui poser une main sur le genou. À présent, je suis certain que nous arriverons à régler cette histoire sans faire de mal à quiconque.

Micail se hérissa, mais il parvint à sourire et à étouffer sa colère et son indignation, en se disant que s'il les laissait faire encore un tout petit peu – juste assez pour que Tiriki comprenne leur puissance – elle serait obligée d'admettre que Chédan ne pouvait pas la protéger aussi bien que ça, finalement.

Le bâton de Chédan glissa sur le chemin boueux et Iriel se précipita pour le soutenir. Devant eux, Kalaran, Cadis, Arcor et Loutre vacillaient sous le poids de la malle. Cabossé et couvert d'entailles dues au long voyage qu'il avait fait depuis les cryptes d'Ahtarrath, le coffre de bois contenait encore, quoique avec peine, l'Omphale. Le poids de la pierre semblait varier sans cesse, comme si le coffre lui-même avait voulu résister à leurs efforts pour lui faire monter le chemin.

– Je vais bien, grommela le mage. Va aider les autres, mon enfant. Éclaire-les.

Il n'allait pas bien, Tiriki le savait, mais aucune main humaine n'aurait pu soutenir son esprit. Comme l'Omphale qui luttait pour ne pas être déplacé et qui vibrait et s'agitait dans sa boîte, leurs esprits étaient soumis à une énergie qui les brûlait et les faisait trembler eux aussi.

Juste au-dessus d'eux, l'entrée de la caverne béait dans les ténèbres. On distinguait à peine le sol blanchi par le torrent qui dégringolait en gargouillant pour se mêler aux eaux issues de la source rouge. Tiriki s'apprêtait à pénétrer dans la caverne, mais elle fit une pause pour laisser la lueur de sa torche illuminer l'intérieur. « Au moins, pensa-t-elle avec un sourire amer, nous n'avons pas à craindre un tremblement de terre, cette colline-là ne s'écroulera pas autour de nous. »

Durant les cinq dernières années, ils s'étaient tous efforcés – à part Alyssa, bien sûr, qui n'avait pas vraiment le choix – de ne pas penser à l'Omphale.

Chédan leur avait dit qu'une grande partie de ce qu'ils étaient en train de faire avait été prédit, mais il y avait si longtemps que les prophéties avaient été presque oubliées. En allait-il ainsi pour toutes choses : prédites, puis oubliées ? N'était-elle qu'une marionnette sur une scène, en train de danser pour divertir des dieux blasés ? Rajasta n'avait tout de même pas prédit que les survivants d'Atlantis se feraient la guerre… ou bien si ?

Sous ce brusque afflux de doutes, elle se tourna d'un air implorant vers Chédan, mais il se contenta de secouer la tête. Elle ferma les yeux et se prépara à faire face à ce qui devait arriver. Si Micail ne parvenait pas à dissuader les autres prêtres d'utiliser la roue du soleil contre eux ou, pire encore, s'ils parvenaient à le persuader ou à lui forcer la main, elle devrait lutter contre lui. En pénétrant dans la caverne, elle se prit à souhaiter d'être morte, comme Alyssa, avant de voir ce jour arriver.

Iriel, avec précaution, suivit Tiriki à l'intérieur de la grotte en portant une deuxième torche. Le mage puisa dans ses réserves d'énergie intérieure et s'efforça de guider les mouvements des porteurs qui s'acharnaient à faire entrer la malle dans la grotte. Mais les pensées de Chédan étaient distraites par des visions – non pas du futur, mais des événements qui l'avaient conduit à ce moment terrible. Il avait pourtant appris, au cours de cette vie et des nombreuses incarnations dans lesquelles il avait servi les dieux, que la mort ne pouvait que retarder le destin d'un homme, jamais le changer. Remettre sa destinée au lendemain ne faisait que rendre la vie suivante plus dure encore.

Mais il aurait souhaité ne pas se sentir perpétuellement à bout de forces. «C'est l'Omphale, se répétait-il. Il sait que nous avons l'intention d'utiliser son pouvoir, et il veut nous en faire payer le prix...»

Geignant sous l'effort, les porteurs avancèrent péniblement le long du passage à la suite des torches dansantes. Le plus souvent, ils ne savaient même pas s'ils montaient ou s'ils descendaient. Au moins, l'air était frais, mais il était humide et la densité de la terre et de la pierre au-dessus d'eux leur pesait.

— Nous sommes les enfants de la Lumière, nous ne craignons pas la nuit, entonna Kalaran d'un air farouche, et les autres se joignirent à lui :

> *Que la peine fasse place à la joie,*
> *Que la jubilation se mêle à la détresse,*
> *Pour que nous avancions pas à pas,*
> *Et qu'enfin les ténèbres s'unissent au jour...*

— Regardez! appela Tiriki dont la voix résonna dans le tunnel. Voilà la flèche que j'ai tracée par terre. Et là, c'est le motif en spirale gravé dans le roc. N'y touche pas! lança-t-elle à Iriel qui avait avancé la main. Il a le pouvoir de nous hypnotiser et de nous distraire de notre tâche.

Le sol était plus égal cette fois et les porteurs avançaient plus facilement. L'Omphale était moins agité aussi, comme s'il comprenait où ils l'emmenaient et qu'il approuvait. Le passage s'incurva et revint en arrière plusieurs fois, mais il ne fallut pas longtemps à Chédan pour réaliser, avec une pointe de satisfaction, que c'était bien là le motif qu'ils avaient tracé à la surface du Tor.

Quand on marche dans un labyrinthe, les derniers détours ont tendance à entraîner très vite vers le centre. Chédan accéléra le pas derrière les porteurs, comme s'il était entraîné par le courant d'un torrent – mais ici c'était un courant de pouvoir qui les mena rapidement jusqu'à une cavité incrustée de calcaire, à peine assez vaste pour les accueillir tous.

«Nous avons fait ce qu'il fallait en amenant l'Omphale ici», songea Chédan quand Tiriki et lui se baissèrent pour ouvrir les loquets. Malgré l'effet protecteur des strates de pierre et de terre qui l'entouraient, il sentit la puissance de l'Omphale enfler avant même que le lourd couvercle n'ait été soulevé.

– Doucement, doucement! conseilla-t-il quand Tiriki défit les côtés de la boîte pour les poser par terre – l'Omphale luisait déjà à travers ses enveloppes de soie comme le soleil à travers les nuages.

– Les dieux nous ont guidés! chuchota Tiriki. Regardez! (Elle montra du doigt le centre de la grotte.) Un creux dans la pierre, on dirait qu'il a été fait spécialement pour recevoir l'Omphale!

Avec l'aide de Kalaran, Chédan et Tiriki tirèrent la malle à moitié démontée près du creux dans le sol, puis Chédan posa ses mains autour de la pierre emmaillotée et commença à lui imprimer un mouvement de balancier. Sous le contact, ses feux intérieurs s'éveillèrent et la malle céda en trois points différents; les morceaux de bois tombèrent à terre. Chédan eut le souffle coupé quand l'afflux d'énergie monta le long de ses bras. Iriel l'entendit, lâcha sa torche et hurla. Tout le monde s'immobilisa.

– Laisse-moi t'aider! cria Tiriki.

Sa torche s'était éteinte aussi, mais la grotte s'illuminait et la roche calcaire scintillait de mille feux. Il refusa d'un geste qui leur ordonnait de rester où ils étaient, puis il ôta les soieries d'un seul mouvement. S'il était seul à agir, il pouvait utiliser le pouvoir de l'Omphale pour le faire se mouvoir, mais c'était comme refermer les doigts sur un charbon ardent. D'un seul coup, la puissance de l'Omphale se libéra à nouveau et la pierre tangua dangereusement devant lui pendant un long moment avant de glisser dans le creux au sol. Tiriki attrapa Chédan dans ses bras quand il vacilla en arrière, une douleur lancinante dans la paume de ses mains. Il les leva dans la lumière et fut stupéfait de constater qu'elles n'étaient pas brûlées.

– Bien, bien, bien…, dit-il à l'Omphale. As-tu enfin trouvé ton foyer ?

Comme pour lui répondre, la surface luisante se ternit en absorbant son propre rayonnement. Puis, comme si le soleil s'était levé à l'intérieur de la cavité, celle-ci s'emplit d'une intense lumière blanche. Ils s'exclamèrent tous, stupéfaits et admiratifs.

– Le centre sacré nous abrite, où tout change et tout demeure le même, entonna Chédan.

Ils chantèrent l'hymne tous ensemble, les mains tendues vers l'Omphale, jusqu'à ce que la lumière s'atténue et devienne supportable pour des yeux humains. Avec un long soupir, Chédan chercha à tâtons le bâton qu'il avait posé contre la paroi de pierre. Le silence s'installa, pesant, à peine rompu par un petit rire nerveux de Tiriki.

– Mon fiancé est mort pour sauver cette pierre, dit Iriel doucement. J'espère qu'elle nous sauvera à présent…

– Il vaut mieux prier pour que ses pouvoirs ne nous soient jamais nécessaires ! répondit Chédan brutalement. Contentez-vous de penser que nous avons bien fait de lui donner un réceptacle convenable. Là où est l'Omphale se trouve le nombril du monde ! Il y a longtemps, il était caché et oublié sur la Terre des Ancêtres, jusqu'à ce que Rajasta, Ardral et moi l'amenions sur Ahtarrath. Maintenant il est ici. Qu'il reste ici et n'apporte que l'équilibre et la lumière au monde. Qu'il en soit ainsi !

– Ainsi soit-il, répondirent les autres timidement.

– Maintenant, allons-nous-en, dit le mage fermement, et prions avec ferveur pour ne plus jamais devoir penser à l'Omphale !

Mais il savait en le disant qu'ils n'auraient pas cette chance.

CHAPITRE 19

Après que l'Omphale eut été enterré, le Tor sembla irradier des rayons de lumière qui s'entrelaçaient en volutes rouges et blanches semblables à des dragons, en une danse infinie. Éveillée, Tiriki les sentait; endormie, ils hantaient souvent ses songes. Ces rêves étaient pourtant préférables aux cauchemars – des cauchemars où des silhouettes confuses la traquaient et finissaient par lui révéler le visage grimaçant de... Micail.

Après trois nuits passées à lutter contre ces rêves, elle se réfugia auprès de Taret. Face à Chédan et aux autres, elle pensait préférable de faire semblant de croire à la bonne foi de Micail, mais il lui pesait de garder ses doutes pour elle. Taret était suffisamment proche pour s'inquiéter de l'issue de cette situation, mais elle n'était pas immédiatement impliquée; et puis la vieille femme était pleine de sagesse. «Encore une nuit comme celle-là, se dit-elle avec amertume, et je vais commencer à délirer comme Alyssa – que Caratra lui donne le repos.»

Elle laissa Domara avec les sajis et commença à grimper le chemin. Elle s'arrêta pour contempler son coin favori où poussait de l'ail sauvage, puis pour arracher un brin de thym. Elle salua aussi le vieux chêne, avec un sourire à l'idée de la surprise qu'aurait eue Micail s'il avait su qu'elle connaissait le nom de ces choses-là. «Je ressemble à Déoris au milieu de son jardin, se dit-elle. Si seulement elle avait pu être ici... Au diable la destinée! J'aurais dû l'attraper de force et la traîner jusqu'au navire. Elle aurait pu faire tant de bien ici… Et puis elle avait une véritable expérience des tactiques politiciennes dans le Temple; sans compter qu'elle savait comment s'y prendre avec les nobles.»

Le prince Tjalan avait été on ne peut plus clair: son but était de faire renaître la civilisation d'Atlantis. Micail n'avait pas eu l'air de s'opposer à cette idée. Ni l'un ni l'autre, d'ailleurs, n'avait pensé à demander à Tiriki ce qu'elle en pensait. Deux ans plus tôt, elle aurait sans doute approuvé sans réserve, songeait-elle en dépassant les ifs qui bordaient le chemin vers la source de sang. Mais dès l'instant où le *Serpent écarlate* était arrivé ici, le manque de ressources les avait obligés à renoncer à leur ancien mode de vie. Ils n'étaient parvenus à survivre que grâce aux gens des marécages et à ce qu'ils leur avaient enseigné.

Mais n'était-elle pas en train de faire de nécessité vertu? Elle était heureuse ici, mais elle devait bien avouer que beaucoup de choses de l'ancien monde lui manquaient. Elle savait que certains, parmi la communauté du Tor, rêvaient de retrouver les anciennes coutumes, bien plus qu'elle. Mais elle ne pouvait s'empêcher de penser que ceux qui se cramponnaient aux visées et aux ambitions d'un empire disparu ne faisaient que perdre leur temps, leur énergie et leurs ressources. Pourtant, elle n'aurait pas élevé d'objection si certains avaient choisi de quitter le Tor pour aller vivre à la façon de Tjalan – mais le prince ne leur avait offert aucune alternative.

Elle frissonnait à l'idée que cet endroit paisible pourrait être envahi. «C'est le seul argument valide pour se plier aux exigences de Tjalan. Au moins, ainsi, il laisserait le Tor en paix.» Mais elle n'y croyait pas vraiment; elle savait que, nonobstant le bien-fondé de leurs intentions, les prêtres de Tjalan étaient affamés de pouvoir et que le Tor était un endroit d'une extraordinaire puissance, même sans l'Omphale. Les nouveaux courants qui circulaient dans la terre depuis l'installation de celui-ci attireraient forcément l'attention des voyants de Stathalkha. S'ils avaient dédaigné le Tor jusque-là, c'était bien terminé. D'une façon ou d'une autre, il y aurait un conflit entre ce qu'ils voulaient, *eux*, et ce qu'elle était destinée à faire ici – ce qu'elle avait la certitude de devoir faire ici.

Cette certitude ne la rassurait guère. Chédan avait dit quelque chose la veille, qui lui avait rappelé que la plus pure des destinées ne s'accomplit pas en une seule vie : c'est un objectif supérieur qui réapparaît vie après vie. Ce qu'elle avait commencé à faire ici était juste et nécessaire, et il viendrait un moment où les promesses seraient accomplies ; elle n'en doutait plus à présent. Mais accomplir ces promesses pouvait lui prendre trois jours comme… trois mille ans.

Elle trouva la vieille femme assise sur un tabouret devant sa maison, en train de gratter des bulbes de lys d'eau à l'aide d'un couteau de silex. Elle tourna la tête vers Tiriki qui venait de déboucher du chemin.

— Que la bénédiction de la soirée te soit accordée.

— Que la déesse te donne le repos, répondit Taret avec un léger sourire. J'aurais cru que tu resterais avec les tiens auprès du feu du conseil.

— Le feu du conseil est allumé, dit Tiriki en soupirant, mais nous n'avons plus rien à dire qui n'ait déjà été dit sept fois depuis le petit déjeuner. (Elle se laissa tomber à côté de Taret et prit une autre lame de silex.) Alors je vais t'aider à éplucher ces bulbes. Ma mère disait toujours qu'on peut tirer du réconfort de ces tâches ordinaires : c'est un signe que la vie continue. Je ne l'ai pas écoutée à l'époque, mais ce n'est peut-être pas trop tard.

— Il n'est jamais trop tard, dit Taret gentiment, et je suis heureuse de ton aide.

Quelques instants passèrent durant lesquels Tiriki se concentra sur l'épluchage des oignons. Puis elle dit :

— En fait, je suis venue m'excuser. J'ai peur d'avoir attiré le malheur sur toi et sur ton peuple. C'est bien mal vous remercier pour votre gentillesse à notre égard… J'ai prévenu les villageois, mais ils refusent de partir. Pourrais-tu aller les voir et les persuader d'échapper au danger ?

— Ici, c'est l'endroit où la Mère m'a plantée…, sourit Taret. Mes racines sont trop profondes pour les arracher.

— Mais tu ne comprends pas ! soupira Tiriki. La vision d'Alyssa nous a poussés à transporter l'Omphale dans la caverne du Tor. Mais si elle a eu la vision de la façon dont ça pourrait nous aider, soit elle ne nous l'a pas dit, soit je ne l'ai pas comprise. Nous ne pouvons pas tous nous réfugier au cœur de la colline – même si nos esprits étaient capables de supporter une telle proximité, il n'y a tout simplement pas assez de place !

– Tu vois l'Omphale. C'est bien. Mais maintenant, regarde le Tor.

Taret coupa un bulbe et tendit la main pour en prendre un autre. Tiriki lui jeta un regard interrogateur.

– Mais… comment ?

– Tu ne peux plus te réfugier auprès de l'Omphale sans te trouver à l'ombre du Tor.

Tiriki ferma les yeux ; pourquoi son langage était-il si difficile à comprendre ? La vieille femme garda les yeux baissés, mais ils pétillaient comme si elle se retenait à grand-peine d'éclater de rire.

– Fille du soleil, enfant de la mer… tu demandes trop à une vieille servante des eaux sacrées. Mais quelqu'un en connaît tous les secrets. Elle t'a donné sa bénédiction une fois ; peut-être le refera-t-elle… si tu lui demandes gentiment. (Taret gloussa.) Peut-être a-t-elle des tâches ménagères à te faire faire, elle aussi !

Tiriki réfléchit et fit appel à ses souvenirs. Elle avait des raisons de croire, en effet, que le Tor était un endroit où les différents mondes se rapprochaient.

– Oui, murmura-t-elle avec le geste que les chélas réservent aux adeptes. Comme toujours, Taret, tu as dirigé mon regard vers la sagesse qui était visible dès le début. C'est peut-être l'erreur que nous autres Atlantes avons toujours commise : fixer notre regard sur les cieux et oublier que nos pieds, comme le sol sur lequel nous nous tenons, sont d'argile.

Elle reposa son silex et se leva en disant :

– Si quelqu'un me demande, dis-leur que j'espère revenir bientôt, avec de meilleures nouvelles.

Une fois déjà, Tiriki avait emprunté ce chemin sans l'avoir voulu, en suivant les circonvolutions à l'intérieur du Tor. Cette fois, elle parcourut le labyrinthe à la surface de la colline en laissant le soleil couchant derrière elle, passant de l'ombre à la lumière en recherchant, intentionnellement cette fois, le passage entre les mondes.

Le sommet du Tor ondula et s'effaça tandis qu'un nouveau paysage remplaçait la vallée qu'elle connaissait si bien. Elle distinguait encore le rassemblement d'énergies vitales au bas de la colline – celles des villageois étaient vives et dorées, celles des Atlantes plus pâles mais plus lumineuses aussi. Son cœur reconnut la petite étincelle de sa fille, puis elle aperçut un autre rayonnement familier, si incandescent et si pur qu'elle ne l'identifia pas, tout d'abord, comme celui de Chédan. Ses yeux se brouillèrent et son cœur déborda d'affection pour eux tous.

Mais cette vision ne lui montrait rien qu'elle ne connût déjà. Elle se détourna impatiemment et dirigea son regard vers l'Orient, en direction du nœud de pouvoir où était bâti le cercle de pierres de Micail.

« Pourquoi n'y ai-je jamais pensé ? se demanda-t-elle alors. J'ai été si préoccupée par les problèmes de notre vie quotidienne que je n'ai jamais trouvé le temps d'explorer le paysage spirituel. »

À l'est, elle distingua clairement la roue du soleil : elle lui apparaissait comme une pulsation circulaire d'énergie, où les étincelles blanches des initiés l'éblouissaient presque au milieu des lueurs rougeâtres qui devaient être Tjalan et ses soldats.

Elle continua à observer et le cercle lumineux s'éclaircit encore, avec une pulsation rythmée dont elle devinait qu'elle était basée sur le chant. Ils chargeaient le cercle de pouvoir, qu'ils pourraient ensuite utiliser lorsque le moment viendrait. Et si elle pouvait les voir, ils pouvaient sans doute voir le Tor de leur côté. Elle frissonna quand le rayonnement lointain ondula et se mit à palpiter, comme le reflet du soleil à la surface de l'eau.

Elle avait espéré que Tjalan se contenterait de les attaquer physiquement. Avant que ses soldats n'aient atteint le Tor, elle aurait eu le temps de négocier – soit avec Micail, soit avec les tribus d'Azan. Mais le prince avait trouvé une nouvelle arme, et ce qu'elle voyait suggérait qu'il n'avait pas l'intention d'attendre la fin de la construction avant de l'essayer.

Découragée, elle tomba à genoux sur le sol.

– Dame de Lumière, ô rayonnante, dans mon désespoir tu m'es déjà apparue sans que je te le demande. À présent je t'appelle, écoute-moi. Ceux qui auraient dû être nos protecteurs sont devenus nos ennemis. Je ne sais pas s'ils vont d'abord nous envoyer les forces du corps ou celles de l'esprit, mais j'ai peur, car mes ennemis sont puissants. Dis-moi où est la sécurité, et je te croirai. Mais si tu ne le peux pas, je t'en supplie, montre-moi comment protéger ceux que j'aime…

La réponse fut gentiment taquine.

— La sécurité ! Vous, les humains, vous utilisez le langage si bizarrement. Vous avez eu un corps avant celui-là, et vous en aurez d'autres ensuite. Vous mourrez, ou vos ennemis mourront, mais vous revivrez tous à nouveau. Pourquoi avoir peur ?

— Parce que… On nous a appris que toute vie est précieuse !

Tiriki leva les yeux dans l'espoir de voir celle qui lui avait répondu, mais il n'y avait qu'un étrange frissonnement de l'air, une densité différente. Mais ça aussi, c'était une réponse. Comment pouvait-elle expliquer ses peurs à un être dont la forme n'était jamais détruite, mais qui se transformait sans cesse d'une façon qu'elle ne pouvait même pas imaginer ?

— Je suis sûre, dit-elle d'une voix hésitante, que chaque vie a sa leçon, sa signification. Je ne veux pas abandonner celle-ci avant d'avoir découvert ce qu'elle a à m'apprendre !

— C'est une bonne réponse, fit la voix d'un ton sérieux.

— Je ne désire pas la destruction de nos ennemis, je veux seulement les empêcher de nous faire du mal, continua Tiriki. S'il vous plaît… nous aiderez-vous ?

Comme en réponse à sa question, le frissonnement de l'air s'intensifia et sembla l'entourer, mais la brillance venait d'ailleurs – du centre de la colline.

— L'Omphale ! murmura Tiriki d'une voix respectueuse et elle vit que la pulsation s'accélérait pour lui répondre.

— Le germe de la vie, fit la voix. Tu l'as planté, petite chanteuse. Tes chants peuvent le faire pousser.

— Je suis toujours persuadé qu'il n'est pas nécessaire d'agir pour l'instant, insista Micail. Les gens du lac sont pauvres, ils n'ont aucune ressource à nous opposer.

Mais il savait très bien qu'il répétait la même chose depuis leur retour après la rencontre avec Tiriki et que ça n'avait eu aucun effet.

À présent, il était presque trop tard pour discourir. Avec la bénédiction de Tjalan, ou plutôt avec ses encouragements, Haladris avait rappelé tous les prêtres auprès du cercle de pierres. Ils avaient l'intention d'achever l'éveil des pierres dès que possible. D'ici un jour ou deux, Micail le savait, rien n'empêcherait plus qu'ils utilisent la roue du soleil pour ce qu'ils voulaient en faire.

— Ce serait vrai s'il ne s'agissait vraiment que de gens des marécages, fit observer Mahadalku d'un ton raisonnable qui faisait se hérisser Micail. Mais en réalité, ce sont des prêtres et des gardiens, comme nous. Ils sont peut-être devenus des indigènes, à leur façon, mais ils ont quand même *quelque chose de plus*. (La grande prêtresse de Tarisseda resserra ses voiles autour d'elle pour les empêcher de voler dans le vent de la plaine.) Stathalkha dit que depuis quelques jours, l'intensité du pouvoir du Tor a triplé. Pourquoi donc, si ce n'est parce qu'ils savent que nous sommes là ? Il vaut mieux régler le problème avant qu'ils ne nous attaquent !

— Mais la roue du soleil n'est pas terminée, objecta Micail. Nous n'avons pas eu le temps de voir si elle pourra…

— Elle n'est peut-être pas terminée, l'interrompit Mahadalku, mais tous les tests préliminaires montrent qu'elle est parfaitement en mesure de contenir et de projeter les vibrations nécessaires. Ardravanant et Naranshada ont tous deux affirmé la même chose.

Elle parlait calmement, mais son ton n'admettait pas la réplique. Le cœur lourd, Micail regarda les autres prêtres et les prêtresses qui, de leur côté, évitèrent son regard.

Jiritaren le suivrait s'il décidait d'arrêter maintenant, et Naranshada avait souvent exprimé ses doutes quant à la sagesse de ce qu'ils faisaient. Bennurajos et Reualen peut-être aussi… si Micail insistait suffisamment. Il était presque sûr que Galara et les acolytes se joindraient également à lui. Mais était-ce la meilleure option ?

« Tjalan nous ferait probablement enfermer à la forteresse, et il utiliserait cette menace pour dissuader les autres prisonniers de me laisser influer sur les événements. Mais si je reste… soupira-t-il. Il n'est pas impossible que je finisse par tuer Tiriki moi-même ! Dans ce cas, il me faudrait me trancher la gorge et m'excuser auprès d'elle dans l'autre monde… et j'aurais fait échouer la prophétie ! »

Depuis sa rencontre avec Tiriki, il avait souvent pensé qu'il aurait dû repartir avec elle plutôt que de revenir ici comme un mouton. Il s'était dit alors que Tjalan ne les aurait certainement pas laissés partir ; il s'était rappelé aussi son devoir envers les acolytes et sa fidélité envers ses autres vœux. Mais maintenant, alors qu'il contemplait la silhouette des monolithes qui se découpaient sur le ciel bleu, il devait bien s'avouer que c'était l'amour de l'artisan pour sa création qui l'avait retenu ici.

« Je suis comme un homme dont le fils a de mauvaises fréquentations. La raison me dit que je dois lui tourner le dos, mais le bon père continue à espérer que son fils reviendra dans le droit chemin. Ce cercle de pierres a un tel potentiel pour faire le bien… »

– En quoi cela préserve-t-il nos traditions ? lança-t-il à nouveau. Tiriki et Chédan n'ont pas été accusés d'hérésie, et nous n'avons pas déclaré la guerre. Il n'est tout simplement pas *légitime* d'agir à l'encontre d'autres prêtres de cette façon ! Et d'un autre point de vue, il est mal d'utiliser ce genre de pouvoir par orgueil.

Il fit un geste de la main pour montrer les soldats qui encerclaient le fossé et le remblai autour du cercle. Il était difficile de dire s'ils étaient là pour protéger les prêtres de toute intervention extérieure ou pour les empêcher de partir.

– Quelles raisons avons-nous d'aider Tjalan à construire son empire ? continua Micail.

– Cet empire garantira l'existence du Temple, répondit Ocathrel.

Les autres prêtres avaient l'air aussi exaspéré que ce dernier, et Micail réalisa qu'il ferait sans doute mieux de se taire avant qu'ils ne considèrent qu'il était, non pas sujet à des hésitations d'ordre moral, mais simplement peu fiable, voire hérétique. Et là, ce ne serait plus à lui de décider s'il souhaitait partir ou pas.

Du moins Ardral avait-il renoncé à joindre ses pouvoirs à l'accomplissement de ce désastre. Lorsque la cloche avait résonné ce matin-là, il avait affirmé qu'il avait la gueule de bois et il était resté couché. Malgré les sourires en coin des chélas, Micail savait qu'Ardral était rarement malade. Se contentait-il de rester à l'écart, ou se retirait-il délibérément et définitivement ?

Micail se détourna avec lassitude d'Ocathrel, Haladris et tous les autres et s'assit à l'ombre d'un bloc de grès, puis il laissa ses pensées revenir aux événements de la nuit précédente.

Il était allé supplier Ardral de lui accorder son appui et il l'avait trouvé en train de fouiner dans des parchemins. D'autres étaient en train de se consumer dans un brasero sous la cheminée percée dans le toit. Ce spectacle avait abasourdi Micail : Ardral avait été le conservateur de la bibliothèque du Temple sur Ahtarrath, après tout.

— Non, non, l'avait rassuré le vieux gardien. Je suis juste en train de me débarrasser de quelques notes et poèmes personnels. Il n'y a pas d'anciens secrets là-dedans, du moins pas de secrets que je me dois de transmettre. On pourrait dire, bien sûr, que *mes* secrets sont anciens ! Mais après une vie entière passée à étudier, à méditer et à apprendre, je réalise que je ne sais qu'une chose : que nous ne savons pas grand-chose !

Puis il avait éclaté de rire. Micail se souvenait de la lueur du feu se reflétant sur les traits aquilins du vieil homme, quand Ardral avait chassé de ses yeux ses cheveux argentés. Ensuite, il lui avait demandé s'il aimerait se joindre à lui pour finir le teli'ir, comme s'ils avaient été assis sur une terrasse en train de contempler le coucher du soleil sur le port d'Ahtarra, ou peut-être même d'Atalan. Micail avait été trop déconcerté pour refuser.

Ils avaient passé un moment agréable. Ils avaient parlé de beaucoup de choses, surtout de choses amusantes. Mais lorsque Micail était enfin parvenu à orienter la conversation vers le sujet qui le troublait, il ne voyait plus son interlocuteur que dans un brouillard aromatisé… La diction de l'adepte, par contre, était toujours aussi nette, même si ce qu'il disait était devenu plutôt obscur.

— Crois-tu vraiment que mes arguments pourraient faire changer Tjalan d'avis, alors que tu as échoué avec les tiens ? Je suis un bon orateur, même s'il n'est pas très modeste de ma part de le dire, mais tu es son cousin. Et il te considère comme un ami. (Ardral avait secoué la tête.) J'admets avoir trouvé charmants la princesse Chaithala et ses enfants, et j'ai beaucoup apprécié *leur* compagnie, mais le prince d'Alkonath et moi n'avons jamais eu grand-chose à nous dire à part les amabilités d'usage. Aucun d'entre eux ne me regrettera lorsque je serai parti.

— Parti? s'était exclamé Micail qui s'était demandé si les rumeurs selon lesquelles Ardral était malade pouvaient être fondées; il n'avait pas l'air malade, mais il était vrai aussi qu'il ne faisait pas son âge, or il était déjà vieux quand les parents de Micail gigotaient encore dans leurs berceaux. Mais tu es en pleine santé!

Il n'aurait su dire si c'était une affirmation ou une prière. Ardral avait levé un sourcil et Micail avait rougi de confusion.

— Bien sûr, que je suis en bonne santé. C'est pour ça que je dois partir. Toutes les nuits, tous les jours, Tjalan ou un autre a une nouvelle question à me poser, dont la réponse m'indiffère. Je crois avoir déjà trop traîné… et je sais bien trop de choses qu'un homme n'est plus supposé savoir.

Même de la part du mystérieux Ardral, avait pensé Micail, cette dernière phrase était sibylline.

— Cela signifie-t-il que tu ne te joindras plus au travail sur la roue du soleil?

Son esprit embrumé lui avait soudain semblé lourd comme le plomb et il avait regretté d'avoir accepté ce deuxième verre de teli'ir.

— Oh, si, je vais travailler, avait répondu Ardral en tapotant l'épaule de Micail, avec un grand sourire. Ne t'inquiète pas pour moi.

Micail avait été assez lucide pour retenir les paroles qui lui venaient aux lèvres: que ce n'était pas pour Ardral qu'il s'inquiétait, mais pour Tiriki, et peut-être pour le reste du monde. Le vieil adepte l'avait alors poussé vers la porte.

— Je pense que c'est un au revoir, Micail, mais qui peut dire ce que nous réserve le destin? avait-il dit. Le temps est un long sentier plein de détours, mon garçon, et il ne manque pas de chemins de traverse… Nous pourrions nous croiser à nouveau!

Nar-Inabi, ô splendide,
Garde-nous de l'obscurité revenue,
Accorde-nous ce soir le sommeil,
Et tous tes… et tous tes…

Le premier couplet de l'hymne du soir s'évanouit, car la nuit était tombée – finalement. Son meurtrier la dominait, cornu comme un taureau. L'obscurité victorieuse envahissait les étoiles et le monde se transformait en brume et en pierre, des substances grises qui s'émiettaient et partaient à la dérive...

Chédan ouvrit les yeux avec un sursaut, surpris de constater qu'une pâle lumière se faufilait par la porte ouverte de sa hutte.

– Est-ce que ça va ? demandait Kalaran, penché sur lui.

– Ça va aller, répondit le mage en se frottant les tempes pour dissiper les brumes du rêve et faire face à cette nouvelle journée.

Kalaran avait toujours l'air inquiet, mais il lui tendit le bâton sculpté qui ne quittait plus le vieil homme. Quand ils émergèrent de la hutte, il vit que le ciel derrière les pentes du Tor était d'un bleu diaphane. Ce serait une belle journée.

– J'ai fait un rêve bizarre.

Kalaran leva les yeux, intéressé, et Chédan réprima un sourire. Depuis qu'il était devenu si faible, les jeunes le traitaient comme s'il était un trésor prêt à partir en poussière. C'était peut-être la réalité, se dit-il. Et puis parler de ses rêves permettait souvent d'en comprendre le sens, et celui-là était peut-être une mise en garde qu'il ne pouvait se permettre d'ignorer.

– J'étais à Ahtarra et je rendais visite à mon oncle Ardral dans sa bibliothèque. Nous étions en train de boire une liqueur exotique venue de la Terre des Ancêtres – cet homme avait une cave extraordinaire, ça me fend le cœur de penser à ces délicats millésimes noyés dans l'eau de mer... Bref, il a levé son verre vers moi et il a dit que je devais partir et qu'il devait rester, et qu'à nous deux nous avions éduqué mon héritier.

– Votre héritier, répéta Kalaran d'un air inquiet. Que voulait-il dire ?

– Que veut dire Ardral, c'est toujours la même question... J'aurais cru qu'il s'agissait de Micail, mais à présent... je n'en suis plus si sûr. (Il secoua la tête, le cœur déchiré à la pensée que Micail était peut-être devenu leur ennemi.) En tout cas, Ardral le connaissait à peine, à l'époque du moins. Il est vrai qu'ils ont pu se rapprocher ensuite.

– Oh... Mais, maître, quand vous avez dit « bizarre », vous avez ri. Ou presque.

– Oui, parce que j'avais encore à l'esprit l'image d'Ardral finissant son verre puis le reposant, avant de s'élever tout doucement –

il était assis en tailleur sur un fauteuil bas – de s'élever doucement dans les airs, de passer la fenêtre et de disparaître.

— En *lévitation*? croassa Kalaran.

— Eh bien… j'ai entendu dire qu'il en était capable. Mais je pense que dans mon rêve, c'était symbolique. Parce que… Vois-tu, bien qu'Anet nous ait dit qu'il était là-bas, je ne lui ai pas fait parvenir de message. Je ne savais pas quoi lui dire. Et il ne m'a pas envoyé de réponse. Alors j'imagine que d'une certaine façon, nous nous sommes «envolés» loin l'un de l'autre.

En voyant Kalaran plongé dans la plus grande perplexité, Chédan lui fit un sourire affectueux.

— Merci, mon garçon. J'avais peur d'avoir rêvé de quelque chose d'important, mais tu m'as aidé à voir que ce n'est pas le cas. Si mon rêve signifie quoi que ce soit, c'est qu'il est parti – je pensais qu'il était peut-être mort, mais maintenant j'en doute. Je crois que je le saurais si c'était le cas. Quoi qu'il en soit, j'ai pensé à lui. J'imagine que j'ai tout simplement brodé sur des choses qu'il me disait autrefois. Cela arrive souvent dans les rêves.

— J'ai souvent des rêves étranges, dit Kalaran après quelques instants d'hésitation. Mais tout rentre dans l'ordre après un bon petit déjeuner!

— Je n'ai aucune objection à ça! répondit Chédan qui se laissa guider vers le pied de la colline.

Une mince colonne de fumée apportait une odeur appétissante de viande rôtie jusqu'à eux. Un bon repas, c'était certain, l'aiderait à supporter cette journée éprouvante.

— Tu as entendu ce qu'on dit? murmura Vialmar à l'oreille d'Élara. Le seigneur Ardral est parti!

— Que veux-tu dire? Le prince Tjalan a posté des gardes devant toutes les issues de la forteresse pour nous «protéger», d'après lui. Ils ne l'auraient pas laissé s'en aller comme ça!

— C'est ce qu'il y a de plus étonnant, répondit Vialmar avec un sourire malicieux. Plusieurs personnes m'en ont parlé: il est tout simplement sorti par la porte de sa chambre et puis il a décollé du sol et il a passé le mur! Comme ça!

— Est-ce que Tjalan est au courant ? demanda Cléta, impressionnée.

— S'il est au courant, il ne change pas ses plans pour autant, répondit Élara. Regarde, il a amené Damisa !

— Et Reidel, ajouta Cléta. Le prince croit-il vraiment qu'il pourra les persuader de se joindre à nous, ou veut-il simplement les impressionner avec la démonstration de notre pouvoir ?

Cléta et Élara échangèrent un regard.

« Comment en sommes-nous arrivés là ? se demanda Élara. Nous sommes pourtant trop peu nombreux pour être en conflit… ». Mais tant que ses aînés étaient d'accord, ses vœux l'obligeaient à leur obéir.

Elle avait même pris le risque d'être en retard car elle avait fait un détour pour aller parler à Khayan-e-Durr, mais les Ai-Zir ne pouvaient rien contre les armes atlantes ni la magie atlante. Elle avait eu l'intention de leur demander de l'aide, mais elle avait fini par leur conseiller de rester à l'écart. Elle n'était pas sûre d'avoir convaincu la reine du danger. Les chamans fomentaient peut-être quelque chose de leur côté. Elle avait entendu des tambours dans la demeure de Droshrad mais, à la réflexion, ce n'était pas inhabituel.

« Si Tiriki meurt à cause de tout cela, que va faire Micail ? Pourra-t-il vivre avec ça ? » Elle se souvenait de la profonde douleur qu'elle avait lue sur son visage quand il était revenu de la rencontre entre Tjalan et Tiriki ; elle savait qu'il ne supporterait pas une séparation définitive. Ses émotions la submergèrent et elle ressentit une immense sympathie pour lui, mêlée à l'idée insoutenable d'un monde d'où Micail serait absent…

Elle aperçut alors Micail, assis tout seul, adossé à un des monolithes. Elle n'avait pas vu cette expression sur son visage depuis leur départ de Belsairath. Pourquoi ne refusait-il pas de participer, tout simplement ? Pour quelle raison ne les accusait-il pas tous d'imposture ?

Un rayon de soleil se refléta sur une lame de sabre plaquée d'orichalque. Tjalan avait placé ses soldats à intervalles réguliers tout autour du cercle de pierres… « Voilà une bonne raison, j'imagine. » Élara rougit.

De toute façon, réalisa-t-elle d'un air sombre, ses vœux ne lui auraient pas permis d'espérer la mort de Tiriki juste pour remplacer celle-ci dans le lit de Micail. Mais elle voyait mal comment ils se sortiraient de tout ça sans qu'il n'y ait de sérieux dégâts d'un côté ou de l'autre.

Cléta lui tapota l'épaule. Haladris les appelait à leur place. L'épreuve allait commencer.

— Je ne comprends pas, dit Damisa. Que comptez-vous faire exactement pour persuader les gens du Tor de se joindre à vous ? Que *pouvez-vous* faire, depuis ici ?

En réalité, certaines rumeurs lui étaient parvenues jusque dans sa cage dorée, mais elle n'arrivait pas à y croire. Tjalan se tourna vers elle, les yeux encore plus brillants que ses bracelets en forme de dragons. Depuis mille générations, ces bracelets avaient orné les poignets des princes de la lignée royale.

— Quelque chose que je préférerais ne pas avoir à faire, mais donner naissance à un nouvel empire impose toujours des… ajustements préliminaires, répondit-il. Quand le Radieux Empire a laissé place aux royaumes de la Mer, il en est déjà allé ainsi. Mais il est évident que Tiriki va s'obstiner. Il vaut mieux frapper un coup maintenant, comme mesure disciplinaire, plutôt que d'avoir à supporter un conflit à long terme, tu ne crois pas ? Ensuite, nous pourrons mettre toutes nos énergies en commun pour établir un nouvel ordre des choses. Allons, Damisa, tu *dois* reconnaître le bien-fondé de ce que je dis. Je ne peux pas y arriver seul. (Ses longs doigts caressèrent le bras de la jeune femme.) Maintenant que j'ai perdu Chaithala, je vais avoir besoin d'une femme à mes côtés, une femme qui pourra me donner des fils. À quoi bon une couronne, s'il n'y a pas d'héritier ?

Le pouls de Damisa s'accéléra. Était-il en train de suggérer qu'elle pourrait être son… impératrice, un jour ? C'était logique, car le sang royal d'Alkonath coulait dans ses veines à elle aussi, mais après tout ce qui était arrivé, il lui semblait irréel de se voir offrir ce dont elle avait tant rêvé. Soudain, elle comprit pourquoi Tiriki était repartie vers le Tor plutôt que de revenir ici avec Micail. « Elle est devenue quelqu'un qui *agit*, qui fait *advenir* les choses, et pas seulement la collaboratrice de son mari, se dit-elle. Que pourrais-je devenir par moi-même ? »

Mais il ne fallait pas que le prince Tjalan se doute du chaos émotionnel dans lequel elle se débattait. Son regard quitta le visage de son cousin et glissa vers un groupe de soldats qui amenaient Reidel, les poignets toujours liés. Sa lèvre était enflée, quelqu'un l'avait frappé – pour se défendre, sans doute, car les articulations de sa main droite avaient l'air meurtries aussi.

– Mon prince, vous m'honorez grandement, dit-elle d'une voix sourde. Mais je ne dois pas vous distraire avec ces idées en un tel instant.

Il sourit, sardonique, mais sa réponse l'avait satisfait. Il tournait déjà son attention vers Haladris qui avait commencé à placer les chantres à l'intérieur du cercle de pierres.

Reidel la regardait – était-ce de la colère ou de la supplication dans ses yeux ? Il n'avait aucun droit sur elle. Mais quand elle lui tourna le dos, elle continua à sentir son regard peser sur elle.

Tiriki se força à détacher son regard de la brume légère, à l'est, là où elle savait que Micail et les autres s'apprêtaient à lancer leur attaque contre le Tor. Elle fixa les yeux avec détermination sur les visages des hommes et des femmes qui attendaient, au sommet du Tor, de défendre celui-ci. Elle s'éclaircit la gorge et réussit à leur sourire.

– L'esprit de cet endroit, la rayonnante que j'appelle la Reine, m'a montré ce que nous devions faire…

– Mais comment savons-nous s'ils vont agir aujourd'hui ? demanda Élis.

– Ou s'ils vont agir tout court ? murmura quelqu'un.

– J'ai vu le pouvoir s'accumuler, répondit Tiriki. Mais même si ça n'avait pas été le cas, cela ne nous fera pas de mal d'exercer nos pouvoirs.

– Je vois, intervint Iriel malicieusement. Encore une leçon !

La tension baissa quand les autres acolytes se mirent à rire.

– Oui, en quelque sorte, répondit Tiriki tranquillement puis elle attendit que le calme revienne. Vous avez parcouru le labyrinthe que nous avons gravé sur la colline pour venir ici, et cela nous a déjà menés à mi-chemin de l'autre monde. Je voudrais que vous vous asseyiez tous en cercle en vous donnant la main.

Tiriki jeta un coup d'œil à Chédan, auquel il répondit par un hochement de tête. Malgré l'effort qu'il avait fourni pour grimper jusqu'ici, le visage du mage était pâle. Il aurait dû être au lit, se dit-elle, mais ils avaient trop besoin de lui. En réalité, ils risquaient tous leur vie aujourd'hui. Au moins, Domara était en sécurité auprès de Taret. Quoi qu'il arrive, elle survivrait.

Tiriki se mit debout au centre du cercle et leva les mains vers la pure lumière que déversait le ciel. Le deuxième couplet de l'hymne du soir lui vint à l'esprit :

> *Ô toi, le plus saint et le plus haut,*
> *Seule sagesse digne d'être connue,*
> *En toi nous trouvons un but,*
> *Une fin et un commencement.*

Elle fit le signe de la bénédiction sur sa poitrine et sur son front, puis elle prit place dans le cercle, en face de Chédan.

– Ô grand Manoah, roi des dieux, et toi, Être suprême qui es le pouvoir au-delà de tous les dieux, à toi nous adressons notre prière…

Tiriki poursuivit :

– … ni pour la gloire ni pour les richesses, mais pour préserver la vie et être digne du savoir que tu nous as donné. Protège cette colline sacrée et tous ceux qu'elle abrite, et aide-nous à ramener ceux qui travaillent contre nous vers la voie de la vraie sagesse…

Elle regarda à nouveau vers l'est. Que faisaient leurs adversaires – car, même maintenant, elle ne pouvait se résoudre à penser à eux comme à de véritables ennemis – en cet instant ?

– Nous sommes les héritiers d'une longue tradition, disait Haladris, et aujourd'hui, nous allons montrer sa puissance. Notre cercle de pierres protégera nos esprits et les soldats du prince Tjalan protége-ront nos corps. N'ayez pas peur de projeter tout votre pouvoir. Du sein de ce cercle, envoyez une force telle qu'elle inscrira la terreur sur leurs visages.

« Et si nous y parvenions ? » pensa Micail amèrement. Il lança un regard furtif à Naranshada et Jiritaren qui se tenaient à ses côtés, parmi les ténors, au milieu du demi-cercle des chantres. Leur expression était tendue, leurs yeux pleins d'appréhension et de regrets. Il sut instantanément que leur mal-être n'était pas nouveau. «Ils n'aiment pas ça, eux non plus. J'aurais dû protester plus tôt... avant que les choses aillent si loin.» Mais s'il l'avait fait, Tjalan l'aurait empêché d'agir, alors que maintenant, il pourrait peut-être encore modifier l'issue des événements.

Haladris prit place au centre du chœur de prêtres et de prêtresses. Ils complétaient ainsi le cercle esquissé par les cinq trilithes et entouré par le cercle externe. Il fredonna une série de notes et, groupe après groupe, ils lâchèrent leurs tons. On pouvait difficilement croire qu'un son si ténu puisse contenir tant de puissance, mais au bout de quelques instants, Micail entendit les pierres commencer à répondre.

Ce n'était qu'un murmure, comme le son de milliers de voix dans le lointain, mais Micail sentit les poils se hérisser sur ses avant-bras. L'espace d'un instant, la fierté l'emporta sur sa peur.

Au moment où Tiriki joignit ses mains à celles de Kalaran et de Sélast, Chédan sentit un picotement de pouvoir. Il sut que le cercle d'énergie était fermé. Comme s'ils ne faisaient qu'un, ils ralentirent leur respiration pour trouver le rythme profond de la transe. Il sentit le cahotement familier de sa conscience lorsqu'elle accéda à un autre niveau et il lança sa pensée en direction de celle de Tiriki. Ils rassemblèrent l'attention des autres en une conscience unique et ouvrirent la bouche pour lancer une note unique et douce.

«Notre tâche est plus facile, se dit-il en essayant de stabiliser son contrôle de lui-même quand une douzaine de voix s'éleva crescendo. Nos adversaires, eux, doivent donner forme à une énergie difficile à manier avant de la guider pour nous attaquer. Nous n'avons qu'à affirmer la présence du pouvoir qui se trouve déjà ici, au centre sacré.»

Le ton monta encore, palpitant, tandis qu'ils avaient recours à la respiration circulaire pour moduler le son. La pure lumière du soleil se changeait déjà en l'illumination scintillante de l'autre monde. Puis, dans les profondeurs sous leurs pieds, Chédan entendit la réverbération au moment où l'Omphale reçut et amplifia leur chant.

Son regard croisa celui de Tiriki et, l'espace d'un instant, l'émerveillement l'emporta sur la peur.

Élara concentra son souffle en une pure exhalaison de son ; elle trembla légèrement quand la note plus élevée des sopranos en renvoya l'harmonie. L'euphorie emplissait ses veines sous l'effet de l'énergie que ces vibrations faisaient naître et qui résonnaient contre la surface lisse des pierres. Quoi qu'il arrive ensuite, elle se dit qu'elle n'oublierait jamais l'absolue beauté de ce son.

Elle venait à peine de le penser lorsqu'elle réalisa que la musique changeait. Haladris imposait aux voix les plus graves une note bizarrement discordante qui bouscula son cœur. Elle entendit un ou deux chantres hésiter, mais le regard noir de Mahadalku les ramena rapidement dans l'harmonie générale. Elle pouvait presque *voir* les vibrations sonores changer de nature quand elles se mirent à rebondir de pierre en pierre puis s'élevèrent en spirale en direction de l'ouest, vers le Tor.

Tiriki sentit l'attaque ; il y eut un soudain changement de pression, une tension dans l'air, comme celle qui annonce un orage. Elle serra la main de Sélast et une attention soutenue se répercuta autour du cercle.

« Maintenez la note, commanda Chédan mentalement. N'ayez pas peur. Rappelez-vous, tout ce que nous avons à faire, c'est de tenir bon... »

« Comme nous l'avons fait lorsque cette immense vague a frappé notre navire après le Cataclysme ? » se demanda Tiriki juste avant que le premier choc ne s'abatte sur eux comme un coup de poing. Elle s'efforça de concentrer toute son attention sur la roche réticulée qui la séparait du germe de Lumière enfoui sous ses pieds ; sur les pouvoirs jumeaux qui jaillissaient de la source blanche et de la source rouge dans les profondeurs ; sur la vibration sonore de son propre esprit...

La pression monta, comme si, constatant qu'ils avaient été contrés, les prêtres de Tjalan avaient augmenté l'intensité de leur chant. Le rayonnement palpita et se réfracta – Tiriki eut l'impression d'être assise au cœur d'un cristal – tandis que des éclairs étranges crépitaient tout autour du Tor.

Elle s'ancra plus profondément dans la terre et puisa dans le pouvoir de l'Omphale. Elle lutta pour conserver la vision d'une bulle, une sphère protectrice contre laquelle toutes les vagues de pouvoir qu'elle sentait se précipiter sur eux s'abattraient en vain. Elle sentit les autres se raidir pour résister aussi. Les mains se serrèrent si fort que les os grincèrent et que les articulations blanchirent, mais c'était une souffrance mineure face à ce qu'ils devaient supporter.

«Pour Domara, pensa-t-elle les dents serrées, pour Sélast et son enfant à naître.»

«Pour Loutre…, fut la supplication d'Iriel. Pour Forolin et Adeyna et Kestil… Pour Héron et Taret…»

La litanie se déroula avec les noms de tous ceux qu'ils en étaient venus à aimer dans ce pays, et ils tinrent bon, ils résistèrent farouchement au nom de tous ceux qu'ils avaient déjà perdus.

– Damisa, je ne peux plus voir à l'intérieur du cercle! s'exclama Tjalan. Est-ce qu'il y a un problème?

Damisa arracha sa main à celle du prince. Elle avait entendu un grondement sourd à l'intérieur du cercle de pierres et elle avait compris que le travail avait commencé. Mais il y avait étonnamment peu de bruit. Ce devait donc être vrai, le cercle retenait les sons. À présent, les silhouettes des gens à l'intérieur semblaient trembler, comme un paysage sous la chaleur d'un jour d'été. Mais elle ne pensait pas que ce pays puisse jamais connaître une journée assez chaude pour produire ce genre de phénomène.

– Je n'y vois pas plus que toi, marmonna-t-elle. Je pense que c'est un effet secondaire des vibrations. Peut-être que la poussière du sol s'élève dans les airs, ou alors la lumière est simplement… déformée. On le sent dans le sol.

«Du moins, *moi*, je peux», se dit-elle. Les semelles épaisses des sandales de soldat que portait Tjalan l'isolaient peut-être du tremblement qui passait dans ses fines sandales à elle et lui rappelait désagréablement la façon dont la terre d'Ahtarrath avait tremblé avant le Cataclysme. Elle envisagea un instant de lui conseiller de coller une oreille au sol, mais sa dignité le lui aurait probablement interdit. Comment était-ce à l'*intérieur* du cercle, au milieu de tout ce pouvoir ? se demanda-t-elle avec une pointe de jalousie.

Les pierres d'Azan étaient en train de danser.

Micail cligna des yeux, mais sa vue était bonne. Le sol tremblait sous ses pieds ; quand Mahadalku fit s'élever encore la voix des sopranos, les blocs de grès verticaux se mirent à vibrer au rythme du son. Ce n'était pas le chant précis et net qui avait levé les pierres – c'était une harmonie désaccordée qui heurtait les nerfs et se répercutait dans les os.

Micail réalisa qu'il n'était pas le seul à s'être arrêté de chanter, mais avec un chœur de cette importance, il restait assez de chantres pour maintenir la vibration. Il se demanda comment il était possible de résister à une telle attaque, mais il était évident que le Tor résistait. Il sentait les distorsions envoyées par les vagues de pouvoir qui se heurtaient à un obstacle et refluaient brusquement.

« Nous ne pouvons pas enfoncer leurs défenses ! » exulta-t-il. Mais Haladris le savait-il ? Le prêtre alkonien chantait encore plus fort et faussait toujours plus les harmonies. Une poussière fine s'élevait du sol de terre battue au milieu du cercle. Le prêtre était pâle et en sueur ; il avait le regard fixe d'un homme dont la vision est concentrée vers l'intérieur. Micail comprit qu'il ne pouvait pas voir ce qui se passait autour de lui. Les pierres verticales avaient été enfoncées profondément dans la terre et fixées solidement dans leurs fosses, mais elles n'avaient pas été conçues pour endurer un tremblement aussi prolongé. Il y eut un grincement et ce qui ressemblait à un gémissement quand un des piliers de grès du trilithe septentrional se mit à bouger, à sursauter puis à glisser, à peine retenu en place par le tenon qui le reliait à son linteau…

Micail se refusait depuis le début à contribuer de toutes ses forces à ce travail mais, du fond de son détachement, il sentit le vacillement qui enflait dans le courant de pouvoir. Il soupçonnait que la résistance du Tor était sur le point de céder. Mais cela ne ferait aucune différence ici, où les énergies continuaient à se répandre. En fait, si elles n'étaient pas dirigées, ces forces provoqueraient bien plus de dégâts, dans le cercle comme sur le Tor, que la simple tape sur les doigts qu'Haladris avait envisagée.

« Il faut que je mette un terme à tout ça, avant que le cercle tout entier ne s'écroule ! » Il lança son esprit à la rencontre de ses pierres bien-aimées. Soudain, une voix qu'il savait être celle de son père résonna dans son cœur :

« *Parle par la voix des pouvoirs de la tempête et du vent, du soleil et de la pluie, de l'eau et de l'air, de la terre et du feu !* » Il comprit à cet instant précis pourquoi les pouvoirs dont il avait hérité s'étaient éveillés en lui.

— Je suis l'héritier du Mot du Tonnerre ! hurla Micail. Et je revendique ce pays !

La rangée de soldats chancela ; ils lancèrent un regard terrifié à Tjalan quand un tremblement courut sous la terre, à l'extérieur du cercle.

— Nous gagnons ! cria le prince en s'agrippant au bras de Damisa. Personne ne peut rester conscient après un tel choc ! As-tu senti ce pouvoir ?

— *Jamais* ! hurla Reidel. Pas tant que je suis en vie !

La terre se souleva à nouveau ; il échappa à ses gardes et tituba en direction du cercle de pierres.

— Reidel, non ! cria Damisa.

Cet idiot allait se faire tuer !

— Arrêtez-le ! rugit Tjalan, mais ses soldats arrivaient à peine à rester debout. Il jura, lâcha Damisa et plongea en direction de Reidel en tirant son sabre. Damisa était sur ses talons. Ils étaient *tous les deux* idiots. Cette situation était insensée. Partagée entre la peur et la fureur, elle n'arrivait plus à penser de façon cohérente, mais avec une énergie insoupçonnée, elle rattrapa Tjalan, lui tordit le bras qui portait le sabre et l'envoya valser. Le prince poussa un hurlement de dépit, mais elle continua à avancer ; un instant plus tard, elle avait rattrapé Reidel et l'avait précipité sur le sol. Son corps était chaud et solide. Elle s'agrippa à lui, haletante, comme elle s'était agrippée à lui lorsqu'ils avaient fait l'amour.

— Tu vas *vivre*, bon sang! siffla-t-elle, et les yeux du jeune homme s'écarquillèrent de surprise.

Micail enfourcha le chaos et brandit le tonnerre. Dans le Mot de son pouvoir, il avait trouvé un nouveau son avec lequel contrecarrer les vibrations montantes qui menaçaient de détruire le pays tout entier. Mais l'énergie devait aller quelque part. L'espace d'un instant qui lui sembla une éternité, la ruine du monde fut suspendue autour de lui comme une explosion figée. Il eut le temps de calculer les forces en présence, de noter la position de toutes les étincelles de vie et de mesurer l'espace entre les pierres.

— Reculez! rugit-il aux autres. Mettez-vous à l'abri si vous pouvez!

Puis il laissa filer la note qui, il l'espérait, ferait rebondir l'énergie loin des autres chantres; il la tint avec toute l'énergie qu'il pouvait puiser en lui tandis que les forces se précipitaient en rugissant vers l'extérieur au travers des trilithes.

Chédan sentit le reflux et chancela comme si le vent contre lequel il luttait s'était soudain arrêté de souffler. Ce n'est qu'à ce moment précis, lorsque la pression eut disparu, qu'il réalisa combien l'effort l'avait épuisé. Tiriki, effondrée contre Kalaran, était aussi blanche que sa tunique de lin, mais elle était souriante. Il vit la même joie ébahie sur les visages des autres participants.

«Nous avons survécu!» pensa-t-il, son cœur fatigué battant la chamade dans sa poitrine. En cet instant, les forces qu'ils avaient crues vaincues pour de bon renversèrent la garde qu'ils avaient abaissée comme une débandade de taureaux furieux.

Les réflexes de toute une vie remirent Chédan sur ses pieds avec la rapidité de l'instinct, son bâton en avant.

— Allez-vous-en!

Son hurlement se répercuta dans toute la contrée. Avec l'énergie du désespoir, il lança son esprit à la poursuite de sa voix jusque dans les cieux en chassant ces terribles puissances devant lui. Il ne sut jamais à quel moment précis l'être de chair qui l'avait porté s'affala sur le sol, pour ne plus jamais se relever.

Le pouvoir s'échappa en hurlant abominablement en un demi-cercle qui s'étendait du nord-est au sud-ouest de la roue du soleil et renversa le trilithe des Taureaux Jaunes, au nord. Des fragments de roc assommèrent les chantres les plus proches. Une des pierres verticales du grand trilithe central, celui des Taureaux Rouges, resta debout, mais son linteau fut soufflé comme un fétu de paille et la deuxième se fendit en deux en s'écrasant sur la pierre de l'autel. La force toujours croissante s'élança alors vers l'extérieur, jetant à bas la plupart des pierres occidentales. Un énorme morceau de grès s'abattit sur le prince Tjalan ; des débris tombèrent sur Damisa, dont le corps protégeait toujours celui de Reidel.

Mais au centre du cercle, Micail se tenait debout, entouré de quelques silhouettes tapies au sol. Il tint la note jusqu'à ce que la dernière réverbération disparaisse et que seule la poussière tourbillonnante témoigne de la violence suprême qui avait envahi la plaine. Alors, et seulement alors, il s'écroula, aussi lentement, aussi lourdement que les pierres elles-mêmes.

CHAPITRE 20

Le soleil se lève, les ténèbres s'effacent,
La flamme monte, l'esprit s'envole.
Acclamons l'âme qui s'élève,
Ses maux de mortel sont guéris,
Salut à toi – au revoir !

La fumée s'éloigna en tourbillonnant vers l'ouest comme si le chant l'avait poussée vers l'horizon embrumé. Les flammes enflèrent sous le bûcher funéraire. Ils étaient tous là, tous ceux qui avaient pu se regrouper au sommet du Tor : des prêtres et des prêtresses d'Atlantis, des marins, des marchands et des gens des marécages, unis dans la peine. Tiriki avait assisté à de splendides funérailles sur Ahtarrath, mais elle n'avait jamais vu un chagrin si sincère. Tous avaient profondément aimé Chédan Arados.

Trouver le corps de Chédan déserté sur le sol après cette dernière attaque avait été ressenti comme la plus amère des trahisons. La plupart comprenaient ce qui avait dû se passer ; ils savaient que si Chédan n'avait pas agi, ils auraient probablement tous trouvé la mort. Mais cela ne les consolait pas.

Tiriki se souvenait que sur le *Serpent écarlate*, Chédan et elle avaient dû se résoudre à amputer un marin dont la main avait été écrasée par la chute d'un mât. L'homme avait survécu, mais c'était un déchirement que de le voir tendre la main pour attraper quelque chose, avant de réaliser que cette main n'était plus là. «Je lui ressemble à présent, pleurait Tiriki, mais tu n'es plus là pour remplacer ma main manquante par un crochet... Chédan, Chédan, je préférerais avoir été estropiée plutôt que de rester seule, sans ta sagesse... tes conseils... ton patient sourire...»

– Faucon du soleil nous a quittés! sanglotait une femme des marécages, dont le mage avait sauvé les enfants lors de l'épidémie.

La mélopée funèbre s'était tue. Loutre pointa le doigt vers le ciel et leur chagrin se mua en émerveillement. Un faucon – Tiriki pensa que c'était un merlin – volait en cercles au-dessus du Tor. Il planait au cœur de la colonne de fumée, comme si l'esprit de Chédan avait pris la forme de l'animal qui lui avait donné son surnom pour un dernier au revoir. Sous leurs regards, il plongea brusquement et s'en fut en planant vers l'est à travers l'atmosphère qui s'éclaircissait.

– Je comprends, murmura Tiriki en courbant la tête comme si le mage en personne s'était tenu devant elle.

Elle eut alors l'impression de sentir son chaleureux contact, comme s'il avait été palpable. C'est peut-être ce qui l'amena à se remémorer la dernière soirée qui avait précédé la bataille. Chédan lui avait parlé, ou plutôt il l'avait forcée à écouter. Il avait évoqué sa foi dans la prophétie :

– Tu n'étais pas supposée le savoir, mais Micail a été choisi pour être mon successeur, avait-il dit. C'est pour cela qu'en dépit de tout ce qui s'est passé, je crois toujours qu'il est destiné à fonder le nouveau Temple.

Elle avait refusé d'en discuter, mais Chédan avait insisté et il avait dit :

– De toutes les choses que nous autres mortels sommes appelés à faire, la plus difficile est de pardonner. Pour vraiment pardonner, il faudra sans doute que tu agisses pendant quelque temps comme si tu avais *déjà* pardonné, avant d'y parvenir réellement.

Mais à ce moment-là, Tiriki n'avait pas osé, ou pas voulu, penser à ce qui se passerait après le conflit. Chédan, lui, croyait fermement qu'ils y survivraient et que lorsqu'il serait terminé, elle devrait aller au pays des Ai-Zir pour retrouver Micail.

Elle eut un pâle sourire et murmura :

— Je t'entends à présent, mon vieil ami. J'espère que, cette fois, je t'ai vraiment compris.

Quand le cortège funèbre descendit la colline, le soleil était haut. L'exubérante Domara elle-même s'était calmée, écrasée par le chagrin général, durant la cérémonie ; mais lorsqu'ils laissèrent les cendres du bûcher derrière eux, la petite fille se mit à galoper le long de la pente en faisant la course avec les autres enfants. Un instant plus tard, elle revenait à toute allure.

— Des œufs ! cria-t-elle. Maman, viens voir ! Des énormes œufs magiques !

Tiriki échangea un regard inquiet avec Liala et se hâta après sa fille. L'Omphale avait-il jailli de sa cachette au cœur de la colline ? Mais non, ce qu'elle voyait là, c'étaient des pierres blanchâtres éparpillées sur les pentes herbeuses du Tor ; certaines avaient la taille d'un rocher, d'autres ressemblaient effectivement à des œufs, mais toutes étaient arrondies et curieusement lisses.

— Que Caratra nous garde ! s'exclama Liala qui venait de rejoindre Tiriki, la respiration haletante. Ce maudit Omphale a eu une portée ! Il a mis bas ! *Il a fait des œufs !* N'y touche pas ! Les dieux seuls savent ce qu'ils peuvent faire.

Partagée entre les larmes et le rire, Tiriki ne put que l'approuver. La force qui avait fait exploser l'Omphale avait dû produire ces répliques miniatures. Heureusement, il ne semblait pas qu'elles aient hérité du pouvoir de leur ancêtre. «Oh, Chédan, pensa-t-elle, est-ce la dernière blague que tu me réservais ?»

Lorsque Tiriki rejoignit sa maison, elle constata que Métia lui avait déjà préparé de la nourriture pour un voyage et qu'elle avait refait son bagage. Dannetrasa, qui était désormais le plus âgé des prêtres, était là aussi et il protestait de toute la force de sa raison pour la dissuader d'accomplir son projet, mais personne n'avait autorité sur une gardienne du Temple.

Kalaran la supplia presque de le laisser l'accompagner, mais la naissance de l'enfant de Sélast était proche et Tiriki refusait de les séparer à un tel moment. Le marchand Forolin avait offert son aide aussi et elle eut du mal à la décliner ; mais comme tous les marins voulaient aller délivrer Reidel, elle les autorisa à l'escorter. Elle avait également l'intention de demander à la saji qui avait servi Alyssa de venir avec elle. Lorsque Forolin protesta, elle lui répondit ce que Chédan lui avait rétorqué une fois, quand elle avait admis qu'elle avait des préjugés envers les sajis, et elle conclut :

— Les sajis sont surtout des guérisseuses, et j'ai peur que des guérisseuses ne soient plus utiles là-bas que des prêtresses.

Et bien que cela lui ait d'abord semblé présomptueux, elle prit aussi le bâton sculpté qui avait appartenu à Chédan. La seule chose qu'elle refusa absolument, ce fut d'avoir un guide.

— Non, expliqua-t-elle patiemment à Rendano. Je n'en ai plus besoin. Mon esprit est à nouveau connecté à celui de Micail. Tout ce que j'ai à faire, c'est de suivre ce lien.

Cette certitude l'empêchait de désespérer, plus encore que de savoir que Micail était encore en vie : elle ne savait toujours pas quel homme il était devenu. Mais elle avait été prudente et sage pendant bien trop longtemps. Les siens, désormais, étaient en sécurité. Quoi qu'il ait pu advenir à Micail, quoi qu'il ait pu faire, elle savait qu'il était temps d'aller le retrouver.

Micail luttait contre la part de lui-même qui voulait reprendre conscience. Tout lui faisait mal, même le lit moelleux sur lequel il était allongé.

— Est-il réveillé ?

C'était la voix de Galara. Il eut une grimace de douleur quand un linge mouillé toucha son front et il essaya de parler, mais il ne put que gémir.

— Il est en plein cauchemar, répliqua Élara. J'aimerais tellement que Tiriki soit ici !

Tiriki ? Micail secoua la tête. Il ne se ferait plus avoir. Tiriki était morte, elle avait coulé avec Ahtarrath, d'énormes rochers avaient fracassé son navire dans le port – il pouvait encore les voir : des blocs immenses qui vacillaient avant de fendre l'air et de s'abattre dans la mer. Les gens mouraient lorsqu'ils tombaient. Il eut la vision soudaine de son ami Ansha dont le sang rouge tachait le sol blanc, là ou il avait été terrassé, et il eut l'impression d'entendre des voix chanter une mélopée alkonienne pour pleurer la mort d'un prince. Il avait seulement rêvé qu'ils étaient sains et saufs ; à présent, le rêve tentait de l'engloutir à nouveau. Il ne se laisserait pas tromper, cette fois. Il n'y avait plus d'issue. Ils étaient tous morts – tous, sauf lui.

« J'ai juré que je ne survivrais pas à la mort de Tiriki », se dit-il durement. Il était temps d'abandonner et de laisser la pénombre le porter jusqu'à la cité des ossements.

« Si seulement je pouvais échapper à mes rêves... »

Tiriki se souvenait du chemin qu'ils avaient pris pour aller rencontrer le prince Tjalan. Elle savait que la plaine était encore à une journée de marche à l'est et que tout ce qu'elle avait à faire, c'était de marcher en direction du soleil levant. Mais outre l'énergie vitale vacillante de Micail, elle sentait aussi, à présent, un bouillonnement d'énergies chaotiques qui ne pouvaient venir que du cercle brisé. Ses pieds lui faisaient mal et le soleil, qui brillait de tous ses rayons comme pour les narguer, lui brûlait la peau. Pourtant, elle dévala la dernière colline à toute allure, sans s'inquiéter de ce qui l'attendait au bas de la descente : quatre guerriers avec un tatouage des cornes de la tribu des Taureaux Bleus sur le front et la jeune femme, Anet, qui avait fini par perdre son sourire moqueur.

– Des chasseurs vous ont vus arriver, dit-elle avec un regard hésitant vers Tiriki. Mes hommes peuvent porter vos bagages, nous irons plus vite.

Tiriki hocha la tête. C'était étrange, car elle avait craint cette fille et l'avait presque haïe, mais elle n'avait plus qu'indifférence pour Anet.

– Je sais que Micail n'a pas été tué, répondit-elle durement. Mais je sais qu'il est blessé. Est-ce grave ?

– Des pierres l'ont heurté en tombant. Il a des blessures – rien de fatal. Mais depuis il dort sans se réveiller. Il ne veut pas guérir.

Tiriki ne put que hocher la tête à nouveau. Elle avait été *certaine* que Micail était en vie mais, à chaque pas durant ce voyage, elle s'était posé la question : et si elle avait tort ?

– Qui d'autre a été blessé ? demanda-t-elle lorsque leur groupe s'engagea à nouveau sur le chemin.

– Quand les pierres ont… explosé, certaines ont volé très loin, répondit Anet. Mais d'autres sont tombées tout près. Le prince Tjalan est mort, beaucoup de ses soldats aussi. Les cérémonies du bûcher ne se sont terminées qu'hier soir. Les autres prêtres et prêtresses, ils sont morts, eux aussi, ou ils se sont enfuis – s'ils en étaient capables.

Ils traversèrent la plaine, et peu à peu la roue du soleil devint plus distincte. Certains trilithes étaient encore debout et témoignaient de l'art de ceux qui les avaient levés ; d'autres s'étaient écroulés par terre, comme si un enfant géant s'était lassé de son jeu de construction et les avait laissés traîner dans l'herbe. On aurait dit qu'il y avait encore une présence parmi eux – une ombre mince qui ressemblait à une spirale de fumée.

« Je m'occuperai de *toi* plus tard », pensa Tiriki quand ils passèrent devant. Elle voyait déjà la fumée bien réelle des feux de camp d'Azan-Ylir, là où Micail l'attendait. Lorsqu'ils atteignirent le fossé à la lisière du village, une femme aux cheveux sombres que Tiriki eut du mal à reconnaître s'élança vers eux en courant. C'était Élara.

– Oh, ma dame, fit-elle en vacillant, comme si elle était incapable de décider si elle allait faire un salut formel à Tiriki ou se jeter à ses pieds. J'ai tellement prié la Mère pour qu'elle vous envoie…

– Et par sa grâce, me voici, répondit Tiriki. Je suis heureuse de voir que tu n'es pas blessée.

– Oui, ça va, je crois, répondit Élara d'un air distrait. Il semble que le seigneur Micail soit parvenu à diriger la force loin de là où nous nous tenions dans le chœur. Une seule des sopranos a été tuée. Mais Cléta est grièvement blessée.

Dans son rêve, Micail était debout au sommet de la montagne de l'Étoile. Il contemplait l'immonde image de Dyaus.

– Par le pouvoir que me donne mon sang, je te ligote ! clamait-il, mais la gigantesque silhouette sombre se contenta de rire.

– *Je suis délivré… et je vais libérer les autres…*

Le vent et le feu se pressèrent autour de lui. Micail hurla de toutes ses forces quand la réalité disparut – mais il sentit un petit bras saisir ses épaules et le protéger de l'explosion. « Tiriki… » Il reconnut la caresse de son esprit, bien que ses yeux aient toujours été aveuglés par le chaos. «Suis-je mort?» Il avait tellement espéré connaître la paix après cette vie; était-il condamné à revivre les mêmes batailles, indéfiniment?

Son cœur, pourtant, reprenait courage au contact de Tiriki. Il chercha du regard son ennemi éternel. Le tumulte autour de lui s'était apaisé, mais Tiriki le secouait par l'épaule. Pourquoi faisait-elle cela? S'il la laissait le ramener au monde des vivants, elle disparaîtrait à nouveau…

— Micail! *Osinarmen*! Réveille-toi! J'ai marché pendant trois jours pour venir ici. Le moins que tu puisses faire, c'est d'ouvrir les yeux et de me souhaiter la bienvenue!

Ça, ça ne ressemblait pas à un rêve!

Micail réalisa que la lumière bombardait ses paupières closes. Il inspira profondément, en grimaçant à cause de ses côtes blessées, mais soudain tous ses sens lui hurlèrent que Tiriki était bien là. Ses lèvres caressaient son front; il s'agrippa à elle de toutes ses forces quand elles descendirent jusqu'aux siennes.

Son cœur battait à tout rompre; leur baiser mit ses nerfs en feu. Toute sa chair sut instantanément qu'il était en vie et que Tiriki était dans ses bras! Il ouvrit les yeux.

— Voilà qui est mieux, dit-elle en levant la tête pour qu'il puisse voir son sourire.

— Tu es là! murmura-t-il. Tu es vraiment là! Tu ne vas pas me quitter à nouveau?

— Je ne te quitterai pas et je ne te laisserai pas me quitter, répondit-elle dans un sanglot. Nous avons tant de travail à accomplir!

Micail sentit son propre visage s'assombrir.

— Je… je n'en suis pas digne, fit-il d'une voix rauque. Il y a eu trop de morts à cause de moi.

— C'est vrai, répondit-elle sévèrement. C'est précisément pour cela que tu dois vivre et faire ce que tu peux pour expier. La première étape, c'est de guérir.

Elle se redressa et fit un signe à Élara qui hésitait sur le seuil, un bol de bois entre les mains.

— C'est du ragoût, et il est très bon, dit Tiriki. J'en ai mangé tout à l'heure. Au moins, il y a toute la nourriture dont on peut rêver ici.

Tu vas le manger, tes mâchoires sont en parfait état de marche. Ensuite, on verra.

Micail la contempla en silence, mais elle ne semblait pas attendre de réponse. Il lui parut plus simple de la laisser l'aider à s'asseoir plutôt que de discuter. Et lorsqu'il goûta le ragoût, il constata qu'il avait très faim.

— Tiriki a changé, dit Galara en rendant à Élara la corbeille pleine d'écorces de saule fraîchement pilées. Enfin je crois… je ne la connaissais pas très bien. Elle a épousé Micail alors que je n'étais qu'un bébé. Elle m'avait toujours semblé fragile — si pâle, la voix si douce…

— Je sais ce que tu veux dire. Et c'est vrai qu'elle a pris des responsabilités !

Élara plongea une cuillère en bois dans une marmite pleine d'eau posée sur les braises pour en contrôler la température.

Pendant la semaine qui avait suivi son arrivée, l'énergie de Tiriki était passée sur le campement atlante comme un orage d'été ; elle avait planifié les rites nécessaires pour rendre hommage aux morts et réorganisé les soins donnés aux blessés. Les survivants trouvaient un certain réconfort à accomplir les tâches qu'elle leur assignait, car elles les distrayaient de leur chagrin et du choc qu'ils avaient subi.

— Nous sommes habitués à laisser les hommes faire preuve d'autorité, dit Élara, mais dans le temple de Caratra, on nous apprend que la vitalité est une qualité féminine et que chaque dieu doit avoir sa déesse pour le pousser à agir. Sans les femmes, les hommes ne feraient sans doute jamais rien.

— C'est vrai de Micail et de Tiriki ! reconnut Galara. Il a fait beaucoup de choses — certaines que nous ne pouvons que regretter — mais sans elle, il n'était pas vraiment là. C'est curieux. J'avais toujours cru qu'il était le plus solide des deux, mais elle a mieux survécu sans lui que lui sans elle ! Je me dis que Damisa a peut-être raison : on n'a pas besoin des hommes.

— Ne leur dis pas ! s'esclaffa Élara avant de secouer la tête. Moi, en tout cas, je n'aimerais pas vivre sans eux. Et j'imagine que s'ils n'étaient pas là pour nous servir de contre-exemple, nous autres femmes nous ferions au moins autant de bêtises qu'eux.

Elle redevint grave à la pensée de Lanath. Il n'avait jamais repris connaissance après avoir été blessé par un éclat de roche et elle n'était pas sûre de ses propres sentiments à l'égard de sa mort. Elle ne l'avait pas aimé, certes, mais il avait toujours *été là*...

— Iras-tu avec Tiriki à ce Tor dont elle nous a parlé ? demanda Galara. Elle est toujours ma tutrice, alors j'imagine que je devrai faire ce qu'elle me dira de faire, mais toi tu es majeure.

« C'est vrai, j'ai le choix, réalisa soudain Élara. Pour la première fois depuis que le Temple m'a choisie, je peux décider ce que *je* veux faire de ma vie. » Elle ferma les yeux et eut la surprise de voir l'image très nette de l'autel dans le temple de Timul. Elle examina son souvenir avec attention, d'un mur à l'autre, pour finir par la fresque de la déesse au sabre. « Comme c'est étrange », se dit-elle alors. Elle avait toujours pensé qu'elle se mettrait au service de la déesse de l'amour, mais soudain elle sentit le poids de ce sabre dans sa propre main.

— Je pense que je vais retourner à Belsairath avec Timul, dit-elle lentement. Lodreimi commence à se faire vieille, et il lui faudra quelqu'un pour l'aider à diriger le temple là-bas.

— Je pourrai peut-être te rendre visite, dit Galara pleine d'espoir.

— Tu seras la bienvenue.

Élara prit une louche et goûta une gorgée de tisane. Elle grimaça à cause de son amertume, mais elle transféra la décoction dans des tasses d'argile.

— Mets un peu de miel dans celles-là, conseilla-t-elle. C'est presque l'heure de donner leur tisane analgésique à Cléta et Jiritaren.

— Tu te souviens, mon amour, combien tu aimais ton petit arbre ? demanda Tiriki en se forçant à prendre une voix naturelle. Il est toujours en vie ; il est même en pleine forme.

— Sous ce climat ? Impossible !

— Pourquoi te mentirais-je ? Et après avoir vécu à ses côtés pendant si longtemps, crois-tu que je pourrais le confondre avec un autre ? plaisanta-t-elle. Quand tu viendras au Tor, tu verras. Je t'assure qu'Élis a un don incroyable pour faire pousser les végétaux.

Elle prit le bras de Micail et se rapprocha de lui. Ils marchaient le long de la rivière. Elle l'avait sorti du lit le lendemain de son arrivée et, tous les jours, elle l'obligeait à marcher un peu plus loin. Aujourd'hui, ils étaient sortis de la forteresse pour la première fois. Il commençait à se relaxer imperceptiblement. Ses côtes le faisaient souffrir au moindre mouvement, mais elles étaient juste fêlées et guériraient bientôt.

La vraie douleur, c'était de savoir que des gens les observaient. Il sentait leurs regards qui le jugeaient et lui reprochaient d'être encore en vie alors que tant d'autres étaient morts : Stathalkha, Mahadalku, Haladris, Naranshada, et même ce pauvre Lanath – ils étaient si nombreux. Il y aurait peut-être d'autres victimes. On lui avait dit que Jiritaren était plus malade qu'il n'en avait l'air. Mais sa culpabilité était d'autant plus cuisante que ses blessures l'avaient empêché de partager la première douleur, la plus aiguë, celle des autres survivants qui avaient pleuré les morts. À présent, ils faisaient de leur mieux pour continuer à vivre, alors que lui cherchait encore une bonne raison de rester en vie.

En approchant de la rivière, ils entendirent des voix d'enfants et virent des petits garçons et des petites filles indigènes en train de jouer dans une mare, leur peau bronzée presque aussi foncée que leur chevelure.

– Domara me manque tellement. Quand tu viendras au Tor, tu verras…

– Quand je viendrai au Tor ? répéta-t-il. Tu as l'air tellement sûre que je devrais le faire. Mais j'ai déjà porté malheur aux gens d'ici, alors…

– Tu rentres à la maison avec moi ! Je ne vais pas élever ta fille toute seule ! s'exclama-t-elle. Depuis qu'elle sait que tu es en vie, Domara n'a pas cessé de me poser des questions sur toi. Elle n'est qu'une fille, pas un fils qui aurait pu hériter de tes pouvoirs, mais…

Il abattit une main tremblante sur le bras de Tiriki.

– Ne… dis… pas… ça ! gémit-il. Crois-tu que la magie m'importe encore ?

L'espace d'un instant, on n'entendit plus que sa respiration rauque.

— Tout le monde m'a dit que si tu n'avais pas réussi à manier ces pouvoirs, répondit Tiriki calmement, les ravages causés par la roue du soleil auraient été encore bien plus terribles.

— Je pensais que je serais assez fort pour maîtriser les pouvoirs qu'Haladris faisait naître dans les pierres, c'est pour ça que je l'ai laissé commencer, murmura-t-il. Ce désastre est dû à mon orgueil, autant qu'à celui de Tjalan. Mes pouvoirs n'ont causé que des dégâts ! Lorsque les toges noires ont tenté de s'en emparer sur la Terre des Ancêtres, mon père est mort et Réio-ta a échappé de peu à la destruction. Et moi... j'ai été tout près de les consacrer au pire des desseins ! Il vaut mieux qu'ils meurent avec moi.

— Nous en reparlerons un autre jour, dit Tiriki en souriant. Mais tu aurais dû voir ta fille, plantée là, fermement, les poings sur les hanches, en train d'exiger qu'on l'emmène pour qu'elle nous aide à retrouver son papa ! Oui, elle a hérité bien plus de toi que de la magie. Tu es le seul à pouvoir l'aider à vivre avec un tel orgueil.

Micail se surprit à sourire ; c'était la première fois qu'il pensait à sa fille, non pas comme à une abstraction ni même à une source d'inspiration, mais comme à une personne réelle, à éduquer, à écouter... et à aimer.

— Les vôtres guérissent, dit la reine d'Azan.

Ce n'était pas vraiment une question. Elle avait invité Tiriki et Micail à prendre le repas de midi avec elle sous les chênes du village, là où une brise fraîche venue de la rivière atténuait la chaleur du soleil.

— Oui, ceux qui doivent guérir sont en bonne voie, répondit Micail.

Tiriki chercha du regard la butte de terre que les Ai-Zir avaient érigée sur les corps de ceux qui étaient morts. Elle réprima le réflexe de prendre le bras de Micail pour s'assurer qu'il n'était pas parmi eux. Elle aurait préféré attendre qu'il aille mieux avant de consentir à cette réunion, mais il était temps de prévoir l'avenir.

— Qu'allez-vous faire, maintenant ? demanda Khayan avec un regard de biais en direction de la prêtresse Ayo que Tiriki ne sut comment interpréter.

– Nos blessés seront bientôt en mesure de voyager. Plusieurs des nôtres souhaitent retourner à Belsairath, répondit Micail. L'adjoint de Tjalan a pris en charge les soldats survivants et je pense qu'on peut les lui confier sans crainte. Il les empêchera de causer des problèmes et s'occupera du trafic maritime là-bas. Mais la plupart des prêtres iront avec nous dans la région du lac.

– Certains disent que vous devriez tous être abattus pour vous empêcher d'aller où que ce soit, dit la reine avec un regard vers le chaman Droshrad, assis à l'ombre d'un chêne. Mais nous avons pris vos armes magiques, du moins celles que nous avons pu trouver. Avec ces armes aux mains de nos guerriers, nous ne craignons plus ce qui reste de vos soldats.

Cette information aurait inquiété Tiriki si elle n'avait pas su que, de toute façon, d'ici quelques décennies, le placage d'orichalque sur les flèches, les lances et les sabres atlantes commencerait à s'effriter et que ces armes ne présentaient plus de danger particulier. «Et puis, se dit-elle en souriant, nous n'en avons pas besoin.» Les gens du Tor avaient une protection d'un autre ordre.

– Le prince Tjalan et quelques autres ne comprenaient pas qu'il nous fallait apprendre les façons de vivre de cette nouvelle contrée, et non pas imposer les nôtres, dit Tiriki fermement. Mais dans la région du lac, comme Anet vous le dira, nous vivons en paix avec les gens des marécages. En fait, nous sommes devenus une seule et même tribu.

– C'est vrai, affirma Ayo. Ma sœur Taret dit grand bien de tout ce que vous avez fait là-bas.

Tiriki leva un sourcil en remarquant, une fois de plus, le lien qui unissait toutes les prêtresses des tribus. Chez Ayo, comme chez Taret, elle pressentait la marque de Caratra. Elle n'avait aucune difficulté à reconnaître en elle une prêtresse au statut égal au sien, bien qu'il fût différent.

– Vous aviez promis la gloire à la tribu du roi Khattar, grommela Droshrad dans son coin. Mais vous avez menti. Vous vouliez faire de nous des esclaves de votre pouvoir.

– C'est vrai, soupira Micail, mais nous avons été punis. Que les vies perdues soient le prix à payer pour le mal que nous avons fait.

— Facile à dire, grinça le chaman, mais il se calma sous le regard de la reine.

— Mais pourquoi ces choses sont-elles arrivées, je ne comprends pas, dit Ayo. Était-ce uniquement pour la conquête ? Je ne sens pas ce désir en vous.

— Parce qu'il n'y est pas, intervint Tiriki lorsqu'il devint évident que Micail ne pouvait pas, ou ne voulait pas, répondre à cette question. Il faut que vous compreniez. Depuis l'enfance, nous savions que notre patrie risquait d'être détruite. Mais une prophétie annonçait que mon mari allait fonder un nouveau Temple dans une nouvelle contrée.

— Mais je n'ai pas compris, continua Micail d'une voix sourde. Je pensais que ce Temple devait être un monument immense et magnifique, comme ceux que nous avions sur Ahtarrath et sur la Terre des Ancêtres. Mais j'avais tort. Je pense à présent que ce que nous devions fonder, c'était une nouvelle tradition…

— Une tradition, compléta Tiriki, dans laquelle la sagesse du Temple de la Lumière – et cette sagesse est grande, bien que nous ne vous ayons pas donné de raisons de le croire jusqu'à présent – sera unie aux forces chtoniennes de ceux qui vivent dans ce pays.

Ayo se redressa et leur jeta un regard perçant.

— Cela signifie que vous nous enseignerez votre magie ?

— Si vous le souhaitez, oui. Envoyez-nous quelques-unes de vos jeunes filles et nous les éduquerons, si les Sœurs sacrées acceptent d'éduquer certaines des nôtres.

— Et vos jeunes hommes, aussi, ajouta Micail en croisant le regard noir de Droshrad. Mais il faudra qu'ils apportent de la nourriture… (Il caressa le bras de Tiriki.) Ma femme a besoin de votre excellente viande et de votre pain pour mettre un peu de chair sur ces os !

— Il est vrai que nos ressources sont maigres, dit Tiriki. Il y a peu de terres arables dans les vallées autour du Tor, et il est éprouvant de récolter les produits de la nature.

— C'est vrai, dit Khayan-e-Durr avec un grand sourire. Les champs et les pâturages des Ai-Zir sont riches. Si les Sœurs sacrées acceptent, nous nous assurerons que les enfants que nous vous envoyons ne mourront pas de faim.

— La jambe de la jeune Cléta n'est pas encore guérie, dit Ayo d'un ton pensif. Laissez-la rester avec nous, et envoyez une autre jeune fille pour lui tenir compagnie. Nous enverrons certaines de nos jeunes prêtresses vous rejoindre.

— Et Vialmar? demanda Micail. Il est le fiancé de Cléta, après tout.

— Celui-là! grommela Dhroshrad. Il se pisse dessus de peur quand je le regarde…

— S'il pense qu'il peut se rendre utile auprès de Cléta, il retrouvera son courage, insista Micail.

— Peut-être… (Le chaman n'avait pas l'air convaincu, mais il finit par hocher la tête.) J'ai un neveu. Vous pourriez sans doute lui apprendre quelque chose. Il ne fait que des bêtises ici! Il croit que le soleil lui parle.

L'air vibrait comme si les plaines étaient devenues un vaste tambour qui résonnait au rythme des pieds des Ai-Zir. Les étoiles elles-mêmes semblaient cligner de l'œil en cadence; leur luminosité se reflétait dans les feux de camps. Damisa n'avait jamais rien vu de tel. Ça ne ressemblait en tout cas pas aux modestes célébrations des gens des marécages – mais il n'y avait pas que ça. Il y avait quelque chose ici qu'elle n'avait pas même remarqué durant les festivités de quatre jours qu'elle avait connues, enfant, sur Alkonath. Elle arrangea l'écharpe qui soutenait son bras. Au moins, elle ne souffrait presque plus des vertiges qui avaient suivi sa commotion.

— Si nous n'étions pas là, ils ne connaîtraient même pas la date exacte du solstice, dit Cléta d'un air revêche.

Les deux jeunes filles observaient les danseurs autour du feu de joie. Damisa jeta un œil à la jambe éclissée de sa compagne – elle devait la faire souffrir à nouveau. «À nous deux, se dit-elle, on fait à peine une prêtresse entière.»

De l'autre côté du feu, on avait élevé une petite butte de terre où le roi Khattar était installé en grande pompe sur un fauteuil couvert d'une peau de taureau. Il n'avait pas l'air en bonne santé, même à la lueur du feu. Damisa partageait presque sa douleur; mais on lui avait affirmé qu'avec le temps, son épaule à elle finirait par guérir. Khattar était toujours le grand roi, mais il était évident que le pouvoir revenait désormais à son neveu, qui était assis près de lui.

Damisa en avait plus appris qu'elle ne le désirait sur la politique tribale, qui commençait à lui rappeler désagréablement ce qu'on lui avait dit des intrigues de palais sur Alkonath. Ça rendait les différences entre les Atlantes et les Ai-Zir moins évidentes.

— Voilà nos valeureux protecteurs, fit Cléta quand Vialmar et Reidel s'approchèrent d'elles en louvoyant parmi les danseurs, une tasse bariolée dans chaque main.

— Cléta, tu te dissipes ! fit Damisa. C'était presque une plaisanterie !

L'autre fille lui rendit son sourire, mais elle ne répondit pas. Elles savaient toutes les deux que la cuisse de Vialmar avait été entaillée profondément par un des premiers éclats de grès. Il boitait encore. Damisa, quant à elle, ne pouvait oublier que lorsque le pouvoir avait explosé dans le cercle, c'était *elle* qui avait protégé Reidel. Lorsqu'il lui tendit une tasse, elle en était encore à se demander quelle mouche l'avait piquée pour avoir fait une chose pareille.

— On appelle ça de l'hydromel, dit Vialmar avec enthousiasme. Goûtez, c'est très bon !

Damisa prit une gorgée avec précaution. La liqueur était suave et avait un peu l'odeur du teli'ir mais, heureusement pour sa tête, ça avait l'air beaucoup moins fort. Il lui semblait encore bizarre d'être assise là en train de boire, comme si de rien n'était, alors que Tjalan et tant d'autres étaient partis.

Ils restèrent assis à discuter un moment avant que Cléta n'avoue que sa jambe lui faisait très mal. Vialmar, qui était assez grand pour ce faire, la prit simplement dans ses bras et, boitant un petit peu, la porta lentement jusqu'au campement en laissant Reidel et Damisa en tête-à-tête. Agitée, elle se leva.

— Ce truc me monte à la tête. J'ai besoin de marcher un peu.

— Je viens avec toi, dit Reidel.

Elle rougit au souvenir de ce qui s'était passé la dernière fois qu'elle avait accepté sa compagnie après une célébration, mais elle savait qu'il n'était pas prudent de se promener seule au milieu d'une telle foule. Plus d'un indigène détestait ouvertement les Atlantes. Silencieuse, elle le laissa la mener jusqu'au chemin qui longeait la rivière. Sa main était forte et tiède, et calleuse à cause du travail physique – mais les siennes ne ressemblaient pas vraiment à des mains de dame non plus...

— Je ne t'ai pas encore remerciée de m'avoir sauvé la vie, dit-il lorsque le tumulte de la fête s'atténua derrière eux. J'étais fou de croire que je pourrais faire quoi que ce soit pour arrêter le cours des événements. Je n'ai jamais pensé que tu…

— Toi, au moins, tu as essayé. Moi, je suis restée plantée là sans rien faire.

Ils marchèrent un moment en silence, écoutant le clapotis de l'eau et le vent dans les arbres.

— Je suis désolé, pour la mort du prince Tjalan, dit enfin Reidel. Je sais que tu l'aimais.

La jeune fille haussa son épaule valide.

— Était-ce de l'amour, ou simplement le fait qu'il m'éblouissait ?

Elle avait encore des frissons à la seule évocation de cette silhouette mince aux larges épaules et de ce sourire éclatant. Il lui avait fallu bien trop de temps pour se demander ce que dissimulait ce sourire.

— Bien qu'il ait été mon cousin, reprit-elle, j'ai fini par comprendre que je ne pouvais pas lui faire confiance.

Elle fronça les sourcils et se demanda à quel moment elle avait abandonné ce fantasme… Ses yeux la piquaient ; elle cligna des paupières pour refouler les larmes.

— Tu pleures… Pardonne-moi, je n'aurais pas dû dire…

— Tais-toi ! s'écria-t-elle. Tu ne comprends pas ? Je n'ai pas encore réussi à lui dire adieu…

— C'était un grand homme, dit Reidel d'une voix hésitante. Il était de sang royal, et il faisait partie de ta famille. Je voulais que tu saches… que tu saches que je comprends, à présent. C'était folie de ma part de croire que toi et moi…

Il se tut lorsque Damisa se tourna vers lui et l'agrippa par la toge.

— Je voudrais que *tu* saches quelque chose, dit-elle doucement. J'ai eu du temps pour réfléchir, pendant que j'étais couchée là, à supporter l'attention des guérisseuses. Ce qui s'est passé près de la roue du soleil se mélange dans ma mémoire, mais je me souviens bien d'une chose. Lorsque les pierres ont commencé à tomber, c'est toi que j'ai voulu aider. Pas Tjalan – toi !

— Oui. Tu m'as ordonné de vivre.

On aurait dit qu'il souriait. Elle leva les yeux vers lui timidement et, tout doucement, il mit ses bras autour d'elle. L'aimait-elle ? Elle ne le savait toujours pas. Mais c'était bon d'être là, dans le cercle de ses bras.

— Je vais te mener la vie dure, Reidel, dit-elle d'une toute petite voix. Mais j'ai *besoin* de toi ! Je le sais maintenant.

— J'estime avoir de la chance de t'avoir, quelles que soient les circonstances, répondit-il doucement. J'ai toujours aimé relever les défis et naviguer au milieu d'une tempête…

Pendant l'heure sombre qui précède l'aurore, Tiriki se tenait avec Micail devant le cercle de pierres écroulées. Les feux de la fête couvaient encore ici ou là comme des étoiles tombées sur la plaine. Les cieux, eux, étaient stables ; la lune était cachée et laissait les astres briller de tous leurs feux. Chédan aurait su lire ce message – elle réalisa alors qu'elle avait retenu, plus qu'elle ne l'aurait cru, ses enseignements en matière d'astrologie.

Au-dessus de leur tête, les étoiles de la Pureté, de la Droiture et de la Décision scintillaient dans la ceinture de Manoah – la constellation de la Destinée, comme les indigènes l'appelaient. Un an plus tôt, Chédan lui avait expliqué que lorsque l'astre qu'on appelle le Sorcier et le soleil entraient dans le signe de la Torche, une lumière nouvelle naissait au monde. Mais à ce moment-là, le Souverain et l'étoile de sang s'y étaient opposés. À présent, l'étoile rouge accompagnait la Pacificatrice, et l'étoile de Caratra était allée apaiser le Taureau ailé. Il y avait de l'espoir dans les cieux, mais sur terre les conflits n'étaient pas encore résolus.

Son avenir avec Micail était l'un d'eux ; elle se disait que cela dépendrait de la capacité de Micail à reprendre les tâches de la prêtrise. Ces dernières semaines, elle l'avait soigné, elle l'avait encouragé et elle l'avait aimé – et cet amour, du moins, ne changerait pas. Mais elle n'était plus seulement sa compagne et prêtresse. Elle avait grandi, et elle ne savait pas encore si Micail avait surmonté ses propres épreuves avec une force suffisante, qui puisse faire pendant à la sienne.

Il avait mis le diadème de premier gardien, mais elle portait toujours le bleu de Caratra. Devant eux, les pierres de l'immense cercle qui avaient résisté se découpaient, plus noires que le ciel entre les étoiles. Seuls trois des trilithes du rond central étaient encore debout, et il y avait des trous le long de la partie du cercle extérieur qui avait été achevée. Même de là où elle se tenait, elle sentait la puissance de ces pierres, désorientées et en colère dans la nuit paisible.

La main gauche de Tiriki était dans celle de Micail. De l'autre, elle tenait le bâton de Chédan où était gravé l'insigne des mages. Micail ne lui avait pas posé de question à ce sujet; elle n'avait pas encore décidé ce qu'elle lui répondrait. Au cours de la semaine précédente, elle l'avait ramené peu à peu dans le monde des vivants et l'avait observé pendant qu'il retrouvait jour après jour sa vigueur et sa stabilité. Micail était-il assez fort pour le posséder? En était-il digne? Elle ne pouvait plus se permettre d'être aveuglée par son amour pour lui, c'était trop important.

Pourquoi l'avait-il amenée auprès de la roue du soleil, parée des insignes de la prêtrise, à une heure pareille? Elle frissonna dans le vent froid qui souffle toujours avant l'aube. Ils devaient partir pour le Tor le lendemain. «Peut-être est-il venu ici pour un dernier au revoir, se dit-elle. C'était sa vie, son travail, pendant quatre ans. Son fils cruel, comme il dit.»

Elle cligna des yeux en voyant une lueur rougeâtre se refléter sur les pierres. Mais ils regardaient vers l'ouest – elle agrippa la manche de Micail, accablée par le souvenir de la sinistre lueur qui avait précédé la fin d'Ahtarrath.

— Qu'y a-t-il? demanda-t-il en entourant sa taille de son bras.

— Les flammes! Tu ne les vois pas? (Les souvenirs l'engloutissaient comme la vague qui avait submergé les royaumes de la Mer.) Je revois tout: Ahtarrath est en feu, les îles de Ruta et de Tarisseda et Atlantis tout entier s'enfoncent sous les eaux!

Elle s'efforça de retrouver son sang-froid.

— Mais non, ce doit être un veilleur en train de remettre du bois sur le feu, répondit Micail d'un ton apaisant qui ne la convainquit pas.

— Ce feu brûlera pour toujours dans notre mémoire. Pourquoi les dieux ont-ils laissé faire cela? Pourquoi sommes-nous toujours en vie, alors que tant d'autres sont partis?

Micail soupira, mais elle sentit son bras trembler contre le sien.

— Mon amour, je n'en sais rien. Avons-nous été sauvés afin d'accomplir la prophétie, ou serons-nous punis pour avoir emmené avec nous les secrets du Temple, alors même que nous en avions reçu l'ordre ?

Oui, il avait beaucoup réfléchi. Tiriki sentit renaître l'espoir dans son cœur.

— Crois-tu que nous nous souviendrons de tout cela dans les vies à venir ? demanda-t-elle alors.

— Tant que la Roue nous mènera de vie en vie sur cette terre, comment pourrions-nous oublier ? Les serments de nos mères nous lient toujours, n'est-ce pas ? La façon dont nous nous souviendrons changera sans doute, car d'autres vies viendront, avec leurs peines et leurs défis, mais peut-être rêverons-nous de cet instant. Certaines choses resteront éternellement les mêmes...

— Comme mon amour pour toi, et ton amour pour moi ?

Elle se tourna vers lui et il la tint serrée jusqu'à ce qu'elle cesse de trembler. Il l'embrassa et elle sentit la chaleur de la vie pulser à nouveau dans ses veines.

— Oui, surtout ça, répondit-il à bout de souffle lorsque leurs lèvres se séparèrent. C'est peut-être le plus grand trésor que nous avons amené d'Atlantis. L'ancienne sagesse, elle, évoluera forcément dans cette nouvelle contrée.

— Les secrets seront perdus, et le souvenir s'effacera, dit-elle d'un air sombre. Atlantis deviendra une légende, une vague rumeur qui parlera de gloire, une mise en garde pour tous ceux qui désirent manipuler des pouvoirs qui n'ont jamais été destinés à être compris par l'humanité.

Il se tourna vers le cercle de pierres. Les étoiles perdaient leur éclat dans le matin approchant.

— J'ai mis toutes mes connaissances au service de cette construction... mais pas ma sagesse, car ce n'est pas ce que nous cherchions. Nous ne voulions que le pouvoir...

— Si tu le pouvais, demanda Tiriki, redresserais-tu les pierres qui sont tombées et finirais-tu la roue du soleil telle qu'elle avait été planifiée ?

— Les chefs des tribus me l'ont demandé, répondit Micail en secouant la tête, mais je leur ai répondu que trop de nos adeptes étaient morts. Que les pierres meurent. Si Droshrad ou quelqu'un d'autre décide de les redresser à la force des bras, qu'ils le fassent. Mais les gens des tribus ont peur de les toucher, et d'ici que cette peur ait disparu, ils ne se souviendront plus de ce à quoi la roue du soleil était destinée.

— Ils ont raison d'avoir peur… Il y a encore de la colère dans ces pierres.

Elle l'avait sentie dans l'ombre qui s'enroulait autour des blocs de grès lorsqu'elle était arrivée au village. À présent, elle percevait une sorte de rayonnement vibrant de fureur.

— Il reste assez de blocs debout pour permettre de calculer les mouvements des cieux et pour indiquer le croisement des flux de pouvoir, reprit Micail. Le véritable Temple est dans nos cœurs. Nous n'avons pas besoin d'édifier un bâtiment d'orichalque et d'or.

— Notre union ne s'appuiera pas seulement sur notre amour l'un pour l'autre, mais également sur notre amour pour cette terre. J'ai lutté pour sauvegarder le Tor autant que pour sauver les gens qui dépendent de moi. Dans nos vies futures, nous vivrons peut-être ailleurs, mais je pense que ces endroits nous rappelleront toujours à eux.

— Pourtant, tu as fait changer le Tor en y enfouissant l'Omphale.

— Crois-tu que je n'aie jamais de cauchemars à l'idée de ce qui pourrait arriver si son pouvoir se déchaînait sur ce pays ? Mais j'avais la bénédiction des pouvoirs du Tor, et le monde est à nouveau en équilibre.

— Pour l'instant, répondit Micail doucement. Lorsque Dyaus se libère, il amène la destruction avec lui, mais aussi… Les choses changent. Comme elles le doivent. Comme elles sont supposées le faire. Nous ne sommes plus prince et princesse d'Ahtarrath. Les survivants parmi les citoyens d'Alkonath m'ont donné la bannière aux faucons – ils désirent que je les dirige. Mais la seule chose que je souhaite diriger, c'est le royaume de mon esprit.

— Cette bannière n'est pas ton seul héritage. (Tiriki venait de réaliser que sa décision était prise.) Chédan a dit que tu étais son héritier. Voici son bâton…

Elle le lui tendit et, au bout d'un instant de surprise, il le prit en main.

– C'est étrange, reprit-elle. Je crois t'avoir dit que les gens des marécages m'appellent Morgane, la femme des mers. Mais ils appelaient Chédan *Faucon du soleil*. Parfois aussi Merlin. Ces deux noms désignent le faucon qui vit dans cette contrée.

– Je rêvais souvent que Chédan m'enseignait sa sagesse, répondit Micail d'une voix tremblante avant de se tourner à nouveau vers le cercle. Regarde, Tiriki, et sois mon témoin ! Maintenant, je sais pourquoi je suis venu ici ce matin, et je sais ce que je dois faire. Lorsque nous avons chanté, nous avons laissé un résidu de pouvoir dans le cercle. Je dois chanter pour rendormir les pierres, ou ce pays ne connaîtra jamais la paix.

Elle voulut protester et le tirer en arrière, hors de portée des furieuses énergies qui battaient dans ces pierres brisées. Mais en tant que prêtresse, elle savait que c'était vrai, et en tant que prêtre, il était de son devoir de guérir ce qu'il avait blessé. S'il en était capable...

Alors elle recula et l'observa en tremblant lorsqu'il traversa le cercle et arriva au milieu des pierres. En concentrant tous ses sens sur le cercle, elle pouvait voir et sentir le ronflement rougeâtre qui circulait maladroitement de pierre en pierre. Elle vacilla et se demanda comment il parvenait à supporter la chaleur ; elle avait de la peine à se tenir debout et n'y parvenait qu'en ancrant toutes ses forces dans la terre...

La haute silhouette de Micail n'apparaissait plus que comme une ombre aux contours flous. Les blocs de grès répondaient à sa présence comme des charbons ardents réveillés par le vent. Arriverait-il à les maîtriser ? Poussée par l'instinct, Tiriki leva les bras et appela l'énergie de la terre sur laquelle elle se tenait ; elle la poussa vers lui avec la paume de ses mains.

Elle voyait qu'il chantait. « Apaisez-vous, cria-t-elle silencieusement aux pierres. Soyez en paix ! Retrouvez l'équilibre et le repos. »

Micail continuait à marcher de long en large au milieu d'elles, appuyé sur le bâton sculpté de Chédan. Était-ce grâce à son chant ou à la prière de Tiriki ? Le battement sourd diminuait – non, il changeait : de rougeâtre, il passait à un or pâle, qui disparut lentement.

Lorsqu'il eut terminé, le ciel blanchissait. Tiriki tremblait de froid, mais quand il se dirigea vers elle, Micail rayonnait, environné par la chaleur que donne un pouvoir bien utilisé.

– C'est fait, murmura-t-il en réchauffant les mains de la jeune femme entre les siennes. Désormais, le cercle sera un point d'ancrage pour les lignes de pouvoir, comme il aurait toujours dû l'être, et il marquera la roue des saisons. Un jour viendra où les gens oublieront, et ce ne sera plus qu'un cercle de vieilles pierres levées. Moi, je me souviendrai de ce que nous avons fait ici, et je te reviendrai, ma bien-aimée. Dans la vie et par-delà la vie, je te le jure.

– Au nom de la déesse, je te le jure aussi.

«Car tu m'es déjà revenu, mon bien-aimé! ajouta son cœur. Nous avons tous les deux gagné notre bataille!»

– Regarde! dit Micail en montrant la pierre du sud-est, de l'autre côté du cercle.

La plaine était encore obscure et la terre couverte des voiles de la nuit, mais dans le ciel oriental le nouveau jour arrivait, ombre rosée se changeant graduellement en or profond. Tiriki réalisa que ça ne ressemblait pas du tout à un feu, mais plutôt au bourgeonnement d'une fleur, dont les reflets roses illuminèrent soudain les immenses blocs de grès.

– Regardez, voici Manoah, vêtu de Lumière...

– ... Ni-Terat est rendue fertile par son baiser, fit écho Tiriki.

Ces paroles étaient anciennes, mais elle n'avait jamais vraiment compris leur signification jusqu'en cet instant.

– Saluons le seigneur du jour!

– Salut, ô sombre Mère!

Une ligne de clarté s'enflamma le long de l'horizon, la lumière envahit le monde et, soudain, la terre se para d'un extraordinaire manteau d'un vert étincelant.

– Salut, dame de la vie! s'écrièrent-ils ensemble lorsque cet éclat s'épanouit et que la fille de Ni-Terat et de Manoah se leva et les bénit avec les premiers rayons de soleil du solstice d'été.

POSTFACE:

D'ATLANTIS À AVALON

Dans le roman de Marion Zimmer Bradley *Les Brumes d'Avalon*, Igraine retrouve le souvenir d'une vie passée où Uther et elle étaient prêtre et prêtresse d'Atlantis et contemplaient le cercle de pierres levées de Stonehenge, sur la plaine de Salisbury. Cette idée n'a, en elle-même, rien d'original : le folklore anglais regorge en effet de références à des civilisations perdues. C'est à ces références qu'on a souvent recours pour expliquer l'existence de curiosités topographiques telles que le zodiaque de Glastonbury ou le chemin en spirale qui grimpe autour du Tor. D'Atlantis à Camelot, nous sommes hantés par les légendes d'un âge d'or, le rêve scintillant d'un royaume de paix et d'harmonie, de pouvoir et de splendeur, qui s'épanouit pendant quelque temps avant de disparaître de façon tragique. Dans *Les Brumes d'Avalon*, Marion racontait la fin du royaume d'Arthur, mais bien avant que ce livre ne soit écrit, elle avait raconté l'histoire d'un royaume beaucoup plus ancien.

Marion se souciait généralement peu de la cohérence des détails entre ses livres successifs. La référence à Atlantis dans *Les Brumes d'Avalon* porte la trace d'un sujet qui lui était proche et auquel elle avait consacré un premier livre, un sombre roman sentimental au titre suggestif de *Web of Darkness*. Les signes particuliers de cet Atlantis se retrouvent dans l'étrange magie d'Avalon, tout comme

407

dans la télépathie des Ténébrans dans ses nombreux romans de science-fiction ou dans les personnages – et les sociétés – accablés par le poids du pouvoir dans toutes ses œuvres de fiction.

Web of Darkness avait été écrit dans les années 1950. C'était une histoire pleine de mystères occultes, d'orgueil, de pouvoir et de rédemption, et par-dessus tout d'amour, située dans les temples de l'ancien pays, la Terre des Ancêtres, d'où sont issus les royaumes de la Mer d'Atlantis. Dans les années 1980, lorsque le marché de la littérature fantastique pour adultes a rendu possible la publication d'un tel roman, Marion travaillait sur d'autres projets. Elle a donc demandé à son fils David, qui avait lu l'histoire originale lorsqu'il était enfant, de la réviser. C'est grâce à David, et à sa connaissance approfondie de ce matériau littéraire, que j'ai pu écrire *Les Ancêtres d'Avalon*.

En 1983, l'année qui suivit le succès des *Brumes d'Avalon*, le livre est enfin sorti, en deux volumes, chez Donning Press, sous les titres *Web of Light* et *Web of Darkness*. Pocket Books a publié une édition populaire l'année suivante. Plus tard, les éditions Tor l'ont ressorti en un seul volume, sous le titre *The Fall of Avalon*. Il a été publié en français sous le titre *La Chute d'Atlantis*[1]. Les épreuves des personnages principaux de ce livre se concluent sur la naissance de deux enfants qui, d'après les prophéties, survivront au cataclysme qui doit détruire Atlantis.

Lorsque je travaillais avec Marion à la révision de *La Colline du Dernier Adieu*, elle me dit qu'elle avait toujours senti que deux des personnages principaux, Eilan et Caillean, étaient des réincarnations des sœurs Déoris et Domaris qui, dans *Web of Darkness*, se lient l'une à l'autre et à la Déesse, ainsi que leurs enfants, pour l'éternité. Nous en avons conclu que leurs enfants, Tiriki et Micail, étaient réapparus dans ce livre sous les traits de Sianna et de Gawen. Ensuite, il fut facile de retrouver la logique des réincarnations, des *Brumes d'Avalon* à *La Colline du Dernier Adieu*, *Les Dames du Lac* puis *La Prêtresse d'Avalon*.

Il était évident qu'il existait un lien entre Atlantis et Avalon. Je me suis demandée comment les royaumes de la Mer avaient disparu,

---

1. Marion Zimmer Bradley, *La Chute d'Atlantis*, traduction d'Elisabeth Vonarburg, Presses de la Cité, 1995, et Pocket, 1998.

et comment les survivants de ce cataclysme étaient parvenus à ces îles embrumées dans le Nord et y avaient trouvé le Tor magique qui allait devenir, un jour, l'île d'Avalon. Une nouvelle histoire devait donc être écrite.

Mêler la légende aux connaissances archéologiques a été un véritable défi. Je suis reconnaissante à Viking Books de m'avoir demandé d'écrire cette histoire et à David Bradley, dont la clairvoyance et l'aide ont été précieuses lors de la mise en place de l'intrigue et des personnages pour me permettre de respecter l'esprit de l'inspiration première de Marion. Je remercie également Charline Palmtag pour m'avoir permis d'utiliser les paroles de l'hymne du solstice au chapitre 9.

Si le lecteur souhaite en savoir plus à propos de l'Angleterre préhistorique, je lui recommande les livres suivants, en langue anglaise : *The Age of Stonehenge* de Colin Burgess, *Hengeworld* de Mike Pitts, *Stonehenge* de Leon Stover et Bruce Kraig, et les volumes de la collection English Heritage consacrés à l'âge de bronze en Angleterre et à Glastonbury. En ce qui concerne le Tor, on pourra se référer aux livres suivants : *The Lake Villages of Somerset* de Stephen Minnitt et John Coles, *New Light on the Ancient Mystery of Glastonbury* de John Mitchell et les livres de Nicholas Mann consacrés à Glastonbury. L'article « Sounds of the Spirit World », signé par Aaron Watson dans *Discovering Archaeology* (janvier-février 2000), que j'ai découvert dans la salle d'attente de mon médecin après avoir décidé que la structure du cercle de pierres de Stonehenge devait forcément avoir des effets sonores intéressants, traite d'expériences faites sur ses propriétés acoustiques.

DIANA L. PAXSON

CET OUVRAGE
A ÉTÉ ACHEVÉ D'IMPRIMER
SUR ROTO-PAGE
PAR L'IMPRIMERIE FLOCH À MAYENNE
EN MARS 2005

Éditions du Rocher
28, rue Comte-Félix-Gastaldi
Monaco

Dépôt légal : mars 2005.
N° d'édition : CNE section commerce et industrie
Monaco : 19023.
N° d'impression : 62454.

Imprimé en France